戰勝
讀寫障礙
Sally Shaywitz, M.D. 著
呂翠華 譯

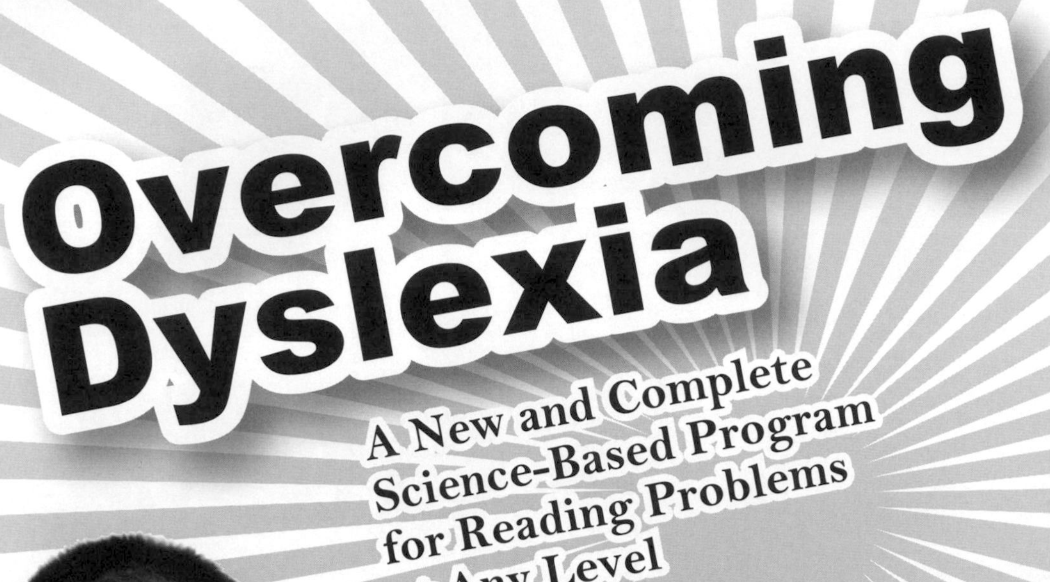

Sally Shaywitz, M.D.

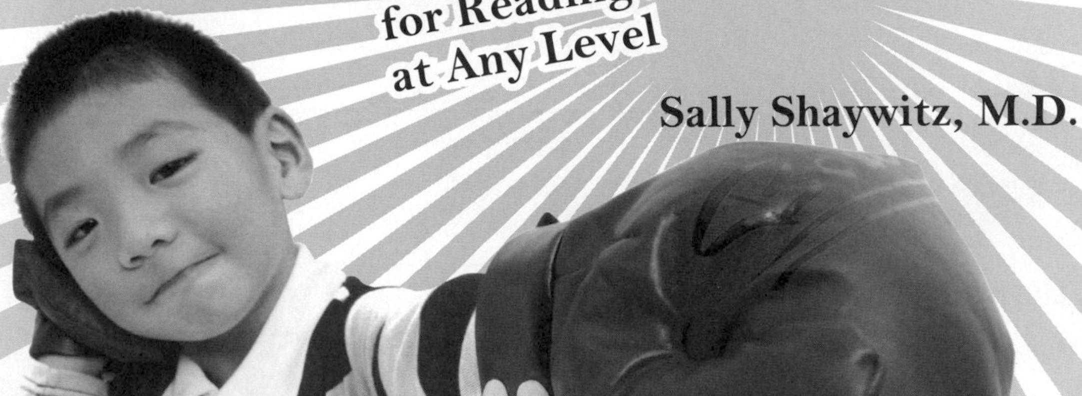

FIRST VINTAGE BOOKS EDITION, JANUARY 2005

目次

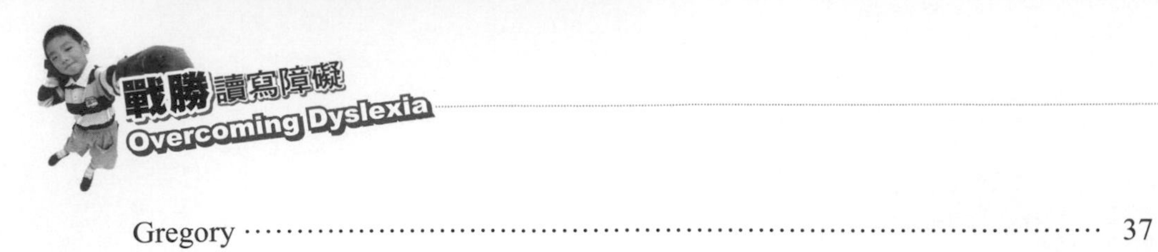
戰勝讀寫障礙
Overcoming Dyslexia

第 15 章 幫助你的孩子破解閱讀密碼／179

第 16 章 幫助你的孩子成為閱讀者／203

第 17 章 幫助你的孩子成為熟練的閱讀者／237

PART 4 戰勝讀寫障礙：將閱讀困難者轉變為熟練閱讀者 255

第 18 章 Sam 的閱讀課程：一個有效的模式／257

第 19 章 教導讀寫障礙兒童閱讀／267

作者簡介

Sally Shaywitz醫學博士，是耶魯大學醫學院的小兒科教授，並且是耶魯學習與注意力研究中心（Yale Center for the Study of Learning and Attention）的共同研究主任。她是國家科學院醫學所（Institute of Medicine of the National Academy of Sciences）及國家閱讀諮詢委員會（National Reading Panel）的會員，並榮獲以出版醫療期刊出名的卡索・科尼（Castle Connolly）醫學公司選拔為全美頂尖醫師。Shaywitz 博士經常在全美各地演說並出現在 CNN、早安美國（*Good Morning America*）及今天（*The Today Show*）等電視媒體上。

譯者簡介

呂翠華

學歷：美國愛荷華大學哲學博士

曾任：國小特教班教師、助教、講師、啟智教育師資訓練班執行祕書、
特殊教育中心主任

現任：國立臺北教育大學特殊教育學系副教授

譯作：《普通班教師的教學魔法書：改造學習困難的孩子》（心理）
《發現不一樣的心智：一本關於學習能力與學習障礙的小學生讀物》（心理）
《其實融合很簡單：教導障礙學生的 450 個策略》（心理）
《人生就在眼前，你準備好了嗎？》（心理）
《戰勝讀寫障礙》（心理）

給讀者的話

這本書是為任何一位關心閱讀、想要瞭解及幫助那些閱讀困難者的人所寫。在演說、發表科學論文和現身於廣播與電視節目的過程中，我聆聽過無數的故事：關於那些努力掙扎、想要學會閱讀的孩子，閱讀緩慢、逃避不看印刷讀物的聰明少年，以及有成就的成年人，閱讀之於他們仍是難以捉摸的目標。我被反覆問到：「你能不能幫助我呢？」幸好，這個答案是響亮的「是的！」由於科技非凡的進步，閱讀與讀寫障礙不再是難以理解的謎團；現在我們知道該怎麼做，以確保每個孩子都能成為強讀者，以及如何幫助所有年齡層及程度的閱讀者。

我將《戰勝讀寫障礙》這本書看成一個可信賴來源，你可以將它轉變為資訊、建議、引導和解說。在此我努力嘗試，將所有能幫助解決讀寫障礙謎團的相關要素都放在一起並加以整合——科學、教育和公共政策。就某種程度而言，我希望藉由將讀寫障礙與大腦科學之進展放進歷史脈絡裡，以豐富讀者的觀點，與讀者分享這世紀以來心智探索的所在位置。現在，我們終於能在大腦裡「看到」了閱讀。

至少，我們知道一個兒童或成人所必須採取的特定步驟，要如何建立起、然後強化在腦部深處負責熟練閱讀的神經路線。針對較年輕與較年長成人的讀寫障礙者，我在此提供一個學習的手段，不但是科學所教導我們認識他們的需求，還有如何善用他們的長處。

假使你關心閱讀與讀寫障礙，瞭解這些事實對你來說非常重要，那就是我們已進入一個新時代，閱讀科學如今確已存在。這是一個充滿無限希望的時代。

Sally Shaywitz 醫學博士，寫於 2002 年 10 月

致謝辭

我由衷的感激科學家、教育工作者、決策者、擁護者及社會上的一般人士，他們是給予我靈感寫這本書的人，並提供專業知識與引導，讓這本書得以順利付梓。我何其有幸，能擁有那些與我分享智慧、仁智兼備的良師與同事。倘若我在某方面小有成就，那麼功勞必定屬於他們。假使這本書有任何疏漏或誤解之處，那麼錯就全在我了。

過去二十年來我始終蒙福，那是因為有 G. Reid Lyon 在我身旁指引我、陪伴我。他的領導開創了閱讀與閱讀障礙的近代研究，由於他不凡的眼光，將科學與公共政策鎔鑄為一，鍛造成無接縫、自然的整體。我最感恩他的友誼與堅定不移的支持，對我而言他就如我的兄長一般。

我要感謝我的同事們，那些目前是或曾經由 Bennett Shaywitz 所領導的耶魯發展性功能性腦造影團隊（Yale Developmental Functional Neuroimaging Group），其中包括 Todd Constable、Robert Fullbright、John Gore、Cheryl Laccadie、Einar Mencl、Doug Rothman 與 Pawel Skudlarski，感謝他們私下的支援、專業知識的共享和智慧的激盪。對於與我在耶魯中心一起研究學習與注意力的共事夥伴，我對他們的承諾與支持心存感激：John Holahan、Carmel Lepore、Karen Marchione 與 Abigail Shneider。我尤其要感謝已故的 Isabel 與 Alvin Liberman 夫婦的卓越貢獻，他們與我分享對閱讀研究的專業知識與熱愛，並在我研究閱讀的早期階段引導我。這麼多年來，藉由與我親密合作夥伴的共同討論，使我能持續接收閱讀與讀寫障礙的最新概念，他們是：Stan Dehaene、Jack Fletcher、David Francis、Len Katz、Rafael Klorman、Bruce McCandliss、Robin Morris、Michael Posner、Donald Shankweiler 以及 Michael Studdert-Kennedy。

我想要對許多研究學者表達我至深的謝意，透過他們的著作與發表、深思熟慮的意見與交流，或是對我緊急電子郵件詢問的立即回覆，使我得以不斷改進這本書並使其完美，尤其是當我在幼兒閱讀困難預防委員會（Committee for

Preventing Reading Difficulties in Young Children）與國家閱讀諮詢委員會（National Reading Panel）服務的期間。這是由研究閱讀的科學家們所組成的更大社群，他們的印記被反映在這本書的每一頁，我為此銘感在心。同時我想要挑出某些特定的人並向其致意，他們總是無時無刻給予明智建議及回應我無數的問題：Marilyn Jager Adams、Isabel Beck、Virginia Berninger、Doug Carnine、Linnea Ehri、Rebecca Felton、Barbara Foorman、Uta Frith、Lynn Fuchs、John Gabrieli、David Gray、Noel Gregg、Ed Kame'enui、Barbara Keogh、Maureen Lovett、Nancy Mather、Louisa Moats、Dennis 與 Victoria Molfese、Richard Olson、Bruce Pennington、Charles Perfetti、Elaine Silliman、Marcy Stein、Joe Torgesen、Sharon Vaughn、Richard Wagner 以及 Barbara Wise。

患有讀寫障礙的成人在我心中占有一席之地，我從與研究學者的對話中，對他們的特殊境遇獲得了珍貴洞察，這些研究學者是 Judy Alamparese、Elaine Cheesman、Mary Beth Curtis、Rosalie Fink、Thomas Sticht 以及 John Strucker。

我在有效閱讀教學方案的評論，受益於我在國家閱讀諮詢委員會的服務，以及受益於與同事在創造閱讀教學持續不斷的討論，特別是與 Nanci Bell、Suzanne Carreker、Nancy Eberhardt、Jane Greene、Jeanne Herron、Pamela Hook、Steve Truch 以及 Barbara Wilson。我在選擇閱讀方案時變得更明智，那都是由於我與加州同事的對話，他們是 Vicki Alterwitz、Alice Furry、Marvilene Hagopian，還有，特別是 Marion Joseph。

國家兒童健康與人類發展研究院（National Institute of Child Health and Human Development, NICHD）的主席 Duane Alexander 特別值得在此一提。透過他在擔任學習障礙全國聯合委員會（Interagency Committee on Learning Disabilities）主席期間的努力，Alexander 博士為學習障礙領域揭示嚴密科學研究的重點，而我們當前對學習障礙認識的深度與精確，就在於他長期以來始終如一的支持。在國家兒童健康與人類發展研究院（NICHD）與 Peggy McCardle 和其他人共事的期間，讓我對那些身處科學與公共政策核心的人肅然起敬，我非常感謝他們，願意與我分享專業，並澄清我的觀點。我還要感激哈佛大學醫學院的前院長 Dan Federman；國家兒童健康與人類發展研究院（NICHD）人口研究中心主任 Florence

Haseltine；以及教育家 Nancy Nordmann，感謝他們幫助我更清楚的瞭解讀寫障礙在各種人口上的影響，感謝他們對那些被讀寫障礙影響的人是如此關懷。

我想要感謝許多努力奮鬥與始終如一的擁護者——尤其是 William Hamill 與 Baldwin 基金會；Susan Hall 與學習障礙協同活動計畫（Coordinated Campaign for Learning Disabilities）；Will Baker 與讀寫障礙基金會（The Dyslexia Foundation）；Cynthia 與 Bob Haan 夫婦，以及 Allen Breslau 與 Haan 基金會；Bill Cosby 與 Carolyn Oliver，以及 Hello Friend/Ennis William Cosby 基金會；Emerson Dickman、Nancy Hennesey 與 Tom Viall，以及國際讀寫障礙協會（International Dyslexia Association）；Harry Sylvester、Larry Silver 以及國際學習障礙協會（International Learning Disabilities Association）；Ann Ford、Jim Wendorf、Sheldon Horowitz 以及全國學習障礙中心（National Center for Learning Disabilities）；Alexa Culwell 以及查爾斯與海倫．史瓦伯基金會（Charles and Helen Schwab Foundation）——感謝他們長久以來給予我的支持，感謝他們在讀寫障礙領域對我的教導，以及感謝他們提供一個經常性平台，讓我可以提出與分享科學新發現的興奮。我必須向英國讀寫障礙協會（Dyslexia Institute in England）的 Shirley Cramer 致上最特別的感謝，她已成為一位很棒的意見試探者、堅定的支持者與忠誠的朋友。

我要向許多在康乃狄克州與紐約州各地的老師致謝，他們邀請我進入教室，讓我對教導閱讀的不凡挑戰開了眼界。我在閱讀優先（Reading First）計畫審核小組的同事們，Sharon Kurns、Kelly Mueller 與 Lucinda Townsend 提供我許多對教導閱讀的寶貴意見。美國教師聯盟（American Federation of Teachers）的 Bella Rosenberg，在有關青少年與成人閱讀者的議題闡述上對我極有助益。一份衷心的感謝要獻給康乃狄克州格林威治 Eagle Hill 小學的 Mark Griffin 校長與奉獻心力的全體教師，感謝他們在特殊學校提供給讀寫障礙學童的潛力與可能性上，對我多所啟發。我還要將我的感激延伸至 Windward 小學的 Judith Hochman 與 Charles Armstrong 小學的 Rosalie Whitlock，感謝他們的真知灼見，讓我獲益良多。我要感謝 Yvea Duncan、Carol Griffin、Rosa Hagin、Gail Hirsch、Doric Little、Kay Runyan、Helaine Schupack、Robert Shaw、Susan Vogel 與 Claire Wurtzel，謝謝他們分享關於讀寫障礙大學生的專門知識。

克里夫蘭公共圖書館的執行長 Sari Feldman 使我學到，當今圖書館員在服務讀寫障礙兒童與成人的需求上有其延續性角色。在長島 Centerville 的 Middle County 公共圖書館的 Mary Schumacher 與館員們，以及康乃狄克州 Woodbridge 的Beecher Road小學的前任圖書館館長Bunny Yesner，他們協助我蒐集這本書裡所找到的閱讀書單。來自視障及閱障者有聲書圖書館（Recording for the Blind and Dyslexic）的 John Kelly 與 Peter Smith，提供我調適（accommodation）的深度知識與它對讀寫障礙學生的重要性。電腦諮詢家Enrico Melchiorri將我的注意力帶領至電腦科技在協助讀寫障礙學生的最新發展，來自非營利研究組織 CAST 的 David Rose 對我也有同樣的幫助。

我對耶魯大學豐富、精深的學術造詣心存感謝，它是我學術專業的發源地，容許我在閱讀這門科學上，以許多不同的表現形式追求。我也受惠於我的母校，讓我有第一手觀察機會，觀察一所高度要求、且具憐憫心的學校，是如何對它的讀寫障礙學生回應。就從大約二十年前，一通來自已故院長 Martin Griffin 先生的電話開始，當時他想要分享他對一位可能有讀寫障礙的學生的關懷，而這份關懷一直持續至今，我始終能切身體驗，檢視這些身處高度競爭學術環境的讀寫障礙學生。我一路走來備受鼓勵。我真是幸運，曾與這些人合作並向他們學習——耶魯大學障礙學生辦公室（Office for Students with Disabilities at Yale）兩位極有才幹的主任Sally Esposito與Judy York女士；大學部教育學院院長Joseph Gordon先生；教務長 Richard Schenker先生；以及大學部招生處主任Margit Dahl先生。

無須言說，我永遠感激那許許多多對我全心開放的孩童、父母、年輕人與成人，他們教導我讀寫障礙的事實。對於那些參與我們研究計畫的孩子與家人，我要致上特別感謝之意，尤其是康乃狄克縱貫研究（Connecticut Longitudinal Study）計畫的參與者。我的目標一直是以對讀寫障礙的誠實與真理追求，去報答他們非比尋常的信任。

在確保我得到編輯協助這方面，Carole Pollard 是一位得力助手，而 Christy Peppard 則協助我校對註釋資料。

在執行這項計畫上，我一直受到幸運之神眷顧，一開始，是在我的經紀人

Glen Hartley與Lynn Chu這兩位身上，得到他們堅定的支持與明智的建議。我還要謝謝 Katy Sprinkel 的加油與協助。接下來，是我自己，然後，是讀者，皆已從我的編輯 Jon Segal 對本書訊息所傳達不凡的使命中獲益無窮；他的貢獻與專注，讓我能找到真實的聲音，並在寫作過程中讓它成為更優質的好書。與 Ida Giragossian 共事始終是件人生樂事。

若少了我的家人，我將無法完成這本書的撰寫。我的孩子Adam、Jonathan、David 以及他的未婚妻 Diana，都一直讓我沉浸在他們的愛裡，提供我追求這個夢想的靈感之無限泉源。我必須對我父母的奉獻致上感謝，我的父母 Dora 與 Meyer Epstein 是最先給我愛、力量和仁慈的人，以及我的姊姊 Irene，她持續給我相同的付出。最後，我要感謝Bennett，他的才華、無私與愛，一直帶給我力量與意志，讓我得以實現我的夢想。

我的研究長期受到國家兒童健康與人類發展研究院（NICHD）的支持。

推薦序

閱讀「讀寫障礙」　解讀「讀寫障礙」

本校洪老師囑央我為呂翠華教授譯作《戰勝讀寫障礙》寫序，我先是心頭一沉，那壺不開提那壺，讀寫障礙對於小兒神經科醫師就如同時間對於基督教聖者奧古斯丁（St. Augustine）一樣：「沒有人問我，我就很清楚，但如有人問我，我即一頭霧水」。閱讀（reading）一般認為攸關視、聽、讀三個層面，讀寫障礙的神經病理機轉眾說紛紜，從視覺區，聽覺區，語言區，角迴（angular gyrus），腦島（Insula）都曾經被提起，成為難以釐清的百慕達三角洲。但看到作者大名，卻使我眼睛一亮，Sally Shaywitz 教授不但是世界上頂尖的讀寫障礙研究學者與醫師，也是小兒神經教科書〈讀寫障礙〉章節的撰寫人，為了要先睹為快，只有硬著頭皮接下了這個令人又愛又怕的任務。

人類的社會行為是由基因，到神經系統，以至文化、教育和社會體系所建構的價值系統交互作用，產生錯綜複雜潛在變化。一般而言，生物性演化屬達爾文模式（Darwinian），是緩慢而不容易立竿見影的，但文化的演化屬拉馬克式（Lamarckian），是可以在較短時間創化的。人類演化的方向是同宿同棲，相互依賴也相互折磨，我們的生活離不開語言與符號，也構成文化現象的深層結構。人類是唯一藉語言來溝通的物種，語言的基因模組（language module）建立源遠流長，可追溯至百萬年前，而可能直到五萬年前才形成「智人」（Homo Sapiens）的一種優勢溝通模式。語言可以很自然的學會，孩子通常是會說話後才學會讀和寫。讀寫是較近代的人類成就，比較傾向於文化演化。閱讀模組（reading module）並未連結到人類大腦，它必須「借殼上市」，利用語言的生物模組（biological module）精確轉換而成。初學閱讀者必須學會如何破解印刷文字，學會去轉換在紙上一行行，毫無意義的符號，以便為一個只能辨別語音代碼，強大的語言機制所接受。而最重要的關鍵即是音素覺識（phonemic awareness）能力，字母連結了音素，便不再是紙上毫無意義的符號，文字轉變成語言，印刷文字轉譯成語言代碼，口頭語言的神經迴路準備就位開始接受、處理。單字解碼成音素，語言系統自動進行處理，閱讀代碼（reading code）就破解了。

這本書也明白告訴我們，閱讀過程是由解碼與理解兩大支柱所構成的。讀寫障礙的孩子之所以可能是非常聰明而且深具學習動機，卻在學習的過程遇到層出不窮的閱讀問題，並連帶的影響其拼字能力、檢索文字、字發音清晰度和事實的記憶，甚至被誤認為智能不足，主因是語音缺陷阻擋了解碼，妨礙了字詞的辨識，阻斷應用高階的理解技能去取得字詞的意義。可以說「讀寫障礙」的患者是如假包換的無「印」良品。在原始部落社會，讀寫障礙的患者可以是以「武功」打天下的英雄，而在一個重視文字與符碼的現代，生不逢辰的他們備受困擾，很難以「文治」來取得利基。

拜現代科技功能性磁振造影（fMRI）之賜，我們可以清晰的看到「腦」在閱讀，至少已識別出兵分三路兩組負責閱讀的神經徑路。一組路線是針對初學閱讀（beginning reading），是緩慢而善於分析，包括頂—顳葉區和額葉的表達語言布洛卡氏區（Broca's area），能夠將字的拼字、發音與字義分析瞭解，並永遠儲存於快速途徑，也就是第二組閱讀熟練者所依賴的枕—顳葉區，只要一看到被印刷出來的字，這個字的字形及其相關訊息，立即自動活化起來。正常的人在閱讀時，左側後腦的神經系統包括頂—顳葉區與枕—顳葉區是活化的，而讀寫障礙的患者後腦閱讀系統活化不足，而前腦布洛卡氏區反而代償性的過度活化。如此透徹的研究結果明白顯示讀寫障礙的核心問題在於語音，將印刷文字轉換成聲音的功能障礙，在患者被要求將文字連結在聲音時，確實看到了迴路故障之證據。作者更進一步應用 fMRI 的「觀音」功能，讓孩子接受閱讀實驗計畫，也證明及早接受有效介入的孩子，有可能發展成正確與流暢兩者兼具的閱讀者。

譯者呂翠華教授畢業於中央大學中文系，並獲得美國愛荷華大學特殊教育博士，現在擔任中華民國學習障礙協會常務監事，有了這樣跨專業深厚的學術背景與文學才華，才能以洗練流暢的文筆，將深奧的腦神經科學以及繁複的醫

學治療過程，精準正確的翻譯出來，達到「信、實、美」的境界，成為神經科學專家、教育先進，甚至家長、一般民眾雅俗共賞的好書，對於國內讀寫障礙孩子的治療與教育更點燃了一盞明燈。日本學者的研究，無論在漢語系或仮名文字，讀寫障礙的罹患率皆比英語圈來得少，我個人有興趣的是到底是因為初學閱讀頂—顳區處理漢字與仮名相對單純的音素比較不會出現障礙呢？還是熟讀閱讀之枕—顳區認識象形文字的漢語字形比較容易呢？也許值得國內外學者專家更進一步探討研究。

最後以蔡琴傳唱至今的名曲〈讀你〉來祝福讀寫障礙的患者都能戰勝讀寫障礙：「讀你千遍也不厭倦，讀你的感覺像春天。喜悅的經典，美麗的句點」。

王本榮

慈濟大學校長　小兒科教授

譯者序

閱讀是一項複雜的心智活動，這看法一直是實驗心理學探討的部分。閱讀行動包含許多最複雜的心智運作（Høien-Tengesdal, 2010），閱讀能力不是與生俱來，根據單純的閱讀本質觀（Simple View of Reading）（Gough & Tunmer, 1986; Hoover & Gough, 1990），熟練閱讀需具備兩種關鍵能力：識字（word recognition）及語言理解（language comprehension）。識字是指讀者能高效率的解碼字詞、快速發出單字字音，透過語言經驗觸發字詞辨識；而語言理解是指讀者對事實、概念、字彙、語言和文本組織、語文推理及策略擁有知識（Høien-Tengesdal, 2010; Stuart, Stainthorp, & Snowling, 2008）。

單純的閱讀本質觀強調，識字和語言理解能力是讀者能有效理解書面材料的最關鍵技能。孩子可不可以成為一位熟練閱讀者，端視這兩種能力是否充分發展。換句話說，孩子若無法準確及流暢地破解書頁上字詞，他將難以理解文本意義；而孩子的語言理解能力若是不佳，即使他能辨識字詞，也未必能理解文本含意。識字是閱讀的內在能力，它反映讀者有破解印刷文字的需要，而語言理解則是與讀寫有關的所有學習領域必備能力（Fletcher & Lyon, 1998）。父母培養孩子的語言理解能力應早於識字技能之前，並應與識字能力同時並行發展（Stuart et al., 2008）

閱讀能力的獲得與否，對孩子的終生幸福影響極大，在重視讀寫能力的社會裡，如果一個年輕人無法學會閱讀，那麼他對自我實現、人生目標的期待將會減少。總之，當孩子在學習閱讀出現困難，這不僅是教育問題，也將會造成嚴重的公共衛生問題（Lyon, 1998）。

閱讀能力是識字和語言理解的總和，這句話聽起來簡單，但學習閱讀往往比人們想像得更困難。在閱讀萌芽階段，音韻覺識（phonological awareness）能力扮演了重要角色，如果初學閱讀者對察覺口語語詞的聲音有困難，他將很難進行字詞解碼或繼續試探生字，閱讀流暢性的發展將會受阻，可能導致他的閱

讀理解能力變得更差、學習成果有限、無法享受閱讀樂趣。在閱讀發展的初始階段，音韻覺識能力的建立及練習至關重要。當然，孩子也必須在解碼和識字技能的發展達到流暢性和自動化。想想看，初學閱讀者的專注力和記憶容量就是這麼多，如果他用費力、缺乏效率的方式認讀字詞，那麼他是不可能記得他讀過的字，更別說把想法與背景知識連結了。因此，讓孩子理解及享受他所閱讀的，這個閱讀的最終目標可能是無法實現了。

學習閱讀並非自然的歷程（Fletcher & Lyon, 1998; Lyon, 1998），不同於學習說話，初學閱讀者須覺察他所學符號在書寫系統裡所代表意義為何（Fletcher & Lyon, 1998）。對初學閱讀者而言，書寫符號的本身是抽象的，而且在不同的語言會以不同方式被創造，以用於表徵口頭語言的要素。如果學習閱讀的過程是自然的，這世界上就不會仍存在部分文化，儘管保有了豐富的口頭語言，卻尚未發展出書面語言。

強讀者具備良好的音韻覺察能力，瞭解字母、語音對應的拼讀原則，能以快速、流暢的方式應用這些技能，字彙及語法能力佳，並能將閱讀與自我經驗產生連結，而在這些領域的任何困難都可能阻礙閱讀發展。相關研究也證實，孩子在音韻覺識技能發展的缺陷，不僅能預測學習閱讀有困難，也會對閱讀習得產生負面影響。對閱讀發展而言，音韻覺識是必要能力，卻非足夠的（Lyon, 1998）。

有關讀寫障礙的定義很多，最完整的定義來自 Lyon、Shaywitz 與 Shaywitz（2003）的研究：讀寫障礙是一種特定學習障礙，有其神經生物學成因，其特徵是在準確及（或）流暢識字及解碼能力方面呈現困難，儘管讀寫障礙者的智力正常。這些非預期困難通常是由於語言要素之一的音韻缺陷所導致（Lyon et al., 2003, p.2）。

讀寫障礙是一種以語言為主的學習障礙（language-based learning disability）（Catts & Kamhi, 2005），會導致個體在特定語言技能有困難，特別是閱讀。讀寫障礙者通常也會在其它語言技能，如拼字、寫作及單字的發音遭遇困難。閱讀障礙是最廣為人知及最被仔細研究的學習障礙領域，80%的學習障礙者其主要困難是在閱讀（Lerner & Johns, 2013）。正因為如此，閱讀障礙和讀寫障礙的專業術語將在本書中互換使用。

當與父母和老師討論孩子所遭遇的閱讀困難，從他們身上，我們都聽到過類似問題，也在他們的眼中看到困惑。什麼是閱讀障礙？大腦科學告訴我們哪些閱讀障礙的訊息？而這些訊息對父母及教師所代表的意義為何？《戰勝讀寫障礙》之原文書名為 *Overcoming Dyslexia: A New and Complete Science-Based Program for Reading Problems at Any Level*，作者 Sally Shaywitz 博士為耶魯大學醫學院的神經科學家、小兒科教授。作者在美國享有極崇高之學術地位，長期致力於探討大腦功能與兒童學習之關聯，並帶領研究團隊執行多項決定性研究。本書的目的是為讀寫障礙者與其父母、教師解開讀寫障礙的謎團，提供有關讀寫障礙的基礎知識，幫助讀者對閱讀障礙的基本特徵有更深認識。目前大腦科學及其與讀寫障礙者的關聯，在這部分的更深入瞭解，對讀寫障礙者的教育非常重要，幫助父母與教師瞭解及評估教育介入的可能性，幫助他們的孩子在學習上獲致成功、發揮潛能。

全書共分為四篇，第一篇介紹閱讀與讀寫障礙的本質，作者詳述讀寫障礙的歷史根源，勾勒出讀寫障礙的完整面貌，以及大腦與學習的關聯；第二篇說明讀寫障礙的診斷模式，作者針對不同年齡層的讀寫障礙者，建議父母觀察的線索及閱讀障礙的徵兆；第三篇包括許多具體的教學策略，從音韻覺識活動、流暢性訓練到閱讀理解能力提升，建議父母應如何幫助孩子成為熟練閱讀者；第四篇則聚焦實際案例，以有效教學模式為例，指導父母如何為孩子選擇學校、尋求調適及戰勝讀寫障礙之道。

本書之珍貴在於 Sally Shaywitz 博士善用其發聲、學術專業形象與睿智，讓讀者看到每個人都可以知道如何克服閱讀障礙，沒人能比她更瞭解讀寫障礙，或比她解釋得更清楚。本書結合了科技、實用性與知識，將我們對閱讀障礙的困惑解開，並確切告訴讀者，關於診斷、教育方案與調適，什麼是我們需要知道的。

讀寫障礙者其實有多方面天賦，只是這些天賦難以展現在與讀寫有關的學習領域。正如 Sally Shaywitz 博士說：「讀寫障礙者的思考方式與一般人不同，他們的直覺靈敏，善於解決問題，能綜觀全局及切入重點，他們不會按表操課，卻很有遠見。」本書並以在商場上屢屢開創新局的人物如 Charles Schwab 為案例，Charles Schwab自承讀寫障礙讓他在人生得勝有餘，因為這迫使他必須往大處著眼。Charles Schwab也推薦《戰勝讀寫障礙》：「這本書為有閱讀困難的兒童與成人而寫，這本書也同樣寫給他們的家人與老師。父母將在書中辨識孩子或他們自己的問題，瞭解他們並不孤單，瞭解他們具備極大能力，以及瞭解那存在可改善困境的真實希望。」

本人不揣淺陋，毛遂自薦翻譯 Sally Shaywitz 博士的經典之作。詩人余光中曾妙喻：「好的翻譯不過是某種程度的逼近，不是等於。理想的原文和譯文應是孿生，而翻譯實為一種妥協的藝術。」本書內容涵蓋層面甚廣，涉及醫學、教育、語言學、心理學等，翻譯過程務求審慎，對書中所引述研究多次查證，原文反覆推敲，中文譯本翻譯工作歷經年餘、五次校對，終於得與讀者分享這本優質好書了。

在《戰勝讀寫障礙》付梓之際，我要衷心感謝慈濟大學王本榮校長特別為中文譯本撰寫推薦序，王本榮教授為慈濟大學醫學院教授，是國內當今知名的醫學專家。我也要感謝臺灣師範大學特殊教育系洪儷瑜教授，在我對 dyslexia 應譯為讀寫障礙或失讀症拿捏不定時，她所提供的精闢見解。感謝心理出版社總編輯林敬堯先生長久以來對引進國外好書的支持，及執行編輯陳文玲小姐的專業協助、對譯稿品質的精準要求及耐心等待。感謝詹秀惠、蔡信發、康來新、洪惟助教授等多位中大師長對我在漢語閱讀的啟蒙，及中大學妹慈濟大學洪素真教授的切磋，都使我在翻譯過程中對語言學的深奧詞彙備感親切。

參考文獻

Catts, H. W., & Kamhi, A. G. (2005). *Language and reading disabilities* (2nd ed.). Boston, MA: Pearson.

Fletcher, J. M., & Lyon, G. R. (1998). Reading: A research-based approach. In W. M. Evers (Ed.), *What's gone wrong in America's classroom* (pp.49-90). Stanford, CA: Hoover Institute Press.

Gough, P. B., & Tunmer, W. E. (1986). Decoding, reading, and reading disability. *Reme-*

dial and Special Education, 7 (1), 6-10.

Høien-Tengesdal, I. (2010). Is the simple view of reading too simple? *Scandinavian Journal of Educational Research, 54* (5), 451-469.

Hoover, W. A., & Gough, P. B. (1990). The simple view of reading. *Reading and Writing: An Interdisciplinary Journal, 2*, 127-160.

Lerner, J. W., & Johns, B. (2013). *Learning disabilities and related mild disabilities: Characteristics, teaching strategies, and new directions* (12th ed.). Independence, KY: Cengage Learning.

Lyon, G. R. (1998). Why reading is not a natural process. *Educational Leadership, 55*(6), 14-18.

Lyon, G. R., Shaywitz, S. E., & Shaywitz, B. A. (2003). Defining dyslexia, comorbidity, teachers' knowledge of language and reading. *Annals of Dyslexia, 53*, 1-14.

Stuart, M., Stainthorp, R., & Snowling, M. (2008). Literacy as a complex activity: Deconstructing the simple view of reading. *Literacy, 42* (2), 59-66.

戰勝讀寫障礙
Overcoming Dyslexia

PART 1

閱讀與讀寫障礙的本質

Chapter 1

知識的力量

這是一本關於閱讀的書——一種人皆有之，卻是非自然的卓越能力。它在幼年時期習得，形成我們身為文明人類本質的一部分，且被大部分的人視為理所當然。隱含其中的看法是，假使一個孩子有足夠的動機，並來自重視閱讀的家庭，就會輕易地學會閱讀。但就像其它許多看似想製造直覺的假設一樣，「閱讀是自然產生，且對所有孩子都是容易的」這種假設根本就不確實。有數量極多、非常認真的男孩、女孩——包括非常聰明的孩子——都在學習閱讀時經歷嚴重的困難，並非由於他們自身的過失。這種令人沮喪，持續不斷出現的閱讀問題被稱為**讀寫障礙**（dyslexia）。

大部分孩子期待學會閱讀，而事實上也很快就做到了。但對讀寫障礙孩子而言，這經驗卻極為不同。對他們來說，閱讀這看似讓任何人不費力的事，似乎超過了他們的掌握範圍。這些孩子聽得懂口語語詞（spoken words），喜愛聽故事，但當相同語言被寫成書面文字時，他們卻又無法辨認。他們在受挫與失望中成長。老師開始懷疑自己或是孩子在哪裡出錯了，他們往往誤判問題或得不到適當建議。父母則對自己感到懷疑，覺得有罪惡感、又氣憤。

就是為了這些父母、老師和孩子們，我才撰寫這本書。我因閱讀與讀寫障礙科學的新發現而受到鼓舞，也受挫於對這些了不起的發展在宣傳與實際應用的相對缺乏，我想要與你們分享所有我瞭解的閱讀科學。我要清楚說明，現今有可能高度精確地早期鑑定出讀寫障礙兒童，然後進行治療並矯正其困難，以

幫助他們學會閱讀。為了青少年、年輕人及較年長的成年人，我們能做得比以前更多。

就像任何侵入組織和器官的病毒，讀寫障礙同樣具有致命性，它也可能滲透到個體生命各個層面。它往往被形容為一種**隱藏性障礙**（hidden disability），因為它被認為沒有可見徵兆，但只有在那些不必與其共處、不必深受其苦的人身上，讀寫障礙是能被隱藏的。假使你摔斷了手臂，X光片能提供可見的證明；假使你是糖尿病患，測量血糖能得到證實。迄今，閱讀困難可透過一些方式來解釋。然而，現在患有讀寫障礙的男、女，都能藉由最新的大腦造影科技，指著他們大腦內部運作的影像說：「這裡，看看這裡。這就是造成我問題的根本原因。」現在，我們確切知道，讀寫障礙問題是在大腦裡哪個部位及如何顯露其本質。

日復一日與讀寫障礙共存的殘酷現實，和那些質疑此囚禁許多人的特定失調症之存在性的人——教師、行政人員、與讀寫障礙熟識者及自以為是的人，大家的看法往往導致激烈的衝突。有些人仍然主張讀寫障礙並不存在。他們把孩子們的閱讀問題徹底歸因於社會或教育因素，而且完全否定生物學成因。那些質疑讀寫障礙之確實性的人宣稱，沒有科學證據能支持這項失調症的生物學或認知基礎，並堅持主張讀寫障礙學生可受惠於那些因錯誤診斷所提供的特殊處遇。

George*，一位科羅拉多大學的學生，他描述讀寫障礙像是一隻「野獸」，像一個不知名的掠奪者，悄悄的追蹤著他，一再摧毀他的生活。不知為何，帶給他極大的痛苦，包括考試成績無法反映他在複習時的苦讀時間，或是他大量累積的知識，或是他的高智商。George 很想見到「這隻野獸的真面目」，以瞭解為何這件事會發生在他身上。除了深切的渴望要瞭解籠罩他的這個神秘問題的特質，他還有被發現是讀寫障礙者時，會因此極度羞愧的恐懼感。讀寫障礙隱藏的本質——無法預期會發生什麼事，或困難會在何時出現——讓 George 滿

---

* 本書中，我將許多人物的姓名及一些辨識特徵做一些變更，以保有他們的隱私。而公眾人物則以真實姓名來識別。

心恐懼：「牠好像就躺在那兒，等待我犯下另一個錯誤，然後忽然之間牠就出現在那兒，又一次地嘲弄我。」

關於這種太常見的狀況，現已不復存在了。我們知道為何讀寫障礙者有閱讀困難，無論是多聰明和多有動機的人都經歷過閱讀困難。讀寫障礙是一個複雜的問題，根源於使人可理解與表達語言之最基本的大腦系統。藉由發現這些編碼語言的主要神經迴路（neural circuits）的中斷是如何造成閱讀損傷，我們已瞭解這項失調症的觸角是如何從腦部深處向外伸出，影響所及不只是個體的閱讀，而出人意料的還影響到其它範圍的重要功能，包括拼字能力、檢索字詞、字的發音清晰和對事實的記憶。自從讀寫障礙在一個世紀以前被定義至今，科學家們首次見到「這隻野獸的真面目」，而現在我們已能完全馴服及指揮牠了。

我記得我花了好多時間，嘗試去說服一位有讀寫障礙的法學院大一學生Charlotte，對即將來臨的期末考尋找調適（accommodations）方法。Charlotte 是個才華洋溢，卻極為緩慢的閱讀者，她需要的閱讀時間比指定時間還多。她的教授極為尊重她，但她一定得撰寫法律評論——她心想，除非讓大家知道她有讀寫障礙。設想了所有對讀寫障礙的刻板印象，她推論她的教授會對她的能力有所質疑。Charlotte 對於無法做出決定感到苦惱：「假使我要求額外時間，他們會認為我不該得到好成績，因為我真的不夠聰明。假使我沒有更多時間，我是永遠也做不完的。」對於 Charlotte 和其他同病相憐的人來說，所謂的特殊待遇是一種殘酷的諷刺。

我經常被邀請發表與讀寫障礙有關的演說，每次在演說時我都會被問道：「我可以在哪裡讀到關於妳剛才說的話？我可以在哪裡獲得這些訊息呢？妳有沒有可以推薦的書籍？」

我為了因應這些問題而撰寫此書，也藉以回應所有其它我從未抽空解答的問題。我想要移除所有包圍讀寫障礙的那些無知障礙物，而以新奇、令人自在的知識來取代。我想為每位父母帶來知識的力量，首先，什麼是對你子女最好的，其次，你能為你的子女做些什麼，讓他成為一位閱讀者。

我想要用這本書來縮短存在於我們從實驗室所得知及在教室所應用的，其中的巨大分歧。神經科學領域的知識正蓬勃發展中。對於我們所理解的，有關

構成閱讀基礎的大腦機制的新近發展，這簡直是一大變革。很可惜，在大部分時間裡，這項新資訊被視為小心保守的秘密。在這個年代裡，當某個人在閱讀時，我們可以將他的大腦造影並實際看到他大腦的運作情形。當大人、小孩皆可受惠於現代神經科學所教導我們，有關閱讀與讀寫障礙的一切知識時，如果還讓他們繼續掙扎於閱讀，這是我們不能接受的。

作為一位認真苦幹的科學家，我與讀寫障礙難題的搏鬥已超過二十年，我渴望看到這項知識的爆發被人們利用。而身為專長是學習障礙（learning disorders）的醫師，我對讀寫障礙兒童的關注超過二十年，就是這些孩子與他們的父母，成為我工作中的所有動力。科學界往往對於與障礙有關的理論性問題感到興趣，卻對臨床實體本身的興趣欠缺。同樣地，往往有些深具洞察力的醫師，他們瞭解臨床症狀和對人類的影響，卻對科學的最新發展極不熟悉。我身兼醫師及科學家，深知為能最有效地幫助讀寫障礙兒童與成人，我們需要對這兩種往往相異的知識範疇都有所貢獻。因此，我撰寫此書另一目的是，要帶給讀者對讀寫障礙有更新程度的科學認識，並示範如何將此新知應用，以幫助那些有此失調症的人們。一旦你瞭解讀寫障礙，那麼它的症狀和治療就會對你產生意義。它的神秘感消失了，而你將能擔負起責任。你將能決定什麼是對你、對你孩子或對你學生最好的。我幫助過許多父母，清楚和有條理的瞭解閱讀障礙到底是什麼、如何鑑定它、它的原因何在，以及最要緊的是，我們可以做些什麼來改善它。

現在，我們知道每五個孩子中就有一人受到讀寫障礙影響——光在美國就有千萬個孩子。在全世界每個社區和每間教室裡，都有孩子正掙扎於閱讀之苦。對許多受到影響的孩子而言，讀寫障礙將他們童年的歡樂之火給吹熄了。

Caitlyn 就快要成為這些孩子中的一個。我接到一通來自她祖父 Adam 的電話，他是我的大學同學，目前在北卡羅來納州擔任小兒科醫師，他詢問我是否能見他的孫女一面。七歲的Caitlyn剛讀完小學一年級，她看似還無法明白閱讀是怎麼一回事。Adam告訴我：「我一直認為她聰穎過人。這一點道理都沒有。她的媽媽 Peggy 一向支持她。她願意為 Caitlyn 做任何事，但無論是她或其他任何人，都沒人知道該怎麼辦。」

當我見到 Caitlyn，就明白為何她媽媽是如此沮喪了。Caitlyn 在完成兩年正規教育後，卻仍無法掌握基礎的閱讀能力。她記得住的少許單字是用死記硬背的方式讀出，如果她看到一個生字，她幾乎無法將它發出音。她反而會說出她認識的字，但那與書中生字通常沒有任何關係。有時候她認得第一個字母；譬如，Caitlyn看到boy這個字，就會脫口唸出bat。大體而言，小學一年級學生應精熟二十四個單字，而Caitlyn只會四個字。或許讓Peggy最沮喪的是學校的態度。校長的表現就好像Peggy有些不明確的情緒問題；學校輔導諮商師則暗示她是過度焦慮的母親。但學校似乎沒人採取任何行動，來處理Caitlyn在閱讀的停滯不前。所有的學校成績單都指出她的行為舉止良好，提及她的表現「以她這種程度的學生來說算是不錯」。Peggy 問道：「現在，這是什麼意思呢？」Peggy 要求跟校方開會，但不是被忽略就是一再遭到延期；只開了幾次會議，焦點卻被放在Peggy的「情緒需求」多於Caitlyn的學業需要。Peggy開始懷疑自己，但當她看到她那曾經快樂的女兒變得越加退縮，她曉得Caitlyn的問題並非她的憑空想像。

轉捩點在Caitlyn的七歲生日派對時到來。Peggy想盡一切辦法把生日派對辦得有聲有色。在派對中Caitlyn不斷的問道：「我什麼時候可以吹蠟燭呢？」突然間，房間暗下來了，Peggy 端著插上七根明亮、閃爍蠟燭的蛋糕走進來。Caitlyn跑到桌子前方，爬上椅子，然後彎身朝向蛋糕。她緊閉雙眼、全神貫注的，然後一口氣吹熄了蠟燭。接著，她跑上樓到自己房間並關上房門。Peggy發現Caitlyn坐在她的床上，膝上放著她最喜愛的故事書《月亮晚安》。眼淚不斷湧在她的臉龐。「妳說過我許的任何願望都會實現，但是妳錯了。我的願望並沒有成真。」Caitlyn依然無法閱讀書中的任何文字。

當然，Caitlyn有閱讀障礙。她對於要唸出很長的名字有困難，她對於要找到正確的字並說出口也有麻煩。當她在說話時會停頓得很久，並發出很多嗯嗯的遲疑聲。她對辨識單字裡某些字母的發音仍然無能為力。所有這些現象都符合用來測試兒童是否有閱讀障礙的系列測驗結果。我和Peggy坐下來，仔細的討論關於Caitlyn和她的讀寫障礙。我從經驗中得知，讓Peggy以可能的最基本程度瞭解讀寫障礙診斷對她女兒的意義有多麼重要。我知道，一旦Peggy懂得這點，她就會成為孩子有力的、有效能的擁護者。

Peggy 與 Caitlyn 不只帶著診斷書回到加州，最重要的是還有一份行動計畫——被設計用來克服 Caitlyn 的閱讀困難的詳細計畫。現在，Peggy 瞭解為何 Caitlyn 無法閱讀，也確實知道該怎麼做來修補這個問題。同樣重要的，Peggy 找到 Caitlyn 的重要優勢，並知道該如何發揮它們，以幫助她學會閱讀。

Peggy 依照我們所擬定的計畫，並徹底的執行。她確信她的女兒接受需要的特殊閱讀教學。一年之後，Caitlyn 獲得令人矚目的進步。她再也不是那個視閱讀為深不可測謎團的小女孩，Caitlyn 現在是有自信的小姐了，她瞭解印刷字母是如何代表口語語詞的發音。如果不用要求得太完美，她算是能夠閱讀了。

Caitlyn 對於自己的收穫感到驕傲。她打敗了她的老對手——她可以看得懂生字並發出音。她能有自信的一個字接著一個字的發音，甚至是很難的字。「Sk，sk-oo-oo-l」，她唸得出來。「啊！」她說：「我還可以拼出來哦，想看看嗎？」接著，她非常小心且十分確定的，寫下粗粗大大的字母 s-c-h-o-o-l。最後，她伸手探進她的書包，抽出一本書，用滿滿的自信與專注力，她開始唸起來：

在綠色的大房間裡（In the great green room）
有一支電話（there was a telephone）
一顆紅氣球（and a red balloon）
和一幅畫（and a picture of）
上面畫著一隻牛跳過了月亮。（the cow jumping over the moon.）

Caitlyn 的進步使我印象深刻，然而在她母親身上的戲劇性轉變也令我感動。我堅信在每一位障礙兒童成功的背後，都有一位懷抱熱情、認真參與及完全賦權的父親或母親，並非總是、但往往是孩子的母親。Peggy 是個煥然一新的人。她面帶微笑，有自己的主張。她非常的自在，傳達一種安靜卻極度自信的感覺。如同她告訴我的：

現在，由我負責我女兒的命運了。我再也不用站在那裡，等著我女兒的校長來決定她的未來。如今我懂得，現在我瞭解，我再也不必任由他處置。我明白女兒的問題在哪裡，我曉得她需要些什麼，而且我擁有了力量——

不受任何人影響——以我女兒的最大利益去付諸行動。我真的感覺到一切在掌控之中。我是個不一樣的人了。從你把孩子的全部未來放在其他人身上的完全依賴中得到了解脫，那是一種你可以想像得到、一種令人振奮的感覺。去年我就是不知道她需要些什麼。現在我曉得要給她什麼。我再也不是一無所知了。

這位有四個孩子，曾是個性隨和、好說話的 Peggy，已成為一名勇士，在保護與保證 Caitlyn 的未來時，她變成一股不可低估的力量。

閱讀往往是父母幫助孩子實現夢想的關鍵能力。從一開始，孩子就循著軌跡向前，他們通常被安排上學，向著未來前進。閱讀成為課堂學習的主宰者；它是獲致學業成功不可或缺的能力。閱讀困難的後果將影響整個發展階段，也包括進入成人生活的時期。這就是為何在早期能精確鑑定出讀寫障礙是如此的重要，並應毫不遲疑的採取適當措施，以確保你的孩子能學會閱讀，並享受閱讀的樂趣。

大多數在一兩年前還無法學會閱讀或閱讀能力不佳的孩子，現在都有足夠能力閱讀了。對極少數孩子而言，他們的閱讀或許還持續有極大困難，但甚至於他們，都能從我們對閱讀歷程的認識及快速發展的應用中受惠。

你在第五章將得知，閱讀不是一個自然而然或出於本能的歷程。它是後天習得且必須被教導。如何教導閱讀，將徹底影響孩子如何輕鬆學會把書中基本上是抽象的彎曲線條，轉變成有意義的字母，進而發出音來，然後是閱讀單字、再來是讀出整個句子和段落。閱讀代表一種代碼；特別是指字母的代碼。大約有 70%到 80%的兒童在經過了一年指導之後，就能具備破解代碼的能力。對其他兒童而言，在經過一、兩年或甚至更多年的學校教育後，閱讀仍在其能力與接觸範圍之外。如今，我們也握有為這些孩子破解閱讀密碼的鑰匙了。

對讀寫障礙的最新理解為何令人如此振奮？因為它對來自各年齡層與教育程度的人們，解釋閱讀與閱讀困難。藉由找出讀寫障礙的主要（或核心）認知缺陷的原因，如今科學家們瞭解兒童如何獲得閱讀能力，以及為何有些兒童無法做得到。已發現的讀寫障礙模式可被應用於瞭解與治療剛入學幼童的閱讀困難，還有小學生、初中生。同樣的，還可應用於就讀高中和大學的年輕人，或甚至是研究所或專業學校的學生。讀寫障礙的模式有其關聯性，也可適用在那些終生都無法享受閱讀的眾多成人身上。這些經常被忽略的成年男女，也同樣能受惠於我們對閱讀的最新認識。無論他是大人或小孩、什麼出身背景、聰明程度如何，或有其它的影響力，每個人的閱讀能力都是透過在大腦深處的相同路徑傳送。這個路徑已被發現。就實用性而論，它意謂我們知道在大腦中是由哪個機能系統參與其中。此外，當今的最新發現有可能：(1)高度精確的鑑定出那些有讀寫障礙高風險的孩子——即使在他們出現閱讀問題之前；(2)在兒童、年輕人和成年人身上，正確的診斷出讀寫障礙；以及(3)用高效率和已獲證實的治療方法來處理閱讀缺陷問題。

少數無法學會閱讀的孩子在小學一、二年級被鑑定，但大多數讀寫障礙者至少要等到小學三年級才被診斷出來。事實上，就讀寫障礙而言，一直到青少年或成年期都未被確認也不稀奇。所以，我也同樣提出這些問題：你要如何在中學或中學之後鑑定閱讀困難，你該如何處理它？學生該不該在學校和考試時被提供特殊調整的服務，還有，如果是這樣，是為什麼呢？對讀寫障礙兒童而言，什麼是最好的學校環境？

據一位父親 David 所說，是這樣的資訊「拯救」他的兒子。他寫下：

> 妳在我兒子 Michael 唸高二時跟他見面，當時他在學校的表現糟透了。Michael 在學業及情緒上都有了一百八十度大轉變。現在，他是一個有自信及有把握的年輕人了。他已成為自己的最佳擁護者。他知道他需要什麼和需要的理由。這使得他能為自己暢所欲言，處理他自己的困擾。是Michael自己去跟他的老師們談的，他們也因此而尊重他。是這樣的自主性拯救了我的兒子。
>
> 附言：這個暑假我們將去參觀一些大學。

永遠都不嫌晚。因為這門新知是如此基礎與根本，它可應用在各個年齡層的人身上。舉例而言，Rachel 是一位白手起家、非常成功的商人，也是生意興隆的狗屋和寵物美容事業的經營者，她只有小學四年級的閱讀程度。

> 真是令人尷尬。推銷員常來店裡走動，並留下廣告宣傳資料。我該如何告訴他們，我無法閱讀呢？每當我走進一家餐廳，我沒辦法看懂菜單，所以我總是少說為妙：「嗨，你們今天的特餐是什麼？」在逾越節的家庭聚餐時，每當輪到我要朗讀聖經時，我簡直是生不如死。現在，我的姊妹們中有一位挺身而出拯救我，她會開始朗讀我得讀出的段落。然而儘管有著她的善意，還是有一些新加入、又好心的人會在餐桌上說：「哦，我們剛才是不是把Rachel給漏掉了？是不是也該輪到她呢？」到現在我已背起來很多單字了；但是若給我看一個新字，它看起來跟希臘文沒啥兩樣。你能想像我有多渴望閱讀嗎？我甚至訂購了電視廣告上的閱讀課程。那是一種給六、七歲兒童使用的課程，而我購買了它，但可悲的是連這套課程也幫不了我。
>
> 如今，我結婚了並期待生小孩，我想要成為一位閱讀者。我想要過每個人都過的正常生活：看報紙、閱讀食譜，還有看懂藥瓶上的使用說明。

Rachel 開始密集進行一套提供給成人的新課程。在我最近見到她時，她對我說：

> 我的小寶寶即將出生了。每天早晨當我一起床時，便打開我的孕婦指南，然後閱讀我的寶寶是如何成長。當女兒 Joy 生下後，我也能讀故事書給她聽。這樣的感覺真是棒。我可以閱讀了！

Caitlyn、Michael、Rachel 和他們的家人，都體驗到我想與大家分享這個新希望的感覺。我想要把你們帶進我的實驗室，向你們展示這項使我們可以看到大腦在思考、說話、閱讀及記憶時如何運作的革命性新科學。

接下來，我將在本書中檢視讀寫障礙在科學與人性的兩個層面。第一篇將清楚解釋何謂讀寫障礙，以及它是如何透過時間變化逐步形成。我將說明讀寫障礙的認知基礎，和我們從大腦研究所領悟與讀寫障礙及閱讀有關的神經生物學。對於形成閱讀與讀寫障礙原因的基礎神經機制（underlying neural mechanisms）的鑑定，我們已獲得實質進展。這些相關研究提出所有問題中的最根本

問題，是最抽象的、卻也是研究者不得不面對的挑戰：人類心智是如何運作的，還有大腦與行為、思考和閱讀，以及大腦結構與功能之間有什麼關係。

關於第二、第三和第四篇，取材自我們在實驗室所得知的一切，並將其應用於教室與家庭。我會討論科學對於我們如何處理、診斷與治療讀寫障礙兒童與成人所產生的影響。為確保這項知識能被廣泛利用，我也會討論你們之中許多人特別關注的實用性議題，不但包括早期診斷，也有針對年齡較大兒童與成人的診斷；對聰明年輕人診斷的特殊考量；對兒童、年輕人與成年人的最有效治療；讀寫障礙與標準化測驗的關係；讀寫障礙與注意力缺陷／過動症（attention deficit/hyperactivity disorder, ADHD）的關係；針對年齡較大兒童的調整；以及在選擇職業生涯方面，什麼是讀寫障礙者能夠與不能夠做到的。藉由檢視這項失調症是如何在一世紀前被發現，我們將從這裡出發並開始討論。

Chapter 2 讀寫障礙的歷史根源

十九世紀末期，英國西福德（Seaford）鄉下及蘇格蘭中部的醫師們在醫學期刊中描述，在維多利亞時代的社會，有些孩子聰明、有動機，來自關心、有教養的家庭，有著熱心的教師，然而那些孩子卻無法學會閱讀。透過醫師們所表達，這些極為真誠的描述與高度困惑使我們對讀寫障礙有特別的認識，這是僅僅藉由閱讀當今文獻無法得知的。

1896 年 11 月 7 日，西福德的 W. Pringle Morgan 在《英國醫學期刊》（*British Medical Journal*）中描述一位十四歲男孩 Percy F.：

> 他一向都是個開朗、聰明的男孩，在競賽時表現得敏捷、伶俐，絕對不比他的同伴遜色。
>
> 他長久以來的最大難題——而且現在得面臨的——是他的閱讀能力。
>
> 他七歲開始上學，並接受家庭教師的指導，老師盡了最大努力教導他閱讀，可是，儘管訓練這樣費力又持續，他也只能吃力的拼出單音節字。我接著試試他的讀數能力，發現他能輕易就做到。他很快把下列數字讀出：785、852、017、20、969，並能正確演算出：$(a+x)(a-x)=a^2-x^2$……他說他喜歡算術，而且覺得那一點都不困難，可是那種印刷的或寫下的文字，「對他而言毫無意義」。所以，從我對他的檢查中，使我相當確信，他符合以下這種見解……他是 [Adolf] Kussmaul [一位德國的神經病學

家] 所說的「字盲症」（word blind）……

我應補充說明，這個男孩活潑、開朗，談吐聰明。他的眼睛正常……而且視力也很好。教過他好幾年的學校老師說，假使教學完全用口述方式，那麼他就會是全校最聰明的小伙子了。

Pringle Morgan 掌握那些構成我們今日所謂發展性讀寫障礙（developmental dyslexia）的基本要素。Percy 似乎擁有閱讀所需的一切智力與知覺裝備，然而他卻無法閱讀。這個缺陷似乎只影響字母與文字的閱讀。Percy在數學的表現相當好。就如Morgan繼續提及，數字 7 能被輕易的辨識與唸出，但他對寫下來的文字 *seven* 卻沒辦法做到。

Morgan是首位瞭解發生在其它方面都健康的孩子身上的字盲症（word-blindness）是一種發展性障礙。然而在幾世紀之前，醫生們就做了這類有趣的觀察，那些視力良好且聰明優秀的男性、女性，仍可能缺乏閱讀能力——但字盲症總是發生在那些腦部多少受到損傷的成年人身上。最早被記錄的字盲症案例可能要回溯到 1676 年，當時有位德國醫生 Johann Schmidt 發表對 Nicholas Cambier 的觀察報告，那是一位在中風後失去閱讀能力的六十五歲老人。當概念逐漸形成時，醫學文獻出現的案例描述像 Cambier 這樣的男性和女性，曾經能夠正常閱讀，但在遭受中風、腫瘤或外傷損害後導致閱讀能力喪失，這狀況被稱為**後天性讀寫障礙**（acquired alexia）。隨著更多實例被報導，人們對閱讀困難的本質與相關症狀的興趣與日俱增。譬如說，在 1872 年，英國傑出的神經科醫生 William Broadbent 爵士報導一個後天讀寫障礙案例，報告中提到的病患還遭受極大痛苦，連說出最熟悉物件的名稱都有困難。當他的病患被送至倫敦醫院時，病患說：「我可以看得到 [這些文字]，但我卻無法理解它們。」

對於提供後天閱讀困難的描述性說明，儘管Broadbent建立了重要貢獻，但直到 1877 年Adolf Kussmaul才有所體認，那就是「有可能存在一種完全的文字盲（text-blindness），即使病患的視力、智力與說話能力都完整無傷」。Kussmaul為此令人費解的症狀創造**字盲症**（英文：word-blindness；德文：wortblindheit）一詞，他在這方面確有其不凡成就。他將字盲症的臨床實體縮小至一種能影響辨識與閱讀文字能力的單離症狀，但病患的智力與表達性語言皆為完整。接著，Kussmaul更進一步研究，追蹤這些案例其大腦後部病灶，就在左角迴（left angular gyrus）附近。

另一位在德國斯圖加特（Stuttgart）的 Rudolf Berlin 醫生，他使我們對這些後天閱讀問題的覺察更加精確。他在 1887 年發表專題論文〈一種特殊的字盲〉（*Eine besondre Art der Wortblindheit*），描述他個人在二十年間所觀察的六個案例。Berlin 使用**讀寫障礙**（dyslexia）一詞，談論他所察覺在成人身上發現的特殊字盲症類型，這些人喪失閱讀能力，其次是有某種特定腦損傷。假使是完全病變，那麼閱讀能力的完全喪失就會隨之而來，這就是後天性讀寫障礙。假使損傷只有一部分，那麼他仍然，「有可能在詮釋書寫或印刷符號有極大困難 [讀寫障礙，dyslexia]」。他將讀寫障礙的概念看成像是**失語症**（aphasia）一樣，失語症是語言障礙（language disorders）的類型之一，失語症者在理解或產生口頭語言有困難，或兩者皆有。根據 Berlin 在 1863 年 3 月 4 日指出，Herr B. 先生抱怨他必須停止工作，因為：

> 閱讀印刷或書寫文字變得對他困難無比……對於各種尺寸的 [Jaeger] 字體也有同樣困難 [Jaeger 是一種尺寸逐漸加大，用來評估視覺敏銳度的字體]……眼睛沒有任何疼痛或不適……字母也不會看起來模糊或感到混淆不清——他就是完全沒辦法進一步讀出來……不管是眼睛或眼睛的肌肉組織，即使用最精細的檢查，都看不出有任何不正常。

你能想像，在十九世紀中期的德國，這是一項多麼令人驚奇的觀察。這個獨特想法是，你能夠有完美的視力，而為了要閱讀書頁上的文字，你卻看不到它們。你能夠看到並讀出一個像 Jaeger 1 號這麼小字體所寫的數字，卻還是無法唸出一個以 Jaeger 16 號這麼大字體所寫的簡單文字，那必定令人感到恐懼。因此，不出人意料的，這些字盲症案例往往向眼睛與視力方面的專家——眼科學家（opthalmologist）尋求諮詢。之後，一份由 Glasgow 眼科醫院的眼科醫生 James Hinshelwood 所提出的後天讀寫障礙報告，對於 Morgan 隨後提出有關描述先天性字盲症（congenital word-blindness）的報告，產生了極大的啟發作用。

1895 年 12 月 21 日，在頗具聲望的醫學期刊《刺胳針》（*The Lancet*）所刊載的論文中，我們讀到 Hinshelwood 的報告，那是關於一位接受過高等教育的五十八歲男性、一位法文兼德文教師，有一天早晨醒來時他突然發現：

> 他無法閱讀學生交回給他訂正的法文作業。而在前一天，他就和往常一樣的閱讀及訂正學生作業。茫然不知所措的……[後來] 把他的太太叫來，他問她是否能閱讀學生的作業。她讀來沒有任何困難。接著他拿起一本印刷讀物，想看看他是否能看得懂，結果發現他連一個字都無法讀出。一直到我們見面為止，他都是維持這樣狀況。用檢測視力字體的方式來檢查他的視覺敏銳度，我發現甚至是測試字體最大尺寸的字母，他都無法閱讀。他告訴我他能清楚無誤的看到所有字母，但就是無法說出它們是什麼……我發現進一步用數字來檢查時，他在讀出任何數字卻沒有困難，相當流暢而且一點錯誤都沒有。他能讀出跟 Jaeger 1 號字體同樣大小的數字，那是檢測視力字體中最小的尺寸，而且從其它測試中可明顯看出，他的視覺敏銳度並沒有減弱。因此，他的無法閱讀顯然並非由於視力不足所引起……透過最仔細的檢查，卻查不出任何心智缺陷。

我們不難體會為何 Morgan 在讀過這份報告之後是如此振奮，他當時從年輕病患 Percy F.身上，幾乎看到一組相似的症狀與發現。雖然，Hinshelwood 的報告是關於一位曾是優秀閱讀者的成年人，但因為與從未學會閱讀的 Percy 所遭遇的閱讀困難有相似性，而使得 Hinshelwood 的病患令人印象深刻。兩位病患都出現字盲症症狀，他們都無法閱讀文字，但如 Morgan 與 Hinshelwood 所強調，每位病患都能閱讀數字——以最小的字體——而且在心算表現都毫不猶豫。Hinshelwood 在 1895 年的報告之所以重要有幾個理由，不只是他對後天閱讀困難的臨床敘述清楚明確，而是因為他反對閱讀問題是特定視覺損傷的續發作用，影響人們的視力或視覺敏銳度。當然，Hinshelwood 的報告激勵了 Morgan 在 1896 年提出自己的字盲症報告，而就是在這樣的情況下，字盲症有其先天根源。

一點都不令人意外，歷史上，成人的後天性字盲症案例被記載於先天性字盲症案例之前。主要是因為在後天性字盲症的案例裡，字盲症的發生是突然的；

是一種戲劇性轉變——突然喪失了閱讀能力。後天性字盲症主要影響是成人，而其次是出現腦損傷。這樣的損傷不管是因為中風或腫瘤，典型的會影響到左側大腦，有可能在那裡傷害多重腦部系統。除了閱讀問題之外，病患可能出現身體右側肌肉無力，對於發出字音或是說出物件名稱有困難。對照之下，先天性字盲症是發生在兒童身上，而且反映出一種內在功能異常，是一種從出生就有的失調症。在此，臨床面貌的描述更加精細；它是在孩子的求學過程中，不斷遭遇閱讀問題時逐漸形成。而且就如我們將看到，閱讀困難可能長期受到忽視。先天形成的概念更加清楚，主要影響的範圍是閱讀，有時是口頭語言，但從未影響肌肉的力量。

從神經學觀點來看，這項失調症兩種形式的差異在於大腦神經系統中斷的瓦解時間點。在先天形式裡，在胚胎發展時期，當神經系統開始發育時產生了線路故障，而此線路錯接（miswiring）只限於一種（被用來閱讀的特定神經系統）。在後天形式裡，某種病變阻斷（block）了某個運作中的神經系統，也可能擴大影響到其它系統。

Morgan 的這篇警惕性報告，在我們對兒童身上出現非預期閱讀困難的認識，就此劃下分水嶺。很快掀起其他醫生在遇到類似案例的一陣報告旋風，幾乎都由眼外科醫生提出，大部分報告來自英國，但也有來自歐洲、南美洲，最終還有遠自美國。但卻沒人像 Hinshelwood 一樣，全面涵蓋或理解這項失調症的重要性，也無人像他一樣，為喚起醫界同儕注意這項失調症而承擔起使命。

雖然 Hinshelwood 最初是報告後天性字盲症案例，他很快開始專注於此病症的先天形式。到了 1912 年時，他發表一系列報告與專題著作，至少提出十二位先天性字盲症案例。這些報告值得注意之處在於他所描述兒童之間共同的相似性。譬如說，Hinshelwood 在 1900 年詳述兩位兒童的案例，儘管這兩個孩子的一切都意謂他們不僅應能學會閱讀，還應有能力成為優秀的閱讀者，而他們就是學不會閱讀。

第一個案例描述一位十一歲男童，他在因為老師「教不會閱讀」而被學校開除之前，已接受四年學校教育。根據男童的父親描述，這個孩子上學幾年了，而在這之前，他的問題甚至已被注意到，這是由於：

他有驚人的記憶力，能讓他記住他在課堂上所學的；事實上，他把他的第一本小讀本背了起來，因此每當輪到他時，他就能從記憶中把他所學到的背誦出來，即使他不能閱讀文字。他的父親還告訴我，從任何方面來看，這個男孩除了無法學會閱讀之外，他看似像其他的兄弟姊妹一樣聰明。

為了證明這男孩的確聰明，Hinshelwood描述他是如何解釋他的眼科診所地址，還寫在一個信封上，之後男孩的父親把那個信封弄丟了。幸運的，男孩聰明的頭腦讓他與他的父親得以遵守門診約定。當小男孩在「只聽我說明一次」之後，就能把地址背誦出來，Hinshelwood的印象非常深刻。

第二位案例是一個十歲男孩，除了閱讀之外，他在每樣學科的表現都很優秀。如Hinshelwood所說：「他顯然是精力充沛，從任何方面來看，他都是個聰明男孩……在他學習的各個領域裡，若用**口述教學**他就會有進步。」這個男孩的父親是位醫生，他認為閱讀問題可能起因於某種視力缺陷，因此向Hinshelwood尋求諮詢。仔細的檢查顯示他在學會閱讀所遭遇的困難「並非由於他智力的缺陷，或任何視覺敏銳度的減少。他的父親提及男孩從來不曾為樂趣而閱讀。如他父親所說：『閱讀好像在要他的命似的。』」

在 1902 年，Hinshelwood 報告其它兩個案例，那是兩個年幼、聰明，卻完全無法閱讀的孩子。一位是在學校認真努力的十歲女孩，然而「經過四年努力嘗試後」，她還是「極其辛苦的」在閱讀最初級讀本。這個孩子為了學會閱讀的不凡努力與教導她的人所付出的驚人耐心，讓他深受感動，如此多的努力與耐心，甚至「在許多時刻裡，[即使] 她的母親在絕望中放棄這件苦差事」，他們都絕不放棄。Hinshelwood談到此閱讀問題的單離特質，指出女孩有正常的智力、良好的視力及算術能力。

第二位案例是一個七歲男孩，Hinshelwood提到讀寫障礙兒童在努力嘗試閱讀的過程中所承受的壓力，他強調耐心與支持的重要性：

他甚至不認得字母表裡的每個字母，但當他唸錯時，如果溫和的告訴他而且給他時間的話，通常他最後就能把字母正確的唸出來。他可以靠記憶把字母很快的背誦出來。

與前一案例所報告一致，假使這男孩是以口述方式被教導，他就不會遭遇困難了；事實上，這個年輕小伙子在學習上是很棒的，以至於他「一度……隱瞞了他有障礙的事實」。那個也許是最瞭解這孩子的人概述了他的能力：

> 他的母親說他是個聰明、有智慧的男孩，甚至在許多方面都比其他孩子更聰明伶俐，據母親所描述，他唯一缺陷就是他無法被教會閱讀。

先天性字盲症的背景

身為一位醫師，Hinshelwood與他的同事並不只是其研究發現的觀察者與記錄者；他們關心這項失調症所帶來的影響：它會持續多久；它是多麼常見；哪一種群體的兒童是高風險的；而什麼是最好的治療。

Hinshelwood除了清楚描述他的病患，還專注於界定構成發展性讀寫障礙的核心概念：一種在學習閱讀上的**非預期**（unexpected）困難。從實際觀點來看，它意謂這個閱讀缺陷是單離的（isolated）和局限的（circumscribed），據Hinshelwood所述，是反映在「局部的」（local）而不是廣泛性腦功能異常（generaliged carebral dysfunction）。一個在所有認知技能上出現遲緩的孩子並不會被考慮符合讀寫障礙的資格；讀寫障礙兒童一定具有某些認知優勢，而不單只是被削弱的閱讀功能。

在檢查過數量持續增加的先天性字盲症兒童之後，Hinshelwood醫生確信有這項失調症的人比一般所認識的更常見：

> 我有點疑慮，我有點懷疑，這些案例絕非如此罕見，而是因為缺乏案例記載導致我們這樣推斷。我想，它們的罕見是因為事實上確實發生時，它們並未被辨認出來。

於是，Hinshelwood透過演說和發表報告，非常努力的宣揚他的觀察結果。既然他的臨床描述如此有代表性，他知道一旦醫師能察覺這項失調症，診斷就肯定有意義。

如我稍後將仔細討論的，讀寫障礙的診斷是一種臨床診斷，主要是根據對病患與病史的觀察所蒐集的綜合資訊。Hinshelwood和他那個年代的醫生能僅根據臨床呈現而做出診斷。Hinshelwood 與 Morgan 的報告比第一個標準化測驗的最早版本——1905 年開始使用的比西量表（Binet-Simon Intelligence Scale）——更先問世。

大約在同時，在英國摩菲德（Moorfields）皇家眼科醫院的一位眼外科醫生 E. Treacher Collins，在連續看診一些先天性字盲症兒童之後，他推斷這項失調症的核心症狀是：

> 慣常被忽視，而且被歸因於只是愚笨，或是某種折射誤差，對其個人有許多不利，因為這錯不在己、而是其不幸缺陷，這個人常常被責怪、欺負、嘲笑。

治療先天性字盲症者的醫師，對於此病症造成整個家庭和後代子孫的衝擊也讓他們印象深刻。醫師發表關於病患家庭成員所扮演重要角色的許多看法，經常是由妻子／母親在協助她的配偶／孩子。

> 這位非常忙碌於文書，且在企業居於領導地位的父親，必須由他的妻子詳細校對他所有的手稿……五個孩子中有四個，他們的每份書面作業都得經由他們的母親逐字檢查。

今天我所看到的事情並沒有太多改變。譬如說，糟糕的拼字是讀寫障礙無法掩飾的症狀之一，而家庭成員必定要提供支援，有時候是以一種不尋常的方式。我曾接到一通某家醫院主管的電話，她擔心她年幼的兒子。她想要盡可能早點查出她兒子是否有任何可能的閱讀困難，原因是她的先生是某家行銷公司的高級主管，他有閱讀障礙及拼字困難。為了應付這樣的狀況，她在辦公室裡設有一支專門的「熱線電話」，因此他的先生可以打電話給她，以再次檢查任何他得完成的信件或報告裡的拼字。

最重要的是，Hinshelwood 是病患在痛苦時前來尋求協助的醫治者與實踐者。他對先天性字盲症不僅充滿好奇心；他想要瞭解這項失調症以幫助他的病患。他明白治療的用意在於擴展他的觀念，用於教育發展本身。尤其是他確認在兒童時期進行早期鑑定先天性字盲症的迫切需求：

> 當這件事情發生在孩子身上時，最重要的是應盡可能早期認清這項缺陷的真正本質。它有可能預防我們浪費太多寶貴時間，也可能因此拯救這孩子，免於痛苦與殘酷的治療。當一個孩子在學習閱讀上顯現極大困難，且無法跟上同儕進度時，通常會被歸咎於愚笨或懶惰，而且沒使用系統化方法來訓練這樣的孩子。對兒童個案有稍許知識與仔細分析，會讓事情很快釐清，那就是所遭遇的困難是由於一種對文字與字母的視覺記憶缺陷；就像是腦部某個特定區域有先天缺陷的孩子一樣，那麼孩子將會以適當觀點被看待，不管怎樣，這樣的缺陷往往可經由堅忍與持續的訓練被治療。越早確認缺陷的真正本質，孩子進步的機會就越大。

Hinshelwood是一位樣樣兼備的典範臨床醫生，他對病患的需求給予高度回應。他極力主張學校應該制定程序，篩選有先天性字盲症症狀的兒童，並提供適當教學給這些被鑑定有障礙的兒童。在 1904 年他記下：

> 在當今的教學改革裡，很明顯的，應該由有能力鑑別各種缺陷的醫療專家，對所有 [這些] 兒童進行系統化檢視，並告知處理不同類型問題的最好方法。在教育大計裡，這是需要我們關注，但卻關注不足的主題，而依我的看法是，為處理 [這些] 兒童的教育，建立在科學基礎上的特殊服務，是我們現今教育方案最迫切的需求。

Hinshelwood做了具體建議，結果就像對讀寫障礙兒童在特殊教育的建議一樣，他對案例的指示為：

> 依我的建議，不要再試圖在課堂上教他，而是建議他單獨接受特殊閱讀課

程。這個課程不必太長，但得在一天裡每隔一段時間經常的重複，以便能更新與加強前面課程所形成的視覺印象。這個計畫被採納而且成功了，超過我們期待的程度……

還有，在另一案例裡，

我建議他們，不要再試圖讓他在課堂上與其他男孩一起閱讀。他的錯誤與困境會招致他人嘲弄，這使得他受到刺激而變得更糟糕。我建議他接受頻繁的、個別的簡短課程，在學校和回到家裡都需要。

另一位本世紀初的眼科學家E. Nettleship，他曾為讀寫障礙者看診，瞭解為所有讀寫障礙者提供服務時會面對相同挑戰：

從父母親曾受過良好教育的那些孩子身上察覺先天性字盲症是容易的，這樣的孩子得到許多個別關注。而要辨識和處理那些被塞在擁擠的幼兒園、小學裡的孩子們，一定更加困難。這其間差異已被區別出來，而且正獲得醫療人員關切，目前應引導家庭教師來處理此事……還有，由所有幼兒學校的教師們來處理。藉由多少有些特殊的方法，[這些]兒童的教育已經比從前獲得更多關注。假使能從這類兒童群體中將那些只有、或主要困難是真正無法學會閱讀的孩子篩選出來，那麼結果絕對是對個人與社會都有用處的。

就如同在Nettleship的年代，當今來自弱勢環境孩子的閱讀困難往往受到忽視。這不是因為家境富裕的孩子被「過度鑑定」為閱讀障礙，而是有相同困難的貧困兒童太少被注意到，很少有孩子因閱讀問題而接受治療。

讀寫障礙越來越受到醫師的注意和報導，不只是在英國，也還發生在荷蘭（1903）、德國（1903）和法國（1906）。對這項失調症的覺察很快就穿越大西洋，移到南美洲（布宜諾斯艾利斯，1903），然後傳到美國。這時第一份有關兒童閱讀困難的報導在1905年出現，是出自俄亥俄州克里夫蘭（Cleveland）的眼科學家W. E. Bruner。在一年之內，緊接著第二份報導是由丹佛（Denver）

的 Edward Jackson 所提出，他描述兩位「發展性讀寫障礙」（先天字盲症）的案例。到了 1909 年時，在匹茲堡（Pittsburgh）對先天性字盲症感興趣的 E. Bosworth McCready，他找出在全世界有這項失調症的四十一位被報導案例。他提到：「雖然大多數案例都是由眼科學家所報告，但卻沒有任何單一實例是由於視覺症狀而造成字盲症。」McCready 也注意到，讀寫障礙與創造力和優異智能之間似乎有矛盾的關連性。他描述一位男性是「儘管擁有所有的優勢條件，就是完全無法閱讀……雖然他現在是一位傑出、重要的專業人士，而閱讀是其專業的**必要條件**」，還有一位讀寫障礙者是法官。更有一位是「詩文異常優美的作家」。稍後，我將討論與這些擁有天賦的讀寫障礙者相像的當代人物。

這麼多遭遇非預期閱讀困難的兒童與成人案例，透過關心的醫師，他們的觀察目光持續的扎根，在本質上互相重疊；採納彼此的看法，創造出甚至比個人描述更有力、更鮮明的複合性寫照。就讀寫障礙本身而言，這些案例報導代表了無價的珍貴遺產：它們為出現在孩童身上的讀寫障礙，其不變與持久的特質，提供了無可爭辯的證據。

當我首次面對這些報告時，它們對讀寫障礙歷史與當代描述報導的整合性使我大感震驚。這些早期報導所提供的基本雛形仍保有完整性。在下一章，我將告訴你們相關科學的卓越發展，使我們對讀寫障礙的認識增加深度與明確性，而這僅僅在幾年之前還是人們難以想像的。

戰勝讀寫障礙
Overcoming Dyslexia

Chapter 3

讀寫障礙的完整面貌

誰有讀寫障礙及這段期間會發生什麼事

我們對閱讀障礙的瞭解與更有效治療的探索，在 1987 年奠定了重要里程碑。1987 年 8 月 17 日，衛生及公共服務部（Department of Health and Human Service）的部長 Otis R. Owen 博士遞交美國國會一份期待已久、來自學習障礙全國聯合委員會（Interagency Committee on Learning Disabilities, ICLD）的報告。ICLD 是由 Duane Alexander 博士擔任主席，此委員會是由國家衛生研究院（National Institutes of Health, NIH）與教育部（Department of Education）各個機構的代表所組成，被國會任命「審查與評估聯邦政府在學習障礙的優先研究重點、活動與調查結果」，並做出建議及制定全國性重點，以加強學習障礙領域的研究效率。

經過全面的調查之後，ICLD 以「對美國國會的報告」發出聲明，宣布為了瞭解學習障礙的基本層面，此時正是開始密集與全力運作的適當時機。這份報告要求設立由 NIH 給予支援的學習與注意力研究中心（Centers for the Study of Learning and Attention）。而隸屬於 NIH 的國家兒童健康與人類發展研究院（NICHD）也發布一份對這些研究中心申請提案的正式要求。接下來超過一百位審查者的熱烈迴響，並進行一項嚴格的複審程序，結果有三所同類性質的研究中心獲選：位於科羅拉多大學（University of Colorado）、位於約翰．霍普金斯大學（Johns Hopkins University），以及位於耶魯大學（Yale University）的研究中心，由我先生 Bennett Shaywitz 與我共同指導。目前，由 NIH 資助的四所研究中心專門致力於提升我們對學習障礙的認識。這項鎖定目標的計畫案已獲致前所未有的研究成果，特別在我們對閱讀與閱讀問題的瞭解方面。正因我對耶魯研究中心的研究細節最為明瞭，也因我們的研究策略與發現，為此領域的當今研究狀態提供了珍貴見解，我將使用耶魯研究作為我們的討論模式。

首先，我們把研究焦點放在讀寫障礙這個障礙的基本特質上，研究目標的設計聚焦於解答這些問題：誰是讀寫障礙者？有多少兒童受到讀寫障礙影響？男孩與女孩都會有讀寫障礙嗎？患有讀寫障礙的兒童在這段期間會發生什麼事，以及這個閱讀難題會持續多久？困難何時會消失，或是它會伴隨一個人的終生？有許多解答已出現在康乃狄克縱貫研究（Connecticut Longitudinal Study）裡，這是一項持續將近二十年、未曾間斷的研究案。

康乃狄克縱貫研究

在 1978 年，當我被要求照顧有閱讀困難的病患時，我並不清楚那是怎麼一回事，我只是一位醫生，該如何照顧讀寫障礙兒童。關於許多基本問題，我找不到滿意的答案；譬如說：讀寫障礙是常見問題或罕見問題？大部分有關讀寫障礙的資訊都是根據那些被鑑定——不是經由學校就是透過診所——為有閱讀問題兒童的研究。我當時想全國可能有數量極多的兒童，坐在教室課桌前無法閱讀，但卻從未在讀寫障礙研究裡被清楚說明。為了全面瞭解這個問題，我們需要計算出**所有**有閱讀問題的兒童，而不只是那些問題已看得出來，以及正接受幫助的兒童。

為了區別正遭遇閱讀困難的兒童，與那些輕易學會閱讀的兒童之間的差異，有必要準確的制定出，什麼樣的閱讀發展速度、什麼樣的行為，以及什麼樣的特徵對孩子而言是正常的。這需要長期研究數量龐大的兒童——如研究結果顯示，要從他們進入幼兒園開始，一直到小學、初中，最後到高中，甚至再往後延伸。

我們在隨機挑選的二十四所康乃狄克州的公立學校裡，選擇在 1983-1984 學年進入幼兒園就讀的學生來開始這項研究。統計學專家選擇的研究樣本代表康乃狄克州地理與人口統計的多樣性。由於我們希望對每一位兒童有更深入的瞭解，我們所蒐集的資料特色範圍包括智能、學業成就、家庭與課堂行為及自我認知。我們從父母、老師和孩子本身取得資訊。對於那些加入這項研究的兒童，我們刻意把標準放得很寬鬆，不願意因為排除任何特定兒童群體而影響研究結果。

在這項研究中，我們讓 445 名兒童加入。就性別、社會背景和種族而言，這個群體的組合代表那一年進入康乃狄克州公立幼兒園就讀的學生人口。從那時開始，參與者定期受到監測。那些從一開始就參與這項研究的男孩、女孩，現在都是年輕人了。有些人進入大學就讀，有些人在軍中服役或從事一般平民百姓的工作，還有些人在獄中服刑。這符合了全民趨勢，許多人已結婚或為人父母。雖然他們現今居住在二十九個不同的州，及分散在國外至少七個國家，但原始參與者中有固定多數人（超過 90%）持續的參與康乃狄克縱貫研究。他們的經驗提供學習閱讀歷程的全貌。對於每一位年輕人，我都給予最深的感謝。

閱讀與閱讀障礙的模式

康乃狄克研究最早提出的問題是，強讀者與弱讀者之間的關係是什麼：他們是出自一個連續體，或者是區分明顯的兩個群體？過去二十年來，我們對鑑定閱讀障礙兒童的教育政策，是以相信它有本質的分歧為基礎，這麼做使得我們把讀寫障礙者從所有其他閱讀者中區隔開來。蘇格蘭的精神病學家 R. E. Kendell 曾說過：「分類的本質是在接縫上的切割藝術；它應代表接縫確實存在那裡，提醒你不要把骨架給鋸斷了。」我們的研究結果認為，無論如何，區分讀寫障礙者與優秀閱讀者的接縫並不存在。

除了康乃狄克研究案所提出的證據，同樣還有來自英國與紐西蘭的研究證據，皆指出閱讀能力與閱讀障礙為一連續、不間斷的面貌，這是由研究者提出的**層面**模式（dimensional model）概念。相對於有中斷特色的**分類**模式（categorical model）觀點——在強讀者與弱讀者之間的連接，出現一種本質的裂縫。層面模式確認，「本質上沒有自然接縫」能將某一類閱讀者與另一類閱讀者區隔，而上述切截點可能是被強加，它們是武斷的。

事實上，當需要談論到病症本身，甚至是那些連續發生的病症，我們往往會被某個特定的診斷標籤混淆事實。若非大部分，也有許多病症在本質上是逐漸變化、發生的，因此符合了層面模式的概念，而非分類模式的觀點。高血壓、過胖症、糖尿病等病症代表常見的層面模式。視力與聽力缺陷也是連續發生的病症。當血壓到達某種程度時，病人被認為患有高血壓。但是那些剛好在切截點另一端的人，雖然未被歸類為高血壓患者，也會和那些被認為有高血壓的人一樣，有許多共同的症狀。這是關於高血壓的見解，而對於讀寫障礙也是如此，並沒有本質的分歧點可將讀寫障礙者從其他人中區隔出來，而是根據一種人為的切截點來決定。

閱讀困難的發生是連續性的，此論證為教育實踐帶來了重要影響，特別是在大部分對閱讀障礙教育所提供服務的當前政策，反映出不同的讀寫障礙觀點——分類模式觀點、切截點。就如我們在康乃狄克研究提到的，

> 讀寫障礙被視為一種分離實體的概念，提供特殊教育政策的基礎是——只給予服務給那些被認為符合明確、不變標準的人……而那些不符合這些武斷、強加標準的兒童，卻仍可能需要並受惠於特殊的協助。

由於並未認清那些不夠糟到符合標準的挫敗兒童，他們所處的灰色地帶在哪裡，學校可能對許多繼續遭受嚴重閱讀問題的孩子鑑定不足。康乃狄克縱貫研究顯示，這不只是理論的可能性而已。然而，這不令人意外，假使切截點是武斷的，如《新聞週刊》（*Newsweek*）在 1992 年明確提出：

> 沒有人會指責 Kerri Schwalbe 不夠聰明或缺乏動機。這位來自俄亥俄州派瑞斯堡（Perrisburg）的五年級小學生，她的智商 118，有十足的熱情。可惜的是，她從未具備把字母與發音連結的天分。她從文字出現在書頁的樣貌認得許多單字，但她到了十一歲，仍舊無法拼字或寫字。常識告訴我們，她是個讀寫障礙者。可是，根據俄亥俄州的 [那套標準] …… Kerri 卻沒有資格獲得特殊協助。「這真是悲哀，」她的母親說。「她可能得在學

校浪費她的時間，直到她變得糟到符合學習障礙（閱讀障礙）的資格。」

許多不符合讀寫障礙「資格」的兒童，仍可能需要並受惠於閱讀的幫助。事實上，往往是像Kerri這樣極為聰明的兒童，他們可能會從額外協助中受益最多，但卻被拒絕給予重要的支援。

讀寫障礙的盛行率

由學校提供的數據顯示，接受閱讀障礙教育服務的兒童人數只是粗略近似其盛行率。根據美國教育部（Department of Education）統計，有4.4%從六歲到二十一歲的學生接受學校的特殊教育服務（估計在 5,800 萬學生裡占了 250 萬人）。既然在所有學習障礙學生的人口中，閱讀障礙被估計至少占了 80%，那麼我們能推論出有 3.5%的學生人口，也就是略多於 200 萬名學生會因閱讀障礙而得到特殊教育服務。

另外，從直接評量閱讀熟練度（reading proficiency）的大規模調查結果顯示，閱讀障礙的盛行率可能更高。譬如說，由美國教育部的一個部門所執行的全國教育進展評量（National Assessment of Educational Progress, NAEP），每年測試數千名學童，以提供各年級的指標，顯示有多少學生的閱讀程度符合該年級標準（或熟練度）或低於該程度以下。在 1998 年的NAEP調查中，有 69%的四年級學生和 67%的八年級學生，其閱讀程度低於熟練標準。八年級學生裡，父母是高中畢業程度者有 78%低於熟練標準。尤其引人注目的發現是，父母是大學畢業程度的學生，在八年級閱讀成績低於熟練標準者有 55%。此外，根據 NAEP 的數據顯示，有多達 38%的四年級學生甚至未達到基本或初級的閱讀技巧。如此令人震驚的數據，導致國家研究委員會（National Research Council）所設立的幼兒閱讀困難預防委員會（Committee on Preventing Reading Difficulties in Young Children）在 1998 年推斷：「有 25%到 40%的美國兒童在接受教育的過程中陷於危險，因為他們的閱讀能力不夠好、不夠快或無法輕鬆的閱讀。」

康乃狄克研究顯示，每五個孩子中約有一人受到閱讀障礙的影響。以全國觀點來看，就某些方面而言，這意謂沒有一個美國家庭不會受到閱讀障礙影響。

學生如何被學校和研究鑑定為閱讀障礙，這其間有重要的差異。譬如說，在康乃狄克研究中，每個兒童都被個別施測智力及閱讀測驗。我們採用這個方法，並發現有20%學生的閱讀能力低於他年齡、年級或能力的程度。

我們很好奇並想知道，由我們的研究鑑定為閱讀障礙的孩子之中，有多少人也被學校鑑定為閱讀障礙。於是，針對研究中的每一位孩子，我們會要求校方人員告訴我們，該學生是否已被鑑定為閱讀障礙，以及他是否接受針對某項閱讀問題所提供的特殊協助。我們發現這些閱讀能力低於年齡、能力或年級標準的學生，正在接受學校提供給閱讀困難者服務的人數不到三分之一。此事實強烈顯示尚未診斷的問題。

對閱讀障礙兒童大規模鑑定的不足特別令人擔憂，因為甚至學校進行鑑定的時間也相對太晚——往往錯過最理想的介入年齡。讀寫障礙兒童通常在小學三年級或更高年級時，才第一次被學校鑑定出來；在小學三年級之後才被診斷為閱讀障礙，若要治療就更加困難了。早期鑑定是很重要的，因為在較年幼孩童身上，大腦更有可塑性，而且他們對神經迴路的重定線路可能更容易適應。再者，一旦孩子落後了，為了趕上他那些不斷前進的同儕，他必須補足許多沒讀過的字。同樣重要的，一旦開始了某種閱讀挫敗模式，許多孩子會變得受挫，失去閱讀的興趣，往往發展的結果是逐漸造成了自我價值的終生喪失。

在美國，閱讀困難的高盛行率往往歸咎於孩子看了太多電視，課堂紀律鬆散，太早或太遲教導孩子閱讀，還有太多母親出外工作。這個問題很可能不是特定文化或區域現象所導致的後果，倒不如說它意謂一個更全球性的弱點。讀寫障礙發生於居住歐洲、澳洲、以色列和北美的許多兒童與成人身上。就某個論點而言，讀寫障礙被認為只影響那些說拼音語言（alphabetic languages）的人（像是英語和德語），而那些主要是使用語標語言（logographic languages）的人（像是漢語與日語），他們就沒有讀寫障礙的風險。這個假定已被證實錯誤。研究者已發現讀寫障礙盛行率在美國、日本和中國的孩子之間是不相上下的。

1996 年，我的論文〈讀寫障礙〉發表於《美國科學人》（*Scientific*

American）。它獲得極大的震撼性迴響。來自全球各地——非洲、義大利、斯里蘭卡、瑞典、以色列、泰國、英國、阿根廷——這些大人、小孩正經歷像我論文中描述，與那些人完全相同的問題。其中包括外交官、科學家和企業執行長，都向我訴說他們的閱讀困難。毫無疑問的，讀寫障礙是沒有界限的，它不分地理區域、種族或是智力。

我們知道有些女孩有讀寫障礙

讀寫障礙的診斷呈現一套獨特狀況。讀寫障礙是以生物學為根基，但在教室環境表現出來，以至於它的鑑定往往得依賴學校的程序。由於大部分針對閱讀障礙兒童的研究，都是以被學校鑑定的兒童為樣本，這讓我們不禁懷疑學校的鑑定程序是否有偏誤，結果是排除其他兒童，而單獨鑑定某類兒童群體。舉例來說，通常假設閱讀障礙發生在男孩身上的比例比女孩來得高；研究顯示，在各地受到讀寫障礙影響的男孩是女孩的四到六倍。這是否因為學校鑑定程序裡某種系統偏誤所導致的結果呢？

來自縱貫研究的數據非常適合解答我們的疑問。首先，它的樣本使我們得以檢視一個具有代表性的兒童樣本，而非只是被學校鑑定過的某個群體。其次，既然每個參與研究的男孩、女孩都接受個別的能力與成就測驗，我們就能將閱讀障礙的鑑定標準應用至學校的正式準則。既然原則上是這樣，我們和學校對閱讀障礙的鑑定顯然是根據相同的標準。理論上，兩個群體都由相同孩子所組成。這些孩子，在施測時都是就讀二年級和三年級。

如圖 1 顯示，根據學校的鑑定程序，閱讀障礙的盛行率是男孩比女孩多三到四倍。這些發現與過去的報告一致，在之前的報告裡，有閱讀障礙的男孩與女孩的比例從 2：1 到 5：1 的各種比例都有。從這些過去研究歸納的共同點是，它們所根據的樣本全部是透過門診或學校的鑑定程序。相反的，我們發現，被我們鑑定的男孩、女孩，其閱讀障礙的盛行率並沒有顯著差異。大致上，每一個兒童在學校或學區被個別施測，研究者報告患有閱讀障礙的女孩與男孩是一

樣多。在家族研究中也得到類似結果，當孩子被鑑定為讀寫障礙之後，研究者也對其他家庭成員進行施測，包括了大人與小孩。其它研究的發現也呈現一致，這顯示患有閱讀障礙的女孩不像男孩那樣能被立即鑑定出，而事實上，她們在被鑑定以決定能否接受特殊教育服務之前，往往有更嚴重的閱讀障礙。

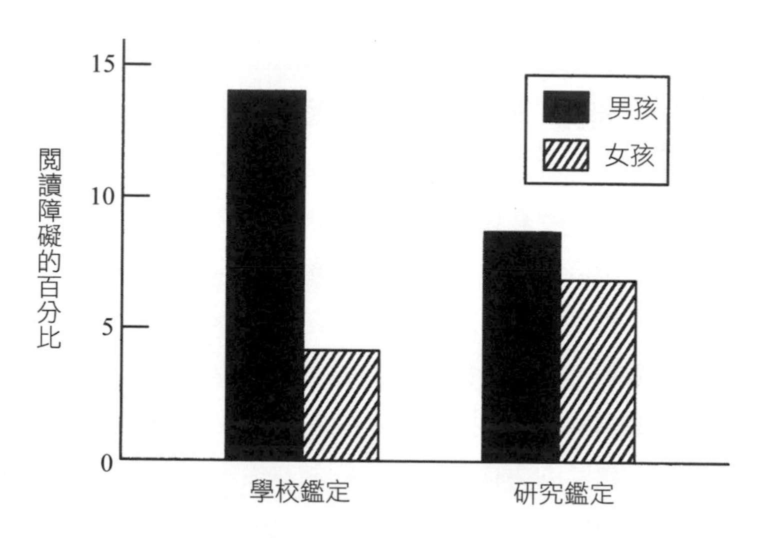

❖ **圖 1　閱讀障礙在男孩與女孩身上的盛行率**

由學校鑑定出的男孩人數比女孩更多；相較之下，每個孩子（在研究的鑑定中）被施測時，被鑑定為閱讀障礙的男孩與女孩的人數是相似的。

教師對兒童行為的評定分析，透露出為何女孩不像男孩那麼快被鑑定出來。教師如何對**典型的**男孩與女孩做評量，其間有著顯著的差異。教師所採納的課堂行為規範，反映的是正常女孩的行為。這導致那些有一點愛惹麻煩的男孩——雖然仍在男孩行為的正常範圍內——卻可能被視為有行為問題，並會被轉介做進一步評估。同時，那些安靜坐著卻學不會閱讀的乖乖小女生，往往就被忽視了。她們有可能太遲，或許永遠不會被學校系統鑑定為閱讀障礙。

隨著時間過去的讀寫障礙

讀寫障礙不僅常見，它還是持續的。多年來，研究者與教育工作者都會質疑，讀寫障礙是否意謂一種發展性落後（developmental lag），孩子總會長大而問題就不再有了，或它是否代表一種閱讀的持續性缺陷。這個疑問是很重要的，因為如果讀寫障礙只是閱讀的發展性落後——一種暫時的阻礙——那麼長大了就不會再有，而父母與老師就不用擔心早期閱讀的困難。而另一方面，如果讀寫障礙不是長大了就會消失，那麼對兒童的早期鑑定，以及確保一旦他們被鑑定會立即得到協助，這兩者真有其迫切性需要。

在這裡，我們仍可利用康乃狄克縱貫研究所提供的數據。使用兩種互補策略，使我們能相當果斷的判斷讀寫障礙是一種長期症狀，它不代表閱讀發展的暫時性落後。第一種方法是，我們比較兩組群體從小學到中學期間在閱讀技能的個別成長率：一組群體是從未遭遇任何閱讀問題的男孩、女孩，而另一組群體是在小學低年級時即符合閱讀障礙的標準。不意外的，我們觀察到兩組群體在這段期間都能增進其閱讀技能。然而，最重要的是，如圖 2 顯示，強讀者與弱讀者在閱讀能力的差距仍然存在。弱讀者從來就趕不上強讀者同儕。假使孩子在學校一開始就有讀寫障礙，那麼這個孩子會持續遭遇閱讀困難，除非他能被提供科學本位、有科學實證的介入。

我們稱為馬太效應（Matthew effect）的調查，證實閱讀障礙的持續性本質。優勢的累積導致了更多優勢；相反的，隨著時間過去，初始的不利條件顯得更加惡化。這被稱為像聖經宣告的「馬太效應」：「因為凡有的，還要加給他，叫他有餘；沒有的，連他所有的也要奪過來。」富者愈富，而貧者愈貧。我們的研究數據顯示，弱讀者不會變成更差的閱讀者。無論如何，這個數據還提供了有力證據，那就是那些在上學初期是弱讀者的孩子，*仍然持續*是弱讀者。相較於同儕，孩子們在入學之後的閱讀成就改變極少。這一點恰好證實了閱讀困難的孩子非常需要早期的協助。

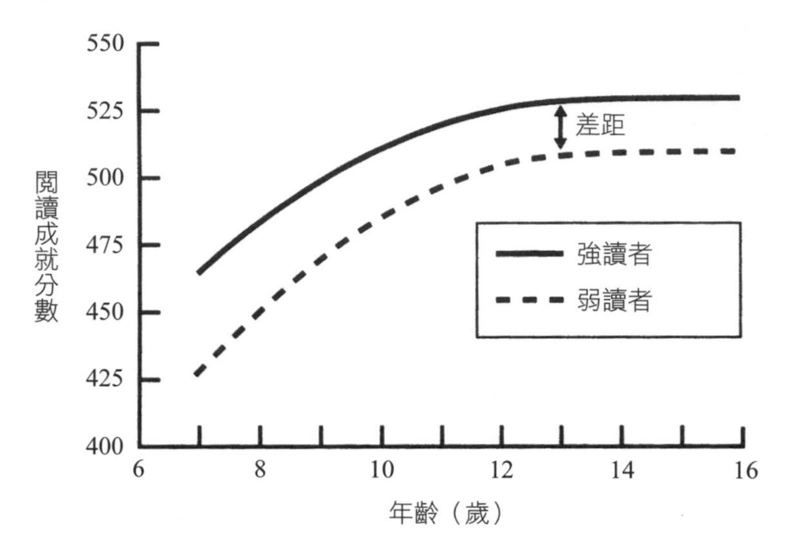

❖ 圖 2　讀寫障礙會持續存在

強讀者（上方曲線）與弱讀者（下方曲線）在這段期間的閱讀表現皆有進步。然而，兩個群體間的差距仍然存在。

最後的重點是：在縱貫研究中大約有三分之一的兒童當時正接受特殊協助，但這些協助往往極不穩定、偶爾發生，而這些幫助的方法，可能最適合形容為像是對著無法痊癒的傷口貼上 OK 繃。一般來說，我們發現孩子能接受幫助的時期極有限，往往得自那些有愛心但沒受過訓練的老師，而且使用的方法無法反映出任何現代科技水準、實證本位的教學策略（見第十九章）。

如今，讀寫障礙的傷害本質已被揭露，我們必須確保我們對鑑定及介入方法——就鑑定年齡、教學強度與頻率、教學內容和教師技巧方面——要與失調症的嚴重性一樣被重視。我在下一章將會討論我們對讀寫障礙的基本特質瞭解了什麼。這門知識給予我們的基本原則是，為閱讀困難者提供最精確的診斷和最有效的介入方法。

Chapter 4

為什麼有些聰明的人無法閱讀

我想讓你們認識我的兩位病患，Alex 與 Gregory。Alex 十歲了，而 Gregory 是位醫學院學生，才剛慶祝他的二十三歲生日。他們的經歷是典型的讀寫障礙兒童與讀寫障礙青年。你會認識 Alex 與 Gregory 似乎有各式各樣的症狀——對閱讀有困擾、完全恐懼要出聲朗讀、拼字有問題、要找出正確的字有困難、字的發音錯誤、死記硬背的惡夢——代表一種個別、單離的缺陷。同時你也會認識其它能力——思考、推理、理解力——並未受到讀寫障礙影響。這個對比鮮明的模式產生讀寫障礙的矛盾性：讓一些非常聰明的人，在學習閱讀上經歷嚴重、持續的困難。我在此強調讀寫障礙者的優勢，是因他們的能力往往有被低估的傾向。讀寫障礙者的閱讀問題通常明顯易見，而長處可能更因不易察覺而受到忽略。稍後我會討論讀寫障礙的最新見解，那將會告訴我們，讀寫障礙代表一種非常單離的缺陷；思考與推理能力完整無損，而且或許還能更增強。

Alex

Alex 在年幼時就展現很強的領悟力，以至於當他在幼兒園得辛苦學習字母時，這讓他的父母大吃一驚。當看到一個字母時他會盯著看、皺起眉頭，然後隨便猜測。他似乎無法學會字母名稱。在小學一年級時，他對於把字母與它們

的聲音連結有困難。到了小學三年級時，當Alex試圖將他眼前書中的文字解碼時，他依然說得結結巴巴、氣急敗壞。對Alex來說，語言的學習無疑成為一種掙扎。他似乎懂得很多東西，但總不善於用言語表達。他在很多字的發音錯誤、丟掉字的起頭（將 elephant 唸成 **lephant**）或字的結尾，或在一個字裡將字母的順序前後錯置（把 enemy 變成 **emeny**）。Alex 很難找到他想說的正確字，即使他看似能告訴你所有一切。有一天晚上，他正試著解釋海裡的鯊魚：

> 水、水、很多的水，鹹的水裡有大魚，它是一種乳液（lotion）。不、不，那不是我的意思。啊，你曉得，它在所有地圖上都有，它是一種乳液（lotion）——海洋（ocean），那就是我要說的——一個海（sea）、不是說大海（big sea），它是海洋（ocean）、一個海洋（ocean）！

看看這位英俊、認真的小男孩，他可以花上幾小時拼完複雜的拼圖，還有組裝精細的飛機模型，他的父親就是無法相信Alex有問題。不管怎樣，Alex越來越意識到他的閱讀困難，而且更常問到為何他所有的朋友都被分配在另一個閱讀小組。他練習、努力過，但就是從未有好結果。

他的父母帶他到耶魯中心（Yale Center）接受評估。我們瞭解 Alex 極為聰明，抽象推理與邏輯的分數是在資賦優異的範圍。他的字彙能力也極成熟。Alex能夠學習、推理，還能理解高層次的概念。儘管擁有這些長處，他的認字表現仍然薄弱；舉例來說，在小學三年級程度的二十四個單字裡，他只能唸出十個字。是什麼帶給Alex最大困難，不過是那些無意義字（nonsense words）（那些可被發音、編造出的單字，譬如像 **gern**、**ruck**）。他對於要將這些字解碼有困難。有時他會利用第一個字母試著反應（像是把 **gern** 唸成 **glim**，**ruck** 唸成 **rold**）；而另一些時候他看似放棄，顯然是胡亂猜測。相較之下，Alex 能夠默唸一小段文章並回答相關問題，這比起要他認讀單字及發音好得太多了。在默唸文章段落方面，Alex 擅長使用像是書中插圖和上下文線索；他在這些唸不出單字的句子和段落裡，會利用線索來捕捉文字的意思。「我會想像它的意思是什麼，」他解釋。然而當Alex被要求聆聽一個故事，然後回應一連串問題時，他卻是神采奕奕，他的成績明顯高於平均程度。對Alex來說朗讀尤其痛苦。他極度不願意在全班同學面前朗讀，原因是什麼很容易理解。他的朗讀很吃力、字的發音錯誤、會用別的字替代，或常常漏掉整段文字。他在某個句子裡正確唸出的字，在後面句子裡卻把它唸錯。他唸得非常緩慢及吞吞吐吐。越來越多次，當快要該輪到Alex朗讀時，他就會要求上廁所。如果被叫到名字，他往往表現出滑稽的行為，把那個字說成笑話，或讓自己跌到地上放聲大笑，好讓他可以被趕出教室。

他的字跡潦草、難以辨讀，這使他拙劣的拼字技巧變得更糟。他把字母寫得很大、字形歪扭和抖來抖去。相較之下，Alex的數學技能，尤其是問題解決和推理能力都在優等程度。在測驗快結束時，Alex分析自己的閱讀問題：「我不知道如何發出字母的音。」此外，他還告訴施測人員，他對於他的朋友被分在別的閱讀小組感到困擾。他說這件事有時會讓他難過。他唯一的願望是成為更優秀的閱讀者，但不知這願望到底該如何實現。

當我跟Alex的父母見面時，他們問了許多問題：他是不是有什麼問題？如果是這樣的話，這個問題的本質是什麼？該怎麼做來幫助他？最重要的是，他們問到：「他會不會復原？」我向他們一再保證，Alex不僅能生存下來，他還會繼續成長茁壯。

Gregory

在我的工作經驗中，我不僅鑑定過無數的閱讀障礙兒童，還評估過許多年輕的男性、女性。對於像 Alex 這樣聰明的讀寫障礙兒童，他未來會是什麼樣子，他們的個案史勾勒出讀寫障礙的面貌。Gregory 像是長大成人的 Alex。Gregory 在他第一年的醫學院課程裡，遭遇一連串困難後跑來找我。他頗為灰心、沮喪。

儘管Gregory在小學時被診斷為讀寫障礙，他卻被安排上資優學生的課程。他的天資聰穎，加上大量支持與輔導，使得他能以優異成績從高中畢業，並獲得一所長春藤聯盟大學的入學許可。Gregory在大學努力用功，彌補他的障礙，

最終他得到好幾所頂尖醫學院提供的入學機會。此刻，他卻開始懷疑自己的能力。對 Gregory 而言，要他理解生理系統之間錯綜複雜的關係或難懂的疾病機制，他沒有絲毫困擾；事實上，在這些需要推論技巧的領域裡，他的表現勝過他人。對他而言，更困難的是把很長的單字或新名詞（像用於解剖學圖表的名詞）發出音來；或許他最不發達的技能就是死記硬背了。

Gregory與他的教授都對他成績表現的互相矛盾困惑不已。一個能把困難概念理解得這麼透徹的人，怎可能對微不足道的細節感到困擾？我的解釋是，Gregory的讀寫障礙（他仍是緩慢的閱讀者）可以解釋為何他無法說出組織類型和身體部位的名稱，即使他有優異的推論技巧。他的個案史符合讀寫障礙如其傳統定義的臨床面貌：儘管有智力、動機和教育，在學習閱讀上出現一種非預期困難。此外，我終於使他重拾信心，這是由於當前科學家對讀寫障礙基本特質的瞭解，創造有效的策略，幫助那些患有這項失調症的人。我告訴Gregory，讀寫障礙反映出大腦裡的語言系統有了問題。對於語言在閱讀（特別是在讀寫障礙領域）所扮演的重要角色有所體認，這方面的認識是相當新近的。

為何 Alex 和 Gregory 有閱讀的困擾

對讀寫障礙的解釋在 1920 年代被提出，那些被認為象徵讀寫障礙的看法一直持續到近代，就是把字母與文字看顛倒被歸咎於視覺系統有缺陷。視覺訓練（eye training）往往被醫生用來克服所謂的視覺缺陷。然而，隨後研究顯示，通常讀寫障礙兒童並非有**看**字母或文字顛倒的傾向，這項失調症是由於語言系統的缺陷，此研究發現與大眾迷思形成對比。無論如何，像Alex這樣的弱讀者確實有嚴重困難，在**唸出**字母時往往把 **b** 想成 **d**，或把 **saw** 唸成 **was**。這是語言的問題，而非視覺缺陷所導致。

如先前提到的，讀寫障礙意謂特定的閱讀困難，而非思考技能的問題。就像Alex一樣，讀寫障礙者往往對口頭語言的理解程度非常高，他們在高層次推理技能也有同樣表現。讀寫障礙是一種局部的問題。

讀寫障礙反映出語言的問題，而非一般智力低下或主要的視覺損傷，對於這方面的瞭解，意謂讀寫障礙向前邁進一大步。最新的發展已釐清這項語言損傷的本質。讀寫障礙並非語言的全面缺陷，更確切而言，是語言系統中某個特定部分的一種局部缺陷：語音模組（phonologic module）。phonologic 這個字源自希臘文phone，意思是聲音（sound），就像phonograph（留聲機）和telephone（電話）這兩個字的字源。語音模組就像是語言的工廠，屬於大腦的功能部位。在那裡，語言的聲音被放在一起造字，單字被分解成為它們的聲音元素。

過去二十年來，以音韻處理（phonological processing）（即處理語言各個特有的聲音）為基礎的讀寫障礙模式已浮現。此語音模式（phonologic model）與讀寫障礙如何顯現其本質，以及神經科學家對於大腦組織與功能的瞭解，這兩者之間相互符合。透過閱讀及新近的腦造影研究（brain imaging studies），耶魯中心與其它地方的研究人員有機會測試並改善此一模式。為何有些非常聰明的人會有學習閱讀的困擾，我們和其他研究讀寫障礙的學者已發現，語音模式提供極具說服力的說明。

語音模式

為了瞭解語音模式如何運作，你必須先瞭解語言是如何在大腦被處理。把語言系統想像成一種階層式序列模組（或部件），每一個單模組（或部件）都專注於某個特定的語言層面。這個系統的運作快速、自動，而且我們是無法察覺的。它們的運作也是強制性的。舉例來說，如果我們坐在餐廳的桌子前，若是隔壁那桌的人說話夠大聲，我們**一定**聽得到他在說什麼。要我們把語言頻道給關掉，那幾乎是不可能。那就是為什麼當別人在你身旁說話時，要專心讀書是如此困難。

科學家已指出，此一故障在語言系統內的精確位置（圖 3）。在語言階層的較上層是由語意（semantics）（字彙或文字意義）、語法（syntax）（文法結構）及話語（discourse）（相連接的句子）所組成。在語言階層的最底層是語

音模組，專門負責處理語言的各個特定聲音元素。讀寫障礙所涉及的是語言系統的缺陷，尤其在語音模組層面。

語言系統：閱讀與說話

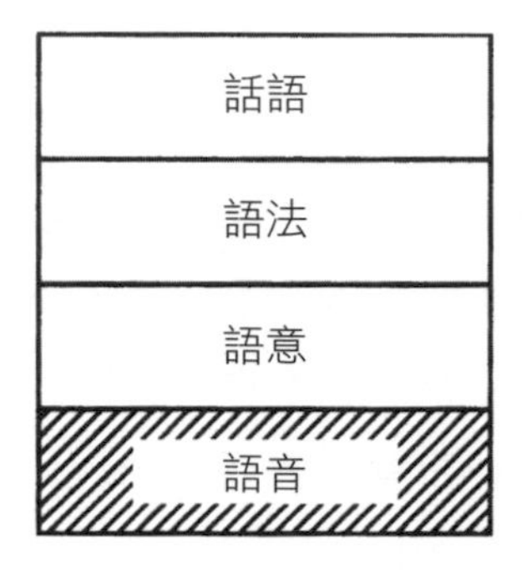

❖ **圖 3　指出讀寫障礙核心缺陷的精確位置**

研究指出，缺陷是在語言系統的最底層。

音素（phoneme）*是語言系統的基本要素，是組成所有口語語詞與書面字詞（written words）的基本組件。僅有的四十四個音素的不同組合能製造出英語裡數萬個單字。譬如說，**cat** 這個字是由三個音素組成：**k**、**aaaa** 和 **t**。在單字能夠被辨識、理解、儲存於記憶或從記憶中被檢索之前，它首先必須被大腦裡的神經組織（neural machinery）分解成音素。就如同蛋白質在被消化前必須先被分解成基本氨基酸，字詞在被語言系統處理前則必須先被分解成基本音素。語言是一種符碼（code），唯一能被語言系統識別，且使神經組織活化的符碼是語音碼（phonologic code）。

對說話與閱讀而言，語音碼是必不可缺的。首先，讓我們考慮說話（圖4）的情況。假使我想說的字是**bat**，我必須進入大腦深處的內部字典（internal dictionary）或內部詞典（internal lexicon），先進行檢索，然後將適當的音素依序排列——**b**、**aaaa** 和 **t**——接著我就能說出 **bat** 這個字了。

---

* 音素是指能區別兩個單字的最小言語單位。

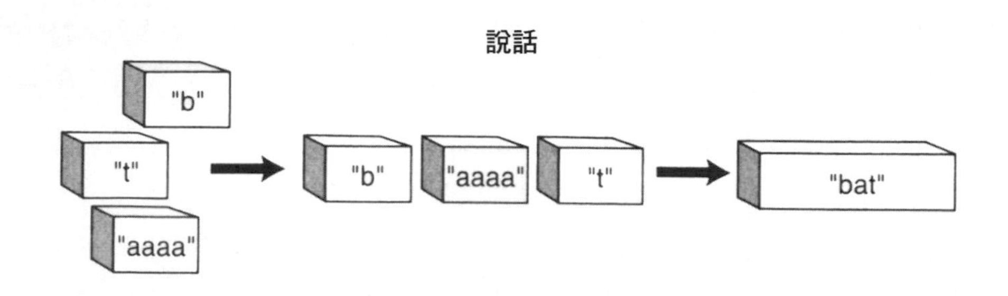

❖ 圖 4　說話：造字

說話者先檢索，然後排列音素的順序來造出一個字

在讀寫障礙兒童身上，他們的音素發展得較不完整。把這樣的音素想像成小孩在玩耍的字母積木，積木的表面已被磨損到看不清字母了。造成的後果是這些孩子在說話時可能難以選出適當的音素，反而檢索出有相似音的音素。想一想Alex的經驗，當他要尋找的字是**ocean**（海洋）時，他卻檢索出**lotion**（乳液）。Alex確切的知道他想要說什麼，卻無法檢索出正確的字，反而挑選一個音相近、卻不正確的音素。讀寫障礙者也可能把音素的順序排列錯誤，結果就可能像 Alex 說出的字，用 **emeny** 來取代 **enemy**。像這類以聲音為主的混淆情形，在讀寫障礙者的口語表現上相當常見。

不久之前，我收到來自 Pam Stock 捎給我的便條，他是一位在緬因州「深處戰壕」的學習障礙老師。當我讀到一位聰明的六歲讀寫障礙男孩在一個炎炎夏日時所說的話，我不禁莞爾。當他注視他那汗流浹背、正飽受塞車之苦的媽媽時，他說：「媽咪，妳知道的，這並不是溫度高，是**人性**（**humanity**）高。」當然，他準備說的字是**濕度**（**humidity**）。在另一場合裡，一位政治人物向他的支持者問候，他說：「歡迎光臨這個溫馨的**經濟不景氣**（**recession**）。」當然他的意思是要說**接待會**（**reception**）。每個實例都出現語音混淆的情形（即是以字的**聲音**為主的問題），反映出他們不是對字的含義缺乏理解。讀寫障礙者經常有這種脫口而出的語音疏忽，很遺憾的，他們也常被誤會為理解力不足。

閱讀是說話的相反面。我們從書頁上一個完整的印刷字開始閱讀：這些組件象徵所有被正確連接一起的音素。閱讀者的工作就是把這些字母轉換成它們

的聲音，並察覺字是由更小的音段（segments）或音素所組成（圖 5）。對於口語語詞和書面字詞是由音素或組件所構成的概念，讀寫障礙兒童與成人在發展此一察覺力有困難。想像小男孩戴上他的第一副近視眼鏡後，馬上說：「我從來就不知道這房子是由紅磚砌成。我總以為牆壁上塗滿了大片紅色油漆。」讀寫障礙者對字的察覺也是相同情況。當大多數的我們能察覺構成一個字的基本聲音或音素時——譬如說，在 **cat** 這個字裡是 **k**、**aaaa** 和 **t**——讀寫障礙兒童對某個字的察覺卻是一團模糊不清的東西，他們對單字裡潛在的分段本質無法察知。他們缺乏辨識字詞內部聲音結構的能力。

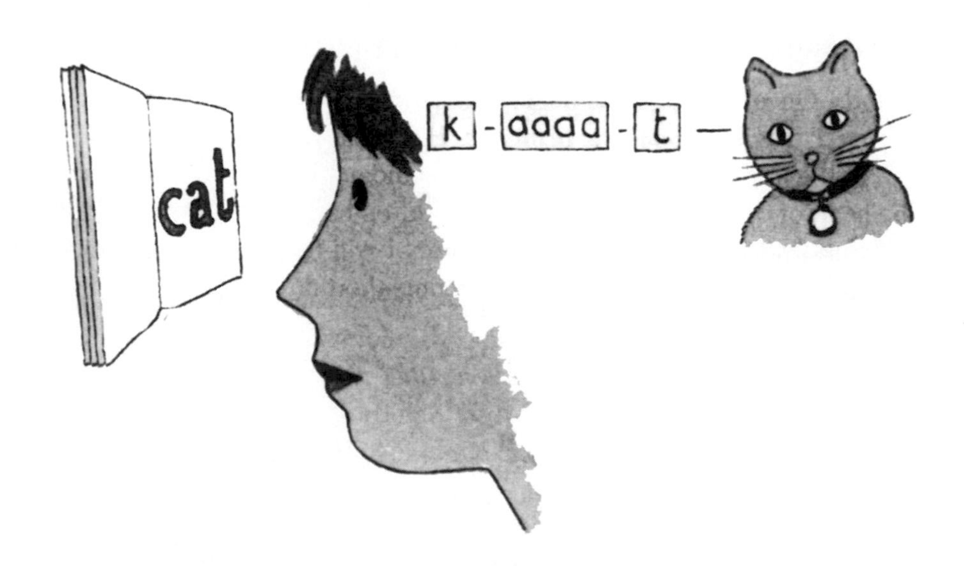

❖ **圖 5　閱讀：將字母轉換成聲音**

孩子要將字母轉換成聲音或音素才能閱讀。

語音模式告訴我們必須採取正確的步驟，孩子會把字母看成彎曲、抽象的形狀嗎？他是否會從這個迷惑開始，直到能識別、確認這些字母的組合是單字並產生滿足感。整體而言，孩子必須逐漸瞭解他看到書頁上所表徵或與他相連接的是哪些字母，而當別人說到同樣的字時，他曉得他聽到哪些聲音。

取得這項知識的程序要按部就班，隨之而來是必然的結果。首先，孩子開始對他所聽到的字有所覺察，而不只聽到整個包裹住的聲音。就像那個注意牆上紅磚的小男孩，初學閱讀者會開始注意文字是由較小的音段所構成，意即單字是由部件組成。接著，孩子開始察覺這些音段的本質，即是它們代表聲音。譬如說，他察覺 **cat** 這個字裡有三個音段，**k**、**aaaa** 和 **t**。然後，孩子開始把他在紙上看到的字母，與他在口語語詞裡聽到的內容連結。他開始懂得字母和他所聽到話語裡的聲音有關係，而且印刷字（printed word）與口語語詞有相同數目和順序的音素（聲音）。最後，他理解印刷字與口語語詞是有關係的。他認識了印刷字有其潛在的結構，而此結構與他在口語語詞所聽到的相同。他瞭解口語字與書面字都能根據相同的聲音被分開，印刷字母則代表這些聲音。一旦孩子做了這項連接，那麼他就掌握所謂的**字母拼音原則**（alphabetic principle）。他準備好閱讀了。

在下一章，我將討論讀寫障礙的核心困難，以及為何有這麼多孩子在掌握字母拼音原則有問題。在後面幾章，我會討論如何最有效的教導這些孩子，以克服他們的閱讀困難。

戰勝讀寫障礙
Overcoming Dyslexia

Chapter 5

每個人都會說話，但不是每個人都會閱讀

為了學會閱讀，準閱讀者必須能夠掌握字母拼音原則，然而每五個孩子中卻有一人無法做到。對於口語語詞是由較小的音段——音素所構成，為何此覺察力的發展會造成如此艱難的挑戰？就如你將認識到，答案就在那個讓說話輕而易舉的相同機制裡。

如麻省理工學院（Massachusetts Institute of Technology）的語言學家 Noam Chomsky 與 Steven Pinker 所主張，口頭語言是與生俱來的[1]。它是出於本能的。語言是不必被教導的。一切所需只是將人類暴露於他的母語環境。透過我們大腦深處的神經迴路，一個由基因決定的語音模組會**自動的**為說話者將音素組合成口語語詞，以及為傾聽者將口語語詞拆解成潛在的音素。因此，口頭語言是發生在前意識階段，它是容易的、不費力的。

有些語言學家，如 Steven Pinker 主張語言可追溯至一百萬年前之久。夏威夷大學（University of Hawaii）的漢語名譽教授 John DeFrancis 指出，大約是五萬年以前，言語即被人（學名：Homo sapiens，意為有智慧的人）作為一種優勢的溝通形式。每個人類社會都有一種口頭語言，而且人類是唯一藉由說話來溝通的物種（雖然有許多其他物種都會用各種信號來溝通——發出咕嚕聲、尖叫聲、電擊、氣味、鳴叫聲、喊叫）。假使一個嬰兒的神經是健康的，那麼他幾乎不

1　幾乎所有的人類都會說話，除了那些患有罕見疾病的人，像是天生全聾者。

可能躲得掉學會說話。

語言是沒有限制的，它是有衍生力的。我們能夠利用音素創造出數量無限的字，再使用這些字產生數量無限的想法。我們可以說笑話、沉思、說故事、想像及描述。我們可以談論當下、緬懷過去抑或憧憬未來。

相形之下，動物的溝通系統是封閉的，信號是固定不變的。牠們的系統是整體性的；它們拆不開、也不能被附加，或重新安排為一種新訊息。動物所使用的信號數量有限，每一種信號都被一種特定的意義牢牢套住。對於要創新或無限制的變化，那是沒有可能的。

粒子原則

1989 年，語言學家 William Abler 針對語言系統提出其出色見解——他稱為自我多樣性系統（self-diversifying systems）的粒子原則（particulate principle）。雖然它聽似為專業術語難以理解，但原則本身的優雅在於它的簡單特性。利用生物遺傳模式，Abler 指出，就如同 DNA 能組合成看似數量無限的蛋白質，化學組合與人類語言遵循著相同原則。他推論這些自然的過程具有兩種共同基本特色：每一種都有作為核心元素的「粒子」（particle），而每一種都有階層結構的特徵。這些粒子的用途就像基本組件一般，要把無限制的階層系統架設起來。就化學而言它是原子；就遺傳學而言它是DNA（脫氧核醣核酸）裡的核甘酸（nucleotides），而就語言來說它是音素。到了第二階層，這時粒子就變得更大了：原子組合成分子，核甘酸連結形成蛋白質，而音素聚合在一起就形成字詞。

藉由利用少數音素，說話者有能力創造似乎是數量無限的字詞，接著是句子，然後是段落。若要體驗可能的巨大數量，細想一下莎士比亞在他整部作品（總計有 884,647 個字）裡一共用了 29,066 個不同的字。

是什麼原因讓粒子原則能如此有效運作，那就是粒子具備的特殊本質。無論是鈉原子、DNA鏈（的核甘酸）或是音素，它們都不會改變；它們保持本身原有的特性。這意謂它們能相互結合，以形成新的或更大的單位，它們變成複合物、蛋白質或字詞——然而在這過程中粒子本身並不會改變（圖 6 顯示，粒子比元素占優勢是因它能保持本身特性。假使兩個元素組合 [combine] 並混合 [blend] 在一起，結果是一種混合物——介於原本兩個元素之間。不過，當兩個粒子組合而仍保有原有屬性，形成的這個全新東西是獨一無二的）。字詞的形成是藉由組合——並非混合——音素為自己帶來非凡的潛能，可形成數量無限的字，僅受限於組合的數量。隨著音素組合成單字，接著單字便連結形成了片語或句子，在此階層裡，每個相繼而來的層次上，一個較大和全新的結構便被創造出來。

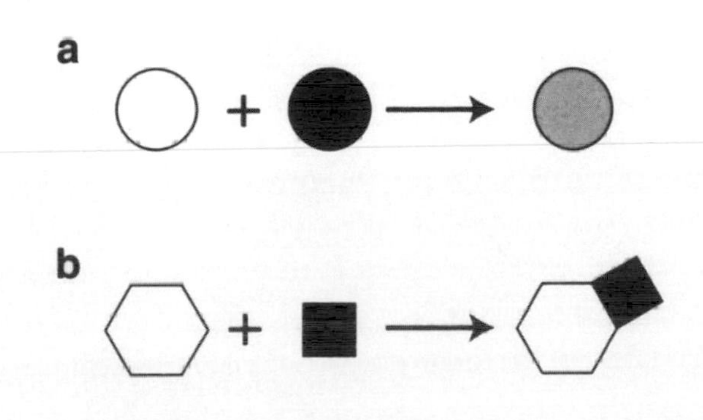

❖ 圖 6　粒子不相混合的優勢

當元素組合時它們相互混合，如圖中兩個圓圈顯示，最終結果是兩者的混合物，介於兩者之間的某一種。而另一方面，當兩個音素（粒子）組合時，如這裡用兩個幾何圖形顯示，它們並不會混合在一起。反而會組合成某種全新的東西。無限的組合是有可能的，這些組合可製造出數量無限的字。

一個說話者能夠非常快速的產生音素，以每秒鐘十到十五個音素的平均速率。事實上，這個速度比傾聽者聽覺機制（acoustic machinery）的接受容量還要快，以傾聽者的能力，是無法那麼快的接收或處理一連串相繼而來的聲音。另一方面，如果說話者將每個音素都緩慢的發出，那麼口頭語言就會變得冗長不堪了。另一個困難是傾聽者必須以夠快的速度接收音素，以便同時有幾個音素被保留在短期記憶（short-term memory）裡，然後整合它們以形成未來要說的字或片語。音素在暫時記憶的儲存槽裡只能被保留一秒鐘到兩秒鐘，或是大約五到七個不相關的單字，在每個音素到來之前，原先被保存的音素就像氣泡一樣消失了。

藉著連音作用（coarticulation），人類的演化解決這個問題：將幾個音素重疊在一起的能力——同時維持各個音素的完整性——並轉成一個聲音氣泡（圖7）。由於連音作用，迸發出的聲音會以一種與負責處理音素的聽覺系統其接受能力相容的速度到來，而且音素會以一種夠快的速度到達，以符合短期記憶系統的限制。

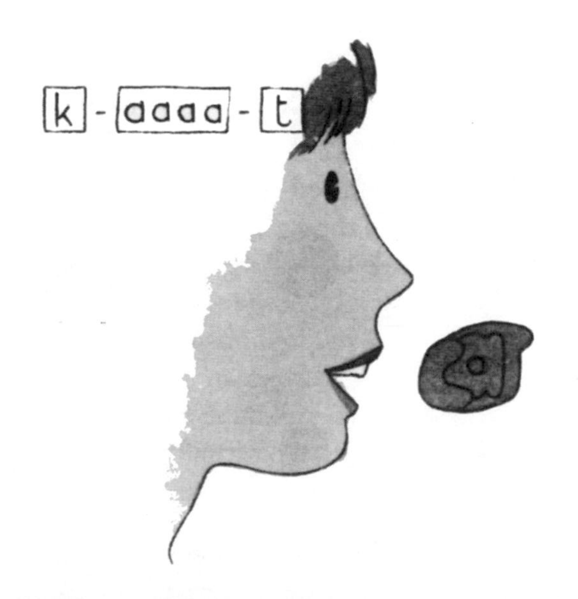

❖ 圖 7　連音作用：將幾個音素重疊在一起後，發出另一個音

要說出一個字，首先要檢索每個音素，然後協同發音，或將一個個音素重疊在一起。如此圖所示，三個音素形成一個字 **cat**，即重疊成一個聲音包裹。

整個處理過程的關鍵在於聲音之間的基本差異——語言的聲音與聲響的聲音——以及語音模組的直覺能力，以區別言語與非言語的聲音。音素出現在感覺器官、耳朵及它的感受器，它被隱藏在平常迸發出的聲音包裹裡。譬如說，假使我說 **cat** 這個字，它會在示波器上顯示一個聲音的振動——而這就是在傾聽者的耳朵所發生的事。然而，有三個語言的片段被隱藏在這個聲音包裹裡：音素 **k, aaaa** 和 **t**。一旦聲音在聽覺機制裡安全過關了，語言系統便立即接管，快速的識別那作為語言粒子的三個音素，並相應的處理它們。在此，語言系統有別於其它系統，像是視覺和聽覺系統。眼睛接收視覺刺激，而耳朵則接收聽覺刺激，但耳朵只是語言通過的一個小站。在生理上，耳朵提供一個允許聲音進入的機制，就像駁船拖曳有價值的貨物，引導語音粒子通過耳朵，進入那個專職於接收語言的大腦神經迴路的安全港口。當耳朵接收到聲音包裹時，在大腦中專門負責的語音模組就會立即活化起來，並回復（recover）每個聲音振動所包含的音素。傾聽者接收到說話者所傳遞的準確訊息。

是什麼作用讓人類的言語有可能作為溝通工具，就是稍早所提到的連音作用。人類說話的器官——喉頭、上顎、舌頭和嘴唇——自動的協同發音，亦即把音素壓縮在一起。由於連音作用，幾個音素被疊成一個單一振動或聲音氣泡，言語中潛在的分段特性並沒有任何明顯的線索。結果口頭語言聽起來是**無接縫的**。連音作用就好像是在各個音素的縫隙或間隔裡塗滿亮漆，因此呈現給傾聽者一股流暢、無接縫的語流（stream of speech）。

閱讀比說話更困難

對讀寫障礙兒童而言，為何閱讀是如此困難，與這問題最有關係的就是口頭語言的不費力與無接縫本質。儘管說話與閱讀這兩者皆依賴相同粒子——音素——但其間存在基本的差異：**說話是天生的，而閱讀不是**。困難之處就在這裡。閱讀是一種後天習得的行為，一種人類發明、一定要在有意識的層次被學習的行為。而且，就是說話的極度自然性，使得閱讀變得如此困難。

就如同肺為我們吸氣與吐氣，然後心室可以有節奏的收縮，大腦裡高度精鍊的神經迴路，讓我們不用意識思考或努力就能說話和傾聽。在口頭語言方面，音素完全準備就緒了，這是演化帶給人類的天賦，但對閱讀卻非如此。儘管閱讀也是依賴語音代碼，但解碼的關鍵卻不是那麼明顯可見，而且就初學閱讀者而言，只有努力才能接近。

這其間巨大的差異使得閱讀與說話有所區別。閱讀與書寫不僅是較近代的人類成就（人類擁有書寫語言只不過大約五千年之久），而且閱讀在全世界仍是相對稀有的。閱讀並未被建立在我們的基因裡；閱讀模組（reading module）沒有被裝設在人類的大腦裡。為了能夠閱讀，人類必須利用天生即有，一種給語言使用的生物模組（biological module）。為了讓閱讀者注意的對象（印刷文字）得以進入語言模組（language module），一種異常精確的轉換（transformation）必須發生。閱讀者必須以某種方式將書中的印刷文字變換成一種語言代碼——語音代碼（phonetic code），唯一被語言系統辨識與接受的一種代碼。然而，不同於口頭語言粒子，整套字母並沒有與生俱來的語言內涵。除非準閱讀者能把書頁上的印刷文字轉換成語音代碼，否則這些文字仍只是一堆完全缺乏語言意義的直線和圓圈。關於書寫語言與口頭語言之間的實質差別，語言學家 Leonard Bloomfield 最能補捉其中不同：「書寫並非語言，只不過是用視覺符號記錄語言的一種方法。」書寫符號並沒有自己的意義，倒不如說，它們被當作言語的代用品，或者確切的說，是作為言語的聲音。

在這世界上，每個地方的初學閱讀者都必須學會如何破解印刷文字，學會如何轉換紙上一行行毫無意義的符號，以被一個只辨識語音代碼的強大語言機制接受。我記得觀察過一位耶魯大學的交換學生，當時她試圖用她的義大利里拉從自動販賣機購買可口可樂。雖然她真的有一口袋的里拉銅板，但在一個只接受美國銅板的機器裡，她的貨幣沒有任何實質價值。所以，對於閱讀也是如此：假使一篇書寫流暢的散文無法被轉換成可被讀者的語言模組辨識的語音代碼，那麼這篇散文是毫無意義的。

破解代碼

在學會閱讀的過程中，孩子最早的發現是認識口語語詞是由一個個片段所組成。突然之間，孩子體會他所聽到的話可被拆解成一個個較小的聲音；他發展出**音素覺識**（phonemic awareness）能力[2]。這是一個了不起的發現。沒有什麼理由能讓一個孩子注意到這點。因為口頭語言是建立在我們的基因裡，而且是自然發生的，它的分段本質並不存在我們的意識裡。此外，由於連音作用的結果，口語是無接縫的，更遮掩其潛在的分段本質。但是，一旦孩子開始察覺到口語的分段本質，他就擁有基本元素——口語粒子、音素，以及它們的聲音——那麼他現在就能把適當的書寫字附加上去。字母與音素連結，就不再是紙上無意義的符號而已，就像灰姑娘變成令人驚豔的女孩：文字轉變成語言。印刷文字被轉譯成語音代碼，這時口頭語言的神經迴路準備就位，開始接受、處理了。單字被解碼成音素，語言系統自動的進行處理。閱讀代碼（reading code）被破解了。

學會如何將印刷符號轉換成語音代碼，有 70%到 80%的美國兒童並沒有太大困難。然而，對於其他孩子而言，書寫符號仍是一個謎團。這些人就是讀寫障礙兒童。就像 Alex 一樣，他們無法立即將字母轉換成語言代碼。

假使幼童想成為一位閱讀者，就**必須**發展音素覺識能力。換句話說，他必須瞭解口語語詞是由較小的言語聲音單位所組成，即是音素。當然，如果書面字要被帶進語言系統裡，正是這些一模一樣的音素要讓字母附加其上。所有的閱讀者——包括讀寫障礙者在內——都必須採取相同步驟。兩者間的差異僅在掌握字母拼音原則所需要的努力和時間。

當然，孩子在發展音素覺識能力的難易程度有極大不同。對某些孩子而言，這個過程快速、顯然毫不費力；這些孩子到底如何發展音素覺察力，目前仍不得而知。肯定是暴露在一個豐富的語言環境，孩子能得到許多傾聽、玩口語語詞遊戲的機會——譬如說，聆聽押韻和練習押韻的歌曲——以增進這項覺察力。

在讀寫障礙兒童身上，他們的語言系統出現一個小故障——在語音模組階層——它削弱孩子對音素的覺察力，將口語語詞分割成潛在聲音的能力。對音素的界定無法那麼清晰。由於這個缺陷，孩子有破解閱讀代碼的困難。

---

2 音素覺識指的是注意、辨識和操弄口語語詞裡的各個聲音——音素的能力。

閱讀過程是由兩個主要成分所組成：解碼，它導致字詞辨識（word identification），還有理解，當然理解與意義是有關的（圖 8a）。如圖 8b所示，我們認為語言模組與閱讀成分應並列在一起，像Alex這樣聰明的孩子，為何在認讀單字有困難，但卻能理解較高層次的閱讀內容，我們一看就清楚問題在哪裡了。

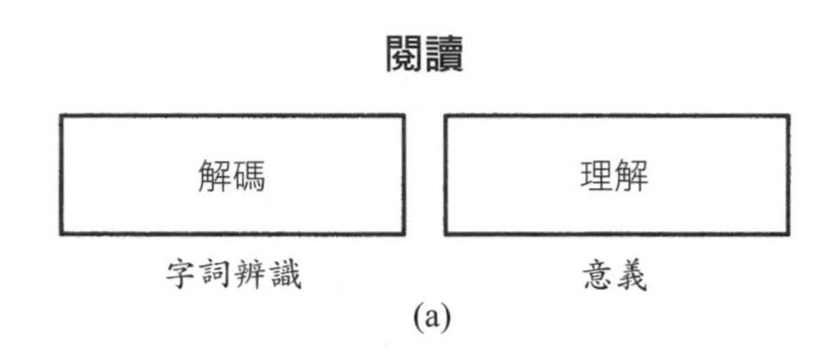

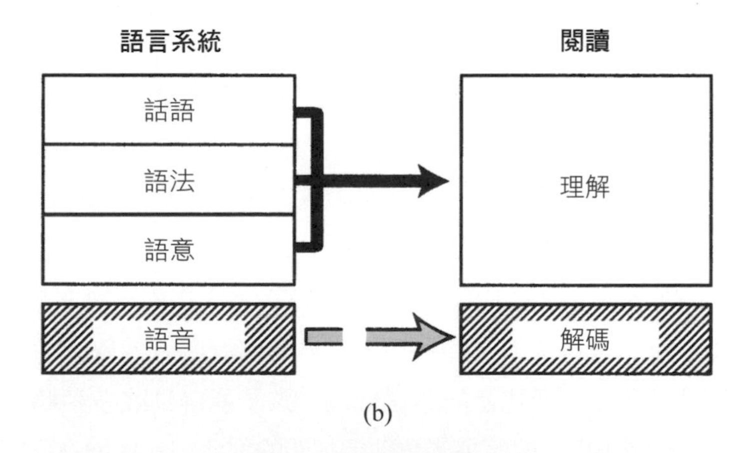

❖ **圖 8　讀寫障礙的矛盾 I**

a. 閱讀的兩個主要成分：解碼與理解。

b. 某種語音缺陷會阻礙到解碼；但理解所需的較高層次技能是完整無損的。

在語言系統的最低階層，語音的缺陷削弱了解碼能力。同時，所有的認知裝備，即針對閱讀理解所需之較高階智能——字彙、語法、話語（瞭解連貫的文本）和推理——是完整無損的。Gregory、Alex及其他讀寫障礙者，他們在瞭解、形成概念、理解書面文本時所需要的一切裝備都在那裡，並未受到語音缺陷影響。他們在智能的豐富與深度，說明為何聰明的讀寫障礙兒童往往被延遲鑑定。如同我一位病患的小學三年級老師注意到的：「Madison是如此聰明，她知道最困難問題的答案。她是我們班上最先能理解抽象概念的人。我一直沒有辦法想像她會有任何毛病。」慶幸的，現在我們可以有效的治療語音缺陷；然而，諷刺的是，往往讀寫障礙兒童擁有的複雜推理與精密思考能力，卻幾乎不可能被教導（我先生的推理是，因為在讀寫障礙者身上，把字與聲音連結的基本迴路被切斷了，不僅在閱讀，還有在問題解決能力的發展，他們會依賴其它神經系統。像這樣的人在看待事物時，可能會使用不同方式，或許是更有創意的方式，而且能脫離思考框架。在本書結尾，我們將會認識一些這樣的人）。

現在我們可以瞭解，由於語音的缺陷，在Alex和其他讀寫障礙者身上會發生什麼事。根據語音的假設，在音韻處理的過程中，一種限界的（circumscribed）、被包覆的（encapsulated）缺陷會妨礙Alex解碼，阻礙了字詞辨識。這個存在於必要的、較低階語言功能裡的基本缺陷，會阻擋他進入較高階語言歷程及獲得文本意義的入口。

如圖9所示，在像Alex這樣的人身上，雖然在涉及理解與意義的語言歷程完整無損，但它們卻無法被充分發揮，因為通常只有在辨識字詞後才能進入理解。如今我們懂得，為何 Alex 這樣一個高智商、字彙豐富和充滿好奇心的孩子，甚至連破解最簡單的字或朗讀一段文章都做不到。當要默讀連貫性文本時，Alex 會把他的能力放在思考和推理上，利用某個字的上下文去猜測它的意思（即使他無法破解這個特定單字）。回憶一下，當Alex被要求默讀一段文章再回答問題時，這會比他被要求唸單字要表現得更好。對他來說，最好的情況是當他能聆聽一個故事，因為他會利用他擁有的較高階思考技能，去聽懂所敘述的故事並回答相關問題。

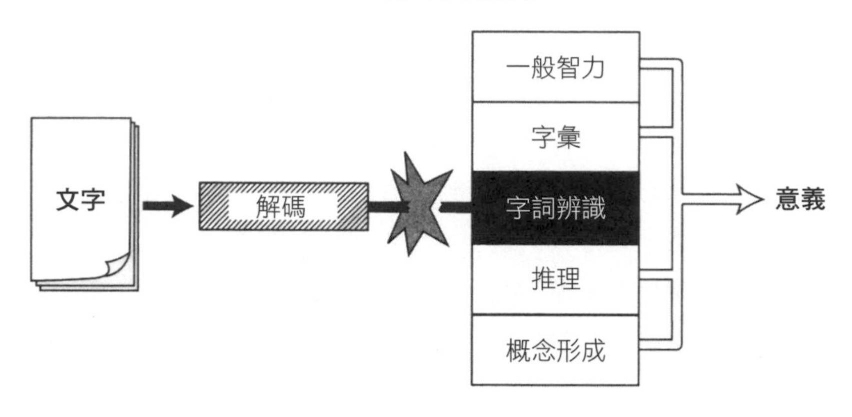

❖ **圖 9　從文字到意義**

語音缺陷阻礙了解碼，它接下來會阻礙字詞的辨識。它阻止讀寫障礙者應用他的較高層次技能去取得字詞的意義。但即使他無法明確的辨識這個字，他還是能把這些較高層次技能應用在這個未知字的上下文，去猜測這個字的意思。

語音的缺陷對閱讀產生明顯的衝擊，但也會以其它可預測的形式影響到言語。從二十多年前開始，研究證據開始累積，證實讀寫障礙的核心困難存在口語語詞的聲音結構。研究證明四歲到六歲孩童能發展出「字詞是可以分開」的覺察力。到了六歲時，大部分孩子（大約有 70%）都能算出他們所聽到短詞裡有多少個聲音（音素）。大多數孩子到此刻也已接受至少一整年的學校教育，包括教導閱讀在內。閱讀與音素覺識能力相互強化：對閱讀而言音素覺識是必要的，反之，閱讀會進一步提升對音素的覺察力。在經過一年的閱讀教學後，仍有 30%的兒童無法拆解口語語詞的聲音，這可能反映出有 20%到 30%的兒童正遭遇閱讀的困難。

在 1980 年代，研究者開始目標明確的致力於解決這項關聯性。英國的研究人員 Lynette Bradley 與 Peter Bryant 發現，學齡前兒童在語音的天分能預測他三年以後的閱讀能力。他們與其他研究者還發現，在幼童入學前訓練他去注意口語語詞裡的聲音，能顯著提高他日後學習閱讀的成就。在這些研究裡，一組學齡前兒童接受了注意字的聲音的特殊訓練。他們學習根據這些字的第一個、中間和最後一個聲音來做字的分類。舉例來說，透過圖片的使用，孩子們被教導字有共同的頭音（beginning sounds）（**pig, pan**）、中間音（middle sounds）（**hen, pet**）和尾音（last sounds）（**hen, pin**）。另一組兒童則接受強調字的意義的一般語言訓練。毫無疑問的，接受以聲音為訓練基礎的那組兒童，他們在閱讀與拼字的進步最多。這項研究的另一重要性顯示兒童入學前的經驗類型，會影響他們幾年後的閱讀能力。

在 1990 年代，我們和其他研究團隊證明，語音的困難是幼年期讀寫障礙最重要與一致的標記。

尤其對讀寫障礙而言，有一種測試方式似乎相當的靈敏；這個測驗要求孩子將字分段成它們的音素，然後再把特定的音素從字裡刪除。譬如說，孩子必須唸出 **stale** 這個字，而沒有 **t** 的聲音（**sale**），或是唸出 **sour** 這個字，而沒有 **s** 的聲音（**our**）。孩子在此測試的表現與他解碼單字的能力有關，而與他的智力、字彙和推理能力無關。在我們的康乃狄克縱貫研究裡，當我們把這個測驗或其它音素覺識測驗對一組十五歲青少年施測時，獲得的結果是一樣的。即使在中學生身上，音素覺識仍是正確或快速讀字能力的最佳預測指標。

假使讀寫障礙是語音缺陷所導致的結果，那麼其它語音功能受損的結果也應當明顯——而它們確實是。譬如說，在十年前研究生 Robert B. Katz 的著作中，描述弱讀者有唸出圖片所示物件名稱的困難。Katz 證明當讀寫障礙者說錯物件名稱時，他們的錯誤反應與正確反應傾向於出現相同的語音特徵，**唸錯名稱並非缺乏知識所導致結果，而是對語音的困惑**。舉例來說，如圖 10 的系列插圖顯示，當向小女孩Amy展示火山（volcano）的圖片時，她說成了tornado（龍捲風）。但當給她機會詳細說明時，Amy能證實她知道圖片中的物件是什麼。她可以很仔細的描述火山的特徵與活動，並指出與火山相關的其它圖片。她只是想不出 **volcano**（**火山**）這個字。

這個研究的發現與其它證據趨向了相同結果，它指出當讀寫障礙者在其語言系統的語音成分受損時，在語言系統較高階的成分仍保持完整無損。語音能力與智力之間並沒有關係，事實上，與智力是完全無關的。相較於那些患有讀寫障礙的許多高智商兒童，其他智力相較低下的孩子卻能輕易掌握學會閱讀的訣竅。對於得知音素覺識（而非智力）最能預測一個人能否輕鬆學會閱讀，人們對此發現往往感到驚訝。

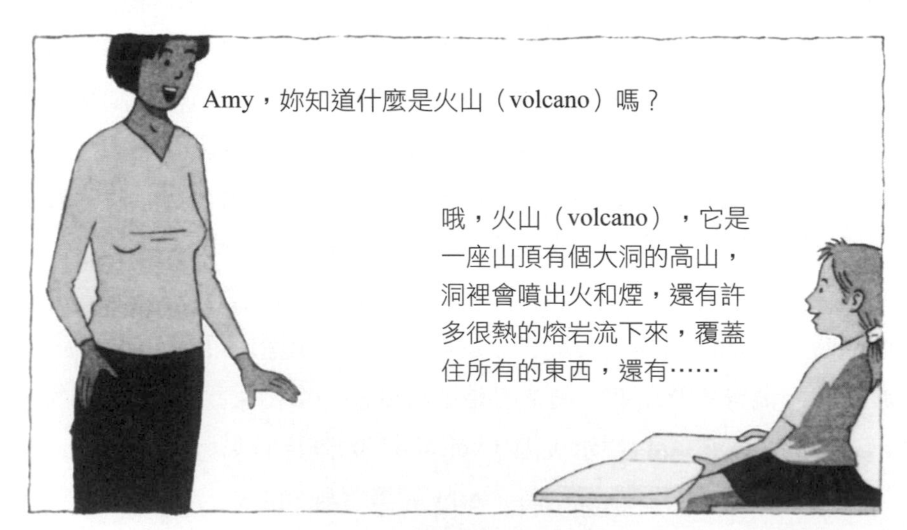

❖ **圖 10　讀寫障礙的矛盾 II**

Amy 有困難唸出 **volcano**（**火山**）這個字。當給她看一張火山圖片時，她檢索出 **tornado**（**龍捲風**）這個字——一個聽起來音相似的字。無論如何，一旦 Amy 聽到 **volcano**（**火山**）這個字時，事情就清楚明白了，她確實知道這個字是什麼意思。

這個語音模式使我們對讀寫障礙的界定完全具體化。如圖 11 所示，一個限界的、被包覆的缺陷往往被大量優點所圍繞：推理、問題解決、理解、概念形成、批判性思考、常識和字彙。語音缺陷往往遮掩優秀的理解技能。像Gregory這樣的讀寫障礙者，會利用理論、模式和概念的「整體畫面」為架構，以幫助他們記住特定細節。事實確實如此，當細節與相關的概念或理論架構不一致時——譬如說，當 Gregory 必須記住一長串不熟悉物件的名稱時——讀寫障礙者可能處於非常不利的條件。即使 Gregory 能成功記住這份長長的清單，他仍會在被要求說出物件名稱時又出現困難，就像他在回診時被主治醫生詢問所遇到的狀況，他的問題經常會反覆出現。

對讀寫障礙者而言，機械記憶（rote memorization）和快速的字彙檢索尤其困難。另一方面，無論在商業、金融、醫學、文學、法律或科學界，讀寫障礙者以看似不均衡的方式展現創造力等較高階能力，他們能突破限制並改變社會。

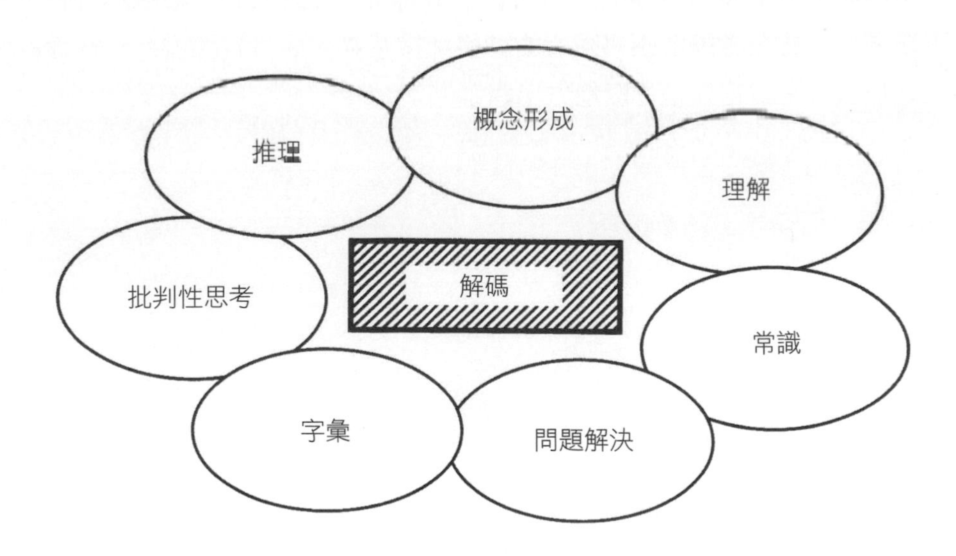

❖ 圖 11　被大量優點所圍繞的讀寫障礙模式

在讀寫障礙模式裡，被包覆的缺陷被許多優點所圍繞。

我相信讀寫障礙者只是無法記住或把東西死背起來；讀寫障礙者必定可以進入概念底層的極深之處，再從概念的根本瞭解事情。這樣的需求往往會導致讀寫障礙者對事物有更深的理解，他們的觀點與某些簡單看待事物的人截然不同，因為這些人能一下子就記住和背誦——從來就不必深入和徹底瞭解。

甚至，當讀寫障礙者知道一則訊息，需要快速檢索並口頭表現這個訊息時，這往往會導致他檢索出一個有關的音素，例如用 **humanity** 替代 **humidity**。結果讀寫障礙者可能會表現得更差，反而無法反映原有能力。另一方面，若給予時間且沒有立即口頭答覆的壓力時，讀寫障礙者就能有極好的口頭表現。同樣的，像 Gregory 這樣的讀寫障礙者，在閱讀上，經常要依賴上下文來幫助他們辨識特定單字。這樣的策略使得讀寫障礙者的閱讀速度更緩慢，這有助於解釋，倘若要求讀寫障礙者展現其知識，為何提供額外時間作為調整是如此必要。

經由確認語音缺陷是讀寫障礙的核心困難，我們踏出重要的一大步。現在，可以這麼說，我們能看見神經系統裡要把印刷文字轉譯成語言的缺陷所在。在接下來兩章，你將會瞭解讀寫障礙的神經支持基礎，而且實際看到——透過大腦活化模式——以得知是什麼地方出錯了。

Chapter 6
解讀大腦

雖然看似不可能，但今天我們可實際看到一個人在閱讀時其大腦運作的情形。解讀複雜的腦造影研究使得音素變成活生生的，讓研究者在印刷文字最初被登錄為視覺圖像時就實際追蹤它，然後轉換成語言的聲音（音素），並使儲存在大腦內部字典中的字義活化起來。在幾毫秒之內——還不到一眨眼時間——在大腦迴路裡的各種線條與圓圈，快速傳輸到了字的意義，像雜音般的一堆抽象符號就被轉譯成文字的交響樂。

而且，直到最近的十九世紀初，科學家與哲學家甚至還無法確定，思考、說話或閱讀在大腦裡是否有其根源。我們快步走過了這條漫長道路。

關於心智概念的形成，最早建立在宗教與哲學想法的基礎上。而且，不令人意外的，焦點是放在心靈。在金字塔時期（西元前 2780-2200 年），埃及人發現意識與智慧的位置是在跳動的心臟，它被認為是人體裡神聖的中心點。為了來世，用來保存身體的防腐作法為每個器官的重要性提供了誘人線索。心臟被視為來世必不可缺，它很快被保存並立即回到在身體裡它的位置。其它的器官——肺臟、肝臟、胃和腎臟——也被放回原處，或被保存在靠近身體的特殊容器裡。依照這個觀點，大腦簡直是沒有用處的器官，它是被拋棄的；祭司無法想像這一團黏糊、像果凍的東西有任何有用的功能。

埃及人不是唯一將大腦視為平凡無用的文明。古老的中國醫藥發展出一種系統——臟腑學說——用來指定身體各種器官的功能與不同重要程度。基於此

信念，人的靈魂是在心臟，臟腑學說認為心臟是最重要的器官。大腦則被視為次要的，與思考或感覺沒有任何關係。心智功能與靈性被認為存在於心臟裡。

透過回溯，我們可理解心臟和大腦在此時代背景被認定的價值。古時候的人只能用感覺，從他們觀察到的去推論某個器官的功能。他們注意到心臟會跳動，裡面有鮮紅的血液，而且當心臟停止時生命也停止了。另一方面，大腦則看似蒼白、沒有生命及引不起人們的興趣。因此，不應感到意外，甚至是亞里斯多德這位古希臘時代優秀的解剖學家及動物行為學者，他也將知覺與動作的控制歸給心臟，而非大腦。大腦被看作是「冷的」器官，勉強稱得上是一個冷藏設備，用途就是能冷卻由「熱的」心臟所散發的熱。亞里斯多德相信人類有較大的腦，說明了人類在動物裡擁有最高的智慧，但不是我們能想像的理由。

> 心臟是最熱的和最豐富的，而且必須達到均衡，因為人類優越的智慧所依賴的事實是，為了最理想的心智活動，人類較大的腦部有能力讓心臟保持冷靜。

將心臟冷卻下來，意謂人類勝過所有其他生物，能夠保持心智的優越。

到了第二世紀的動物實驗，開始提供大腦其核心重要性的線索。Galen的實驗最具影響力，他證實大腦對動作、感覺和思考的關鍵作用。這位傑出的醫生兼科學家，他將所有高階的認知活動——記憶力、創造力和智慧——與大腦有所連結，而且他還把腦部損傷與這些認知歷程的障礙產生關聯。對於腦部不同區域的特定功能，Galen 並未進一步嘗試定位其位置。

無需質疑，將大腦視為一個整體、且無明顯特徵的器官，這個觀點差不多盛行幾百年之久。當將大腦區域定位（brain localization）的嘗試首次出現時，焦點並未放在腦部的實際內容。宗教信仰對科學的壓倒性影響由此明顯可見。這對第四和第五世紀的教會領導者來說，不可思議的是人類本來聖潔的心靈竟會受到與構成腦部物質，那些卑微與不純淨的血肉所汙染。因此，這個靈性的心靈不是在腦部的物質，而是在腦室（ventricles）裡，即包含腦脊髓液（cerebrospinal fluid）的腦部空間系統（見圖 12）。依照教會的教義，人類的心靈與思想真的能在體腔（cavities）裡流動。東羅馬帝國的教會領導者，Emesa 的主教Nemesius甚至發展一種能組織腦部功能的系統，指出腦部裡的四個腦室之間有關係。根據Nemesius所說，知覺能力是在兩邊或兩側腦室（lateral ventricles）被發現，思考是在中間（第三）的腦室，而記憶是在後面（第四）的腦室。他的說法雖然最終被證明是錯誤，但此觀點將為特定認知功能在腦部不同區域定位的觀念鋪路。

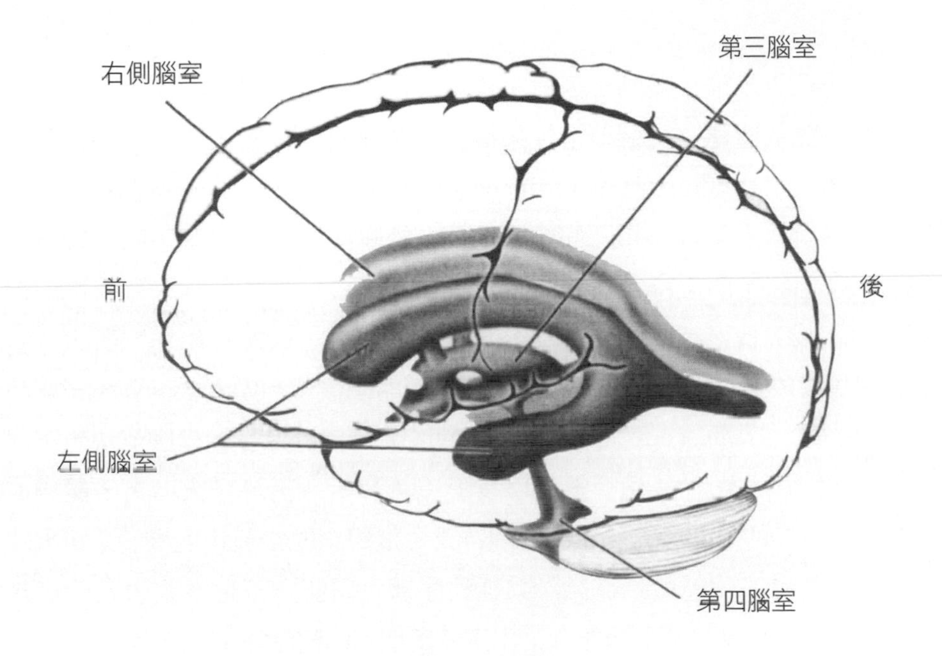

❖ **圖 12　腦室**

此圖顯示腦室在腦部裡相連接的空間，它們包含腦脊髓液。

思考是源自腦室的信念已在歐洲與中東盛行好幾個世紀。甚至能製作最精確腦室繪圖的Leonardo da Vinci，也把想像、認知和記憶能力放在這些洞穴狀的空間裡。終於，到了十六世紀下半葉，德國內科兼外科醫師 Volcher Coiter，也是一位充滿創意的實驗者，他切開活體動物的腦室，並未觀察到任何有害後果及對行為產生任何影響。隨著這個實驗結果出現，心智的腦室理論不再站得住腳。十七世紀初，敏銳的臨床醫師（Thomas Willis、Emanuel Swedenborg與Joseph

Baader）開始發表報告，他們在報告中將病人的症狀與腦部損傷的大概區域加以連結。就如這些粗糙的描述所說，至少高階的認知功能（思考、想像力和記憶）終於朝著自己的方向前進了。

將大腦功能定位

到了十八世紀末，醫師不只對人類的人格特徵，也對精神疾病的來源產生極大興趣，並渴望建立一個概念性架構，以允許他們分配大腦的這些行為。這個學說成為大家熟悉的**骨相學**（phrenology），它在觀念上非常適合這個目的。骨相學倡導有些人類行為和認知能力是來自於腦部，而且各個不同的特徵是寄居在腦部某個特定部位或獨立**器官**（organ）裡。這個負責某種人格特徵的器官（腦部的區域）長得越大，在人身上的屬性就越強。根據骨相學家所說，當腦部器官的規模成長時，它必定會刺激壓在上面的頭蓋骨，頭骨表面產生了突起。執行顱檢查術（cranioscopy）——對頭骨的觸診——依據骨相學圖能決定不同器官的尺寸，並因此顯示某個特徵呈現多少（圖 13）。對許多人而言，能夠從頭骨、臉部或身體的外部檢查來推斷心理特質，這觀念從某種角度來看是可靠的，且對一些往往令人困惑的症狀給予某種秩序感，假使它不是令人害怕的症狀。

第一位骨相學家是極具爭議性、出生於奧地利的醫師兼解剖學家Franz Joseph Gall，他為認知功能的大腦區域定位的現代觀念承擔使命。Franz Joseph Gall 提出的想法是，特定的腦功能源自腦部裡分隔、且不相連的區域。他的理論來自他九歲時的個人觀察。他喜歡對人談論這個故事，他有一位同學對文字的記憶超強。Gall 認為他同學的面貌奇特——突出的雙眼——可能與敏銳的記憶力有關。Gall推論他的同學必定有過度發展的前腦部位，是造成他有出色記憶力的原因；在這個腦部位的過度發展，將這個孩子的眼窩實際的往前推，造成眼睛的突起。骨相學的學說因此誕生，是這個九歲男孩的幻想喚起整個世代的注意。

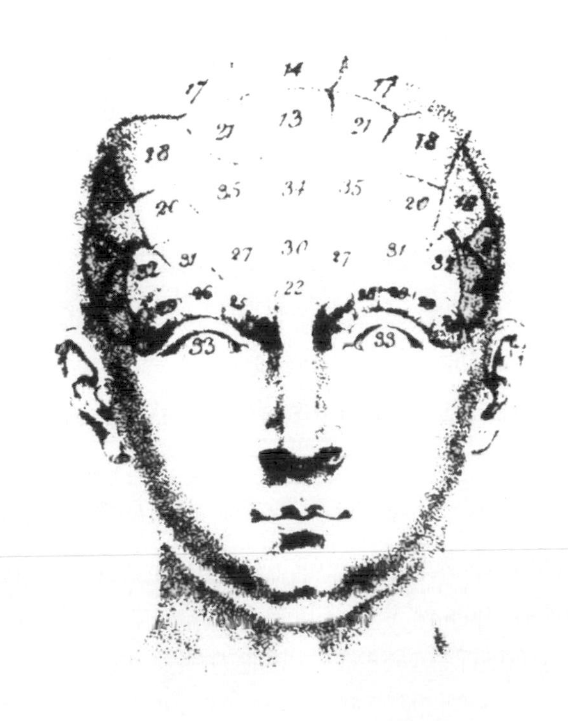

❖ 圖 13　腦的骨相學圖

圖中所示為Johann Spurzheim繪製的骨相學系統，把特定心理特質與頭骨突起的部分連結。

最後，Gall 將二十七個不同的心理特徵定位到與其有關係的腦部器官。他的推理留下一些需要改進的地方。他將「肉食性本能、謀殺的傾向」定位到「第五器官」的位置，這個區域剛好在耳輪上方，此部位在他所觀察的一位死刑劊子手身上顯得更加突出，也在一個喜歡虐待動物的小孩身上被判斷出來。

Gall與他的弟子 Johann Caspar Spurzheim 在歐洲四處巡迴演講，吸引了大批聽眾，他們所散播的信念，如勇氣、對後代的愛、偷竊癖、虛榮心、智慧，甚至詩人天分這樣的特質，都能根據頭上特定有關聯的凸塊或凹陷的大小來評估。

大約在 1840 年，當科學家拋棄此一假設時，有更多認知功能被定位到特定腦部區域的基本概念被掌握，並持續影響當今的神經科學家。科學家與醫師們以當時他們唯一能夠做到的方式，開始試圖將這些功能定位：藉由研究那些遭

遇像是腦中風或腦外傷等自然事故者的大腦。當一位病患過世之後，腦檢驗揭露中風或外傷所引起的受傷部位，接下來，就是有關這個病患的症狀。就在這樣的情況下，使得第一個認知歷程（表達性語言）在腦部被定域化。

在 1861 年，有一位五十一歲的法國人Leborgne，被轉送到一位備受敬重的法國醫生 Paul Broca 那裡接受醫療幫助。Leborgne 長期受苦於包括癲癇、喪失言語和右側癱瘓等各類神經疾病，他住院治療至少已二十年了。其他病人給Leborgne取了一個外號叫Tan，因為那是他唯一能說出的字，他不斷重複說這個字。然而，他的口語理解能力相對並未受到影響。Leborgne 在成為 Broca 醫生的病人後不到一星期就去世了。Broca 醫生事後檢驗 Leborgne 的大腦，馬上就被在左前區表面的額下回（inferior frontal gyrus）（更精確位置見圖 14）一個相當大、不規則的病灶（lesion）震撼到。它剛好在左側太陽穴的後面，大腦的這部分現在通常被稱為布洛卡區（Broca's area）。當今的神經學家將喪失語言歸類為失語症，而在 Leborgne 身上觀察到的，這種特定類型的語言困難——喪失流暢說話的能力，但同時保有理解語言的能力——就是我們熟悉的布洛卡失語症（Broca's aphasia）。

對於大腦認知功能的探索，Broca醫生的觀察開創出一個新紀元。關於大腦在認知所扮演的角色不再有爭論；喪失一種極特定的認知功能——不只在言語有些問題，而是喪失清晰發出字音的能力——是與大腦某個特定區域受損有關。Broca醫生繼續為各種言語困難找出明確的定義。譬如，他提到他最初描述的表達性失語症可能會伴隨罵髒話。另一位醫生 Jacques Lordat 描述幾十年前（1843 年）一位飽受批評的教區神父病例，無形中為這項分離性（dissociation）提供最明顯的實例。在一次中風發作之後，這位神父僅能說出極少許話語，但還是能發出「舌頭最有力的咒罵，發出以『f』開頭的字音，而它在我們的字典裡是從來不敢被印出的。」

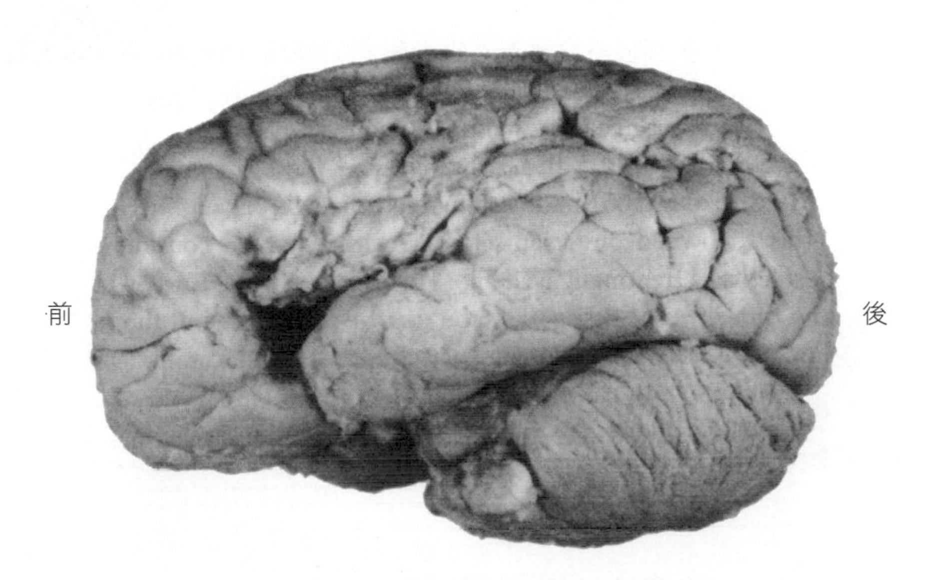

❖ 圖 14　Tan 的大腦顯示在布洛卡區有缺陷

Tan 的大腦左側顯示在額下回有一個大的、不規則的缺陷，此部位現在被稱為布洛卡區。

Broca 也清楚證實閱讀的根源——語言與言語——源自大腦皮層（cerebral cortex）*。如今這也許看似不證自明，長久以來，我們說話能力的必然來源都被認為是舌頭。在古羅馬時期，舉例而言，針對說話失能的治療方式是讓舌頭變得更結實並對它進行按摩——就像對任何衰弱或遲緩肌肉的治療——還有用力漱口。雖然見解高明的醫師看似把**喪失言語**（失語症）從舌頭的**喪失動作**（麻痺），這樣的說法中解開其糾結，但舌頭是主要說話器官的看法仍然屹立不搖，並至少一直持續到十七世紀。William Harvey 這位以發現血液循環震驚科學界的名醫兼科學家，當他在 1651 年遭受中風之苦且無法言語時，他的藥劑師提供自認是可利用的最好的失語症治療方法：他乾脆修剪 Harvey 的舌繫帶（frenulum），那是連結舌頭到口腔底部，一種薄薄的銀灰色組織。希望的是倘若 Harvey 的舌

---

* 大腦皮層指的是**灰質**（gray matter），也就是靠近腦部表層的神經細胞；而**白質**（white matter）指的是神經細胞的長尾或軸突（axons）（神經纖維），它們將訊息從神經細胞運送到腦部或脊髓神經的其它神經元。

頭自由了，那麼他的失語症就會改善。儘管我們能推測Harvey的舌頭現在比較放鬆了，但我們也可用極大保證去推斷，他的失語症應不會被治癒。

年輕早慧的德國神經學家 Carl Wernicke，在二十六歲時已完成三部《失語症綜合症狀》（*The Aphasic Symptom Complex*）著作，結合敏銳的臨床觀察與演繹的推理能力，指出沿著顳葉（temporal lobe）上方（在耳輪後方的腦部位；見圖 15）所造成的損傷仍會產生另一類型的失語症。這場引起騷動的演說中，發現了現今被稱為韋尼克失語症（Wernicke's aphasia），它幾乎對立於 Broca 所定位的表達性失語症。它與病人無法說出話，但卻能完全理解語言的布洛卡失語症形成對比。韋尼克失語症病患能夠輕鬆的說話，但卻無法理解語言，而且說話不知所云、沒有意義。

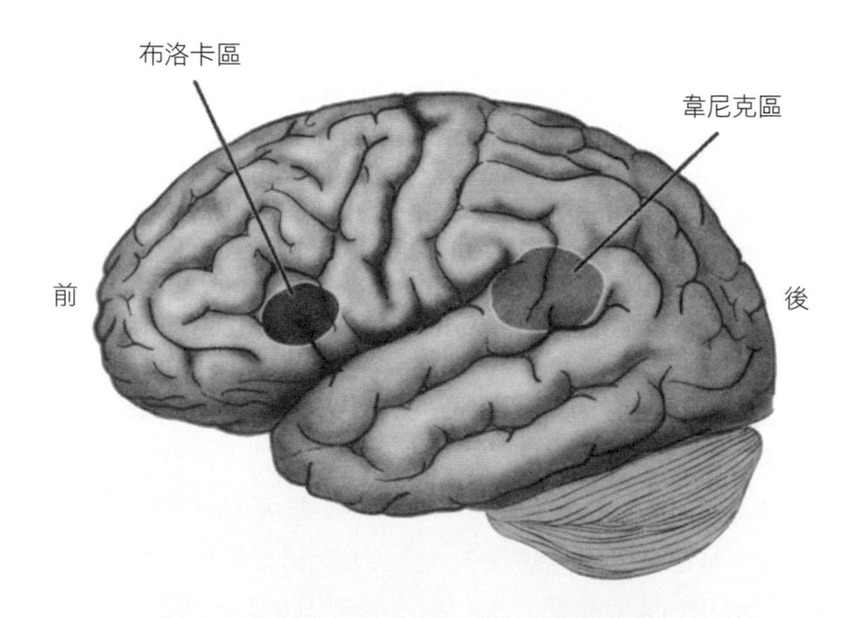

❖ **圖 15　表達性語言與接受性語言的腦區域定位化**

腦部左側有兩個最重要、與語言有關的主要區域：表達性語言（布洛卡區）與接受性語言（韋尼克區）。

大腦如何閱讀

對於得知大腦如何閱讀，Broca的發現開啟了一扇門。切記，為了閱讀，我們必須進入語言系統；在神經層面上，它意謂閱讀依賴已對語言做好準備的大腦迴路（brain circuits）。儘管在當時不受重視，但布洛卡區作為對語言有其重要性的一個部位，它的發現為標記閱讀神經迴路的探索上，留下了第一步的痕跡。

Broca與許多神經學家，在以前所使用的策略是直接了當的。在一位過世病人的身上找到受損組織區域，根據解剖上的地標使其區域定位，並與病人的症狀相互關聯。瞭解這類證據能告訴我們什麼及其限制，這是很重要的。要精確標出中斷的口語迴路的部位，與安排負責語言的神經機制，這兩者不盡相同。與Broca同時代的英國神經學家John Hughlings Jackson，當他說「找出那個破壞言語的損傷區域，與找出言語區域是兩件不同的事情」的時候，他瞭解了這其中區別。讓我們舉個病患的例子，通常幾乎是成年人，突然間失去閱讀能力。這樣的情況是後天讀寫障礙，典型的患者曾是優秀的閱讀者，在中風發作後患有讀寫障礙。這時他腦部組織的破壞造成迴路中斷，因此我們可以這麼說，引起的供電中斷阻礙他通向閱讀的路徑。線路原本被正確放置妥當，可是現在卻被阻斷了。找出受阻位置所在，告訴我們這是閱讀需要的區域，但卻找不到負責閱讀的整個神經迴路。

就發展性讀寫障礙而言，患者的閱讀無法正常發展，有些東西從一開始就不對勁。所以，我們不一定期望去發現一個確切的損傷、線路被切斷；反而可能是線路一開始就沒有被正確放置，在胎兒期當大腦在為語言硬體佈線時就發生故障。結果是傳達語言所需語音訊息的無數個神經元並未被恰當的連接好，以形成使熟練閱讀變成可能的共振網路。

大腦在初期發展中會因其無以數計的錯綜複雜性，造成許多缺乏連接或錯接的機會。在這樣的情況下，我們會開始考慮讀寫障礙其困難的起源在哪裡。最有可能是因為基因安排的錯誤，語音分析所需要的神經系統不知為何把線路

接錯了，留給孩子的是會妨礙他口頭語言與書寫語言發展的語音損傷。取決於此線路錯接的性質或嚴重性，我們會期待觀察到閱讀困難的差異和變化程度。

然而，在發展性讀寫障礙出現了很多可能情節。要真正瞭解讀寫障礙，需要具備標記出全部的閱讀神經迴路圖的能力。而此能力一直到 1980 年代才被達成。

在這個過渡期間，醫師們試圖以他們能做到的最好方式去瞭解讀寫障礙。在 1970 年代末，長期對讀寫障礙有興趣的神經學家 Drake Duane 組織、協調一間腦銀行，讓科學家可取得過世讀寫障礙者的大腦。像這樣的個體已先被檢驗過，而且結果被報導於《神經學年刊》（*Annals of Neurology*）。讀寫障礙腦銀行由Duane擔任先導，及由歐登讀寫障礙學會（Orton Dyslexia Society）所贊助，提供額外四位病患的大腦，這些病患自年幼即有閱讀問題病史。從腦部檢驗顯示，這些讀寫障礙者的大腦與非讀寫障礙者的大腦有許多不同的地方，主要差異在於大腦的結構，與語言有關的大腦左側。這些異常現象與神經學家Norman Geschwind 早在二十年前所提出的假設不謀而合，他認為讀寫障礙肇因於胎兒期語言部位的受損或不當發展。對於將注意的焦點放在讀寫障礙的神經生物學基質上，這些發現扮演了很重要的角色。

革命：解讀心智

在 1973 年，透過電腦斷層攝影法（computed tomography [CT]，一種可以建立大腦立體影像的電腦化 X 光束），科學家們首次能**看到**大腦。Godfrey N. Hounsfield 與 Allan M. Cormack 也因為這個開創性發現，而獲得 1979 年的諾貝爾生理學／醫學獎。

利用CT及後來的科技——接下來會討論到的核磁共振造影（magnetic resonance imaging, MRI），神經科學家們能看到大腦解剖結構的最細微細節。但這些照片提供的是大腦結構的訊息，而非大腦功能，所以，一直要到 1980 年代功能性腦造影（functional brain imaging）成為可能時，科學家們才能看到，在一個健康的人身上其大腦運作的情形。當一個人在閱讀、說話、思考或想像時，大腦的**功能**可以被觀察得到。

正子斷層造影（positron emission tomography, PET）是第一項為了研究大腦運作而發展的科技；它利用注射到血液裡的一種放射性化合物（radioactive compound），來偵測流到腦部的血流。雖然從這項科技中有許多大腦功能的知識被瞭解，而且仍繼續被瞭解中，但它仍受到侵入性與組成放射性物質所需之複雜設備所牽絆。在大多數情況下，PET 已被一項更新的科技所取代——功能性磁振造影（functional magnetic resonance imaging, fMRI），它容許神經科學家以完全非侵入的方式，看見人類大腦內部的運作；它不使用輻射線或注射液。近來，在研究大腦運作方面，fMRI 是最廣為利用的方法。

在 1890 年，一篇刊登於《生理學期刊》（*Journal of Physiology*）的開創性論文〈大腦血液供給的調節〉（On the Regulation of the Blood-Supply of the Brain）中，英國科學家 C. S. Roy 與 C. S. Sherrington 提出對**大腦血流量自動調節**（autoregulation of cerebral blood flow）原則的主張。基本上，他們證明在大腦裡血液的局部供應，會依照該部位之功能活動的反應而有不同。他們的文字這樣敘述：

> 這些事實似乎向我們顯示，有一個自動機制存在，藉由它，大腦組織任何部分的血液供應，是依照潛在於該部分功能活動下的化學變化活動而有不同。

到了更近期的時候，在 1981 年，國家衛生研究院（NIH）的科學家 Louis Sokoloff 證明，事實上，是能量代謝（energy metabolism）的改變直接影響了血流的變化：

> 所以，這很清楚的是……能量代謝與功能活動，這兩者在神經系統裡緊緊結合，因此大腦組織裡的局部血流量被分配和調節到局部代謝的需求，從而到局部的功能活動上。

這使得我們能想像，當一個人閱讀時，大腦有關區域裡連續發生的情況：局部神經元功能活動的增加⟶局部代謝的增加⟶局部血流的增加。

這樣的連鎖情況在大腦裡有其意義。執行像閱讀這樣的認知任務是勞動的，而且是消耗能量的。假設有個孩子被要求判斷某兩個字是否押相同的韻。當他試圖找出這兩個字所押的韻時，便啟動一連串情況：完成這項任務所需要的神經系統活化起來並消耗能量；為了滿足增加能量的要求，需要更多血流將額外的燃料（氧氣）和養分帶到那個地點。大腦血液流動的自動調節，這個概念就是功能性腦造影的基本原則。而此原則結合「增加的血流流動，會引起血液的磁性（magnetic properties）變化」的事實，就使得功能性磁振造影（fMRI）產生作用。

fMRI 是以血液的基本要素氧合血紅素（oxygenated hemoglobin）的磁性為基礎。在紅血球裡氧與血紅素結合，被運送到全身，以傳送到活動的細胞那裡。血紅素分子變化的磁性有賴於與其結合的氧氣濃度：高氧濃度的血液所產生的磁信號，比血液含氧較少的磁信號更強。因此，當一個人在執行一項特定認知任務時，分布於大腦各處負責的神經元便開始活化起來，流向大腦這些部位的血液增加了——它帶來了高含氧血液——而 fMRI 的儀器便收到較強的磁信號。

在下一章，你將會得知 fMRI 的實驗如何被執行，以及 fMRI 教導我們大腦是如何閱讀的。

Chapter 7

運作中的大腦會閱讀

功能性磁振造影（fMRI）對病患而言非常友善，且對成人與小孩執行起來都很容易。我們的研究已為許許多多各年齡層的人做過造影，都獲得一致、正向的回饋[1]。事實上，在核磁共振造影（MRIs）時，用來鑑定頭痛與膝韌帶撕裂傷的掃描器也同樣用於功能性造影。對於那些沒做過MRI的讀者，我將告訴你們八歲的Kacie的經驗，以簡略解釋它是怎麼一回事。

當Kacie與她的媽媽初次來到MRI中心時，研究協調員Jennifer問候她們，為她們介紹研究中心並幫助Kacie覺得自在。接著，Jennifer和Kacie一起把造影時被要求執行的工作複習一次。Kacie很快就懂了，並迅速準備好進行造影。在掃描室裡，她躺在一個會移動的檯子上，檯子一端有個開口很大的隧道。在造影一開始時檯子會移動，以便讓Kacie的頭部舒服的躺在敞開的隧道裡[2]（圖16）。當Kacie躺在掃描器裡時，她會藉由按下手中握的儀器上面的「是」或「否」按鈕，對每一個刺激字（stimulus）做出反應。這個儀器能測量她的反應有多正確與快速。

---

1 針對這個討論，我選擇將焦點主要放在我們的耶魯造影計畫，這是我所知最出色的研究。

2 這個隧道裡含有能夠製造影像的電磁體（electromagnet）。

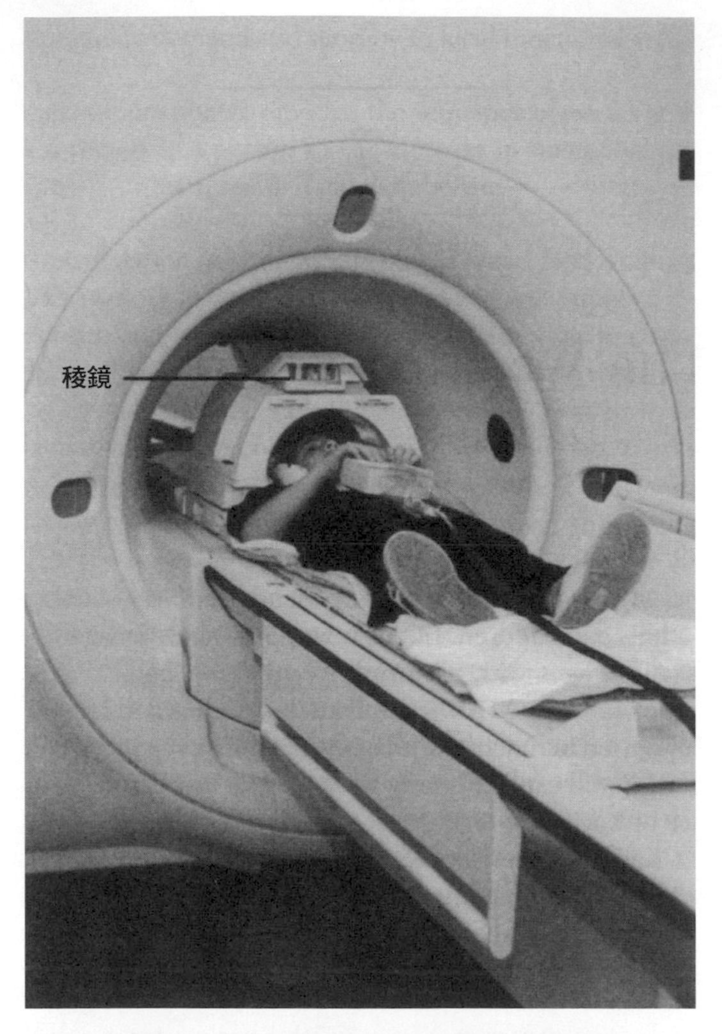

❖ **圖 16　Kacie 讓她的大腦在掃描器裡造影**

Kacie 的手裡握著一個反應盒，眼睛快速的查看在她頭頂上方的一面稜鏡。

當 Kacie 的身體滑進掃描器裡，她向上查看剛好位在她頭頂上方，可以看到刺激字的一面稜鏡（潛望鏡），她看到一組、一組的字，一組接著一組，快速的在螢幕上被投射出來，那些字是無意義、但可以被發出音，像是 **LETE** 和 **JEAT** 被用為刺激字，而 Kacie 被問到每一組字是否押韻。如圖 17 所示，假使這組字是押韻的，她就按下「是」的按鈕。由於這些字是被編造的，Kacie 以前

「這些字有押韻嗎？」

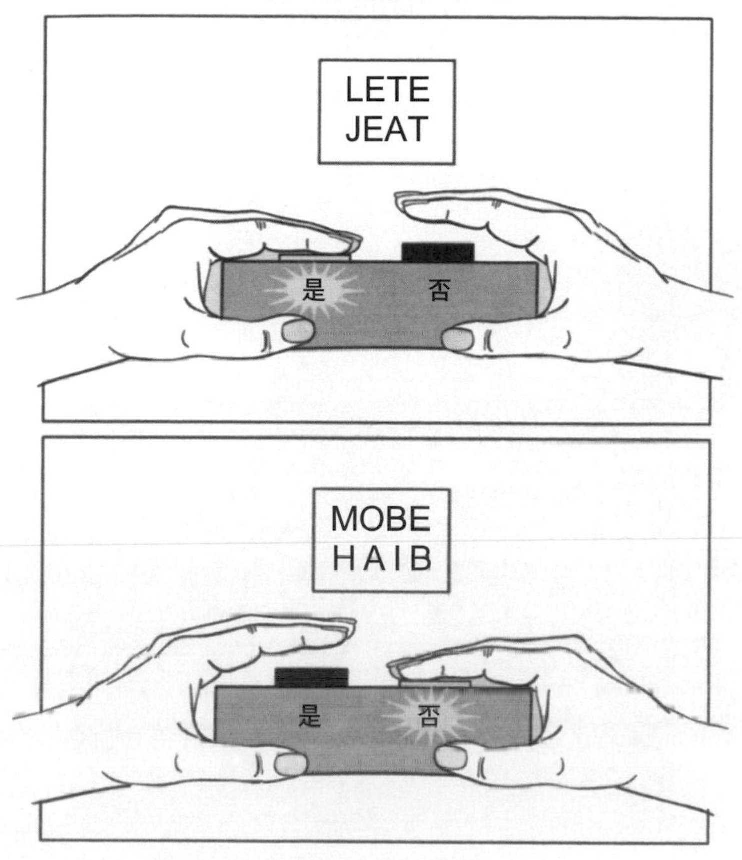

❖ 圖 17　在掃描器裡讀字，並做出回應

Kacie讀出這些字，假使這組字有押韻，就按下「是」的按鈕，假使沒有則按下「否」的按鈕。

從未見過，因此它們不可能被記憶、也未曾被唸出過，以藉此確保個體對語音分析的神經路線會被活化。當每組字在螢幕上閃示時，Kacie就會唸出這些字給自己聽，MRI 掃描器則記錄她的思考過程。如果這個過程能使布洛卡區的神經元活化起來，新鮮的含氧血就會流進此區域，流進連接到負責語音分析的神經網路的每個區域。在這個活躍、放電的神經元迴路裡，新來的含氧血正取代缺氧血，而掃描器則記錄所有一切。當造影完成時，Kacie並未因為使用儀器而受到任何傷害（見圖 18）。

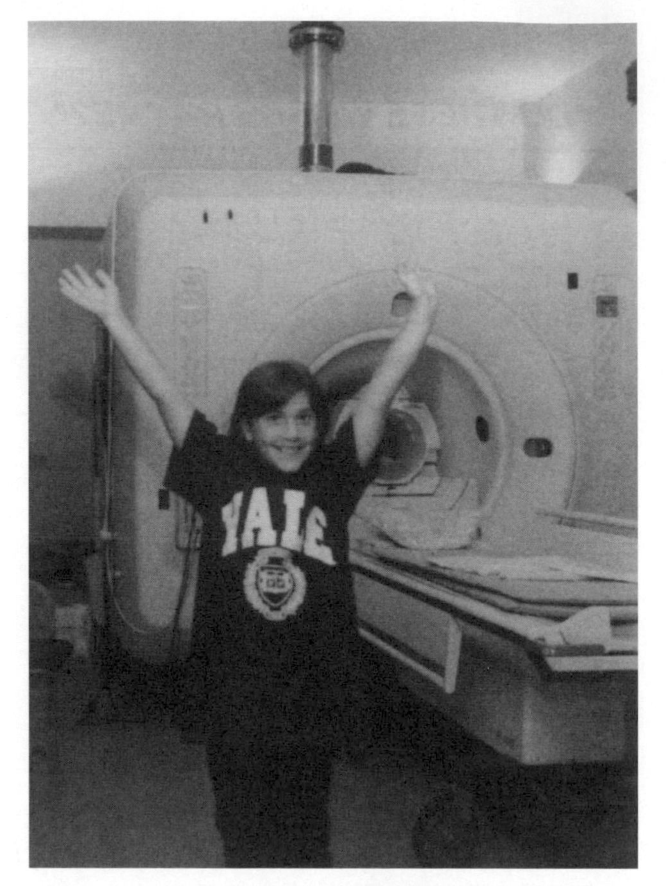

❖ **圖 18　任務達成**

完成腦造影之後的 Kacie。

在造影之後，我們會交給每位參與者一份其大腦**結構**的 MRI 檢查影本——實際上，這是他的大腦解剖結構照片，而在讀寫障礙者的身上，沒有人是不正常的[3]。我和同事們預料，在我們向讀寫障礙者展示其大腦造影後，他們心中的疑慮都會消除時，我們並未想到那將是多麼有意義與感人的體驗。大人和小孩都一樣，他們在拿著自己的大腦造影時，就好像和一位失散多年、深切思念的親

---

[3] 要完成 fMRI，所需處理的過程需要更多時間。要記住，讀寫障礙者的問題在於大腦的線路——fMRI 顯露線路的中斷。大腦的基本解剖結構是完整無損的。

人重逢。不論是幾歲的讀寫障礙者，當我指出不同的正常大腦解剖結構時，這個話題總是點燃他們睜大雙眼中的驚喜。大人們總會說：「你可能不相信，但我一直都以為我是個弱智者，我的大腦似乎是不正常的，會缺少某些部分或有個漏洞、或是有什麼東西不對勁。我不敢相信，我擁有一個正常的大腦。真是讓人鬆了一口氣。」

大腦的基本地標

大腦是一個極其不平凡的器官，儘管它在功能上有其複雜性，它的組織結構相對簡單明確。現在我要脫離主題指出大腦的一些基本地標，而我們將會繼續談論它們。

大腦是由兩個鏡像部分（mirror-image sides）或兩個半球體所組成：右腦與左腦。如圖 19 所示，大腦的正面靠近額頭處被稱為**前部**，而大腦的背面，在耳朵後面和更後面被稱為**後部**。每個大腦半球體都被分成四個腦葉（lobes）或腦塊：**額葉**（frontal lobe）、**頂葉**（parietal lobe）、**顳葉**（temporal lobe）和**枕葉**（occipital lobe）。額葉是在大腦的前部，枕葉是在大腦的後部，而頂葉與顳葉是在兩者間的某處。頂葉是在顳葉的上方。在大腦的左右兩側都有鏡像般的腦葉。正統上，大腦的左側是與語言有關的。

連接左腦半球與右腦半球的是一個寬帶狀組織，由神經細胞的尾部或軸突所組成，它們忙碌的將訊息從一個腦半球傳遞到另一個腦半球；這個把分離的纖維連接起來的帶狀物稱為**胼胝體**（corpus callosum），它像是一條白色的運送帶。相對的，腦細胞是命令的中心並負責產生訊息，它們並未被隔離，且看起來像灰質。如果把右腦葉與左腦葉看作是字母 H 的垂直桿，而胼胝體則像是連接這兩邊的水平帶狀物。最後，位於枕葉下方的是**小腦**（cerebellum），它是腦部裡負責控制動作與協調的部位。

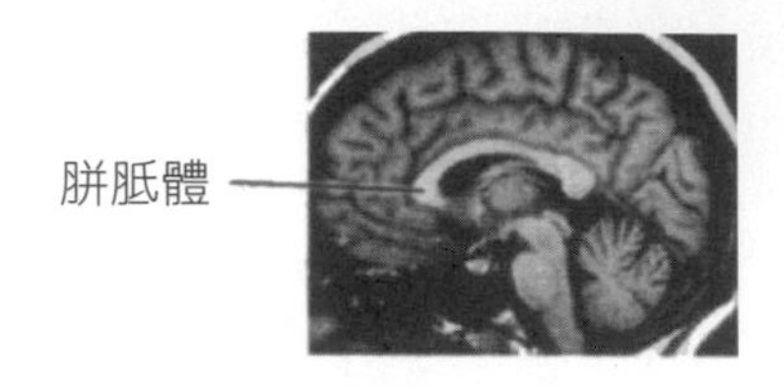

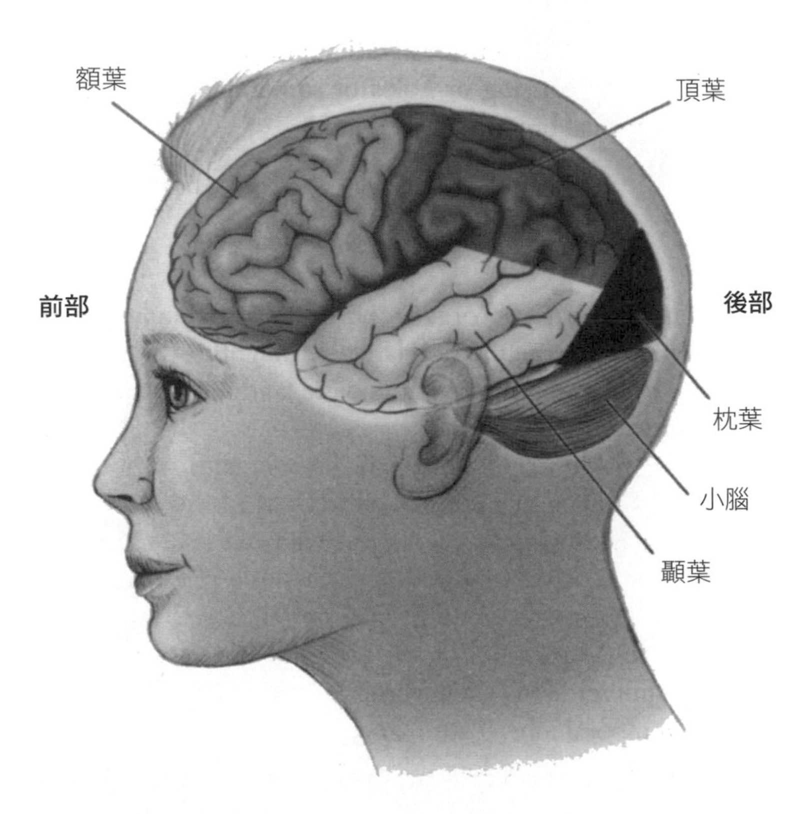

❖ 圖 19　大腦的地標

圖中顯示為大腦的左側。小插圖是 MRI 影像，顯示大腦中央的結構；標示出胼胝體所在位置。

看見大腦在閱讀

在功能性造影研究中，我們將焦點放在標示負責閱讀的神經迴路圖。在規劃研究的方向上，我們的首要目標是找到將字拆解為潛在聲音的神經路線。

我們從募集受試者這部分開始著手，十九位男性與十九位女性，全部是強讀者。為了使負責語音分析的迴路活化起來，我們要求受試者判斷某兩個無意義字（nonsense words）是否押韻。在為所有參與者做過造影之後，我們檢驗了這些數據，看到男性與女性在其大腦活化模式間令人驚訝的差異（見圖 20）。就如腦造影顯示，男性在活化大腦左側額下回（left inferior frontal gyrus）時，女性不但活化其大腦右側、還有大腦左側。當所有十九位男性都只在大腦左側活化時，不是全部、但大部分的女性——十九位裡有十一位——顯示出大腦兩側都在活化（有八位女性只在大腦左側活化）。這是首次發現負責語言的大腦組織有明顯性別差異的證據（順便一提，女性在執行這項任務時，與男性一樣的正確與快速）。

我們對於大腦組織在性別差異的發現感到興奮，但最令我們振奮的是對負責把字發出音的特定神經位置的識別。這個與證實性別差異完全相同的大腦區域，額下回，也同樣參與了閱讀。我們對於 fMRI 用於研究閱讀的可能性，已建立滿足感，我們感到自信並繼續朝下一步前進：一系列研究開始教導我們——在大腦組織與功能層面上——為何有些非常聰明的人會有閱讀的困難。

這些研究在不到十年前才開始，而它的進展速度相當驚人。首先，在兒童與成人身上，負責閱讀的神經系統很快被標示出來。造影研究已至少識別出兩組負責閱讀的神經路線；一組路線是針對初學閱讀（beginning reading）、慢慢的發出字音，而另一組則是針對熟練閱讀（skilled reading）的較快速路線。接下來，對大腦活化模式的仔細檢驗，揭露在讀寫障礙者身上這個線路系統出現了故障。讀寫障礙者所使用的腦部路線並不同於強讀者，來自世界各地的研究都對此發現沒有任何疑慮。

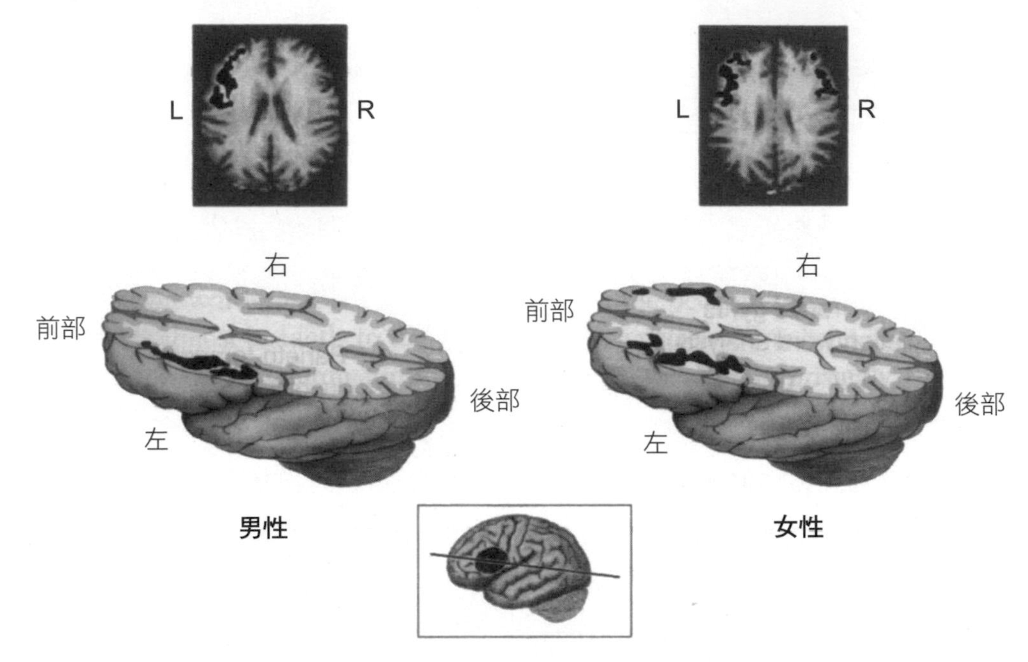

❖ **圖 20　負責語言的腦部組織在性別的差異**

黑色區域顯示，為當男性與女性在判斷無意義字是否押韻時其大腦活化的位置，此圖顯示男性其左側大腦活化起來，而女性則是左側與右側大腦都活化起來。小插圖是fMRI影像，顯示大腦的活化作用。

當強讀者在閱讀時，他們使圍繞在大腦左側後方與前方部位，那些高度連接的神經系統活化起來（見圖 21）。不令人意外，這個閱讀線路系統包括了專門用來處理視覺特徵，也就是那些構成字母的直線與曲線，把字母轉換成語言的聲音，並取得文字意義的腦部區域。

大腦的閱讀區域大部分是在腦部後面。它被稱為後腦閱讀系統（posterior reading system），如上所述，它是由兩個負責閱讀字詞的不同路線所組成，其中一組路線在大腦的位置比另一組略高一點。較上方的那組路線主要是在大腦的中央，就醫學名詞而言，它是頂－顳區（parieto-temporal region），剛好就在耳朵上方稍微後面一點。而在較下方的路線是靠近大腦底部；它是兩個腦葉——枕葉與顳葉——會合的位置，被稱為枕－顳區（occipito-temporal area）。這個忙

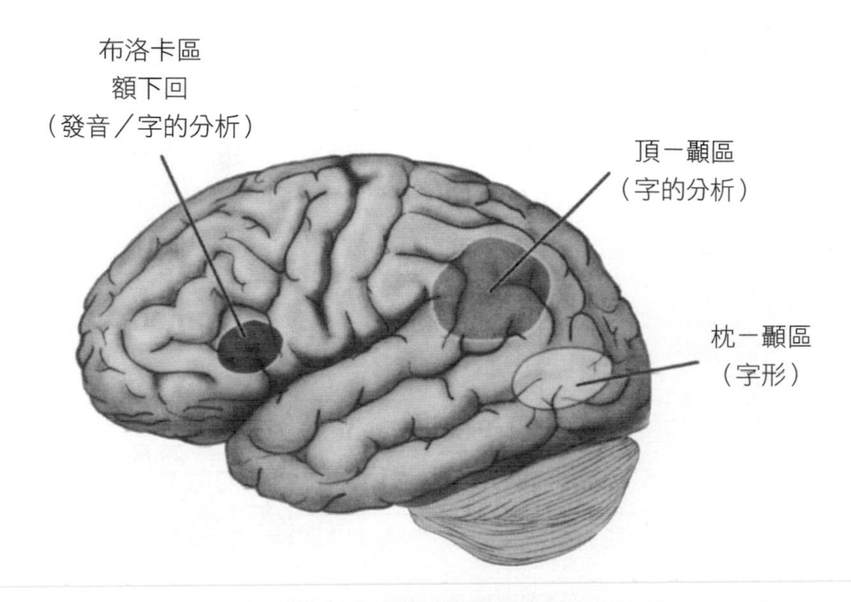

❖ 圖 21　負責閱讀的腦系統

碌區域的用途是作為訊息聚集中心，各種感覺系統的訊息進入這裡，比如說，所有和字有關的訊息——這個字看起來是什麼樣子、聽起來是什麼聲音，以及它是什麼意思——在這裡被緊密結合並儲存起來。這個位置較低的迴路是在耳朵後面，靠近兒童常常感染腺體腫、與頭皮或耳朵發炎有關的區域。

科學家們長期把關注焦點放在這些區域，這是因為它們對閱讀的重要性。早在 1891 年，偉大的法國神經學家 Jules Dejerine 就提議，頂－顳區對於閱讀有其重要性，而僅僅在一年之後，他也是第一位將枕－顳區與閱讀連結的人[4]。這兩個分支系統在閱讀上扮演不同角色，它們的功能會根據閱讀者不斷改變的需求而產生意義：初學閱讀者必須先分析一個字；熟練閱讀者可以在瞬間辨別一個字。頂－顳系統是為閱讀新手而工作，緩慢且善於分析，它的功能似乎出現在學習閱讀的早期階段，亦即在最初分析一個字、把字拆解，以及把它的字母與其聲音連結。相較於按部就班的頂－顳系統，枕－顳區是通向閱讀的快速路

[4] 是根據對患有後天閱讀困難的成人其死後驗屍研究（postmortem studies）。

線，它是閱讀熟練者使用的路線。閱讀技巧越熟練者能使這個區域更加活化（見圖 22）。看到一個字，反應非常的快速——在不到 150 **毫秒**之內（還不到一次心跳那麼快）；枕－顳區無須分析一個字，反而把整個字視為一個圖案，並做出立即反應。僅僅是短短一瞥，在那個字一被看到時就自動識別了。不出意料的，枕－顳區是與**字形**區域（或系統）有關的。

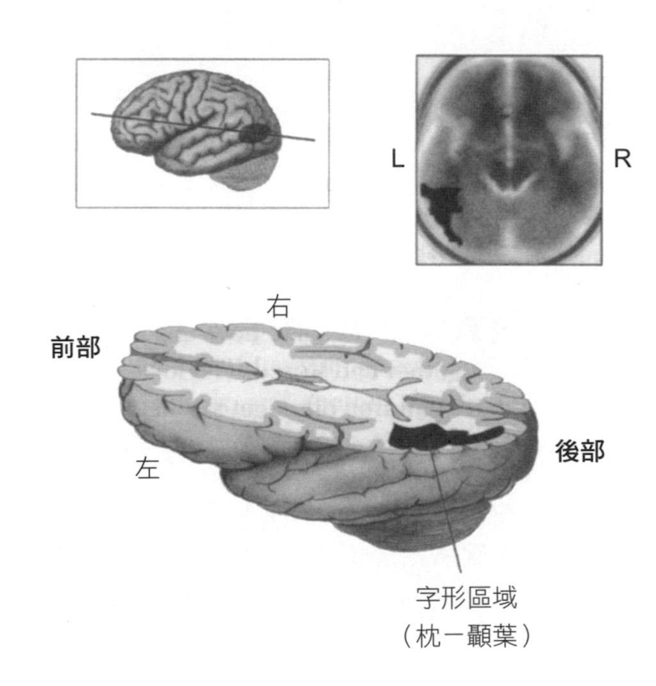

❖ 圖 22　熟練閱讀者的區域：字形區域

這是一個顯示相關性的圖像。以黑色所示區域，兒童的閱讀成績與大腦左側之字形區的活化作用之間有高度相關；成績越高，就能觀察到越多活化作用。小插圖顯示腦部 MRI 影像的相關性。

現在，讓我們想一想字形系統是如何運作：在孩子分析過並**正確的**把一個字唸幾遍之後，他為這個特定的字塑造了一個準確的神經模組；這個模組（字形）反映這個字的拼字、發音和字義，這時它將被永久儲存在枕－顳系統。隨後只要一看到這個印刷字，這個字形及與這個字有關的所有訊息就會立即活化起來。一切都是自動發生，不用經過刻意思考或努力（見圖 23）。當熟練閱讀者快速閱讀文本時，這個負責字形的區域啟動了全檔，一個字接著一個字，立即的辨識。不出所料的，在閱讀測驗得分最高的人，最優秀的閱讀者是那些在造影時字形區出現活化作用最強的人。因此，閱讀技巧及對字形區的依賴，這其間有很強的相關性。第三組閱讀路線位於大腦前方的布洛卡區，它對於緩慢的分析一個字也有幫助。所以，總共有三條閱讀的神經路線：兩條路線比較緩慢、負責分析，在頂－顳葉和額葉，它們主要是初學閱讀者所使用，而另一條快速路徑，就是枕－顳葉區，是有經驗的、閱讀熟練者所依賴的。

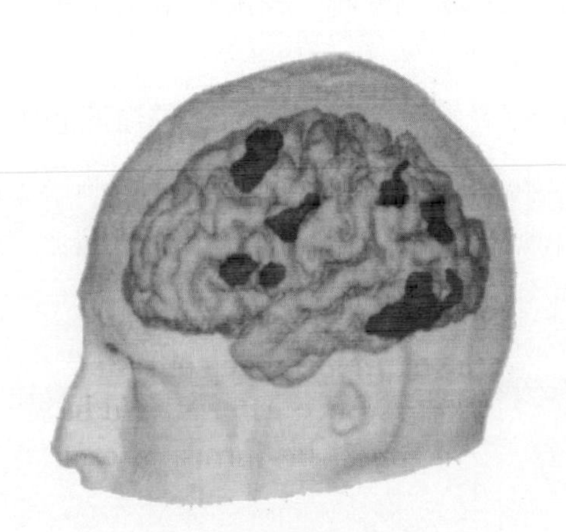

可見字

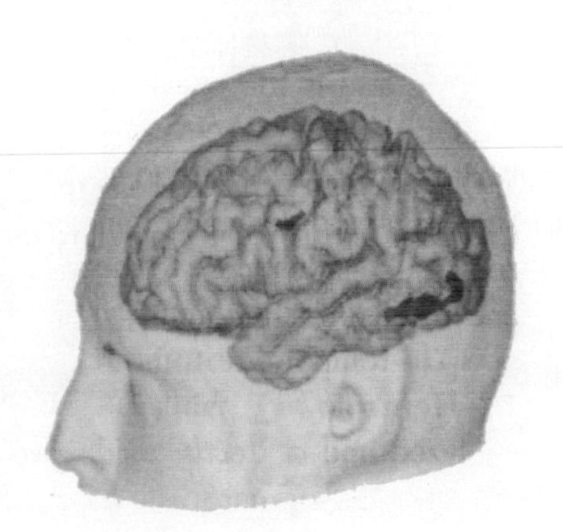

屏蔽字

❖ **圖 23　大腦活化作用對可見字（visible words）和屏蔽字（masked words）（下意識的字）的反應**

左圖 fMRI 顯示大腦活化作用對可見字的反應；包括字形區的許多部位都活化起來。相對的，當字呈現的時間極為短暫（下意識的）而非有意識的被感知到，字形區仍繼續活化，顯示腦部這個區域對字自動做出反應。

很幸運的，標示強讀者的神經路線，為瞭解讀寫障礙者的困難本質開啟一扇門。如稍早提及，造影研究揭露，相較於那些強讀者，讀寫障礙者有顯著不同的大腦活化模式。當強讀者閱讀時，他們的後腦活化起來，而且在某種程度上，前腦也活化起來。相對的，讀寫障礙者顯示在此系統有個缺陷：後腦神經路線的活化不足。所以，他們在一開始分析字，以及在把字母轉換成聲音時就出現問題，甚至當他們長大成熟時，仍是緩慢、不流暢的閱讀者（閱讀流暢性會在第十七章討論到）。

所有年齡層的強讀者都顯示一致的模式：在後腦出現強烈的活化作用，而在前腦的活化作用較少。相較之下，在讀寫障礙兒童身上，大腦活化作用似乎隨著年齡而有所改變。造影研究揭露，年紀較大的讀寫障礙兒童在額葉區（frontal regions）的活化作用增強。因此，到了青少年時期，被證實在布洛卡區有**過度活化**（overactivation）的模式——即是他們會為了閱讀，越來越常使用額葉區（見圖 24）。這些閱讀困難的孩子會利用前腦的系統，試圖去補償後腦的系統中斷。這一點與我們所知，與許多讀寫障礙者的閱讀風格符合。補償閱讀困難的方法之一，舉例來說，是當你閱讀時使用默讀（subvocalize）的處理過程（低聲把字唸出來），利用在前腦負責把話語清楚發音的一個區域（布洛卡區）。在

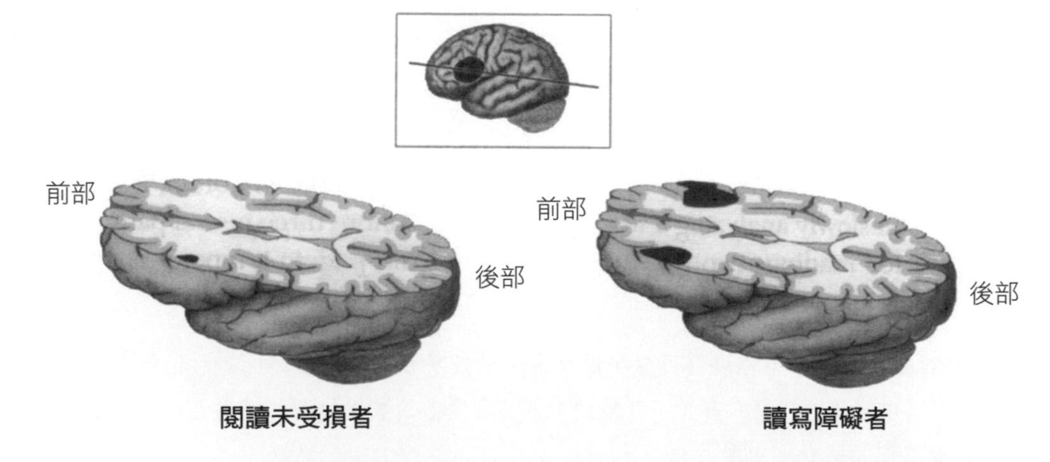

❖ 圖 24　隨著年齡變化的大腦活化模式：年紀較大的讀寫障礙孩童會使用前腦區域

這些是顯示相關性的圖像。黑色區域與年齡有高度相關性。當孩子年紀增長時，這些區域變得更加活化。左邊圖像顯示，閱讀未受損者的大腦活化作用會隨著年齡少有變化，因此有很少的黑色。相較之下，右邊圖像顯示，讀寫障礙兒童會隨著年齡增長，在前腦區域有越來越多活化作用，如醒目的黑色區域所示。

這個前腦系統引導下，讀寫障礙者能對字的聲音結構發展出覺識能力，藉由身體，使用他的嘴唇、舌頭和聲帶形成這個字。這個默讀處理過程使他們能夠閱讀，儘管若是左後方的系統仍在工作中，比較起來，這個默讀方式還是比較緩慢。

後腦**活化不足**（underactivation）的模式，為造成讀寫障礙特徵的語音困難提供神經的識別標誌（見圖 25）。這個識別標誌似乎成為一種普遍現象；對任何語言與年齡的讀寫障礙者而言，這是事實。甚至對於童年有讀寫障礙病史的優秀大學生而言，這些準確、但緩慢的閱讀者，仍繼續出現這樣的模式（見圖 26）。

這些發現有助於我們瞭解讀寫障礙的根源。例如，我們觀察到在幼童身上的中斷現象，它顯示在一開始閱讀時線路故障就出現了，它並不代表多年以來閱讀貧乏的最終結果。完全相同的後腦阻斷現象，在孩童與成人身上都被觀察到——神經生物學證明，閱讀問題並不會消失。它們是持續不斷的，現在我們知道是什麼原因了。

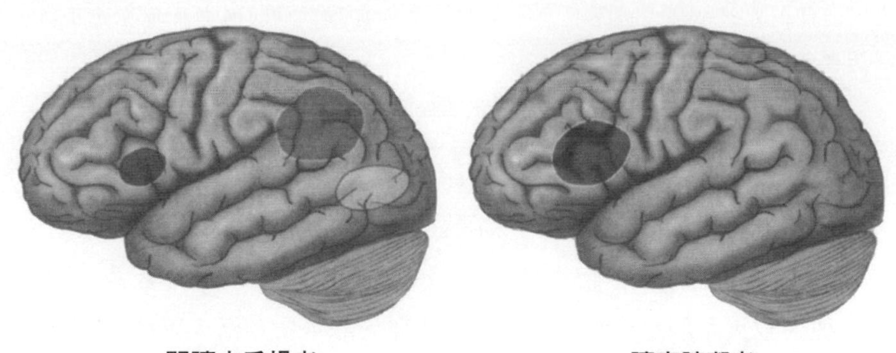

❖ **圖 25　讀寫障礙的神經識別標誌：後腦出現神經系統的活化不足**

在左圖，閱讀未受損者的活化，大部分在後腦左側（陰暗部分）的神經系統；在右圖，讀寫障礙者對後腦的閱讀系統活化不足，前腦區域因而被過度活化。

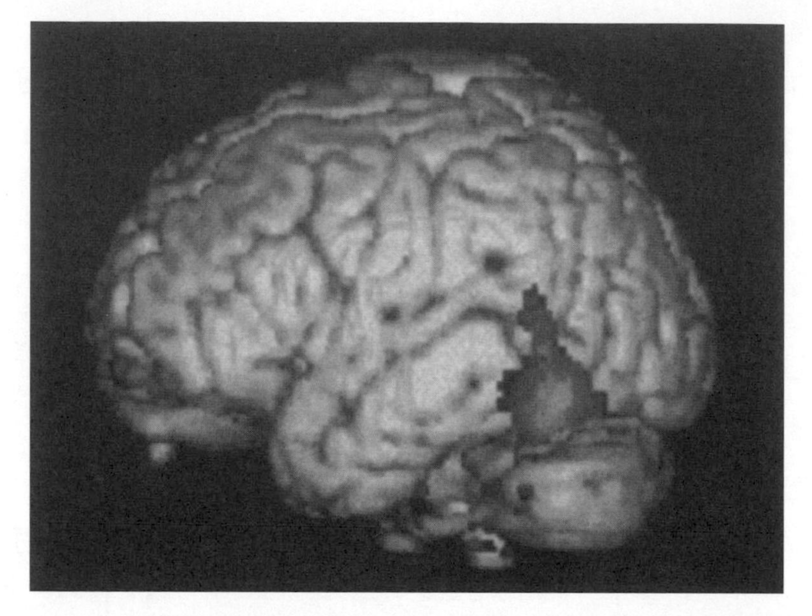

❖ **圖 26　童年有讀寫障礙病史的大學生，有共同的線路中斷問題**

fMRI顯示大腦活化作用（陰暗部分），那些會說法、英、義大利文，成為優秀閱讀者的大學生，他們的左後腦部位被活化了，但那些童年有讀寫障礙病史、現在是正確、但緩慢的閱讀者則並未被活化。

我們還認識到，讀寫障礙兒童與成人都會求助於替代、補償的閱讀方法。在讀寫障礙者試圖把字發出音時，大腦影像記錄並顯示其大腦左側後方的系統並沒有在運作；這些緩慢、但準確的閱讀者，反而正依賴第二條替代路線，這並不是一種補救，而是走一條不同的閱讀途徑。除了對布洛卡區產生更多依賴，在之前提過，讀寫障礙者還會利用其它閱讀輔助系統，一些位於大腦右側，還有在前腦的——功能性系統，但可惜啊！它們卻不是自動化系統（見圖 27）。這些發現為之前令人困惑的讀寫障礙面貌做了解釋，即為何聰明的讀寫障礙成年人在字詞閱讀的準確性有進步，但閱讀仍是緩慢、費力。這是由於左後腦系統的中斷，阻礙他們對字做快速與自動的辨識；而發展右側（及前方）的補助系統，讓讀寫障礙者得以正確閱讀，儘管速度極緩慢。這些讀寫障礙者必須依賴一種「人為的」，而非自動的閱讀方法。

找出了什麼是達成熟練閱讀的神經要素，科學家們現在想知道這些系統彼此間如何相互交談。不用涉及太多細節，這些複雜作用被喻為：閱讀是源自四處散布的神經系統，而非結構上單獨、局部的地點，就像藉由神經元在演奏的交響樂團，而非一支單獨演出的管弦樂隊。

在這些系統裡，由於重複的練習與經驗，導致神經連線模式繼續被鞏固、增強，大腦對連線模式的依賴可能與教導閱讀有獨特關聯。所以，我們能想像當一個六歲小孩每次將一個特定聲音與一個字母連結，負責做此連結的神經路線就進一步被強化，甚至更深刻被印記在他的大腦裡。

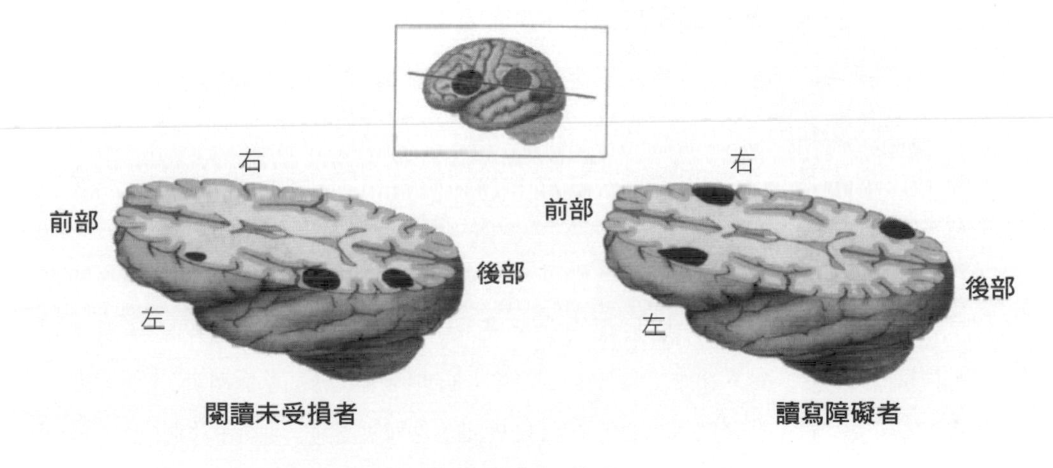

❖ 圖 27　讀寫障礙者利用補償系統閱讀

在左圖，閱讀未受損者大部分在後腦左側的神經系統活化起來；在右圖，讀寫障礙者活化的系統是在大腦右側與左前方。

為了更深入瞭解閱讀困難，最新的造影研究仍持續對大腦進行深度探測。吸引我們目光的最新數據顯示，我們將能把各種弱讀者的類型予以區分。譬如說，在我們的縱貫研究，研究樣本的造影研究提供了重要線索，弱讀者可能有兩種類型。第一種類型是典型的讀寫障礙者，他們的後腦閱讀系統天生就有故障。此類型弱讀者有較好的語言能力，而且能多少補償一些——以改善其閱讀正確性，但仍是緩慢的閱讀者。第二種類型看似多已成為弱讀者，我們是根據

經驗來推測。它的原因可能是學校的閱讀教學品質低劣，加上弱勢家庭不利的語言環境。對此類型弱讀者而言，提供給後腦閱讀系統使用的線路也許早被鋪設妥當，但從未適當活化起來；閱讀神經系統在那裡，但卻未正常運作。缺乏有效的介入（在第十九章會討論），此類型弱讀者仍繼續是弱讀者，他們的閱讀不正確、又緩慢。

在腦造影科技中，一項最令人興奮的應用才被開始利用：針對閱讀神經系統所做的特殊閱讀介入，直接進行效果的評估。在稍後章節裡，你將會認識有效的介入，一些能幫助閱讀障礙者學會閱讀的方案。一個關鍵問題是：這種有效閱讀課程是否僅為遮掩閱讀問題的補綴而已？還有，或許它們能激發、發展出次要的人工閱讀路徑，抑或能真正重新鋪設線路或使大腦「正常化」。

讀寫障礙者能不能發展快速的字形閱讀方法？我們在一項最新研究中提出這個問題。我們利用 fMRI 研究那些正掙扎於學習閱讀的男孩、女孩，讓這些孩子接受一項長達一年的閱讀實驗計畫。我們觀察到變化極大的進步，這是值得注意的。

在介入之後立即獲得的大腦影像，不但顯示強讀者使用大腦左側的主要系統有試探性出現，還顯示大腦右側的次要閱讀路徑已經發展。在介入結束一年後，所得到的最後一套大腦影像更令人吃驚。右側的輔助路徑不但非常不突顯，更重要的是，大腦左側的主要神經系統有更進一步的發展。如圖 28 所示，這些活化模式可與一直是強讀者的那些孩子所獲得之模式相比。我們觀察到大腦修復的情形。還有，孩子改善他們的閱讀問題。這也許說明那些及早接受有效介入的孩子，為何最終能成為正確與流暢兼具的閱讀者。特別如先前所提到，當右側的系統能支援正確（但緩慢）的閱讀時，左側的後腦迴路則對快速、自動閱讀是必不可缺的。這些發現提供了有力證據，那就是使用有效的閱讀方案（如在第十九章所描述），早期介入能導致主要的、自動的閱讀系統的發展，讓孩子能追趕上同儕。此發現與累積至今的研究證據吻合，經驗（像暴露於有效閱讀教學的學校環境）驅動了快速字形系統的發展。在歷經一世紀的挫敗之後，如今事實顯示大腦能被重新鋪設線路，而掙扎中的孩子能因此變成熟練的閱讀者了。

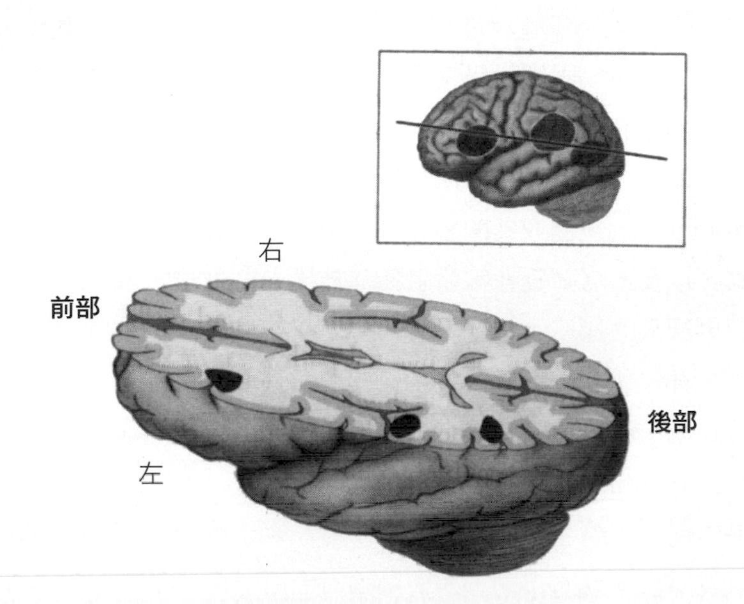

❖ 圖 28　有效的閱讀介入導致了大腦修復

進行有效的閱讀介入一年後，讀寫障礙兒童發展出大腦左側的閱讀系統（黑色部分顯示），在前腦和後腦皆有。

將一切組裝一起

這一章涵蓋了許多研究範疇，讓我總結至目前為止我們所得知的一切。

閱讀是一種代碼，不論你是誰，每個人多少必須知道如何將印刷文字表徵為大腦能破解的神經代碼。功能性造影使這項處理過程透明化，允許科學家在神經系統試圖將文字轉譯成聲音時，看見（並記錄）神經系統的運作。對大部分的人而言，這個過程是難以置信的快速、順暢和不費力。而對另一些人來說，它又是完全不同的故事。讀寫障礙者的困難在於他無法掌握把書寫代碼轉換成語言代碼的關鍵閱讀能力，造影科技為此提供神經生物學的——生理的——證據。

看到這些影像，讓我們毫不懷疑讀寫障礙的核心問題就在語音：將印刷文字轉換成聲音。只有在讀寫障礙者被要求將文字與聲音連結時，我們確實看到

迴路故障的證據。自從Morgen首次把Percy F.——讀寫障礙在神經學上的解釋——介紹給我們，現在，神經科學家手中握有這只我們尋找已久的聖杯了。

如今，我們有能力明確標示出，供閱讀使用的特定神經網絡之位置，我們對讀寫障礙的瞭解、治療，或許甚至是預防性探究已向前大步邁進。現在，字形區（word form area）已成為閱讀介入時神經系統的目標。確認由閱讀所占用的神經網絡，以及讀寫障礙在線路阻斷其結構上的位置，現在，我們在這些神經系統進行更深入的探測。在這令人興奮的新領域，我們正檢驗在受阻的大腦區域裡，神經細胞的基本化學性質。磁振頻譜（magnetic resonance spectroscopy）科技可幫助我們，鑑定出神經細胞本身潛在的代謝混亂。像這樣的研究，此刻正在我們的實驗室裡進行。

如稍早所提到，讀寫障礙是一種隱藏性障礙，因為它沒有生理的證明，不像骨頭折斷可以用X光看得到，而懷疑論者一直試圖辯解。長久以來，感謝功能性造影終於讓讀寫障礙者找到他們尋求的證據。這些了不起的影像科技，為讀寫障礙者的閱讀困難有其生理事實提供了具體證明。它們也說明，讀寫障礙青少年與年輕人如何能夠正確、但緩慢的閱讀。在未來，功能性造影能讓讀寫障礙的早期偵測（和有可能預防）變得可能——甚至在兒童學習閱讀之前——以及在聰明的成人身上偵測讀寫障礙。功能性造影的應用，還可引導我們發展更有效、目標更精確的治療方法。同時，它有可能利用我們對讀寫障礙者在語音的根本弱點及其大量優勢的瞭解，為不同程度的閱讀困難者提供更好的解決方法。

讓科學發現為你工作

最新的閱讀科學可直接應用在鑑定及治療閱讀困難。它能讓我們發現閱讀問題的早期警訊；知道在哪一個年齡層，該尋找哪些特定徵兆；以及瞭解什麼是教導閱讀最科學的方法。科學巧妙的與實際生活需求相結合；這項知識可被用來回答所有關於讀寫障礙的常見問題。對某個讀寫障礙者來說，知識的可能影響幾乎是無止盡的；獲得成就與追求快樂和充實的生活，可能性會比以往更高。應用我們所知道的一切，事實上，這將使得每一個讀寫障礙兒童都能夠勇敢的逐夢。

這個消息應可帶給像 Joyce Bulifant 這樣的父母親，一種令人愉快的解脫感覺，這位身兼女演員與喜劇演員的讀寫障礙者，她唯一的孩子也有讀寫障礙。她總結所有本身也有讀寫障礙的父母親必定會感受的：「你曾經對抗自己的讀寫障礙，那就夠不幸了，但如果要看到你的孩子也經歷它，那痛苦真是讓人煎熬。」

甚至那些依最高標準是社會成功人士的讀寫障礙者，仍渴望對自己的難題有更多瞭解。Paul Grossman 是舊金山的一位傑出律師，他提到自己的挫折感：「似乎沒人知道這問題是怎麼一回事。大家都無法理解——我在許多事情上都這麼聰明，然而我卻無法閱讀。當沒人可以告訴你是什麼問題時，那是很殘酷的——對這問題能做的少之又少。」

像 Joyce 和 Paul 的這些男性與女性，他們對自己和孩子閱讀問題的嚴重擔憂，大多並未得到妥善處理。但很重要的是讓你們知道——事實上，這是本書的重要前提——事情不必像這樣。準確的早期診斷出讀寫障礙及提供有效的介入，這是有可能的，讓讀寫障礙兒童帶著自信長大並發揮他們的潛能。還有可能的是，診斷、補救和減少讀寫障礙成人的許多問題。阻礙讀寫障礙兒童瞭解他們的潛能和追求夢想的最大絆腳石，就是對讀寫障礙真正本質的普遍無知。在本書接下來的章節，就是要藉由把科學知識應用於讀寫障礙的鑑定與處遇，以根絕這種無知的現象。

戰勝讀寫障礙
Overcoming Dyslexia

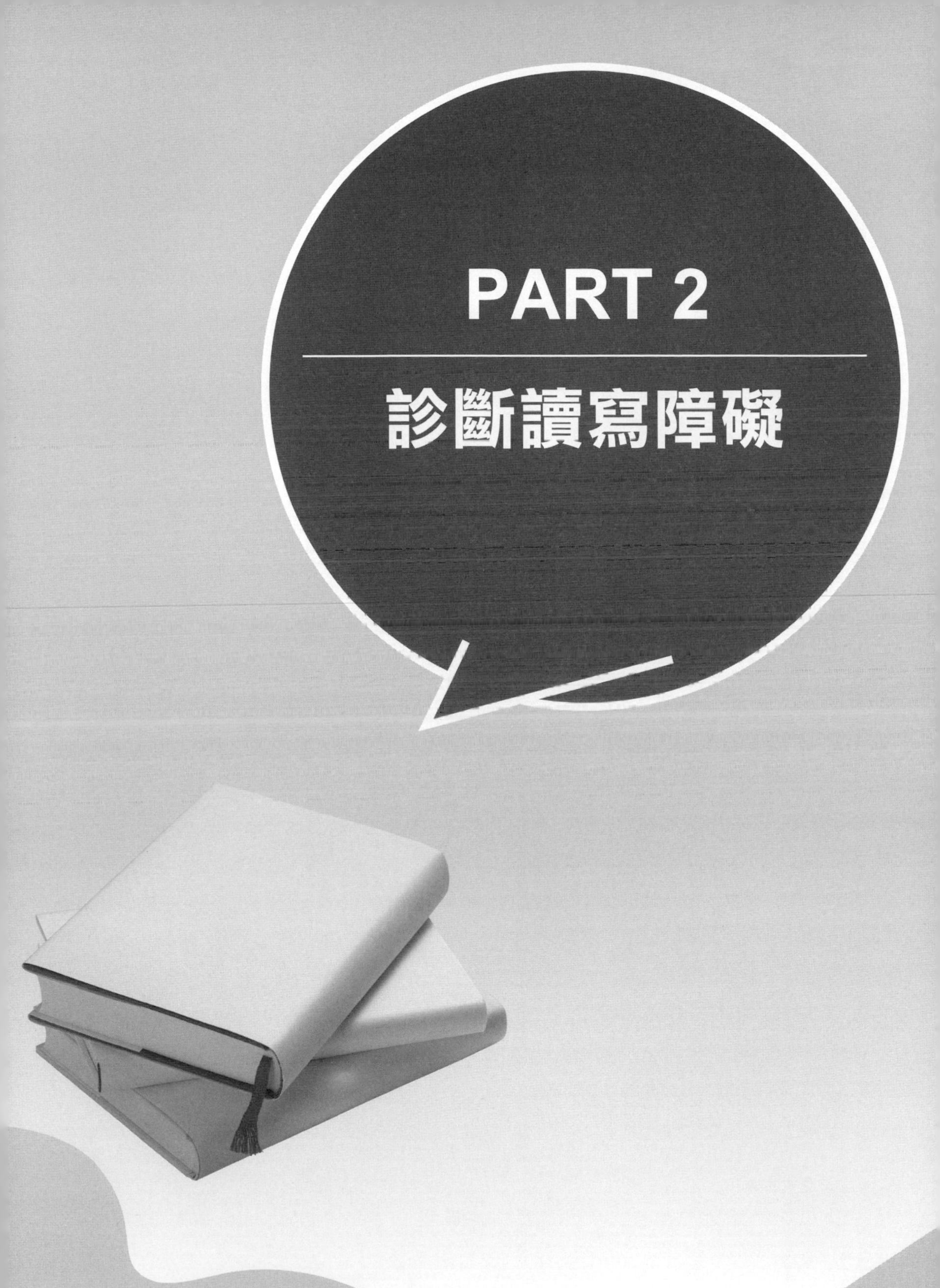
PART 2
診斷讀寫障礙

Chapter 8

讀寫障礙的早期徵兆

針對讀寫障礙進行正確診斷與有效治療，最有幫助的指引來自我們的「大量優點」模式：讀寫障礙者在取得字音的單獨缺陷，被思考與推理等大量優點所包圍。利用這個簡單模式，許多父母與教師已成為辨別讀寫障礙徵兆的專家。你也能做得到。在接下來章節裡，我將確切描述語音缺陷是如何影響口頭語言，並進而影響書面語言。

應用我們的模式，針對讀寫障礙兒童，有效閱讀方案的必要元素是**鑑定出**

- 在取得文字聲音有缺陷。
- 在思考與推理的優點。

然後**提供**

- 針對弱點的早期幫助。
- 調適，協助讀寫障礙兒童發揮其優點。

我不能只強調優點的重要性，也無法完全專注於弱點。我們的目標是確定，優點會決定一個孩子的人生，而非他的弱點。

現在，我們要注意「大量優點」模式將如何幫助我們，在孩子身上辨識讀寫障礙的徵兆。

讀寫障礙的最早徵兆

聆聽你的孩子說話，你將能發現潛在閱讀問題的最早徵兆，而且或許是最重要的跡象。你孩子的語音技能是否發展到它應有程度，去聽出那些隱約的跡象，付諸行動比聽起來更省事。那是因為在日常語言中，模糊的音素能以可預測的方式留下明顯標誌，影響你的孩子在某些字的發音有多好、童謠唱得有多好，以及二十六個字母的名稱與聲音學得有多好。

讀寫障礙的第一個線索可能是**說話的延遲**。一般來說，嬰兒在一歲左右開始會說第一個單字，而片語要等到十八個月大或兩歲時才會說。對處於閱讀弱勢的孩子而言，可能要到大約十五個月大時才開始說第一個單字，過兩歲生日之後才開始說片語。這是不算太嚴重的延遲，父母親往往將這種情形歸咎於太晚學說話的家族史。關於我的病人 Sam，他的祖母對他很晚學說話只是無奈的聳聳肩，她談到Sam的父親也是很晚才開始學說話。有趣的是，在對 Sam的評估過程中，我們發現他的父親是尚未被診斷、補償的讀寫障礙者。因為說話的延遲有可能是家族性遺傳，讀寫障礙也是如此。這看似無害的說話延遲現象，可能是未來有閱讀問題的早期警訊之一——尤其在有讀寫障礙史的家族裡。此外，有些讀寫障礙兒童可能未出現說話延遲的徵兆，或者這問題可能是隱約出現而因此受到忽視。

一旦孩子開始學習說話，**發音的困難**——有時被認為是一種「兒語」——若繼續出現超過了正常時間點，這也可能是另一個早期警訊。到了五歲或六歲時，如果要求孩子正確說出大部分的字，應該不會有什麼問題。當孩子第一次嘗試要把一個生字發出音，或他得唸出一個很長或很複雜的單字時，這便有可能暴露他的發音問題。那就好像在一個大量生產口語的發音機器出現了堵塞狀況。當音素從孩子口中出來時，就一個接著一個絆倒了。典型的讀音錯誤（mispronunciations）包括沒發出開頭音（像是 spaghetti 唸成 **pisgetti**，或是 elephant 唸成 **lephant**）或有語音前後倒置的情形（animal 唸成 **aminal**）。在我們的研究中，有早期語言困難徵兆的一組六歲兒童，被要求重複唸出一長串單字。看看這些單字與其發音，你絕對可以感受到，當每個孩子試圖把適當的音素放在一起，然後將它們以某種被理解的順序從嘴裡吐出時，所發生的語音混亂無序：

physicist→**sysitist**

pistachio→**stipachio, sputachio**

specific→**pacific, spestickit, pacissic, spastific**

statistics→**satislicks**

甚至年紀較大的兒童與成人，也無法避免被那些語音的碎片給絆倒，像Gregory這位醫學院學生，在他努力把人體部位冗長的解剖學名詞唸出時，他才開始瞭解問題在哪裡，而其他讀寫障礙者在嘗試唸出不熟悉或複雜的單字時，這些人很快就發現問題了。

大多數的學前幼兒都喜歡玩聲音和文字押韻的遊戲，事實上，為了配合這個年齡層孩子的幽默感，很多童書會充分利用幼兒對韻文的喜愛。三、四歲孩子從聆聽與重複聲音中獲得了極大樂趣，例如像 **Peter, Peter, pumpkin eater** 和 **Hickory, dickory dock, the mouse ran up the clock**。另一方面，讀寫障礙兒童有困難去識破字的聲音結構，這是因為他們對押韻較不敏感。對押韻的敏感度代表一種覺察力，亦即字能被分解成更小部分，以及不一樣的字可能有共同的音；這種覺察力是預備好閱讀的早期指標。孩子對童謠的熟悉度，成為他們日後閱讀成就的預測變項。英國的研究者曾在研究中詢問三歲和四歲幼兒：「你能不能說出 [例如]『Humpty Dumpty』給我聽？」無論是什麼樣的智商或家庭環境，那些最熟悉童謠的孩子，三年後也同樣是最好的閱讀者。相反的，那些出現閱讀困難的孩子，可能有**對押韻不敏感**的徵兆。父母也許注意到他們的兒子到了四歲還無法背誦流行童謠，還可能對音相似的字感到困惑。到了開始上幼兒園時，大部分的男孩、女孩都能判斷出某兩個字是否押韻，而讀寫障礙孩子可能還無法證明他們**聽得出**押韻。譬如說，當被問到：「**food**和**foam**有沒有押韻？」或「那**talk**和**walk**呢？」時，讀寫障礙兒童往往無法說出哪一組字有押韻。他們無法只把注意力放在字的一部分——在這個例子裡是 **alk**——要判斷 **talk** 和

walk 是否有押韻。

英國的研究者還將一組閱讀困難兒童和一組較年幼、閱讀能力佳的兒童比較。每個孩子都被要求聆聽一列單字，像是 **fun, pin, bun** 和 **gun**，然後選出不屬於彼此的那個字。閱讀障礙兒童在押韻的問題就變得明顯了。這些弱讀者雖然年長幾歲，但在選出正確字方面卻遭遇更多麻煩。這個問題與智力無關，只不過是對語言的聲音結構缺乏敏感度。

孩子會使用一個不正確的音素，這一點都不稀奇。如先前提到的，這個孩子可能會注視一張看過多次的火山（volcano）照片，脫口說出的字卻是 **tornado**（**龍捲風**）——音相近，但意思大不相同的字。由於孩子對提取預期的音素有困難，他可能會**在這個字的附近打轉**，就像當 Alex 無法檢索出 **ocean**（**海洋**）這個字時他所做的，他可能開始說一個字，然後結束時用了一連串的嗯，或「嗯，嗯，……我忘了。」像這樣的孩子往往用比手畫腳的方式來取代正確說出，或當無法表達心裡想的那個字而越加沮喪時，他們就更傷心或生氣了。

當孩子長大，他也許會用缺乏準確或具體的字來掩飾他在檢索字詞的困難，例如用**物品**（stuff）或**東西**（thing）這類含糊的字眼，來取代該物品的真正名稱。人們有時很難聽得懂讀寫障礙者的對話，因為他們的句子裡充滿了代名詞或缺乏具體字彙：「你曉得，我去了，並且拿了那個東西，而且在那裡拿的。那些東西都混在一起，但反正我拿到那個東西了。」（You know, I went and picked up the stuff and took it there. The things were all mixed up, but I got the stuff anyway.）很重要的是，切記，讀寫障礙的問題在於表達性語言，而不是思考。讀寫障礙者非常清楚知道他想要說些什麼；他的困難是把正確的字提取出來。當孩子長大成熟時，這些表達性語言的問題仍然持續。他也許變得沉默、口齒不清，或就一般而言，他會遭遇自我表達的困難。這個現象時常發生，但非一成不變；有些讀寫障礙兒童在說話時可能是口齒相當清晰。

就像 Alex 和 Gregory 一樣，他們的想法往往跑得比別人更快；但若要他們聽完指令後再產生一個字，對讀寫障礙兒童而言，這個要求是困難的。父母和老師可能對這個孩子感到苦惱，因為他看似這麼聰明，大人無法理解為何他會脫口說出錯誤的字。不過，若與讀寫障礙孩子在說錯字時所感受的挫敗與羞愧相比，大人的挫折感根本不算什麼。當被要求立即回答，趕快找出答案——就像當 Gregory 一次次被他的主治醫生詢問時——只有徒增他的焦慮，進而阻礙他快速與順利的檢索字彙。當讀寫障礙兒童長大成人時，他說話仍會持續顯示他對理解字音結構有困難。他的話語充滿遲疑；有時有許多冗長的停頓，或可能在一個字的附近打轉，利用很多間接的字取代他想不出來的字（在說話技巧上稱為遁辭）。他的口語表達既不清楚、也無法流暢。

如果讓他們用選擇的方式，讀寫障礙者幾乎都能辨識正確的字。舉例來說，如果被問到「一種突然出現的鬼魂是**apparition**（幽靈）或**partition**（分隔）哪個單字？」讀寫障礙者會不約而同選出正確的答案**apparition**（幽靈）。然而，當面臨要當場回憶並想出代表「突然出現的鬼魂」的那個字，讀寫障礙者就可能拿出他的辭典，然後找出一個與他預期的字聽起來音相近的字——在此情況下，就是**partition**（分隔），而不是**apparition**（幽靈）了。對於那些不瞭解語音缺陷是此問題核心的人而言，這孩子看起來好像是用猜的，或是他完全迷糊了。父母永遠要牢記在心（並提醒孩子的老師），這些問題都是語音的錯誤，這孩子可能多半知道字的意思，但根本無法把這個字說出來。小孩或大人可能說：「它就在我嘴邊，我卻一時說不出來。」或是說：「我就是沒辦法說出那個字。它卡住了。」

最後，或許是最嚴重的，模糊不清的音素將會阻礙初學閱讀者學習二十六個字母的名稱與聲音。這一連串的成就——學會二十六個字母、學會個別字母的名稱，然後學會字母的發音——為成為閱讀者的重要過渡期留下了痕跡。孩子首次被期待，要把我們所謂字母的這些彎曲線條與它的名稱和聲音連結。這**就是**閱讀的開始。這是閱讀的必要技能（如果不是完全充分的），為了學會閱讀，音素覺識能力必須預備好。相反的，孩子在習得這些技能上出現困難，可能是有閱讀問題的早期警訊。

隨著孩子長大成熟，對語言各部分發展出敏感度。最初，孩子會察覺口頭語言就好像是電影的膠捲——電影持續不斷的放映，而且沒有任何中斷。當孩子日漸成長，他開始體認語言的分段本質：就像透過更仔細的檢查，可以看出電影是由一個個分鏡所組成，言語的帶子能被分解成單字；而字就可以被拉開為音節，而音節再被拆解成粒子——音素。

兒童對語言聲音和語言分段的本質日漸增加靈敏度，可從學前幼兒身上觀察到。學前幼兒在接近三歲時，會開始喜歡學唱ABC兒歌。在這個階段，二十六個字母就像是從A到Z都沒中斷的一條細繩；一般來說，孩子並未察覺個別字母的存在。假始你中途打斷一個三歲小孩正哼唱的ABC兒歌，並問他下一個字母是什麼，他多半可能要把這首兒歌從頭哼唱一次。這是完全正常的；ABC兒歌讓孩子熟悉二十六個字母，但不能期望孩子能分辨每個字母的不同，他要等到年紀再大一點才做得到。大約在一年後，差不多到了四歲時，孩子就會開始分辨及說出每個字母的名稱；最典型的例子是他對學習自己名字裡的字母最感興趣。這時候，他準備好上幼兒園了。他知道大寫字母與小寫字母的名稱，如果不是全部的字母，也會是大部分。當然，這個重要里程碑的完成度可能因人而異，反映孩子在幼兒園與家庭的不同經驗。毫無疑問的，孩子在此時已接受一年的幼兒園教學，他應能分辨及說出二十六個字母，包括大寫字母與小寫字母。學習字母的聲音是閱讀的關鍵能力，它與學習字母的名稱有密切關係。掌握字母－聲音的關係，是幼兒園時期密集教學的重點。一般來說，孩子在離開幼兒園時會認得大部分字母的發音。漸漸的，而且是相繼的，孩子從學步，到接受正式教育第一年的這段期間，一直忙於取得成為閱讀者所需的學習原料：認識二十六個字母、分辨每個字母，以及把聲音與字母連結的能力。習得這些技能的失敗與延遲，是潛在閱讀問題的早期徵兆。

鑽進你的遺傳根源，找出讀寫障礙的跡象

口語困難除了提供讀寫障礙的早期徵兆，自己的家族史也往往提供你可能容易出現閱讀問題的有用線索。讀寫障礙的問題會在家族中延續；當父母或手足有讀寫障礙時，這增加你也會有讀寫障礙的可能性。當父母患有讀寫障礙，他們的孩子有四分之一到二分之一的比例也可能有讀寫障礙。假使在一個家庭裡有一個孩子為讀寫障礙者，那麼幾乎一半的兄弟姊妹也可能有讀寫障礙。不

出人意料的，在孩子被診斷為讀寫障礙，而父母接著也被鑑定的實例裡，有三分之一到二分之一的案例是父母隨後也被證明有讀寫障礙。作家 John Irving 與金融家 Charles Schwab 都是在孩子被診斷為讀寫障礙之後，才發現他們也有讀寫障礙。

手足或父母是讀寫障礙者的孩子，應當針對其口語困難的早期徵兆進行非常仔細的監測。這是其中一個情況，父母必須真正注意到孩子的口語發展。對有閱讀問題的孩子去認識他的家族史，這顯然能提供受影響的手足被早期鑑定的特別機會。如我稍後會討論的，目前有可能針對幼兒（最理想的年齡大約在四歲或五歲）測試讀寫障礙的早期指標。有閱讀障礙家族史的兒童應排在測試隊伍的最前面。

最新研究顯示，讀寫障礙的問題不僅在家族裡延續，它還帶有遺傳特性。家族特徵不一定會透過遺傳機制傳給下一代，也可能因為環境中接觸某些行為或習慣而代代相傳。甚至假使某個孩子確實帶有一個或整套讀寫障礙基因，那只意謂他是讀寫障礙的高危險群。如果讀寫障礙完全是遺傳性，那麼在一對同卵雙胞胎（有完全相同的基因）中兩人都會有閱讀問題。事實上，只有 65%到 70%的案例是雙胞胎兩人都有讀寫障礙；而有 30%到 35%的同卵雙胞胎中一人有讀寫障礙，但另一人沒有。因此，讀寫障礙問題的最終表現取決於孩子的遺傳傾向與其環境的交互作用。除了先天傾向之外，家人是否為他朗讀、玩押韻遊戲，還有特別是學校的閱讀教學成效，這對於孩子會成為什麼樣的閱讀者都會產生決定性作用。

我好像必須強調這點，我經常被問到，當遺傳到讀寫障礙時是否有任何可幫助他們的方法。當然有辦法。許多帶有強烈遺傳傾向的疾病都對治療有良好反應（例如第二類型糖尿病）。知道孩子可能會遺傳閱讀問題，這確實意謂讀寫障礙必須被認真看待，可能需要付出極大努力來培養他的能力。我在第十九章會討論這種類型的閱讀方案，以及它們要如何才能獲致最大成效，尤其是如果閱讀問題能被早期鑑定的話。

讀寫障礙的遺傳基因是否存在？閱讀歷程錯綜複雜，暗示並非是單一顯性基因造成讀寫障礙；它涉及好幾個遺傳基因。此刻，一些前景看好的遺傳基因研究正在進行中。這些基因中有一些基因可能與提升閱讀能力有關，而另一些基因則會削弱閱讀能力。讀寫障礙遺傳學（genetics of dyslexia）是非常積極發展的研究領域，科學家們發現，對造成讀寫障礙原因的這些基因之探究，比起他們原先所預期的更為複雜。

對讀寫障礙的迷思與誤解

對於讀寫障礙徵兆有所警覺，還有一點很重要的是，要留心讀寫障礙周遭一些廣為流傳的誤解與迷思。對孩子的診斷有時錯誤或延遲，是因為他無法顯現一項或多項的假設性「症狀」。

其中一個流傳最久的誤解，就是讀寫障礙兒童**看見的**字母與單字是反向的，所以，顛倒（reversals）（字母與文字寫成反向）為讀寫障礙的一致性徵兆。雖然這確是事實，讀寫障礙兒童會出現把適當標記或名稱對應到字母及單字的困難，但沒有證據可證明他們實際**看見的**字母與文字是反向的。在某項研究中，有閱讀困難的小學生（他們也有把字寫顛倒的傾向）被要求抄寫一整行字母和單字。要求他們這麼做，一點困難也沒有。這些小學生發現有困難的是必須正確**唸出**那些字。譬如說，孩子能把 **was** 抄寫下來，並以適當順序說出組成該單字的每個字母。他們通常會把這個字唸成 **saw**。這個研究證實讀寫障礙兒童在唸名（naming）有困難，但在抄寫沒有問題。另一個誤解是讀寫障礙總伴隨反向書寫（mirror writing）的問題。事實上，不論是讀寫障礙兒童或是非讀寫障礙兒童，在孩子發展書寫能力的早期階段，反向書寫和把字母及單字寫顛倒是常見的情形。

由於對讀寫障礙的錯誤看法是如此普遍，許多沒出現顛倒症狀的讀寫障礙兒童往往未被診斷出來。一位努力為女兒尋求協助的沮喪父親評論：「他們說她沒有問題，她不過是得更加用功，而且她不可能有讀寫障礙，因為她不會把字母看顛倒或寫反。」

另一方面，當幼童出現把字寫顛倒的症狀時，有些父母和老師的擔憂是不必要的。六歲的 A.J.上一年級了，他正開始學習閱讀，他看似出現一些稍早提到的語音錯誤類型，例如把 **hop** 讀成 **hob**。A.J.正試圖把聲音的代碼與字母連結，在學習閱讀的過程中，這是非常正面的跡象，而且符合其年齡和年級，他的祖母並未察覺這些現象，反而擔心他把「他的 p 和 b 給混淆了」。我向她再三保證，這不是讀寫障礙的徵兆。顛倒和讀寫障礙的診斷沒有關係。

左撇子、空間（包括了左－右）方位的困難、繫鞋帶的困難，還有笨手笨腳，也被認為與讀寫障礙有關。無疑的，這些特徵都不是研究發現的重點，不是我們在大部分讀寫障礙者身上所期待的，但理所當然的，在實際人數應該更多的讀寫障礙群體裡，其中有一大群人也是左撇子，或有空間方位的困難。無論讀寫障礙兒童的子群體如何存在，不用懷疑的是，讀寫障礙群體裡的多數人出現共同的語音缺陷（根據我們的研究團隊判斷，大約有 88%的人）。

現在，我們將從最早期的讀寫障礙徵兆再往下走，然後把焦點放在後期徵兆上。那些跡象將警告你，在成為熟練閱讀者的道路上，你的孩子並沒有跟著前進，他可能需要額外幫助。

Chapter 9

讀寫障礙的後期徵兆

破解閱讀代碼，使孩子能跨越門檻進入閱讀世界。但在孩子持續不斷學習閱讀的過程中，只有在一開始會留下痕跡。現在，就因我們瞭解孩子最初是如何學習閱讀。所以，孩子要如何成為熟練的閱讀者，畫面已清晰浮現。出乎意料的，越來越多焦點是放在細節上——構成一個字的字母。

當孩子第一次開始閱讀時，在此**表意符階段**（logographic stage），他並未使用字母名稱或聲音的知識去讀一個字。我們都知道，四、五歲的小孩會「閱讀」像是「停」或麥當勞這些人們熟悉的招牌，或早餐玉米片包裝盒上的文字。這些非常年幼的孩子會依賴各種視覺提示，例如紅色交通標誌「停」的形狀，或有名的麥當勞金色拱形。在一項研究中，研究者將**可口可樂**（Coca-Cola）的商標貼到脆米片（Rice Krispies）的盒子上，而大多數學前幼兒仍繼續將它「讀」成Rice Krispies。這個程度的閱讀者只會辨識少許單字，他們總會聯想到有特色的視覺提示。這些幼兒並不會注意到字的本身，而是記住一些相關的視覺提示，並依賴提示去記住那個字以為日後辨識之用。使用這樣隨心所欲的提示，價值顯然有限。孩子能記住數百個單字，但當到了五年級時，他們在該學年會遇到上萬個生字。單靠記憶根本沒有用。若要在閱讀有進步，一定要學會字母代碼（alphabetic code）是如何產生作用。將字母與聲音連結再把字發出音來，這是將數千個生字解碼的唯一方法。這是小學生正在做的事。

一般而言，在幼兒園或更早在托兒所時期，當孩子在學習字母的名稱時，

很明顯的，它是早期或原始的閱讀形式。假使孩子認出字母的名稱**j**和**l**，他就能讀出（**jail**）這個字，只是藉由說出第一個字母（**jay**）和最後一個字母（**ell**）。這種閱讀的形式被認為原始，是因為閱讀者並未注意到字裡的全部字母；他會依賴字母的名稱，而不是字母的聲音。為了有效的閱讀，孩子需要注意字裡的所有字母，因此他能將它們與所聽到語詞的聲音連結，然後再解碼這個字。否則他會對字首子音（initial consonants）與字尾子音（final consonants）相同，但中間母音不同的字感到困惑（例如像**book**和**beak**）。隨著在學習閱讀有進步，孩子越來越依賴把字母和一組字母，與在口語裡所聽到的聲音相連起來。

有一組研究者發現，對早期閱讀者而言，試著將字母與聲音配對是何等重要，即使孩子並非總是成功。他們發現，當孩子在一年級閱讀時所犯的那種錯誤，對他們能否使用語音代碼及最後成為熟練閱讀者，提供了重要的線索。若孩子的閱讀錯誤是出現在試圖將字母與聲音配對（例如，把**big**唸成**beg**），他們往往會在學年末成為強讀者。相反的，若孩子的錯誤表現出對字母與聲音的關係缺乏覺察力，他們通常在學年結束時會成為弱讀者（這樣的孩子可能把**like**唸成**milk**，這兩個字裡有某些共同字母，但聽起來不一樣）。這些孩子並未收縮其語音的閱讀肌肉（reading muscles）。當你的孩子使用類似方式表現時，父母就應該留意了。還有，最重要的是，在成為熟練閱讀者的過渡期裡，孩子要把注意力放在字的**內部**細節，聚焦於構成這個字的特定字母和字母所代表的聲音是什麼。只此一途，沒有其它方法。

然而，閱讀並不只是將字母與聲音連結而已。渴望閱讀的孩子必須建立自己的閱讀字彙（reading vocabulary），使他最終能閱讀複雜、冗長或不熟悉的字。由於他已把被轉換成聲音的每個字母儲存起來，因此他的大腦已儲存整個倉庫的字母表徵（letter representations）。假使我們的年輕閱讀者在這裡就要停下腳步，那麼他的閱讀將非常緩慢、吃力，這是由於他必須一個字母接著一個字母閱讀。當孩子閱讀時他在發展他的字彙，再將字彙存在他的字庫，而此時的情況真的是開始加速前進了。孩子從與特定聲音連結的字母在心像（images）開始儲存，一直到儲存數量越來越多的印刷文字——那些經常放在一起的常見字母（**-at, -gh, -th**）、字母重複出現更大的字母群（**-ight, -eight, -ought**），以及最後，當孩子閱讀過許多書並一次次將無數文字成功解碼後，他的字庫已存滿了。此刻孩子唯一要做的是看著書頁上的那個印刷字，將它與一個已存在他大腦的字配對。如先前提到的，當孩子能熟練閱讀時，各式各樣的相關訊息——字的拼法、它的發音和它的意義——在枕－顳（字形）區裡更緊密的連結，成為共振神經迴路的一部分。一旦閱讀者把字接上電源，整個迴路就會被點亮，然後這個字會立即被辨識和理解。

熟練閱讀者擁有可用來儲存單字的巨大內部字典。渴望閱讀的孩子必須利用語音代碼，創造自己的個人字庫，然後終生持續的依賴語音代碼，甚至長大成人能夠讀寫時也是如此。最新科學證據顯示閱讀程度佳者也是如此，為了將儲存的字活化起來，他們會對語音產生某種程度的依賴。

這個過程的美妙之處在於，它容許閱讀者將從未見過的字解碼並讀出來。他看見一個字，並將所有的字母掃描。在這個字裡，是否有任何字母屬於某個熟悉的型態？它們是否像他已儲存的那組字母群——單字的一部分？倘若如此，他就能拿著這個字母組合，將它與一個已知的聲音連結。譬如說，假使他看到一個不熟悉的印刷字 **architect**，他可能知道 **t-e-c-t** 這些字母是在一起，也知道它們如何發音。他還可能從經驗中知道，**a-r-c-h**這些字母常被放在一組，而**arch**聽起來像是你腳背的 **arch** 或諾亞方舟的 **ark**。他兩種方式都使用，試著將這個不認識的字發出音來，**arch-itect**或**ar-ki-tect**，並利用上下文判斷哪個發音最適合。從上下文裡他理解這個字是**architect**（建築師），意思是建築物的設計師，被發音成 ark（ar-ki-tekt）。一旦他成功的對這個字解碼，便將它加入自己的字典。每當他再次讀到這個字時，這個印刷字與它被儲存型態之間的連結就變得更強。在正確讀過這個字幾次之後，他會使該字的儲存型態活化起來——包括它的拼字、發音和意義——立即放入增加中的單字表。

流暢性（fluency）——正確、快速、流利的及用合宜的表達方式來讀一個字——需經由練習、一再重複讀一個字而獲得此能力。這一點符合我們對神經迴路的認識，神經迴路是經由重複做而被強化、鞏固。閱讀者與生字間必須有四次或四次以上的成功相遇，才能把它流暢的唸出來。如稍後將討論，我使用**流暢** [fluent] 一詞來描述熟練閱讀者是如何閱讀；我將**自動** [automatic] 這個措辭

保留給對構成流暢閱讀，基礎的神經歷程的描述。一個字一旦可被流暢的唸出，閱讀者就不再有依賴上下文的任何需要了。流暢性並非形容閱讀者能立即將所有字解碼的階段；而是我們的閱讀變得逐字流暢了。閱讀者眼動（eye movements）的追蹤研究顯示，閱讀一篇文本時，熟練閱讀者的眼睛會暫停在 50%到 80%的文本。他需要注視（fixate）文字，將它們實質掃描進去，但他做得非常、非常快速，因為這些字——它們的拼字型態和發音——對他來說都很熟悉。假使你在路上遇到一位你不熟識的人，你可能會盯著他看，直到你能拼湊出辨識的碎片為止；不過，要是你對某個人相當熟悉，只需瞥一眼就夠了。

最初，短的常見字能夠馬上被唸出來；但隨著閱讀者進步，更長、更複雜的單字（還包括罕見字）都在閱讀那一瞬間被加進他們的字庫。雖然孩子的讀本可能包含了上千個字，但大部分文本只是由相對少數字所構成。譬如說，在小學低年級程度的讀本裡，約有 50%的文本是由一百個字所構成；有 75%的文本是由一千個字構成；約有 90%的文本是由五千個字構成。剩餘的 10%是那些很少出現的單字。既然給兒童的典型讀物約有一半是由這麼少的一百字所構成，你便能瞭解那些身為強讀者的男孩、女孩，是如何很快變得流暢，沒過多久就讀得相當輕鬆了。

成為熟練閱讀者，除了要把字讀得正確、快速，還要能理解他所讀的內容。隨著時間過去，理解能力逐漸的發展，學習的關鍵主要是在「傾聽」與「透過閱讀而學習」之間取得平衡。所以，若與閱讀印刷文字相比，初學閱讀者能從傾聽學到的會更多。當孩子能在小學低年級時成為更強的閱讀者，傾聽與閱讀能力的差距就會縮小。到了七年級，這個平衡就開始對閱讀有利了：在此時，孩子被認為必須具備**成熟的**閱讀理解力。透過閱讀而學習的知識越來越多，到了上大學時，大部分的知識與字彙都是從閱讀書本而取得。

擁有大量字彙，是增進閱讀理解能力的關鍵要素；反過來說，閱讀本身對發展孩子的字彙也有重要的影響。事實上，閱讀對孩子智力成長的重要性，我們很難對它過度推估。致力於閱讀的研究者 Keith Stanovich 強調，孩子的字彙發展是多麼依賴閱讀。孩子一天大約學習七個生字，總計一年會有驚人的三千字。若要為增加字彙量而學習生字，孩子就必須仔細檢查這個字的內部細節，而不是視而不見。為了學會一個字，在大多數情況下，他會分析這個字裡的每個字母和字母群，讓正確的字表徵被形成、儲存，這是唯一的方法，也是最有效的方法。

書本所含括的字，幾乎是有趣字或複雜字的三倍——這些字並非小學六年級學生的一般字彙——甚至能和學識最淵博的演講家相較。在成人讀物裡，每一千字就約有五十個罕見字；在一位大學畢業生所說出的每一千個字裡，大約只有十七個罕見字。兒童讀物也是如此，「裡面的罕見字比大學畢業生會話裡的罕見字多出 50%」。因此，若是單純的依賴甚至最複雜的會話來增加字彙，你可預期獲得的字彙將會少於透過閱讀所能得到的。

當研究者讓孩子寫日記，寫下不上學時他們是如何度過時光，早期閱讀對後期閱讀與字彙成長的強大影響力得到了證實。如圖 29 所示，最優秀的閱讀者——那些閱讀測驗得分超過 90%同儕的人——每天閱讀超過二十分鐘（大約每年一百八十萬個字），而同時那些在第 50 百分位的人，每天只閱讀 4.6 分鐘（大約每年二十八萬二千個字）。閱讀能力最弱者，即那些閱讀分數低於第 10 百分位的孩子，每天閱讀不到一分鐘（很貧乏的，每年只有八千字），因此，需要用一年時間來閱讀強讀者在兩天內所讀完的份量。閱讀品質的低落，導致這麼令人擔憂的結果。在成為熟練閱讀者的過程中，對於未依循軌道前進的那些孩子，我們希望對他們進行鑑定，早期的鑑定。

幸運的，成為熟練閱讀者的過程已被安排妥當。它是由一連串抽象和可識別的成就所構成，一些你可找得到和監控的技能，以藉此判斷你的孩子是否上軌道了。為了協助你做好這件事，我將提供一個準則，包括預期的發展順序和時間、明確的閱讀水準或檢查標準的時間點。切記，雖然這些是針對正常兒童的一般指導原則，但毫無疑問的，它們並非不能更改。每個預期步驟都代表了一個單獨的重點。我們將致力於把一系列重點放在一起，當孩子隨著時間成長時，這有助於確認他是否仍在跑道上前進，或可提早警告你他們可能有問題了。由於教學或學習經驗會影響語音技能的發展，有時是孩子的教育程度而非年齡，可能對孩子的期待提供了更合適的指引。

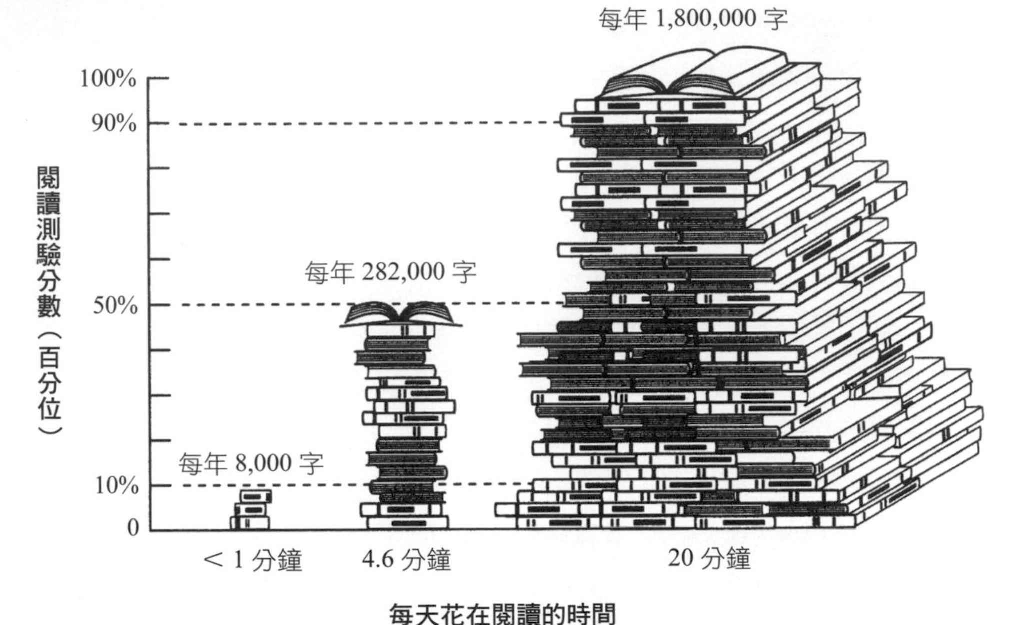

❖ **圖 29　強讀者每年閱讀很多字；弱讀者的閱讀字彙量非常少**

強讀者每天花較多時間閱讀，若與弱讀者相較，強讀者在一年裡閱讀了更多字彙。

閱讀技能的發展準則

學前階段初期（3-4 歲）

- 開始發展覺察力，像是一枚全張郵票、一個句子，然後是一個字，都是可以被分解的。
- 對語言聲音表現出興趣：重複某種聲音及喜歡玩聲音的遊戲，尤其是押韻；背誦童謠（“Humpty Dumpty”、“Jack and Jill”）。
- 識別二十六個字母裡的十個字母，最有可能是他自己名字裡的字母。

學前階段晚期（4-5 歲）

- 將口語語詞拆解成音節（像是 today ⟶ **to-day**）（50%的兒童能算出一個口語語詞裡的音節數目）。
- 開始將單字拆解成音素（20%的兒童能算出一個口語語詞裡的音素數目）。
- 辨識並唸出越來越多字母的名稱。

幼兒園一開始（5-5 歲半）

- 比較兩個口語語詞是否押韻：**cat** 和 **mat** 是否押韻？**hop** 和 **mat** 是否押韻？
- 說出某個像 **cat** 或 **make** 一樣簡單的、押相同韻的字。
- 辨識並唸出幾乎是所有大寫與小寫字母的名稱。

幼兒園結束時（5 歲半-6 歲）

口頭語言：

- 在將口語語詞拆解成音節這方面持續進步中（90%的兒童能算出一個字裡的音節數目）。
- 辨別三個口語語詞或圖片中，有哪一個字是和已知的字有相同的開頭音（指導語：告訴我哪一個字的開頭音是與 **car** 相同：**mat, can** 或 **dog**——他回答 **can**），或者哪一個字的開頭音和其它兩個字的開頭音不一樣（在問到哪一個字是用不同的音開始——**man, dog** 或 **mud**——他回答 **dog**）。
- 發出一個字的開頭音（當要求說出 **mat** 這個字的開頭音時，他回答"**mmmm**"）。
- 算出一個短字裡的音素數目（當要求算出他聽到 **me** 這個字裡有幾個音時，他發現有兩個；有 70%-80%的孩童能做得到）。
- 將音素混合（推擠在一起）成為一個完整的字（當問到哪個字是由"**zzzz**"和"**oo**"的聲音組成，他回答 **zoo**）。

印刷文字：

- 唸出二十六個字母裡所有字母的名稱。

- 知道二十六個字母裡幾乎是所有字母的聲音。
- 掌握到字母拼音原則；瞭解在一個書面字詞裡，字母的順序代表了口語語詞聲音的數目與順序。
- 開始將簡單的字解碼。
- 藉由視覺，識別越來越多的常見字（**you, my, are, is, the**）。
- 利用**自創拼字法**（invented spelling），例如把 **car** 寫成 **krr**。
- 書寫許多大寫與小寫字母。
- 書寫他自己的名字（名字與姓）及家庭成員或寵物的名字。

小學一年級（6-7 歲）

口頭語言：

- 算出較長（三個音素）單字裡的聲音（當問到，你能不能算出，在**same**這個字裡聽到幾個聲音呢？他回答說**三個**）。
- 說出假若一個三音素單字的起頭或結尾被拿掉，剩下了什麼字（教導孩子，若 **bat** 這個字不要唸出 **"b"** 時要怎麼唸，他回答 **at**）。
- 把三音素單字裡的聲音混合（當問到，由 **"m"**, **"aaaa"** 和 **"n"** 三個聲音所組成的單字是什麼？他回答 **man**）。

印刷文字：

- 使用正確性與理解力，大聲的朗讀對一年級學生有意義的任何文本。
- 將字母與它的聲音連結，並將生字解碼。
- 正確的解碼單音節字（one-syllable words）（真字 [real words] 像是 **sit** 和 **bath**，無意義字像是 **zot** 和 **shan**）。
- 認識常見的字母群或字族（word families）的聲音，例如像**-ite** 和**-ate**。
- 經由視覺，識別常見的、有不規則拼法的字（那些並未依循字族型態的字），例如 **have, said, where, two**。
- 已有三百到五百個閱讀字彙，包括瞬視字（sight words）與容易發出音的字。
- 能監控他自己的閱讀。
- 假使對一個字辨識錯誤，而字裡的字母所提供的提示，或此字的上下文所提供的提示皆不符合時，能進行自我修正（self-correct）。
- 閱讀簡單的指令，例如像「打開你的書本」。
- 開始正確拼出短的、簡單的單字。

小學二年級（7-8 歲）

印刷文字：
- 已建立將字母與聲音連結，並將生字解碼的習慣。
- 開始學習如何把多音節字（multisyllabic words）拆解成音節的策略。
- 正確的唸出一些多音節的真字和無意義字，像是 **Kalamazoo**。
- 開始流暢的閱讀——正確、順利、快速的，以及帶著適當音調閱讀。
- 閱讀與理解對二年級學生有意義的小說與非小說。
- 拼字時能發出完整的字音。
- 自發性的閱讀。

小學三年級（8-9 歲）

印刷文字：
- 使用流暢性與理解力，大聲朗讀對三年級學生有意義的任何文本。
- 利用對字首（prefixes）、字尾（suffixes）和字根（roots）的認識，推斷字的意義。
- 閱讀較長的小說和章節書。
- 概述讀物內容的重點。
- 正確拼出先前學過的字。
- 利用字典學會生字的意義。

小學四年級和四年級以上（9-9 歲以上）

- 為了學習而閱讀。
- 為了享受樂趣和吸收資訊而閱讀。

緩慢的閱讀者

對讀寫障礙者而言，要學會閱讀與成為熟練閱讀者的過程中充滿了痛苦與緩慢。需要達到的閱讀水準被嚴重拖延了。在最初，把字母與聲音連結的困境阻礙了他學會閱讀。隨著時間過去，讀寫障礙者學會閱讀，也開始建立自己的字母與字表徵的字庫。可惜的是，讀寫障礙者只能將單字裡的少數字母與聲音配對。結果造成那個字的儲存型態是片段和不完整的。稍後，當讀寫障礙者再度遇到那個字時，他可能會發現很難找出已被正確儲存的配對，或者他根本有困難去辨識這個印刷字。

如早先提到的，在成為熟練閱讀者的部分過程中，對熟悉字所形成的表徵是越趨複雜和完整。一般而言，讀寫障礙者在對一個字所儲存的表徵是清楚和確實之前，他需要接觸這個字更多次並經過更長的時間。在某些情況下，若被儲存的字表徵仍持續殘缺，這情況將會阻礙字詞的快速檢索。所造成結果是，即使讀寫障礙者能將這些字正確的解碼，但他仍無法快速讀出來。語音缺陷所造成的明顯影響不只是學會閱讀，還有成為熟練閱讀者的能力。

因為字表徵的儲存型態不完整，接下來後果是讀寫障礙者被迫繼續依賴上下文來獲取字義；必然的，在那種特定處境下，好處是有限的。因為讀寫障礙者往往在沒有先對那個字完全解碼的情況下就取得字義，所以字表徵無法被真正儲存並加入他的記憶庫。當再次遇見那個字時，他就好像從未見過似的，又必須經歷使用上下文取得字義的方式來做相同的練習。

依賴上下文來閱讀，這是常見的、令人困惑的讀寫障礙徵兆。許多讀寫障礙者會抱怨在閱讀短的單字有困難，例如 **in, on, the, that** 和 **an**。九歲讀寫障礙男孩 Noah 的父母描述他對閱讀短的字有特殊困難，而同時

> 在讀起較長的、更困難的單字時，卻看不出有任何遲疑，例如像 **museum** 和 **Metropolitan Opera**，還有代表**東西**（thing）的較短單字像是 **tree, bat** 等

等。我們的兒子是足球迷，他在三年級時就能讀出 **Metropolitan Stadium**（大都會球場），但 **on** 這個字卻讓他吃足了苦頭。

由於讀寫障礙者非常依賴上下文來閱讀，因此要他學會一個短字往往很困難，這種被稱為**功能詞**（function word）的短字，它的意義無法從上下文搜尋而得。譬如說，一顆球可以在桌子**上**（on）、**飛過**（over）桌子，或在桌子**底下**（under），這使得他很難決定哪種說法是作者想要的。基於相同的原因，讀寫障礙者可能讀得出像是 **tree** 和 **bat** 這樣的字，這是因為它們代表了具體物，可從文本中被預測到、也看得見。這些短小的功能詞是如此不確定，使得讀寫障礙兒童很難在文本中找到一些蛛絲馬跡，好幫他把這個字固定，並牢牢的記住。

最後，是這個孩子的能力——一個熱心的足球迷——他讀得出當地足球場的名字，而不是其它較簡單的字，提供了閱讀材料有其重要性的證據，亦即閱讀材料應與閱讀者有關連，而且是有意義的。他不需要被強迫閱讀，這反而有助於他發現文本內容是如此有趣，因此他能被閱讀材料所吸引。不管是科學或棒球的閱讀主題，甚至那些有嚴重讀寫障礙的人都能學會閱讀，不只是將個別單字解碼，還能理解閱讀材料——因為，畢竟那就是一種吸引力。

判斷孩子的進展

在本章第一部分，我專注於熟練閱讀是如何發展的，以及在期待熟練閱讀的過程中，何時該期待各個里程碑的特徵依序出現。這項知識揭開閱讀的神秘面紗：它允許你用全新的、**有根據的**方式去觀察你孩子的閱讀。你曉得何時該期待孩子開始走路和學會說話，而現在你知道，在孩子的閱讀發展過程中，你要期待些什麼，以及何時去期待它。

你還學到如何辨識危險的訊號，那些警告你孩子的閱讀沒有順利發展的具體徵兆。**就像爸爸或媽媽不會想忽略，與小兒科醫生約好孩子的身體檢查，每個父母都應該定期觀察孩子的閱讀。由於閱讀困難的高盛行率，那麼你的孩子會不會有閱讀問題，比起任何他正在檢查的身體問題，讀寫障礙的可能性就更**

高了。

我建議盡可能多和你的孩子一起閱讀，每星期至少好幾個晚上。在那段時間裡，留出部分時間，專心聆聽你的孩子為你朗讀。聆聽你的孩子朗讀能阻止問題發生，那就是孩子不會在你不瞭解的情況下長大；而且，那會是一種樂趣。我擁有和孩子一起閱讀的美好回憶，雖然他們現在都長大成人了，但仍經常說出多年之前一起閱讀的故事細節，這真的讓我嚇一跳呢！

當你的孩子開始閱讀時，要仔細的聆聽。針對小學一年級的孩子，他是否有努力嘗試的跡象，縱使他的表現不完美，他是否能把字母與聲音連結呢？他是否採取重要的第一步，把單字的首字母與它的聲音配對呢？隨著這一年的進展，你應當注意到，他能在短字裡把聲音和位置恰當的字母配對（起頭、結尾和中間）。他還應該識別常見的字母群（例如**-ate, -at, -ite**），以及把它們與它們的聲音連結在一起。他應該放下一年級讀物了。

到了小學二年級時，他的基本閱讀工具應該準備妥當了。尤其是，二年級的孩子應能閱讀簡單的多音節字（像是 **rabbit, butter** 和 **sleepy**）。這個重要的步驟強調去注意單字裡的每個部分。他不只是能將字的起頭和結尾部分做配對，還有對較長單字的內部細節也是如此。跟著他大聲的朗讀，並仔細的聆聽。假使你二年級的孩子還不能把字發出音、對單字胡亂嘗試一通、無法唸出該年級程度的生字或不熟悉的字、在閱讀時仍無法辨識字的內部、對大部分的單音節字或有些簡單的多音節字無法解碼、有困難將應可流暢唸出的字變成他的字彙，或是看似無法享受閱讀的樂趣，那麼你就應該擔心了。

儘管大多數有閱讀問題的孩子，直到小學三年級還沒有被鑑定出來，但鑑定和幫助孩子的理想時間是在孩子剛開始上學的那幾年，那就是為什麼我要專注於幼兒園或小學一、二年級時容易觀察到的徵兆。有效的協助可以日後再提供，但發展的情況就會更加惡化了。

隨著孩子升上三年級和更高年級，關於他在這段期間的進展，你的焦點從懷疑他是否學會閱讀，轉移到希望知道他是否能流暢的閱讀最重要的基礎字。現在的閱讀狀況如你所預料的。要學的字變得更複雜，數量更多了。課堂教學強調的重點，是透過閱讀來獲取資訊會多過於閱讀的教導。因此，很容易理解為何閱讀問題往往會在三年級時才第一次被診斷出來。讀寫障礙者常常不懂得使用解碼策略來辨識單字，反而嚴重依賴上下文來找出字義。假使你的女兒有使用替代字的情形，那麼你就應該注意了；這些替代字在那段文章的上下文裡是有意義的，但與原來的字音卻大不相同。舉例來說，孩子可能會把 **car**（汽車）讀成 **automobile**（汽車）。重複使用替代字的確是讀寫障礙的徵兆，孩子會利用上下文來猜測他無法解碼的字。由於這些替代字往往有其字面的意義，再取得第二本你孩子正在閱讀的書，如此當他閱讀時，你就可以實際看到每個字，你會發現這樣做是有幫助的。否則，你不會一直注意他正使用某個字替代另一個字。

注意他閱讀時的整體節奏。是流利或遲疑的？他應當流暢讀出書頁上大部分的字。他是不是反而吞吞吐吐？字有被省略、替代或說錯的情形，閱讀是緩慢或不連貫的，這些都是重要的徵兆，顯示這個三年級小學生不在成為熟練閱讀者的軌道上。這樣的孩子會恐懼被叫到名字朗讀，經常費盡心思避免這種尷尬狀況發生；他們時常留在家裡、要求離開教室，或假裝行為不當可因此被趕出教室。

除了閱讀的問題，拙劣的拼字能力往往也是讀寫障礙的徵兆。拼字與閱讀的關係密不可分；為了正確的拼字，孩子會依賴他所儲存的字表徵，而在讀寫障礙者身上，這些能力都是有瑕疵的。拼字困難可能是一個指標，它暗示孩子沒有注意到字裡的所有字母，因此他無法正確的儲存那個字。拼字困難會持續出現在讀寫障礙兒童的求學過程中。事實上，即使讀寫障礙兒童或成人學會將大部分的字正確的解碼，他們的拼字錯誤仍可能持續很久。針對拼字錯誤的分析，往往揭露的問題是：遺漏了整組聲音或對聲音的順序感到困惑。一位三十幾歲的電腦程式設計師 Daniel，他的這些意見反映出許多讀寫障礙者的經歷：

> 我的拼字真是糟透了……所以，我常常用另一個字或一些較短的字來補償（往往是一個蹩腳的妥協）。拼字檢查軟體是一個大幫手，但它並非總是如此靈光。我的拼字經常是一場糊塗，甚至連拼字檢查軟體也沒辦法找到配對。

我發現，寫字（handwriting）是另一個重要的讀寫障礙徵兆。讀寫障礙兒童的筆跡經常是潦草的——這問題會一直持續到成人。我相信，這個困難反映讀寫障礙兒童在察覺字是由音素所組成是有問題的。在說話時，嘴唇與嘴巴形成音素並清晰的發出字音。在書寫時，手指表現出對音素的體認（它們形成精細的動作，與音素相互影響）。聽不出音素，無疑的會導致不能把字寫清楚。這是我自已的理論，而且我沒發現任何可以證實或反駁它的證據。奇怪的是，讓讀寫障礙者握筆姿勢笨拙，寫字母時出現遲疑的相同手指頭，卻在打字時優雅的急馳於鍵盤上。對讀寫障礙兒童來說，文字處理器讓人有一種難以置信的解脫感，對成人也是一樣（或許那是自由的感覺，不必寫出字母是何等解放）。Matt Fisher 患有讀寫障礙，他是一間自營建築師事務所的老闆，他描述使用鍵盤的經驗：

> 在我的朋友中，沒有人能像我打字這麼快。我想是因為我把字都記住了，而不是字的一部分。所以，我只不過是把字複製出來……我猜想我真的把所有的字都記住了，再把它們當作代碼來使用，輸入與輸出皆如此。

我認為Matt的看法絕對正確。他並沒有和字互動，也沒有把字發出音來；他找到一個送菜窗口——只不過是端起整盤文字，然後再透過鍵盤把它們放到書頁上。

無法流暢的閱讀，在讀寫障礙年輕人身上留下了痕跡。到了青少年時期，強讀者已建立儲存字表徵的巨大字庫，以便能快速閱讀無數文字。對他們來說，解碼已經不成問題了，因此，他們的能量可用於思考所閱讀內容。那些聰明的讀寫障礙青少年喜歡思考，但要他們接受閱讀材料——印刷文字——是很困難的，閱讀材料提供了新靈感的來源。他們必須專注於解碼文字，而無法關注閱讀理解的問題。這反映出流暢性的缺乏，他們的閱讀緩慢——這是讀寫障礙的標誌。當讀寫障礙青少年在試圖應付大量書面作業時，流暢性缺乏會導致嚴重的閱讀問題。譬如說，家庭作業往往無法完成，或得花費大量時間才能完成。流暢性能將閱讀者與文本結合。假使孩子無法對一定數量的文字輕鬆的解碼，那麼他就無法專心投入文本之中。他就無法與文本和諧的相處。我經常會聽到人們說：「我兒子就是沒有辦法專心在他的功課上。」假使在某一頁文字上，你無法辨識與解碼足夠的單字，那麼閱讀就像在冰上滑行一樣：你永遠都學不會那些字。當然，你也學不會字的意義。怎麼會有人想繼續注意對他們而言是毫無意義的文字呢？你願意繼續閱讀你讀不懂的外文書嗎？過了一會兒，你就會失去專注力、開始做白日夢、盯著窗外看，然後你就決定放棄了。

更有甚者，讀寫障礙者完全專注於書本，他必須把字解碼出來，這會使得他對任何噪音或動靜都變得極敏感。閱讀之於他是脆弱的，而這過程中他可能會在任何時刻受到干擾。任何讓他從書本分心的細微聲響都能威脅他繼續閱讀的耐力。他需要用全部注意力來解碼這些印刷文字。相較之下，閱讀流暢者有多餘注意力可供使用，因此房間的噪音不可能妨礙他閱讀。這種脆弱現象所產生的實際後果是，讀寫障礙者往往需要極安靜的房間，在那裡閱讀或考試。

當讀寫障礙者嘗試學習一種新語言時，這會使得他原本在母語語音體系獲取指令的問題更加惡化。在學習外國語言時持續有困難，這提供該學生可能有讀寫障礙的另一重要線索。

如稍早所說，當一個人尚未掌握語音代碼卻可熟練的閱讀，他必須時常依賴非理性的死記硬背，如這位五十二歲、有特別嚴重讀寫障礙的男士所做的。（我保留他所寫原文。）

> 我必須記住我用在說話和書寫的每個字。倘若我沒有背熟那個字，就沒有辦法將它發出音來。我在寫字時會忘掉字的某部分。我在將它們發出音時會漏掉字的某部分。假使我在寫些東西，我也會在一個句子裡漏掉幾個字。假使現在我記住一個字，[而我] 在歌本上看到一個有連字符號的（原文誤為 highfinated，正確應為 hyphenated）字，我會認不出這個字。我必須把刪掉這個字的連字符號（原文誤為 highfins，正確應為 hyphens），然後把這個字變回我當初記住它的原本樣子，那麼我就能再次認得它了。

在兒童與成人身上，最後一個相同的讀寫障礙徵兆：他們自述身處痛苦中的事實。讀寫障礙使他們遭受痛苦。讀寫障礙象徵對自尊（self-esteem）的重大打擊。這個跡象在小學生身上也許被表現為不願意上學或容易情緒化，或用言語表達像是「我很笨」或「我常被嘲笑」的話語。青少年會產生羞愧感，並藉

此逃避上學、假裝忘記功課，還有怎樣也不肯在課堂當眾朗讀，以努力掩飾他們的閱讀問題。同樣的，成人的心裡藏著深刻痛苦與憂傷，這反映多年來他們的自我價值受到打擊。一位非常成功的學生為大多數聰明的讀寫障礙者做此總結：

> 讀寫障礙所造成的經驗帶給了我嚴重的衝擊……當讀寫障礙影響我的課業時，我的自尊心就會特別低下，我強烈依賴老師們鼓勵我。而正向增強一直是我學業成功背後的大部分動力。

我同時想對讀寫障礙者解釋清楚，儘管經歷過這些困境，他都不應氣餒。事實上，有一位致力於閱讀的研究者，他的研究帶給讀寫障礙者極大的鼓勵。Rosalie Fink 研究一群非常有吸引力、且有高度成就的讀寫障礙男性、女性，這些擁有聰明才智的人為讀寫障礙的矛盾建立榜樣。這群人同時有持續的語音缺陷和非凡的知識成就，包括了像是著名的科學家 Baruj Benacerraf，他是哈佛大學醫學院的比較病理學系主任；Ronald Davis是史丹佛大學醫學院的生化教授；Florence Haseltine是國家兒童健康與人類發展研究院的人口研究中心（Center for Population Research）的主席；Robert Knapp是楊百翰婦女醫院（Brigham and Women's Hospital）的婦產科及婦女腫瘤科的醫師，還有哈佛醫學院 Dana Farber 癌症協會的榮譽主席。在這群科學家裡，有些人是備受讚譽的教科書與學術論文作者，他們獲得的榮耀包括諾貝爾獎以及國家科學院（National Academy of Sciences）和醫學研究院（Institute of Medicine）的當選人。這些人提供了絕佳典範，那就是在適合的環境下，讀寫障礙者也能成為熟練閱讀者。

是什麼原因使得這群人與眾不同，讓他們在非常狹窄的研究領域裡發展出不尋常、強烈的興趣，往往在還是兒童或青少年時期就開始了。就如 Rosalie Fink 所形容，

> 藉由專注於某項單一知識領域，許多讀寫障礙者儼然成為對他們喜愛主題的「小專家」，有時候在幼年就開始了。對有些人而言，早期培養的閱讀興趣後來竟發展成顯要的職業；而對另一些人來說，早期閱讀的興趣則成為了終身嗜好。

這些讀寫障礙者對某個主題有狂熱般的興趣，這驅動了他們閱讀與此主題有關的所有資訊。這使得他們能專注於某類限定範圍的文字——這個相當小型的文字範疇，它組成任何單一學門中重複出現的字彙。藉由一遍遍重讀相同主題的材料，這些讀寫障礙者的閱讀將能變得流暢。他們對所讀內容產生強烈興趣，這激勵他們不去遮掩文字，反而試圖將每個字都發出音，然後利用上下文確認某個字是否適合這段文章。這麼一來，他們就能表現得像是閱讀未受損者，透過不斷的嘗試去改善拼字與拼音能力，使他們的閱讀終能產生意義。最後，這個小型範疇的文字被加進記憶庫，允許讀寫障礙者用其它方法流暢的閱讀。

在這些人之中，有許多人仍然努力對抗要如何取得字音，也持續的依賴文章的上下文來取得字義。Baruj Benacerraf，這位 1980 年諾貝爾醫學暨生理學獎得主曾說過：「甚至是今天，當我無法理解一個字時，我會從這個字的上下文去猜測。是的，我猜什麼是有道理的。」此外，看見一個「整體的畫面」，這會使得讀寫障礙者得以掌握看似數量驚人的閱讀材料。舉例來說，紐約大學法學院的法律、醫學和精神病學教授 Sylvia Law，她是這麼做的：

> 當你沉浸於一片原野時，你大概多少知道森林長得是什麼樣子，然後你開始注意看這兒是否有棵特別的樹。你曉得，在一份長達一百頁的文件裡，它會是這麼開始的：「法庭聲稱……」所以，只要能略讀和瞄準法學上重要的東西，這其中最重要的一句話，事情就容易了。我會使用許多技巧與過濾手段來處理冗長的法律公文。

毫無疑問的，患有讀寫障礙的男性、女性能締造重要的、甚至長遠的貢獻。他們的故事證明了讀寫障礙者能在最複雜的知識領域勝任愉快，並說明了為何讀寫障礙者往往能在成為專家的職業生涯中建立高度成就。

通往成功與避免大量挫折的關鍵，在於盡可能的及早確認出讀寫障礙，甚至在孩子被期待開始閱讀之前。在孩子身上確實診斷出讀寫障礙，如今這是有可能的，在剛入學的時候；在學齡兒童身上；要進入大學、研究所或職業學校的年輕人；還有在那些渴望知道「我終於發現哪裡出錯了」的父母和其他成人身上。由於讀寫障礙源自一種常見的語音缺陷，大部分的讀寫障礙者所經歷困境有極大的相似性與一致性。那些你剛才所讀到的相關徵兆，使你能警覺你認識的某個人可能有讀寫障礙。好幾個徵兆是你需要採取下個步驟的訊號：考慮一種更有系統和更正式的評估方法。在下一章裡，我將會把焦點放在哪些人應該尋求評估。

Chapter 10 我的孩子應該接受讀寫障礙鑑定嗎？

我已描述口頭語言與熟練閱讀是如何發展，以及語音缺陷可能對它們分別造成何種衝擊。現在，我想把所有線索結合，作為識別讀寫障礙的早期警訊。這些線索會幫助你回答這個問題：我的兒子或女兒（或我自己）應該接受讀寫障礙鑑定嗎？

沒有人想要大驚小怪，只為了學習閱讀的過程中那些微不足道或瞬間的顛簸，就把孩子送去鑑定。鑑定是極其耗時的，而那些以私人方式完成的鑑定也可能花費昂貴。但我認為我們必須提醒自己，孩子是珍貴的、獨一無二的個體，而且人生只有一次。假使我們選擇不讓孩子做鑑定，而之後卻證明他有讀寫障礙，那麼我們無法把失去的歲月還給他。人類的大腦是有彈性的，但無庸置疑的，比起提供給年紀較大兒童的介入，早期介入與治療帶來更快速與積極的改變。此外，讀寫障礙對孩子的自尊造成了侵蝕，那是他辛苦對抗閱讀多年之後所累積的。

童年是學習閱讀的最佳時機。當孩子在破解語音代碼有所延誤，將錯過對建立流暢性與字彙必要的許多練習；造成的後果是，在理解技能與對周遭世界知識的獲取上越來越落後。目睹這樣的情況發生在孩子身上是很悲哀的事，更因為它是可以被預防的。

佛羅里達州立大學的研究者 Joseph Torgesen 致力於閱讀，並完成許多重要的介入研究。對於早期鑑定兒童的需求及等待所需付出的代價，他有以下見解：

我們容許孩子在小學前期嚴重的落後，到了這樣低下的程度，我們是朝著「矯正」的介入模式，而非「預防」方向前進。一旦兒童在關鍵的識字技能的成長落後了，他們就可能需要非常密集的介入才能使其閱讀能力回復適當準確性，而其閱讀流暢性甚至可能更難復原了，那是由於孩子長期錯過了大量練習，以至於他們仍然是弱讀者。

大部分父母與老師之所以延誤對閱讀困難兒童做鑑定，是因為他們相信這些問題只是暫時的，孩子長大就不會再有了。這根本不是事實。閱讀問題並不是長大就不會再有，它們是持續不斷的。如同康乃狄克縱貫研究的參與者所證實，在小學三年級是弱讀者的孩子，到了中學和中學以後，至少有四分之三的人仍持續有閱讀的問題。那些在小學三年級時看似能被忍受和忽略的東西，在中學生或年輕人身上是絕對行不通的。缺乏鑑定與實證的介入方法，使得幾乎是所有早期有閱讀困難的孩子，在當他們是成人時仍繼續掙扎於閱讀。

幸運的，在閱讀問題的早期鑑定上，父母能扮演積極的角色。這一切所需要的就是具備敏銳觀察力的父母，他知道在尋找什麼，並願意花時間陪伴孩子，聆聽孩子的說話與閱讀。

讀寫障礙特有的徵兆——包括弱點與優點——根據這個人的年齡與教育程度，在任何人身上都不相同。一個無法學會字母的五歲小孩，會變成不能將聲音與字母配對的六歲小孩，然後是恐懼朗讀的十四歲青少年，再來是閱讀得極度緩慢的二十四歲年輕人。這種恐懼感在這人的一生持續不斷出現。關鍵點是知道如何在不同發展階段裡識別他們。所以，我將這些徵兆整合起來，提供三個不同的讀寫障礙面貌：第一個線索出現在幼年期，從學前到小學一年級；第二個線索是從小學二年級的學齡兒童開始；還有，最後一個線索是在年輕人與成人身上。

幼年期的讀寫障礙徵兆

最早期的徵兆大多與口頭語言有關。針對語言（和閱讀）的問題，最早的徵兆可能是語言發展的延遲。一旦孩子開始說話，尋找下列問題：

學前時期

- 對於學習常見的童謠有困難，像是 "Jack and Jill" 和 "Humpty Dumpty"。
- 對韻文的欣賞力不足。
- 字的讀音錯誤；會持續出現兒語。
- 在學習（及記憶）字母的名稱有困難。
- 不認得自己名字裡的字母。

幼兒園和一年級

- 無法理解字是可以拆解的；譬如說，**batboy** 可以被拆開成 **bat** 和 **boy**，然後，**bat** 這個字可以更進一步打散，唸出：**"b", "aaaa", "t"**。
- 無法學會將字母與聲音結合，例如無法將字母 **b** 與聲音 **"b"**連結。
- 在唸讀的錯誤中，看不出字母與聲音的關係；譬如說，把 **big** 這個字唸成 **goat**。
- 無法唸出常見的單音節字，或甚至最簡單的單字，像是 **mat, cat, hop, nap**。
- 抱怨閱讀是如此困難，或在該閱讀時走開或躲起來。
- 在父母或兄弟姊妹身上，有閱讀問題的家族史。

除了說話與閱讀的問題之外，你應該從較高層次的思考歷程，尋找下列優點的指標：

- 好奇心。
- 豐富的想像力。
- 理解事物的能力。
- 渴望有新的想法。
- 掌握事情的重點。
- 擅長理解新的概念。
- 驚人的成熟度。
- 擁有同年齡者一樣的大量字彙。
- 喜歡玩猜謎遊戲。
- 有組裝模型的天分。
- 對所閱讀或聽到的故事有極佳理解力。

從小學二年級起的讀寫障礙徵兆

說話的問題

- 對長的、不熟悉的或複雜的單字，出現發音錯誤的情形；字的斷裂——漏掉單字裡的某部分，或對單字裡各部分的順序感到困惑；譬如說，**aluminum** 變成 **amulium**。
- 說話不流暢——在說話時經常停頓或遲疑，說話時有很多「嗯」，無法口齒伶俐。
- 無法使用精確的語言，譬如像含糊提及 **stuff**（東西）或 **thing**（事物），來取代恰當的物品名稱。
- 無法找出確切的字，譬如分不清楚聽起來音相似的字：把 **volcano** 說成 **tornado**，用 **lotion** 替代 **ocean**，或用 **humanity** 替代 **humidity**。

- 需要時間鼓起勇氣做口頭回應，或是被問到問題時無法很快給予口頭答覆。
- 對記住口語訊息裡的單獨片段有困難，即機械記憶——有困難記住日期、名字、電話號碼、無規則的清單。

閱讀的問題

- 在閱讀技能的進步非常緩慢。
- 缺乏認字的策略。
- 對於唸出**未知**字（新的、不熟悉的字）的發音有困難；看到一個字時會胡亂唸出或猜測；無法依順序把字發出音來。
- 無法唸出短的「功能」詞，像是 **that, an, in** 這些字。
- 唸起多音節字時會結結巴巴，或發不出整個字的音。
- 閱讀時會省略單字裡的某些部分；不能將單字裡的各部件解碼，就好像有人在這個單字的中間咬了一個洞，譬如 **convertible** 變成 **conible**。
- 對於要大聲朗讀感到極度恐懼；會逃避口頭閱讀。
- 口頭閱讀時充滿了替代字（substitutions）、省略字（omissions）和讀音錯誤。
- 口頭閱讀時唸得零碎、吃力，不平穩又不流暢。
- 口頭閱讀時缺乏聲調，聽起來像在唸外國語言。
- 依賴文章的上下文來辨別所讀內容的意義。
- 透過**上下文**去理解單字的能力，比閱讀個別單字的表現要更好。
- 在選擇題考試的表現，是不相稱的糟糕。
- 無法在規定時間內完成考試。
- 對文本裡發不出音的單字會用同義字替代，例如用 **car** 替代 **automobile**。
- 拼字表現是淒慘無比，拼出的字不像真正的字；有些字可能連拼字檢查軟體都查不到。
- 對閱讀數學文字題（word problems）有困難。
- 閱讀非常緩慢，且令人厭倦。

- 家庭作業好像永遠做不完，或常常得求父母幫忙閱讀。
- 字跡凌亂，儘管文字處理能力可能很出色——有靈巧的手指。
- 在學習外國語言有極大困難。
- 在閱讀中缺少樂趣，會逃避閱讀書本或甚至一個句子。
- 逃避為樂趣而閱讀，這件事似乎使人精疲力盡。
- 隨著時間過去，閱讀的準確度有提升，但仍然缺乏流暢性、還是吃力。
- 自尊的降低與內心的痛苦，別人並不是看得出來。
- 在家庭成員裡，有閱讀、拼字與外語學習問題的家族史。

除了出現語音弱點的徵兆，還有在較高層次思考歷程的優點：

- 優異的思考技能：推理、想像力、抽象概念。
- 透過意義來學習能達到最好的學習效果，而非死記硬背。
- 能掌握事情的「整體畫面」。
- 對於為他唸讀的內容有高度理解力。
- 在特別感興趣的領域裡，對過度學習（即是，極度的練習）的單字有極佳的閱讀與理解能力；舉例來說，假使他的嗜好是修車，他或許能閱讀與汽車機械有關的雜誌。
- 當他發展他能閱讀的小型字彙時，作為興趣的某種領域就會變得更專門與專注。
- 有驚人、複雜的傾聽字彙（listening vocabulary）。
- 在不需依賴閱讀的領域表現傑出，像是數學、電腦和視覺藝術，或在比較概念性的（相對於仿真陳述的）主題表現傑出，像是哲學、生物學、社會學、神經科學和創意寫作。

在年輕人與成人身上的讀寫障礙徵兆

說話的問題

- 持續出現早期階段的口語困難。
- 對人名和地名的讀音錯誤，並對單字裡的有些部件唸得結結巴巴。
- 對記住人名和地名有困難，並對聽起來音相似的字感到困惑。
- 急著要檢索出單字：「它就在我嘴邊，卻一下子說不出來」。
- 無法口齒伶俐，尤其在眾人注目下。
- 口語字彙量比傾聽字彙更少，對可能發錯音的字會猶豫是否要大聲唸出。

閱讀的問題

- 有閱讀與拼字困難的童年史。
- 隨著時間過去，對單字的閱讀更加準確，但仍需付出很大努力。
- 缺乏流暢性。
- 會因口頭閱讀而感到尷尬：逃避讀經班、逾越節家宴的讀經或發表書面演說。
- 對罕見、奇怪或特殊字的閱讀與發音有困擾，像是人名、街道或地區的名稱、餐廳菜單上的餐點（往往求助於服務生，詢問今日特餐是什麼，或是說：「我跟他點一樣的餐」，以避免無法閱讀菜單的尷尬）。
- 閱讀的問題持續出現。
- 在閱讀時，對無法發出音的字會用虛構的字替代——舉例而言，**metropolitan** 變成 **mitan**——而且，當再次看到或隔天在課堂上聽到 **metropolitan** 這個字時也無法識別。
- 閱讀時會感覺極度的疲勞。

- 閱讀大部分的材料時速度緩慢：不管是書籍、使用手冊或外國影片的字幕。
- 選擇題測驗對他們極為不利。
- 經常得花費很多時間閱讀與學校或與工作有關的資料。
- 經常得為了讀書而犧牲社交生活。
- 偏愛附有插圖、圖表或圖案的書籍。
- 偏愛頁面文字較少，或看起來有很多空白的書籍。
- 無法為樂趣而提起勁閱讀。
- 拼字表現仍持續低劣，寫作時會偏愛使用比較不複雜、容易拼出的單字。
- 在需要死記硬背的文書工作上，表現得尤其糟糕。

在較高層次思考歷程的優點徵兆

- 繼續保持學齡時期被注意到的優點。
- 學習能力很強。
- 若給予額外時間，選擇題考試的表現會有明顯的改善。
- 當專注於高度專業的領域時，會有顯而易見的優異表現，像是醫學、法律、公共政策、財經、建築或基礎科學。
- 寫作時若內容比拼字重要，就會有優異的表現。
- 很明顯的，在想法和感情的表達上思路清晰。
- 富有同理心與熱情，能體諒別人。
- 在不需依賴死記硬背的領域裡，能有出色的表現。
- 對高層次概念的形成能展現天賦，並提出原創性見解。
- 就事情的整體局面進行思考。
- 傾向在框架外思考。
- 有絕佳的彈性與適應能力。

這些在整個人生的不同階段徵兆提供了讀寫障礙的面貌。仔細檢驗它們、思考它們，確定是否有任何跡象符合你的孩子、你自己，或是任何你周遭的人。在弱點和優點裡尋找出跡象。在被期待開始閱讀的兒童身上，以及在已發展某種程度之閱讀準確性，但繼續顯現早期問題殘存的徵兆、閱讀緩慢和極為吃力的成人身上，找出他們的弱點，才有發現讀寫障礙的可能。

如果你認為，你或你的孩子有其中一些問題，很重要的是注意這些問題有多麼頻繁和有多少。你不需要擔心那些個別的徵兆，或很少出現的徵兆。你必須關心的是那些持續出現的症狀；任何人都可能偶爾唸錯一個字的音，或有時對音相似的字感到困惑。你要尋找的是一個反覆出現的模式——在一段漫長的時間裡，這一些類型徵兆的出現。那就代表有讀寫障礙的可能性。

得到幫助

當然，針對問題進行鑑定，是得到幫助的關鍵。診斷得越早，你的孩子就能越快得到幫助，你越有可能預防對孩子的自尊造成間接打擊。假使你的學前孩子掙扎於語言學習，尤其是對韻文和字的發音，而且特別是你有閱讀問題的家族史，那麼你就不應獨自一人擔憂。你需要尋求協助。在直系親屬裡有讀寫障礙史的兒童，會有成為讀寫障礙者的潛在風險。讀寫障礙家族史加上口語困難的症狀，這兩個因素有助於決定，讓一個脆弱的孩子在他開始接受正規教育前做鑑定。

學前幼兒可經由他的小兒科醫生來檢查，如果適當的話，醫生可為進一步鑑定作轉介。對這樣年幼兒童的鑑定，焦點是他的口頭語言（而非書面語言），所以我經常向語言治療師（speech and language pathologist）求助以完成這類型評量。這些專家對早期語言的發展頗有見解，他們往往在評估幼童的語音技能極有幫助。父母親可打電話給美國說話－語言－聽力協會（American Speech-Language-Hearing Association），詢問在你那個地區領有執照的語言治療師，或至其官方網站查詢（www.asha.org/proserv）。

父母與老師必須嚴密監督孩子在學習閱讀的進展，不要晚於幼兒園才開始

這麼做。在鑑定哪些兒童容易有讀寫障礙，就許多方面而言，幼兒園是一個分水嶺。孩子第一次身處公眾環境，他在那兒接觸教導閱讀所需技能的正式學校課程，他四周都是與他接受相同教學的同儕。這孩子現在成為學生了，對於他必須學會的東西大人會有所期望。即使體認孩子是來自不同背景，以及他們在學習速度上可能有本質的差異，我所列出之徵兆是如此重要的訊號，它們警示當閱讀沒有進步時，這些徵兆是不應被忽視的。對於你的孩子和你來說，要付出的代價太大了。直到現在，我尚未見過任何家庭會覺得他們太早採取行動。

假使你觀察到這些徵兆，我極力主張你和孩子的老師談一談。在做這件事之前，列出你觀察和關心的事項，這麼做往往有幫助。父母在和孩子的老師談話時常常很緊張，以至於忘記擔憂的原因是什麼。老師也會感激有這份清單。要求老師將你孩子的進展分等級。要求他要很具體。詢問他在那個特定時刻他對孩子的期待是什麼，以及孩子與這些期待、還有與他同儕進展之間的關係，他的相對位置在哪裡。詢問從這個學年開始起，孩子進步了多少。到了該學年結束時，老師對他的進步有什麼預測？特別做了哪些事，以確保你的孩子能加速其閱讀進展？這是十分重要的問題。切記，科學數據顯示閱讀問題是持續的；它們並不代表在發展的暫時性落後。相信突然有奇蹟的改善，那是一廂情願的看法。學校通常想要再等待；父母有時候也會有相同的傾向（我們為什麼不等到感恩節過後，再看看情況的發展如何？我們不能破壞這個聖誕節。讓我們等到他生日之後吧！）你不會想要像我一位病患的母親那樣，在學校的最後一天被她兒子老師所告知的嚇了一跳：「我真希望明年他會表現得好一點。」

在我的病患中，許多人都發現下列這個簡要的檢核表，對於安排與孩子老師的會議是有幫助的：

- 列出一份你所關心事項的書面清單。
- 安排一個特定時間，跟你孩子的老師談話；別在他忙碌不停時突然前去找他。
- 瞭解你孩子的閱讀進展；你想要具體的、而不是概括或委婉的說法（你可對照第九章所列的閱讀水準以核對進步的情形）。
- 精準的確定他的閱讀是如何被評量。

- 詢問他被分到哪個閱讀組別，那個組別的閱讀程度如何。
- 詢問與班上和同年級的其他人相較他的表現如何。
- 詢問到了學年結束時，對他的未來期望是什麼。
- 用非常具體的專業術語，詢問他在接受什麼幫助（閱讀課程類型、閱讀組別的大小和每天閱讀的分鐘數）。
- 要是你能夠，在閱讀課時到課堂上拜訪，並觀察你的孩子和同儕互動的情形。

現在，你成為有見識的父母，為了你的孩子，你變成一位有力的擁護者。你的孩子就要依靠你了。一切都在掌控之中，知道什麼能接受和不能接受，這樣的感覺很好。作為有見識的父母，你將不再接受暫時的或發展延遲的暗示，或接受「有些孩子只不過是慢讀者」，或是女孩不會有讀寫障礙的說法。你也不會接受「沒有讀寫障礙這一回事」。任何說這些話的人都需要被教育。如果你和老師討論過後覺得不滿意，再諮詢第二個意見。去找學校的心理師、校長，或是閱讀專家（假使在你們的學校有這位人士）。要有所堅持。家長往往害怕與校方對抗，但這麼做是情有可原的；然而，若有選擇餘地或要等待，甚至可能會對你的孩子造成更多的傷害。你女兒的老師也可能在擔心，而你的關心可能剛好快速的啟動治療程序。如果你懷疑孩子有閱讀問題又放任不管，那是你做過最糟糕的事了。

你絕對不能允許自己被說服要等待。這選擇是無須考慮的。眼看在學校的時間就漸漸消失了。訂下一個可得到回應的最後期限。而且不要只依賴你的學校進行鑑定。你的小兒科醫師也可為你轉介施測。假使你需要幫忙，聯絡國際讀寫障礙協會（International Dyslexia Association）（www.interdys.org）、美國學習障礙協會（Learning Disabilities Association of America）（www.ldanatl.org）、全國學習障礙中心（National Center for Learning Disabilities）（www.ld.org），或是查爾斯與海倫．史瓦伯基金會（Charles and Helen Schwab Foundation）（www.schwabfoundation.org）的Schwab Learning計畫。不要被驚嚇到，儘快採取行動，相信你的直覺。切記，你是最瞭解孩子的人。

即使校方人員未察覺你的孩子正處於閱讀困境，那麼孩子自己可能知道。

即使一個六、七歲小孩，都有能力確認他閱讀得不順利。律師Paul Grossman描述他小學一年級的經歷：

> 他們開始教閱讀時，我馬上就知道了。我記得一年級時我們在讀Dick and Jane，而每次當輪到我朗讀時，我都不知道我們的讀本是唸到哪裡了。並非我根本不會閱讀，而是我讀得不夠好，我無法跟上前面的小朋友讀過的。我曉得我有問題。

鑑定並不只是針對兒童。鑑定有時會改變成年人的一生，並為他指出一個全新和更好的方向。如果你從前面幾頁所提供的徵兆裡認識你自己的問題（或是那些你的配偶，或你那長大成人的孩子的問題），我鼓勵你尋求協助。由接受鑑定來開始。對於你所觀察到一連串令人困惑的徵兆，包括與高智商看似矛盾的現象，在唸讀（或拼音）最簡單單字的持續困難，或機械記憶與拼字的問題，你可能會找出答案。如果你經常懷疑，你看似如此聰明怎可能在閱讀卻落後，那麼去接受鑑定。不要猶豫或害怕。一位四十二歲的工程師向我吐露：「我很害怕你會發現我真的是一個笨蛋。」但事實上，我們發現這些人比他們曾被期望的更聰明，他們只不過是有問題需要被注意。光是擔憂解決不了任何問題，恐懼也是如此。取得幫助永遠都不嫌晚，不論是以補救形式，或往往是以調適形式，這可能會使你首次有接近你長處的機會。

現在，你意識到警告的訊號了，我將會告訴你關於鑑定本身——我們是如何進行讀寫障礙的診斷。

Chapter 11

在學齡兒童身上診斷讀寫障礙

閱讀問題是這麼普遍，我們知道得這麼多，讀寫障礙還是經常被誤解。就以我同事的經歷來說。這是她寄給我關於她孫女 Ashley 的一封電子郵件：

> 為了讓 Ashley 能跟上 [三年級] 進度，我的女兒每天得花上四小時陪她做功課。Ashley的媽媽必須把**每件事**唸給她聽。儘管如此，事實很明顯的是她無法進步到像她同學一樣。你很難想像閱讀在Ashley身上，和對我們所有人生活所造成的影響。Ashley的父親也有閱讀的問題，看著他的女兒掙扎，喚起了他的可怕回憶。

我和 Ashley 的母親談過話，她確實十分擔憂。

> 每個人都好像在說沒有問題，但這卻與我們日復一日所看到的不符。難道這一切都是我們在憑空想像嗎？我不這麼認為。我心裡明白，Ashley一定有一些問題。Ashley是這麼用功、態度認真，儘管她從學校和我們這裡接受各種協助，她就是沒辦法學會閱讀。

Ashley 的故事並不罕見。數以萬計掙扎於閱讀的孩子，正處於未被診斷的狀態中。一個最重要的預測因素——她有閱讀問題的家族史——而且正經歷閱讀的困境，卻沒人為她做診斷。當你聆聽她的對話，你就會聽到**你曉得**（you know）、**東西**（stuff），還有很多的**嗯**。徵兆就在那裡，但卻沒人提出正確的疑問。

從Ashley的口頭語言、學習史和家族史，都有足夠線索告訴我們，她有正當理由接受完整的讀寫障礙評估。現今的讀寫障礙評估實踐我們對於閱讀和閱讀問題所得知的一切。它有其重點，也有結構可循，並反映了基本的科學原理。評估所遵循的原則是由讀寫障礙定義所界定：在兒童或成人身上出現了閱讀困難，此外，他們有很好的智能、強烈的動機並接受適當的學校教育[1]。

我並非要將日常生活裡的讀寫障礙從現實中拉離，今天以科學為基礎的讀寫障礙評估是真實的——你可以說它是**有結構的**。它反映讀寫障礙兒童及其家人曾經承受的、非常真實的經驗。

讀寫障礙的診斷反映出，對個體年齡、智力、教育程度或職業而言，閱讀困難是非預期的。它是一種臨床診斷，根據縝密訊息的綜合——從這個孩子（或成人）的個案與家族史；從他說話與閱讀觀察到的；以及從閱讀和語言測驗中。就如同醫學上的其它病症，病史是關鍵的診斷要素，而且最該被看重。明智的臨床醫生都能瞭解，測驗只不過是個人真實生活經驗中事實的近似值。所以，事實上，最後對所選擇的測驗，你必須非常小心謹慎。

顯然的，讀寫障礙的評估必須針對個人量身打造，以便它能反映表達的問題是與那個人的年齡與教育相符[2]。評估過程的三個步驟是：

---

[1] 2002年8月，由G. Reid Lyon所領導的國際讀寫障礙協會的工作團隊在華盛頓特區召開會議，會中發展更詳細的定義，茲敘述如下：「讀寫障礙是一種起源於神經生物學的特殊學習障礙。其特徵為有困難去準確和（或）流暢的識字，以及貧乏的拼字與解碼能力。這些困難通常肇因於與語言有關的語音要素之缺陷，它們往往是非預期的，儘管有其它認知能力和有效課堂教學的提供。間接的後果可能包括閱讀理解問題與閱讀經驗的減少，這會阻礙字彙與背景知識的發展。」

[2] 閱讀一份單字表，這項簡單的測驗對Ashley這位小學三年級學生是有用的，但對目前能正確讀字、但持續讀得緩慢與吃力的二十二歲大學生來說，就可能有所誤導。

1. 根據個體的年齡與教育，證實閱讀的問題。
2. 蒐集證據，支持閱讀問題的「非預期性」；高度的學習潛能可完全根據教育程度或職業成就來決定。
3. 證實語音缺陷的單離性，其它較高階的語言功能相對未受到影響。

第一個步驟是最具關鍵性。一旦你回憶起兩個主要的閱讀要素：**解碼**（識字）與**理解**（理解所閱讀的內容），就很容易理解閱讀測驗的內容。於是，評量的重點是瞭解孩子的識字能力有多好，以及他對所讀內容的理解力有多好。雖然準確性對早期閱讀至關重要，但隨著兒童日漸成熟，閱讀流暢性會增加其重要性。**能夠準確的閱讀，但無法流暢的孩子會有讀寫障礙**。像在Ashley這種年幼兒童身上，閱讀評估首先要確定她在字的解碼有多準確——亦即閱讀個別單字。譬如說，Ashley被要求唸讀越來越難的單字，從**go, the**和**me**開始，到**pioneer, inquire**和**wealth**這樣的字，最後是最複雜的**epigraphist, facetlous**和**shlllelagh**。

甚至，對讀寫障礙的診斷，更重要的是Ashley如何閱讀所謂的無意義字或虛構字；她不可能見過這些字，因此也不可能記住它們。我們可以從**ree, ip**和**din**這些字開始。接下來把困難度增加，到**rejune, depine**和**viv**這些字，然後到所有字裡最具挑戰性的單字**pnir, ceisminadolt**和**byrcal**。這些奇怪，但發得出音的字，用途在於測試孩子「把單字發出聲音」的能力，亦即讓字母能找到它的聲音。假使你已獲得所謂的語音解碼（phonologic decoding）能力，那麼每個字都可被發出音來。

閱讀無意義字的能力，是評量兒童語音解碼技能的最好方式。閱讀測驗常常將這項技能稱為「擊字」（word attack）。閱讀者必須逐字識破每個字的聲音結構，一個音素接著一個音素並把它發出音來；沒有其它方法。一般而言，大多數兒童要到青少年時期，才有把無意義字發出音的完整能力。

一般來說，閱讀理解測驗的目的在於測試個體的默讀能力。因此，一個人在這類測驗的得分高低，較少取決於他能否準確發出每個字的音，這多有賴於他能否推論段落的意義，及回答與段落有關的問題。那就是說受試者會利用上

下文來猜測某些字的意思，但仍可正確回答有關理解的問題。譬如說，假使他無法讀出 **giraffe**（長頸鹿）這個字或發不出音來，他仍可藉由閱讀此字前面的那些字來猜測它的意思：「有很長的脖子、長得很高的一種動物被稱為**長頸鹿**。」（A tall animal with a very long neck is called a **giraffe.**）結果是讀寫障礙者在閱讀理解測驗的表現，往往比他們在解碼個別單字時更好。Woodcock-Johnson III 及 Woodcock Reading Mastery Test, Revised/Normative Update，這兩種測驗都包括閱讀真字和無意義字的分測驗及閱讀理解分測驗。針對學齡兒童的閱讀能力，這兩種測驗都提供最進步的評量工具；Woodcock Reading Mastery Test 包括較多的測驗項目，並提供更深入的閱讀評量工具。

口頭閱讀測驗——朗讀一段文章——往往有助於鑑定孩子對單字的解碼是否有任何不確定。藉由口頭閱讀的本質，迫使閱讀者將每一個字發出音來。當讀寫障礙者費力的將一個字接著一個字解碼時，聆聽他唸讀，對於他的閱讀能力就不用再懷疑了。我們可觀察到，讓他發出字裡的每個音節，他需要付出多大努力；我們可聽得到，那些支離破碎或重新虛構的字。我們可注意到，有些字應出現在那兒卻沒有。我們可注意到，在他的閱讀裡缺乏節奏或聲調。我們可因此確定他仍掙扎於閱讀，尚未完全掌握字母與聲音的關係。而且，如你到目前所知道的，這麼吃力的口頭閱讀可能是讀寫障礙的徵兆之一，它卻發生在原本極有天賦與成就的人身上。

Gray Oral Reading Tests 要求受試者朗讀文章段落，它是目前唯一可測量準確性、速度和理解力的測驗。此測驗提供有用的流暢性指標。Test of Word Reading Efficiency 測量一個人在閱讀單字和假字時是多準確與快速；這項測驗對孩子雖有幫助，但卻無法測出真正的流暢性，因流暢性須建立在朗讀連貫性文本的能力。還有另一項測驗，Test 2 Reading Fluency of the Woodcock-Johnson III，要求受試者盡可能快速的默讀一連串句子，並能在繼續閱讀時針對每個句子回答一個問題；在三分鐘之後得停止作答。這是假設閱讀較流暢者在唸讀句子時會更快速和準確，並能正確回答更多問題；正確答對的題數就是孩子的流暢性分數。

典型的閱讀困難兒童在與拼字對抗，他們在拼字時必須將字編碼（encode），亦即將聲音轉換成字母。有用的拼字測驗包括 Test of Written Spelling-4、Wide

Range Achievement Test, Revised 及 Wechsler Individual Achievement Test-II，還有在 Woodcock-Johnson III 的書面語言分測驗裡，拼字也是評量的技能之一。

在孩子接受評估後，我們確切知道，應在測驗結果中尋找何種模式以診斷出讀寫障礙：

- 對閱讀個別的單字有困難。
- 對無意義字或不熟悉字的解碼特別有困難。
- 閱讀理解的能力通常優於解碼個別單字的能力。
- 口頭閱讀文章段落時無法達到準確性，與吃力的閱讀。
- 對閱讀短小的功能詞——**that, is, an, for** 有困難。
- 緩慢的閱讀。
- 貧乏的拼字能力。

當然，Ashley 的診斷屬於這個模式。一旦她的閱讀問題被確定，我們就會把焦點放在第二個評估步驟；我們想針對她的學習潛能進行判斷。沒有任何單一方法能完成這件事，所以常識就派上用場了。學習潛能的評量會視個人的年齡與教育而定，它不但可藉由記錄個案史及傾聽其優勢的指標來達成，還可藉由他所經歷的問題；藉由晤談與觀察的方式；藉由為學齡兒童施測認知能力測驗；以及藉由年輕人或成人的的教育知識或職業成就而定。

對於那些就讀競爭力強的大學、研究所或職業學校的學生們來說，他們的生活與成就本質能告訴我們的多過了認知能力測驗（隨著時間過去，讀寫障礙限制了閱讀，可能會人為壓低其智商分數）。假使某個學生在一所高度競爭的大學裡順利求學，我是否該相信智力測驗可反映其學習潛能，是較適合的測量工具，還是他在課堂所證明的表現呢？就如 Richard Pryor 所言：「你要相信誰，相信我、還是你說謊的眼睛呢？」

語音模式的發現，已徹底削弱智力測驗在讀寫障礙診斷所扮演的角色。傳統上，讀寫障礙的概念被視為一種「非預期的」困難，它被解釋為相對於能力（或是學習潛能）而在閱讀的成就低下（underachievement）。此概念根據的信念是，一個普通人的能力（如智力測驗所測出）和閱讀成就是密切相關的。換句話說，僅僅知道一個人的智商分數就應能預測他的閱讀成就。譬如說，一個人的智商是 115，閱讀成就的分數就會被預測大約有 115；如果他在閱讀測驗的得分是 90 而非 115，那麼這個 25 分的差距就意謂他有閱讀障礙[3]。傳統上，在公立學校裡，特殊教育方案的資格一直是建立於此差距性的論證。這種狀況不應繼續存在了。

我們在瞭解閱讀與讀寫障礙有其語音根源之前，這些傳統的做法早被制定。很幸運的，科學和我們對閱讀的理解已有顯著的進展，而且很重要的是，讀寫障礙的診斷方法要符合這項新知識的體現。原因如下。

Ashley 的智力測驗分數是屬於高平均的範圍；她的語文推理能力（verbal reasoning ability）也在非常優秀的範圍。藉由檢視之前的評估結果，可看到她在第一項測驗即顯現閱讀障礙的徵兆。但她的智商與閱讀測驗分數的差距，不足以符合她學校對閱讀障礙鑑定的標準。如今，Ashley 連續三年在閱讀出現了挫敗，她的閱讀成就分數不斷下滑，她的能力與閱讀成就之間的差距正不斷擴大。在兩年前被學校忽略的最初評估結果中，Ashley 已顯現讀寫障礙的特徵：有閱讀困難的家族史（她的父親）；在口頭語言有明顯困難，與語音有關的缺陷，出現明顯的口語問題，以及儘管有種種徵兆顯示其智商正常與強烈的動機，但卻缺乏掌握閱讀代碼的能力。如她母親所言，Ashley 根本就沒辦法「瞭解」。把字母與聲音連結的整個概念，對她而言是陌生的。她在學校關鍵的第一年幾乎是浪費了。當她的老師和施測人員聆聽她朗讀時，他們為何不曾懷疑她有讀寫障礙呢？

研究者與臨床醫生之間的共識正逐漸形成，那就是作為讀寫障礙診斷的標準所依賴的智商與閱讀成就間的差距性已失去效用了（除非用於有限的情況）。如今，語音缺陷的重要角色已被證實，讀寫障礙的診斷可以更加具體。語音困難的指標能藉由孩子的個案史、觀察和（或）特定測驗等方式被檢測出來。就以 Ashley 來說，為了符合能被幫助的資格，差距標準要求個案必須在閱讀的落後狀況必須出現夠大的差距才能滿足行政這部分的要求，而非注意當孩子嘗試

---

[3] 22 分或更大的差距被認為是有意義的。

閱讀和說話時的困難。這樣的做法的確忽視了現代科學的存在。

在第三個步驟，我們想知道語音缺陷是否存在，以及它是否為更普遍的語言問題的一部分，進而影響語言系統的所有要素。幸好，我們在評量學齡兒童的語音技能有了重要進展。在閱讀困難者身上，在其整體語言能力相對為完整的狀態中，語音缺陷的存在是讀寫障礙的**必要條件**。如先前所提到，語音缺陷及思考、推理等方面的優點都能被識別出來。譬如說，父母往往能觀察到孩子在押韻或發音有問題，或對 Ashley 而言，她在檢索單字有困難，字就在她的嘴邊但卻說不出來。

在學齡兒童身上，語音技能可被直接、確實的評量。Comprehensive Test of Phonological Processing 可評量範圍廣泛的系列技能。有一種特殊的語音測驗對於鑑定讀寫障礙兒童相當靈敏，它要求受試者把一個單字拆散，然後再刪掉某個特定音素。不出人意料的，這是所謂的音素刪除（或元音省略）測驗。主試者問孩子：「你能不能唸出 **sold** 這個字，但不要唸 **sss** 嗎？」（**old**）。「你能不能唸出 **crane** 這個字，但不要唸 **r** 嗎？」（**cane**）。在 Pig Latin 這個古老的行話遊戲裡，也可針對音素覺識進行有效的測試。在這裡，孩子也被要求將一個單字裡的音素拆開，然後再將它們四處移動。舉例來說，主試者可能問到：「如果你把 **photo** 這個字的第一個音拿走，移到最後面，再加上 **ay**，那麼它會變成什麼字？」（**otophay**）。那些無法將口語語詞拆解成個別音素的孩子，會無法將字母與聲音連結。音素覺識測驗與小學及中學的閱讀能力之間有相互的關係。

一個孩子的字彙——他對於某個範圍裡常見與不常見字其字義的熟悉度——對孩子的一般語言能力提供一個很好的指標。在最常被使用的畢保德圖畫詞彙測驗（Peabody Picture Vocabulary Test）裡，孩子被要求指出四張圖片中，有哪一張圖片能顯示，譬如說，**giant**（巨人）、**canoe**（獨木舟）、**mammoth**（毛象）或 **equestrian**（馬術家）。這個測驗與波士頓唸名測驗（Boston Naming Test）形成了對比，後者要求孩子唸出一系列圖片中的物件名稱，這對於有單字檢索困難的讀寫障礙者而言，是更難的處理過程。在波士頓唸名測驗裡，孩子的得分比較能反映他對字音的檢索能力，而較無法反映他對字義的認識。

一旦完成了對 Ashley 的評估，我們檢視所有的資料：她的父母與老師所告

訴我們的，她的發展與學習史；我們與她互動時觀察到的；以及她在閱讀、語言和智力測驗表現的模式，這其中她顯露的學習風格。在這些要素中的每一項，我們為她的閱讀問題、完整的高層次思考與推理技能，以及語音缺陷尋找相關證據。Ashley 在與閱讀單字對抗著。她在試圖把無意義字發出音時遇到了最多問題。她只能將最基本的少數幾個字發出音來，僅僅達到小學一年級程度。除了在破解個別單字有困難，Ashley 得辛苦朗讀文章段落。當試圖解碼單字、閱讀故事時，她非常緩慢、吞吞吐吐的。她有時會漏掉兩行文字卻似乎毫無察覺。Ashley 的口頭閱讀分數真令人沮喪。她顯然無法流暢閱讀。相反的，在以默讀為主的閱讀理解測驗中，她得到了較高分數。

Ashley 看似學習能力很強。她的父母（和祖母）告訴我們她的成長狀況。他們形容 Ashley 是一個聰明、充滿好奇心和有創意，不斷想知道**為什麼**的孩子，她可以獨自拼完兩百片的拼圖，會花上好幾個小時注視地球儀，從不同國家的形狀尋找它們的位置，而且特別喜歡別人為她朗讀。她對希臘神話故事總是百聽不厭。Ashley的老師藉由上課中對她的觀察證實了這些描述，舉例來說，她能從聆聽故事中吸收甚至最抽象和最細微的概念。Ashley 對於理解她所聽到和閱讀內容的能力，根據她老師說：「就像是白晝與黑夜的差別。」雖然Ashley不是個出色的閱讀者，但她顯然是位優秀的思考者。

根據Ashley在音素覺識測驗的表現，證明要她取得字音是多麼困難。在音素刪除測驗中，Ashley 根本就無法將測驗字中那些黏成一團的音素拆解。對她而言，單字就是非常堅固、無法穿透的整體。所以，Ashley 有語音缺陷，那是不用懷疑的。

在畢保德圖畫詞彙測驗中，Ashley 能指出單字所指的圖片，她的表現屬於優等的範圍（讀寫障礙者往往擁有大量的字彙）。她能證明她的字彙能力很強，是因為她不必回想那個字就能說出來，她並未受到檢索單字時語音困難的不利影響。相反的，波士頓唸名測驗要求她實際的將圖中的物件**說出名稱**，例如像 **wreath**（花環）、**escalator**（電扶梯）和 **abacus**（算盤），Ashley在這部分就表現得較差（這是典型的讀寫障礙者）。她會把 **escalator** 稱為 **calculator**，而將 **abacus** 說成 **tobaccus**。在每個例子裡，當她被要求用自己的話來描述圖中物件時，她顯然對字的發音感到困惑，而不是字的意義。她曉得**escalator**（電扶梯）的意思（「它就像可以帶著人移動的樓梯」）和**abacus**（算盤）的意思（「中國人用來計算的某種物品」）。然而，她卻無法輕鬆檢索並說出正確的字。

閱讀（準確性、流暢性和理解力）、拼字和語言測驗，是主要用來診斷讀寫障礙兒童的一組測驗。認知能力測驗也可能有助於找出幼童的優點，但孩子的其它能力也可能被他的閱讀障礙遮掩。因此，我已將智力測驗納入認知能力的指標之一，而非擔任守門員的角色（青少年與成人的成就與職業素養可作為認知能力的證明）。當然，其它的學業成就測驗（例如算術）、語言、寫作或記憶測驗的施測，都可作為更全面評估的一部分。例如，假如某個孩子在數學概念測驗的表現較閱讀出色，這增加的印象是孩子在其它發展良好的學業技能出現單一的閱讀缺陷（千萬記住，讀寫障礙兒童有時會經歷記憶數字、背九九乘法表或是數學文字題的困難）。但沒有任何一種測驗可保證讀寫障礙的診斷。而最重要的是得到讀寫障礙的整體面貌。因此，若是一個孩子非常聰明，閱讀成績中等，但卻始終無法學會流暢的閱讀，並出現之前描述所有的讀寫障礙徵兆，那麼他就是有讀寫障礙。在讀寫障礙者群體中，此模式是如此一致性出現並一再被複製。因此，利用我剛才所敘述的三個步驟，應能保證每個閱讀困難孩子可在忍受多年沮喪與挫敗**之前**被鑑定出來。

還有，其它失調症也可能影響到閱讀。藉由語音缺陷的獨特性與其被包圍的本質，讀寫障礙不會侵入其它語言或思考領域的障礙特質，使讀寫障礙與其它失調症有所區別。為了容易做出比較，我將簡要概述發展性讀寫障礙的特色，以便與同樣有閱讀困難特徵的其它失調症比較，而不會有所混淆。

發展性讀寫障礙，語音弱點是其主要的缺陷，語言系統的其它部分完整無損，閱讀損傷是在解碼個別單字的層次上，一開始是無法準確的解碼，而稍後是缺乏流暢性。智能並未受到影響，是在優秀或資優的範圍內。這項失調症是與生俱來的，而非後天才有。

語言學習障礙（language-learning disabilities），其主要缺陷影響所有的語言層面，包括字的聲音與意義兩者。閱讀損傷出現在解碼與理解兩者皆有的層次，包括所有類型的語言困難。語文智商（verbal intelligence）的評量受到語言缺陷的顯著影響，智力可能在平均水準以下。這樣的失調症是人們生下來就有的。

後天讀寫障礙，閱讀能力的喪失或減少肇因於腦部創傷、腫瘤或中風，造成閱讀所需的大腦系統受到影響。還可能伴隨其它症狀，像是喪失說話能力或身體右側衰弱，視腦傷所影響的區域而定。相對於發展性讀寫障礙，這項失調症是後天的；最常出現在中年或老年男性、女性身上。

超讀症（hyperlexia），是一項原因不明、相當少見的失調症。它在許多方面是讀寫障礙的翻版。天生有超讀症的孩子很早就學會解碼文字，有時甚至在學步幼兒或學齡前。他們對文字與字母很早就展現出強烈的興趣，而優異的認字能力通常到五歲時就很明顯。但他們的閱讀理解能力非常薄弱。另外，還有在推理與抽象問題解決的缺陷。並不罕見的，超讀症兒童對於和其他孩子建立人際關係有困難，超讀症成人也是如此。

在讀寫障礙的診斷上，很重要的是在那些掙扎於閱讀的學齡兒童身上，排除其它潛在的影響因素。譬如說，孩子應為其聽覺或視覺問題而接受評估。細微的聽力問題一度被認為是慢性耳朵感染導致，可能會妨礙語言的習得，進而影響閱讀。但最新證據指出，耳朵感染一般並不會干擾語言發展與閱讀。與眼部肌肉能力有關問題的討論也趨向於相同的結果，視覺的問題經常得為閱讀困難承擔責任；但我們缺乏明確的證據來支持這樣的關係。我還要介紹我經常被問到的一些檢測方法，它們在讀寫障礙的評估是不必要的。譬如說，實驗室的測量工具像是造影研究（MRIs、電腦斷層掃描、X 光）、腦電波圖（electroencephalograms, EEGs）及遺傳學研究，在一般的讀寫障礙評估中並未顯示其必要性，只在出現特定臨床徵兆時才應採用。

許多人會把注意力缺陷／過動症（ADHD）與讀寫障礙有所混淆。有些人甚至把這兩個名詞互換使用。然而，ADHD 與讀寫障礙是兩種完全不同的失調症。讀寫障礙是以語言困難為主的病症，影響的是閱讀，而ADHD的問題是反映在注意力的分配、專注與維持有困難。有12%到24%的讀寫障礙者也有ADHD。

在公共衛生議題裡，閱讀問題是少數我們能確實做到早期檢測、有效治療，甚至可以預防的項目。我們必須保證每一個在就學第一年學不會閱讀的孩子，都可以接受鑑定與治療。現今，保護孩子免於閱讀失敗是有可能的，但為了做到這點，這些兒童必須先被鑑定。診斷得越早，成效就越好。這就是為何我現在要把注意力轉向另一議題：鑑定較年幼孩子其閱讀問題的最早徵兆。

Chapter 12

鑑定有風險的兒童

Ashley 在小學三年級被診斷有讀寫障礙，當時她九歲，已遭遇三年挫折並一再落後於同儕。在這一章，你將認識像這樣的破壞性停滯狀態——孩子不但在閱讀遭受失敗，我們也無法確認讀寫障礙——這對讀寫障礙兒童是多麼不必要。今日，對於有讀寫障礙高風險的男、女孩，在他們落後**之前**確實鑑定是有可能的。

稍早我談到閱讀障礙的一般徵兆。在這裡，我將聚焦特定評量方法的討論，它們有助於鑑定你孩子身上潛在的閱讀問題。

兩種類型的評量被用於鑑定有閱讀問題風險的幼童；基本差異在於需求的不同，第一種評量是從人數眾多的兒童中進行篩選，另一種評量則針對有特殊關切因素的個別兒童做深入的評估。

幼兒園篩選的用意是透過學校系統來測試幼兒園學生，以確定哪些孩子看似為閱讀做好準備，而哪些孩子可能有閱讀問題的風險。這些篩選經常由班級教師負責執行，施測的方式非常簡單。

幼兒園篩選已成為孩子預備入學之前的例行公事。直到不久以前，篩選計畫的焦點還是非常模糊，所謂學前兒童評量工具就像是缺乏科學證據的大雜燴，它與預測孩子未來的閱讀成就甚少有關聯性。如今，有可靠的測驗可供我們利用，它們有高度——但非絕對的——正確性。透過縝密的規劃，它們能過度鑑定許多兒童，然後讓這些孩子接受更進一步、更詳細的測驗。理由是過度的鑑

定勝過忽略一個有風險、且將從早期介入方案受惠的孩子。

已入學兒童有著各式各樣的經歷。有些孩子來自重視識字的家庭，ABC讀本、字母遊戲和貼在冰箱上的塑膠磁鐵字母，都成為他們日常生活的一部分。而另一些孩子則可能在學前時期，連最起碼接觸字母或書籍的機會都沒有。因此，許多專家建議在幼兒園的第二學期，開始實施大規模的語音問題篩選，那是當孩子大約五歲半或甚至六歲時。到了此時，所有孩子至少接觸正式教育一學年了，語音能力應已發展某種程度（有關幼兒園階段的特定篩選方法，將在第十五章討論到）。

我在這裡要聚焦的評量方法是，對於已知與閱讀成就有關的某種技能（特別是語音）進行深入的評估。這項評估適合那些已顯現潛在閱讀問題徵兆的學前與幼兒園兒童，經由那些對閱讀與讀寫障礙具備豐富知識的專家：語言治療師、學習障礙專家或有經驗的心理學家，對兒童進行個別施測。綜合評估的結果會確定孩子對閱讀是否準備好了，並找出優、缺點的特定領域。

孩子的語音能力是自然發展的，可直接從他的成長過程中評估，大約從四歲開始。語音敏感度（phonologic sensitivity）是指專注於口語語詞聲音的能力，而非其意義。孩子能告訴你哪個字與 **cat** 押韻，而不是僅說出 cat 是一種動物。如我先前所說，語音技能是經過了時間變化逐漸發展，並以一種可預測、有邏輯的順序成長。對此發展的順序與時機的覺察，使我們有可能識別孩子會在何時脫離軌道。當然，這個好消息就是，在造成任何嚴重傷害之前，你能鑑定這個孩子並幫助他回到軌道上。我們知道，一般而言，當孩子發展語音技能時會獲得專注於單字裡越來越小部分的能力，不再將單字視為整體，一個不可分割的單位。他能同時以自己的方式操弄，從注意單字的外部或兩端開始，到進入單字裡或中間部分。孩子最初只能把單字的起頭聲音分開，接著是結尾的聲音，而最後是內部的聲音。識破一個單字的內部，要比注意任何一端來得困難，而就是注意到單字裡的每個部分並將其編碼的能力，清楚的顯示他的閱讀正在成長中。

描述孩子的語音技能時，有兩個名詞經常被用到：**音韻覺識**（phonological awareness）與**音素覺識**（phonemic awareness）。音韻覺識是較為一般與廣泛的專業術語；它包括對單字的聲音結構所有層次的認識。它也是指發展對單字裡各部分覺察能力的最早階段，像是對押韻的敏感度或注意單字裡的較大部分，像是音節。音素覺識則為更特定的名詞。如前所述，它涉及更高階的能力，能夠去注意、識別和操弄組成單字的最小粒子：音素。音素覺識與孩子日後的閱讀之間有最強的相關性，所以，大部分的測驗都聚焦於此層次的認識。最有幫助的測驗包括三種測量方法：聲音比較法、分割法與混合法。

針對聲音比較法，我們要求孩子說出哪個字是跟 **rat** 一樣，用了相同的音開始：**man, sat**或**run**。針對分割法，我們可能要求孩子將單字裡的個別部分數出或發出音來，譬如說，「你能不能數出，你在**man**這個字裡聽到幾個聲音？」（三個）。再者，我們可要求他把單字裡被拆散的各部分混合：「**"s"**，**"aaaa"**，**"t"** 這些音可組成哪個字？」（**sat**）另外，當他的音素覺識能力繼續增長時，我們可要求他添加、移動或刪除單字裡某個部分，譬如說，「當你把**"r"**這個音從 **frog** 拿走時，剩下了什麼字？」（**fog**）。

相關研究發現讓人眼睛為之一亮，我們看到語音技能已在孩子入學第一年準備就位，這是多麼重要。到了一年級結束時，大多數孩子已掌握基本的語音技能。從二年級開始，孩子在這些能力的發展更視他先前所獲得的語音技能而定，他的能力有更多改善與增加效率或自動化的情形。如先前所述，這些語音技能從一開始就影響到閱讀。事實上，一群在佛羅里達州的研究者已證實，這些技能對孩子日後的閱讀造成深遠的影響。如圖 30 所示，那些在一年級開始語音技能即表現低下的兒童（在班上表現是最低的 20%），到了五年級時，他們在單字閱讀測驗的表現是低於同儕兩個年級的程度。

除了音素覺識測驗，還有兩項測驗對瞭解幼童的閱讀預備狀態提供了有意義資訊。第一項測驗的目的為測量**語音記憶**（phonologic memory），它評估孩子對口頭訊息的暫時儲存數量。我們能看到孩子將我們剛才對他口頭呈現的一連串數字或單字記憶得有多好（說出的數字與單字皆被儲存為音素）。在這類型測驗中，孩子可能被要求將提供給他的數字複述一遍，像是 5 7 3 1 6。這類型記憶在任何程度的閱讀都扮演了重要角色，即使在一年級學生試圖把單字發出音時也是如此。當孩子閱讀一個句子時，他必須把某些數量的訊息保留在他

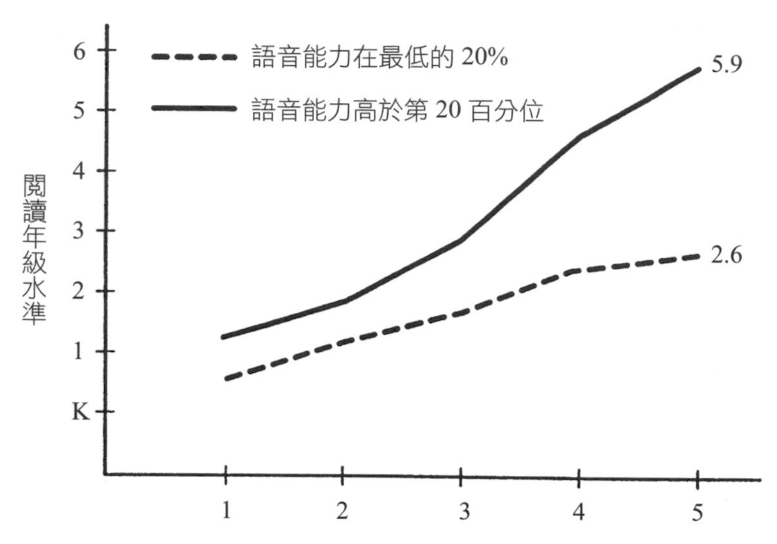

❖ **圖 30　語音能力差的一年級學生，到了五年級仍是弱讀者**

在一年級的語音測驗中，得分最低的 20% 的兒童（如虛線顯示），當他們到了五年級時，閱讀程度呈現低水準（2.6 年級）。對照之下，一年級時語音技能得分較高的兒童（如實線顯示），到了五年級時有 5.9 年級的閱讀水準。

的頭腦，以便將它們全部組合，並理解他剛才所讀過的。試想一下這個處理過程：他先將字母解碼為聲音，接著把這些聲音保留在記憶裡，而同時嘗試把單字裡其餘的字母解碼，然後將這些儲存的聲音混合以形成那個單字。單字主要是以聲音的成分被儲存，因此暫時保存單字的能力實際上是一種語音能力。所以，當音素越能清楚呈現，單字就可以更有效的被檢索出來。

第二種測驗是**快速自動唸名測驗**（rapid automatic naming test），或稱為 RAN，評量語音處理能力的另一層面，此能力在理論上被稱為**語音存取**（phonologic access）。RAN 測驗嘗試測試孩子能多容易與快速的檢索保留在他長期記憶的口頭（語音）訊息。這類型測驗通常是向孩子展示一張圖卡，好幾排圖案都是孩子熟悉的物件，主試者要求孩子盡可能快速的，一個接著一個把物件名稱說出來。此測驗使用孩子非常熟悉的刺激圖案，因此它不會變成測試孩子的字彙。正確性與速度兩者皆被評量。兒童快速唸名的能力與他閱讀時必須執行的處理歷程有關，他當時必須進入他的長期記憶，並快速檢索被儲存的音素。有些研究顯示，孩子越是能快速唸名（特別是一連串文字或數字），那麼他以後就有可能成為較強的閱讀者。至於評量完整範圍的語音技能，現在已可取得在這方面的最好測驗了。

評估語音技能與閱讀預備狀態的測驗（適用年齡／年級）

- Comprehensive Test of Phonological Processing in Reading（CTOPP）（PRO-ED, Inc.），五歲到成人[1]。
- Lindamood Auditory Conceptualization Test（LAC）（PRO-ED, Inc.），幼兒園到小學六年級。
- Rosner Test of Auditory Analysis（Walker & Company），幼兒園到小學六年級。
- Test of Phonological Awareness（TOPA）（PRO-ED, Inc.），幼兒園到小學二年級[2]。
- The Phonological Awareness Test（PAT）（LinguiSystems），五歲到七歲[3]。
- Yopp-Singer Test of Phoneme Segmentation（可從〈幼童音素覺識能力的評量〉取得，刊載於 H. K. Yopp，*The Reading Teacher* 49 [1995]: 20-29），幼兒園到小學一年級。

除了語音能力，兒童對字母名稱與聲音的認識，對於他是否準備好開始閱讀也是有用的指標。測驗字母知識的方式很簡單；它可以是非正式評量，要求孩子一次說出一個卡片上的字母名稱。同樣的，針對字母與聲音的認識，也可藉由詢問孩子「你能不能告訴我，這個字母發出的聲音是什麼？」來評量。透過以下的閱讀測驗可獲得較正式評量，其中包含了字母辨識部分，例如美國輔

---

1 此測驗為標準化測驗。

2 此測驗為標準化測驗。

3 此測驗為標準化測驗。

導服務公司（American Guidance Service）所出版的 Woodcock Reading Mastery Test, Revised/Normative Update。

最新研究數據顯示，這些測驗雖然不完美，但它們相當有效。研究人員仍須不斷修補，以獲得更穩固的支持及最佳的測驗組合。此時，我能假設在預測閱讀能力方面，最具價值的兩種測驗——除了我已確定的因素外——就是字母名稱與字母聲音的知識，以及音素覺識能力。孩子在幼兒園階段能說出二十六個字母名稱的能力，即為對其未來閱讀能力較好的預測變項；在小學一年級時，則是孩子對字母聲音的知識。

當要鑑定誰有閱讀的風險時，教師也扮演了關鍵的角色。然而，很多時候，他們的獨特見解與豐富經驗並未被充分利用。在一份簡短的問卷調查 Multigrade Inventory for Teachers（MIT）中，分析幼兒園或一年級老師對學生技能習得的印象。對於哪些學生將有閱讀問題，這份問卷更明確增加其預測性[4]。另外，它有助於評量兒童對印刷文字體例的熟悉度——譬如說，字與字之間是否留有空隙，以及書籍是從上讀到下和從左讀到右——以確保兒童能察覺書籍的閱讀形式及如何使用它們。

有趣的是，針對幼童所施測的智力測驗，相較之下對其日後閱讀困難的預測力並不好。再者，預測幼童對閱讀介入方案的反應有多好，智商不是一個有力的預測指標。因此，針對有閱讀困難風險男、女幼童的最早鑑定，我不推薦智力測驗是必要的評量工具。

父母能做什麼

本章介紹我所相信在科學上最合理與明智的評量方法。針對有風險的幼童，在他們遭受閱讀失敗之前做出鑑定：

■ 觀察你孩子的語言發展。對押韻、發音和找字（word finding）的問題應提

4 MIT 被發展並用於康乃狄克縱貫研究，讓教師能就學生各種行為與學業技能評定等級。

高警覺。

- 觀察你孩子把印刷文字與語言連結的能力。注意你的孩子是否開始說出個別字母的名稱。
- 瞭解你的家族史。留意說話、閱讀、書寫、拼字或學習外語的問題。有些家族患有的讀寫障礙的人數超過讀寫障礙人口的平均數，這其中有許多人，似乎是攝影師、藝術家、工程師、建築師、科學家和放射學家。較不常見的，但仍讓人印象深刻，是很多家族裡會零星散布患有讀寫障礙的大作家、企業家和法官。
- 在口頭語言、學習字母的名稱等方面，是否有任何徵兆顯示你的孩子有問題，特別是假使他有家族史的話，讓你的孩子接受測驗。

就這點而言，本章針對閱讀困難的早期鑑定，建議一組靈敏的、有效的測驗。這一組測驗包括：

語音（覺識、記憶與讀取）。
字母（名稱與聲音）。
字彙（接受性與表達性）。
印刷文字的體例。
傾聽性理解能力。
閱讀（真字、無意義字和理解）。

接受性字彙測驗（要求孩子指出測驗裡描繪某個口語語詞的圖片）與傾聽性理解測驗（要求孩子聽完一個故事後回答問題）都是很重要的。它們是測試讀寫障礙兒童優點的評量工具，而非找出弱點。當孩子並未受限於語音與閱讀困難時，這些測驗可作為找出其思考潛能的有用指標。相較於從印刷文字獲取資訊時所遇到的困境，讀寫障礙兒童在這些測驗的表現良好。我也把為小學一、二年級學生所設計的閱讀測驗包括其中，可作為孩子閱讀能力的指標，當他必須閱讀時可和同儕比較。

我在這裡建議的所有步驟都能幫助你判斷，你的孩子是否預備好閱讀了，或是他需要特殊的關切或教育來協助他開始閱讀。如果測驗的結果指出他尚未完全做好閱讀的準備，你會選擇延緩幼兒園入學，或讓他進入幼兒園，但是接受密集、實證本位的預防方案呢？這部分將在第十九章討論到。

我強烈建議，不要延緩幼兒園的入學；這只會拖延孩子需要的幫助。

雖然，許多父母相信，假使孩子比他的同學年長一歲，那麼他對幼兒園的要求會有更好的反應，但證據告訴我們的卻不一樣。有一群研究者利用本質為自然實驗的方法，測試是生物成熟度或閱讀教學的因素，何者最能影響孩子的早期閱讀成就。研究者比較兩組幼童，他們都出生在幼兒園入學規定的出生日期前後幾天，第一組幼童符合了入學規定的出生日期，使他們能順利入園就讀。第二組幼童除了出生日期未達到入學規定之外，他們在各方面的能力與第一組相似。他們的年紀比第一組略小一個月，因此必須再等一年才能入學。後來，當兩組幼童被施測時，已入幼兒園就讀的孩子們在閱讀的表現較延後入學的那組更好。是閱讀教學使孩子有更好的閱讀表現，而非年齡或成熟度的因素所導致。這些證據看似清楚：讓孩子延緩入學，其實不會幫助他變成更強的閱讀者。

而在另一方面，當早期鑑定能與有效的介入方案結合時，它能夠改變一切。這類型的介入可保證，當今的絕大多數兒童將永遠不必遭受閱讀的挫敗。現在，他們能利用的有效幫助是前所未有的。

Chapter 13 診斷聰明的年輕人

大約在二十年前，我接到一通來自某所長春藤聯盟大學，某位大學學院院長的電話。那通電話將我引進那些有閱讀困難的聰明年輕人的世界中。這位院長想知道，我是否能幫助他解決 Briana 的不尋常請求。Briana 是一位準備升大四的大學生，她想要延畢，留在學校多唸一學期。院長很吃驚：「我檢查過她的成績，她絕對是優秀的！」對於診斷讀寫障礙年輕人沒有任何經驗的我，也同樣感到困惑。因此，我從每個診斷旅程必須開始的地方著手：她的個案史。

Briana 來自一個有好幾位讀寫障礙者的家族，包括她的兩個姊姊和一個哥哥。她很早就掙扎於閱讀，八歲時進入特殊學校就讀，在那裡接受師長對她閱讀障礙的密切關注與特殊協助。在一份她小學三年級所完成的評估報告裡，有老師們對她的許多評語。

> 她的口頭閱讀特徵是經常停頓和重複。雖然她努力想學會掌握閱讀的次技能，但她還是無法成功的應用在生字理解。不過，她的理解力相當優秀。

那些指標——她的讀寫障礙家族史；她的閱讀機制早就出現問題，並持續有困難，儘管她有優異的理解力；她的閱讀非常緩慢——這些徵兆都很明顯。我瞭解了 Briana 患有讀寫障礙。一位讀寫障礙者能在一所對閱讀有這麼高度要求的學校順利求學，這真讓我印象深刻，我懷疑有多少就讀頂尖大學的學生能像她一樣。雖然Briana的學測成績並非最出色，但她的確是「一位有創意的思考者、

充滿好奇心的學者及獨立的領導者」——如高中老師對她的描述——一定是這些特質吸引某個大學入學委員會的目光。

Briana 解釋，她是「付出了極大代價」來完成她前三年學業。她的閱讀非常緩慢並得用盡全力，她用了所有時間和精力也只能剛好趕上進度。如今她就要升大四，她不希望看到因為她的時間不足而降低教育的品質：

> 雖然就 [我] 所修課程來說，我的成績不算太糟糕，但我覺得要達到什麼程度，成績才能反映一點事實？它們反映我的程度平庸，那與我的智力天賦、對學問的熱忱和勤勉完全不符……我打算申請延畢一學期，用與我智力天賦與認真大學生身分一致的風格來完成那些課程……
>
> 重點不是我幾乎口齒不清，也不是我只能勉強讀完一頁文字……我想追求的是人文教育這種東西，它值得任何一切，能讓我一輩子都帶著走。我想要擁有、瞭解、挑戰和再創人文傳統，無論在思想、知識和遠見方面。

Briana 獲准延長學業一學期，並在第二年畢業了。如今，她是一位頗有成就的作家。

雖然未曾有讀寫障礙者被完全治癒，但那些聰明絕頂、異常勤奮及動機強烈的讀寫障礙青年男女，他們都能上大學並順利完成了教育，就如同在耶魯大學、布朗大學、哈佛大學、史丹佛大學和其它頂尖大學與專業學校裡數以百計這樣的人。我知道耶魯大學的讀寫障礙學生都表現得非常出色，他們反映所有學生的全方位能力與卓越品格。入學委員會顯然清楚及理解這些學生的能力；他們賞識正尋找的學生特質，那是遠遠超過這人的考試成績所能代表的。

我從二十年來與耶魯和其它大學的讀寫障礙學生直接接觸的工作經驗裡，還有從我的研究與他人的研究中，都支持此一「在才華的大海裡散布有缺陷的孤島」模式。尤其，耶魯的學生已對我展現聰明卻有讀寫障礙的意義到底為何。針對耶魯的學生與教職員，我提供相關讀寫障礙議題的諮詢，並在此過程中專心研讀記錄——實質上就是他們的迷你傳記。當我仔細研究這些紀錄，我讀到小男孩和小女孩與閱讀的奮戰，他們不太能寫出字母形狀，或整齊寫出名字的印刷體，他們無法拼字，當他們把字發錯音時就會結巴，他們讓老師和父母感到困惑，還有他們受到探聽和鼓勵，被試圖瞭解讀寫障礙的形成原因。我想到這些孩子的母親，以及讀寫障礙者與其子女要忍受的一切。我不得不想到每位母親必定有的擔憂：有一天我的孩子會變成什麼樣子？讀過了一份份報告，我能想像父母們（還有孩子們）想必有多擔心，而當看到他們的讀寫障礙孩子現在是程度這麼好的優秀學生時，想必又是多令人滿足。

我認識了許多來自各階層、聰明又傑出的學生和教職員；我和他們見過面、談話，共同解決問題，並詳細檢視他們的測驗紀錄。如我稍早提及的，我已知在大學及大學以後的人生階段，讀寫障礙者在學業成就與未來對社會貢獻的個人潛能方面，智力測驗與其它測驗能告訴我們的有限。一些最出色與最成功的學生與教職員——透過了任何一種評量工具——他們在智力測驗上的分數只是中等。很顯然的，這些測驗並未激發與測試他們的一些重要特質，這些聚集並帶來才華、創造力或堅持的特質。

同時，讀寫障礙學生在閱讀測驗得到了所謂的平均分數，並無法測量學生在閱讀每個字時所付出的不尋常努力，他費勁吃力的，一點、一點的發出字音，一次次的把字重讀，直到它開始聽來正確和有意義。這是什麼樣共存的現象：在某個層面上，聰明的讀寫障礙成人擁有極佳的認知優點與概念，而在另一層面，他在最基礎的語言能力持續受困，試圖將印刷文字解碼及辨識。他全部做好準備了——他有強而有力的智力裝備，等待文字養分的供給，使他能吸收、消化並享受文字所蘊含的概念與想法——但要建立這個基礎基石，印刷文字，他必須先對那個字進行解碼與辨識。這是何等的挫折。又是何等的堅持！

診斷

為慶祝「發展性讀寫障礙」一詞提出已一百年，我在 1996 年為《美國科學人》（*Scientific American*）撰寫〈讀寫障礙〉（Dyslexia）一文。我在文中討論 Gregory，這位我們之前遇過的醫學院學生，是聰明的讀寫障礙年輕人的典型案例。他天資聰穎，能夠理解最艱深概念，但卻有困難將解剖學名詞唸出和記憶事實。在發表那篇文章之後，我收到了來自學生與學生家長的許多信函與電子郵件。有些學生已被診斷為讀寫障礙，但在此少數族群中，卻還有很多人從未接受讀寫障礙評估。譬如說，Brandon Rogers，一位來自中西部，在人文學院主修哲學的學生，他寫道：

> 我在學校一直表現得不錯……假使有些東西我搞不懂，我會不斷研究它、研究它，直到我懂了為止。如果這意味著那個晚上要熬夜到很晚（或甚至是很多夜晚），不管需要多少努力，我都願意做到最好。直到最近，我從沒想過這有任何不尋常。我以為這個讓我必須花這麼多時間讀書的問題，是每個人都有的問題。從來就沒有人認為我可能有讀寫障礙。我總是在學校表現良好。我是那個聰明的學生。我的成績是A……
>
> 當我第一次聽到讀寫障礙，它是人們到處亂說、毫無意義的名詞，而且它看似被那些不喜歡努力、用功的人當作藉口。但隨著我對它知道得越多，我就越感覺到它可能正影響著我。我有發音的問題，可笑的拼字錯誤，我的閱讀速度極度緩慢，往往需要一遍又一遍讀過，對於要記下教授說的話有困難，我認為或許我已經清楚是什麼原因讓我一直有這些問題。我只是想更確切知道。我以前從未接受任何測驗，但是，就像我說的，我只是想知道。

Brandon重複出現了我從許多大學生和其他年輕人那兒所聽到的相同問題，他們對閱讀的那些擔憂。沒錯，這兩種情況皆有可能，而我認為，為你的學習困難得到具體診斷是值得的。喔！不！Brandon的一大堆問題是不正常的，它們卻正好是我們在聰明的讀寫障礙青年男女身上預期看到的。隨著讀寫障礙兒童長大成人，繼續追蹤其測驗成績，經過時間推移後這讓我們得到的讀寫障礙樣貌。透過對成人（包括讀寫障礙者與閱讀未受損者）的閱讀研究，以及藉由他們在閱讀時的大腦功能研究，現在這項臨床資訊更具價值了。對於在年輕人身上的讀寫障礙診斷，這些研究發現產生了重要的影響。

隨著孩子成長，骨骼伸長、肌肉強健、聲音變低沉、手指操作更穩健、步伐邁得更大、知識不斷累積及技能變得敏銳。這個成為讀寫障礙核心問題的語音缺陷依然存在，甚至出現在最聰明和最努力的孩子身上。許多針對大學生與其他成年人所提出的研究證據，都明確指出語音缺陷的持續性。

讀寫障礙對成人診斷所帶來的一切影響，即如約翰．霍普金斯研究中心的研究者 Maggie Bruck 所說，在讀寫障礙男女身上語音缺陷問題是終生持續的。這意謂從讀寫障礙者在兒童時期所蒐集的研究數據，並不會隨著年紀增長而有改變；實際上，語音缺陷持續存在所有兒時被診斷為讀寫障礙的人們身上。當然，讀寫障礙者能學會正確讀出更多單字，也能學會閱讀並具備良好理解能力，但持續的語音缺陷會阻礙其閱讀流暢性。兒童期的困難將逐漸變成成人期的閱讀緩慢、吃力。謝天謝地，是我們的認知能力（而非我們的語音體系）容許身為人類的我們可達到推理、分析和解決問題的最高認知層次——並有獲致偉大成就的本領。

研究者發現，患有讀寫障礙的大學生要用很長的時間辨識文字，甚至是那些他們最終可正確辨識的單字。假使讀寫障礙者企圖（或被迫）讀得太快，他們根本無法辨識單字，這樣就可能被誤解為缺乏理解力。對讀寫障礙成人來說，速度的問題有多麼重要，可由研究者稱之為閱讀等組研究（reading match study）中得到證實。有讀寫障礙史的大學生，被拿來與閱讀準確程度相同的六年級小學生比較。研究發現，讀寫障礙大學生是比較緩慢的閱讀者。

為了瞭解讀寫障礙大學生如何閱讀，我們必須把一個人能閱讀的字數與他要著手閱讀那些字的方式有所區分。兩位大學生，一位有讀寫障礙，而另一位是閱讀未受損者，他們在閱讀相同字時可能一樣正確，但卻透過兩種截然不同的神經路徑在閱讀。

早先我談到讀寫障礙者與閱讀未受損的成人，他們在閱讀路徑上是如何背道而馳，來自大腦研究的這部分證據提供了誘人線索。回想一下，熟練閱讀者的快速字形系統能自動辨識一個字；能迅速且毫不費力的讀出這個字。但在讀寫障礙者身上，故障的字形系統會阻礙他自動閱讀的能力。他反而得依賴次要的閱讀路徑，它們位於大腦前側與右側。讀寫障礙者會依賴這些次要的路徑閱讀，這對於他如何閱讀有重要意義。首先，它們容許他得以閱讀大量單字，儘管速度非常緩慢。其次，讀寫障礙者會依賴較高層次的認知能力，從單字的上

下文來推論未知字的意義，而不是依靠以聲音為主的閱讀路徑。而這就是為什麼聰明的讀寫障礙者在閱讀有上下文單字的表現比閱讀獨立單字或缺乏上下文時要更好。

當使用這條較不直接的路徑去取得未知字的意義時，緩慢是讀寫障礙者為它所付出的代價。同時，年輕的讀寫障礙成人——藉由許多毅力與時間——能夠理解大學程度的閱讀材料。研究已確定此一路線有缺陷的普遍性本質；來自世界各地、說不同語言的讀寫障礙者，在主要的閱讀神經系統上共同出現了故障問題（見第七章，圖 26）。

讀寫障礙者依賴的神經系統，能允許正確、但不流暢的閱讀方式，這方面的瞭解有助於解釋為何用於診斷讀寫障礙兒童的那些測驗與方法對年齡較大者並不適用。在大多數情況下，這些測驗工具是評量閱讀的正確性，而非流暢性。它還能解釋，為何傳統識字測驗的成績可能在有成就的讀寫障礙成人與閱讀能力優秀的成人身上並沒有差異，以及解釋對這些成人而言，為何限時的閱讀測驗是更有效的評量工具。在下一段，我會把這項知識應用於對聰明年輕人的讀寫障礙診斷上。我的目標是將科學數據轉為日常生活的臨床實踐。因此，對讀寫障礙青年男女的診斷決定是建立在科學基礎之上，而非迷思或過時的看法。

在聰明年輕人身上的讀寫障礙診斷，主要是根據他的個案史。在此生命階段，讀寫障礙者已累積足夠生活經驗，足以證明其語音缺陷與閱讀困難所留下的痕跡。對某些人而言（例如 Briana），是他的閱讀困難史引導了評估、輔導或特殊教育的方向；對另一些人來說（例如Brandon），往往因為他那麼聰明，讀寫障礙的診斷被延遲，他的症狀因為「哦，可是他太聰明了。讓我們再等等吧」的辯解，被視而不見。這類孩子掉到診斷裂縫裡而被忽視，直到他長大成人為止。

在讀寫障礙的診斷上，一個人的成長史有其關鍵性。我們在尋找一個診斷模式，結果顯示語音缺陷幾乎滲透在讀寫障礙者的生活各層面。每位個案會隨著那個模式的特定成分而有所差異；沒有任何單一事件、症狀或測驗成績足以做出判斷。語音缺陷永遠都會存在，但我們必須知道，如何在不同的背景與生命階段中辨認它。經歷一段語言困難的成長史，尤其以語音為主的語言要素，往往能提供最清楚與可靠的閱讀障礙指標。緩慢的閱讀，是診斷有成就的年輕人是否有讀寫障礙的主要徵兆。而且，如剛才所解釋，用於兒童的標準化測驗在這些聰明人身上並不適用，而且往往有所誤導。因此，個案史——吃力的閱讀和書寫、糟糕的拼字，或在閱讀和考試需要額外時間——已在當前成為診斷年輕人是否有閱讀障礙時，最靈敏和準確的指標。

對於任何年齡層的讀寫障礙診斷，目的不在於給予處方，或提供魔法般的切截分數（cutoff scores）；它是要瞭解語音缺陷會如何影響人們生活。理論提供一種形式，但真正的瞭解是對此失調症建立親密感，因為，在漫長歲月中，讀寫障礙日復一日的被表現出來。沒有任何替代品，可取代對讀寫障礙者個人的真正認識。雖然到目前為止，你對讀寫障礙的各種組成要素徹底瞭解了，但我想帶你深入研究一位病患的個案史，讓你看到所有片段要如何拼湊起來，以及該如何做出診斷。

Nikki

Nicholas（Nikki）Romerio，目前二十二歲，他有母親與外祖母也是讀寫障礙者的家族史，在早期語言發展時即開始出現遲緩；在就讀托兒所時，他的父母開始擔心他的語言能力，尤其在發出字音方面。但同時 Nikki 的母親覺得他的語言理解能力優異，因此他能懂得「所有一切」。一項說話與語言的評估結果確定 Nikki 在發出字音有問題。

有一回在學校，Nikki看似不讓自己開始閱讀。他想躲在桌子下面，這樣在輪到他時就不會被要求唸出字母。他在小學一年級被診斷有讀寫障礙，那是在其他孩子幫他取了「什麼都不知道的 Nikki」這個綽號之後。

雖然Nikki的家境不富裕，原則上應讓他接受公立教育，但Nikki的父母親做出艱難決定，讓他在私立學校接受教育。他們擔心他在公立學校會「被活活吞噬掉」，在那兒，「什麼都不知道的 Nikki」可能會逐漸成為事實。Nikki 從小班制教學與大量輔導中進步很多，這特別得歸功於他的努力堅持。

從 Nikki 的個案史與先前評估中，能明確看出是語音缺陷奪走了他流暢閱讀的能力。尤其早期評估時的觀察特別有幫助，因為它會對讀寫障礙的診斷提出關鍵問題：是否出現影響閱讀的語音缺陷證據？要回答這個重要問題，我們需要知道，像 Nikki 這樣的年輕人是如何執行閱讀的任務。若比起主試者觀察孩子在閱讀或嘗試閱讀時所做之描述，使用特定測驗與所得到分數就往往不是那麼重要了。

從 Nikki 最早接受的評估到現在已有二十年了，當時並未使用**語音能力**一詞。然而，我們在研究鑑定者所撰寫的分析報告時，就立刻知道 Nikki 遭遇語音困難：「Nikki對辨識子音與母音發音有困難，並無法將它們混合為單字。」

早在小學一年級時，Nikki就感受到語音缺陷帶給他的負擔。根據他的老師說：「他的認真態度與對閱讀任務的專注力，對他產生了正向幫助；但他非常清楚閱讀對他造成困擾，他有時似乎是非常焦慮與沮喪。」

在二年級的自然科學表現，Nikki 的成績單註明「他的擊字技巧需要再努力，並應加強閱讀流暢性。他是個緩慢、有條理的閱讀者，當給予足夠時間，他能證明自己有優秀的閱讀理解力。」

三年級的評量持續此一模式，提到「除了在說話和語言外，他沒有其它發展遲緩問題」。在閱讀一長串單字方面，「Nikki讀得很慢而且錯誤很多，像是把 **felt** 讀成 **flit**，把 **imply** 讀成 **impolite**，但若給他時間，他就能解碼三年級程度的單字。然而，當有時間限制時他對瞬視字的立即辨認只有二年級程度。」

在一項測量速度與正確性的口頭閱讀測驗結果上，Nikki的得分在小學二年級程度。他試圖快速閱讀，卻犯了很多錯誤，甚至在最簡單、最初階讀本的課文裡。他會利用一根手指頭來幫忙他保持閱讀的位置，但仍經常漏字或讀錯，像是把 **break** 讀成 **bark**。只要他有足夠時間，他就能完整理解三年級課文。Nikki 的表現得到了以下總結：

> Nikki 是個學習動機強烈的九歲孩子，他還是無法實現他的潛能……他沒辦法記住字母的聲音。對他來說，將聲音混合成有意義的單字一直很困難。Nikki還有記住地名的困擾，他可能會把某些有相似音的單字弄混淆，

例如像是**nuisance**和**nonsense**。他無法正確察覺單字裡的細節，因此很容易混淆像 **bowl** 和 **blow** 這樣的字。Nikki 握筆的方式還不成熟；他看似不能用大拇指和食指握住筆，動作較像是更年幼孩子。他的字母寫得大小不一，寫字速度很慢，仍需加強字母組合技巧的練習。

Nikki九年級的評估報告在七年前完成，這對於瞭解現在的他極有幫助。評估報告描述他在一項字詞辨別（word discrimination）作業的表現，主試者指出，Nikki「只犯了兩個錯誤，他自己又訂正一個，但做得很慢，而且在限時的分測驗裡無法完成多於四分之三的題目。他的成績屬於剛上小學五年級的初階程度，顯示他必須用更多時間與努力，才能完成高中程度的閱讀量。」

就像所有的讀寫障礙者一樣，Nikki的成績表現極度的依賴他是如何接受測驗及接受何種測驗。當 Nikki 被問到他所讀的一段文章，他能力裡的巨大分歧就出現了。對於要掌握文章所表達概念，他的表現勝過他人（他的得分高於90%）；而另一方面，要把相同閱讀材料所提到的事實記住並再檢索出來，這對他就更困難了。這種獨立、零碎的東西是以其語音形式被儲存的（是一團模糊不清的音素）。如我們所知，要求讀寫障礙者立即檢索出來，這往往是有困難的。

從 Nikki 高中時期的重新評估發現，他持續相同的問題：字詞辨別的技巧缺乏效率、認讀無意義字有困難、朗讀的困難、閱讀水準低下（第 18 百分位）以及糟糕的拼字能力（第 8 百分位）。

而現在又如何呢？身為一位醫學院學生，Nikki 得到的評估結果：

觀察：有強烈的學習動機；嚴謹的道德標準，勤奮用功；喜歡與人合作；不善於聊天交際；但仍可不停與人交談——顯示他需要用言語表述方式來處理問題；需要一再檢查他的作業；會重複問自己問題；閱讀時會輕聲讀出；會反覆重讀閱讀材料；監考人員會因注視他而感到疲倦。

應付策略：利用筆記型電腦處理文字；用一把尺來跟著他閱讀文

	本；在特定單字或片語下面劃線；在他讀的每樣東西上面做筆記，一再抄寫筆記直到他瞭解為止；複習功課和考試時一定要保持安靜；需要完全專注才能閱讀。
默讀等級：	第 5 百分位。
口頭閱讀等級：	第 8 百分位。
音韻覺識：	未精熟。
握筆：	笨拙的。
寫字：	緩慢，潦草、不易辨讀。
拼字：	依賴拼字檢查軟體。
閱讀單字：	
擊字	第 45 百分位。
字詞識別	第 53 百分位。
口頭閱讀理解力：	第 99 百分位。
數學概念：	第 99 百分位。
視覺－空間技能：	表現出色，「在解剖學的表現最優異」。

有些企業領導者會被形容為「一個人當三個人用」。那麼讀寫障礙者也是一個人當三個人用。Nikki 絕對是非常努力工作的人，他積極處理他的學業問題，完成所有指定閱讀。當被問到擔任助教的可能時，他回答：「沒時間擔任助教。」對他而言，為樂趣而閱讀根本是天方夜譚。事實上，我們要瞭解在他的字典裡並沒有「樂趣」這個字；因為他從未用過其它方式體驗生命，他接受他現有的一切。對 Nikki 而言，讀寫障礙痛苦的一面是對他自尊持續不斷的打擊。當他告訴你：「我想不出有任何事情是我擅長的。」他是在說真心話。當被問到朗讀這件事，他的回答聽來像是那個躲在椅子下面的小一學生：「我做不到。如果我被叫到要朗讀，我會變得很緊張。」這反映出他在考試一再重複困境，他漸漸出現考試焦慮症。「在嘗試那麼多次考試之後，我有點感覺自己得到戰鬥疲勞症。光是走進那間教室，就讓人回想起許多不愉快的記憶。我必須非常用功，不去想那些問題，並把焦點放在功課上面。那絕對不容易。但你

要知道，我不是那種輕言放棄的人。」

對聰明年輕人的讀寫障礙診斷，我們可從 Nikki 身上學到什麼呢？在小學時第一次被施測的那個 Nikki，和目前成為醫學院學生的這個 Nikki，依然是同一個人。當時和現在，他都顯現被大量的優點所包圍的語音缺陷，以下所列的每項特徵，他幾乎都出現：

- 深受讀寫障礙家族史的影響。
- 早期的語言問題，是在發音方面，而不是理解能力。
- 對學習二十六個字母有困擾。
- 對於將字母與聲音連結有問題。
- 對於要將單字發出音有困擾。
- 對音相似的單字混淆不清。
- 對察覺單字的內部細節有困難。
- 對朗讀產生很大的恐懼感。
- 閱讀的速度緩慢。
- 悲慘的拼字能力。
- 握筆技巧不成熟。
- 寫字技巧拙劣。
- 自尊心低落。
- 對考試衍生嚴重的焦慮感。
- 時間是決定他表現好壞的關鍵因素。
- 取決於考試形式，會有極度不同的表現。
- 選擇題考試的結果可能會低估他的知識。
- 除了閱讀技巧不足，同時有優異的學習潛能。
- 理解的能力優於死背硬記。
- 對主要概念的掌握比細節更好。

如我們預料，那些最可能暴露 Nikki 持續有語音缺陷的測驗都強調閱讀速度。當我們必須在聰明的年輕人身上，分析語音缺陷對他造成的影響，閱讀速

度測驗是最靈敏的評量工具。在不久的將來，也許我們能為某個像 Nikki 這樣的人進行腦部造影，以確定他不在閱讀軌道上是因為他沒將軌道切換為自動閱讀系統*。直到那天來臨之前，限時閱讀測驗提供一個視窗，讓我們可以看到某個人是否流暢的閱讀。而在這裡，這些測驗毫不猶豫的告訴我們，Nikki如他該有的這般傑出、優秀。而為了閱讀，他仍留在那條吃力、緩慢的閱讀軌道上。

當然，在年輕人身上的診斷方法，是來自我們對閱讀與大腦所認識的一切。首先，它要求臨床的判斷。無論是對男性或女性的診斷，皆為理性的處理方法，而非植基於缺乏實證的處方或人為武斷的決定；而尖端科技與美好的古老常識，一起推動這個診斷歷程。假使人們能瞭解讀寫障礙的基本特質，那麼診斷就會容易、自然的推展開來。

身為讀寫障礙者的青年男女，可能顯現一連串看似令人困惑的矛盾特質：榮耀與挫敗；讚美與警告；某些方面的表現在第 99 百分位，而其它方面是第 9 百分位；是一位優秀的思考者，卻也是絕望的慢讀者——全都出現在同一個人身上。讀寫障礙者曾攀登令人讚歎的高峰，也曾跌落帶來毀滅的低谷。某一天他們才因敏銳的思考力受到讚美，讓他們覺得自己必定非常聰明，而第二天選擇題考試那令人失望的成績又讓他相信，就像Nikki告訴我的，「我真的很笨。我不懂我怎能愚弄這麼多人，愚弄得這麼久。」

認識語音缺陷模式，讓你能將這個混亂的狀態予以釐清，並徹底瞭解它。儘管現已存在很多閱讀及語音能力發展的證據，我發現可用簡單與直接的方式，將相關訊息概括如下。以下是成人讀寫障礙的基本事實：

- 語音的缺陷持續著；它永遠不會消失。
- 在兒童身上，語音缺陷主要是影響閱讀的準確性；隨著時間過去，有成就的讀寫障礙成人能學會正確閱讀最重要的字詞。
- 在聰明的年輕人身上，語音缺陷影響的是閱讀速度。
- 閱讀能力強的成人能夠讀得正確、快速，而讀寫障礙成人卻讀得緩慢、吃力——他們無法流暢的閱讀。

---

* 功能性磁振造影（fMRI）是近來唯一被使用的研究工具。

- 大腦造影研究顯示，讀寫障礙成人無法切換至流暢閱讀所需的自動閱讀迴路。
- 由於讀寫障礙者會依賴次要的閱讀路徑，雖能使他正確閱讀，但速度仍緩慢。

科學與常識皆指出，假使一個人的閱讀極度緩慢，但卻能理解大學或大學程度以上的閱讀材料，那麼他雖有語音缺陷但也有值得我們重視的優點。他患有讀寫障礙。在我的經驗裡，一旦診斷者能瞭解讀寫障礙的基本特質，診斷就會變得簡單、明瞭了。

現在，這項知識可應用在我們稍早所建立的三步驟程序中，來為讀寫障礙做診斷。

步驟一：根據個體的年齡與教育，證實閱讀的問題

如之前所述，在有成就的成人身上，其閱讀問題可透過詳細的個案史來確認。最為持續與最能識別的讀寫障礙徵兆就是緩慢、吃力的閱讀與書寫。或許在聰明年輕人的讀寫障礙診斷上，對流暢性的辨識及評量的疏忽是最常見的錯誤。切記，那些簡單的識字測驗並不足以敏銳到能從某個大學畢業後進入法、醫學院，或攻讀其它更高學位的人身上鑑定出讀寫障礙。因此，強調識字準確性的測驗並不適合在這些人身上診斷讀寫障礙。觀察個體的朗讀能力及實施限時測驗（例如 Nelson-Denny Reading Test），還有口頭閱讀連貫性文本的測驗（例如GORT-4），都可在有成就的成人身上，診斷出他的閱讀是否缺乏流暢性。

步驟二：蒐集證據，支持閱讀問題的「非預期性」。高度學習潛能可完全根據教育程度或職業成就來決定

對於一位有成就的成年人，他的教育程度或職業狀態是提供其學習潛能的最佳指標。畢業於頂尖大學，或身為研究生、法學院或醫學院的學生，皆顯示他們有優秀的潛能。在這樣的成人身上，缺乏流暢性（緩慢的閱讀）意謂他出現了非預期的閱讀問題或讀寫障礙。再者，從任何測驗所獲得的成績，必須和

有相同教育程度或職業訓練的同儕比較。

步驟三：證實語音缺陷的單離性，其它較高階語言功能相對未受到影響

儘管有高水準的教育或職業成就，緩慢的閱讀是被包圍的語音缺陷的徵兆。尤其是優秀的概念與語文推理能力，或在字彙與閱讀理解技能的優點，皆顯示讀寫障礙者在語音以外的語言領域有其優勢。

遵循這三個基本步驟，並把閱讀與讀寫障礙的發展模式，這些以研究為基礎的相關知識予以應用，就會在有成就的年輕人或成人身上，做出準確且有科學根據的診斷。

關於年輕人的讀寫障礙評估模式，我還要特別強調幾個重點。第一，許多科學證據告訴我們，語音缺陷是持續的，為此缺陷提供最清楚的證明是來自個人的生命史。一個人一旦患有讀寫障礙，他終生有讀寫障礙。因此，當某位大學生在兒童時期已被診斷有讀寫障礙，那麼讓他重新接受測驗是毫無理由的——除非他的症狀或生活環境有異常改變。重新施測非但沒有幫助，還可能造成傷害，只是將不必要的心理與經濟負擔，強加在那些快被摧毀的讀寫障礙學生身上。

在一項由波士頓大學的一位學習障礙學生所提告的法律案件中，法官 Patti Saris 裁定，要求大學生每三年必須重新施測，並沒有任何法律根據，他指明「被告並未出示同儕複審之資料或科學證詞，足以提供證據並證明此一想法：一個人的學習障礙會在成人後出現任何改變，或一個學生的考試成績會在其大學生涯顯現實質的改變。」於是，法律見解與科學事實結合，裁定對抗了這樣的誤導策略。

第二點，有些學生會**偽裝**自己患有讀寫障礙，我被這種經常聽到的見解弄糊塗了。當我被問到這問題時，我總藉由反問回應：「你知道事實嗎？你個人有察覺這樣的實例嗎？」被問的人總是搖頭並回答：「哦，沒有，我只不過是聽說過這種事而已。」這樣的看法是無稽之談。在我跟許許多多學生相處的所有經驗裡，我尚未遇過任何年輕男性或女性謊稱自己有讀寫障礙。對於那些瞭解讀寫障礙及它所造成個人極大代價的人來說，竟會有人樂意要求診斷，這種特殊想法是荒謬的。Sally Esposito 是耶魯大學學習障礙服務中心的協調員，她說明：

> 學生根本不希望自己被鑑定。他們不想被貼上標籤。我想他們就是不想被看成不一樣或有障礙。這個恥辱讓他們感到無比尷尬。每當他們一想到教授或同學會發現時，就令他們恐慌。我最大的難題就是要求學生自己做鑑定，然後到我辦公室來申請他們能符合資格的服務。通常他們根本不想這麼做。他們說付出的代價實在太大了。

最後一點，我經常聽到讀寫障礙的診斷總有些不明確或缺乏準確性。身為一位醫師，我對這些意見一笑置之。幾乎與任何的醫療診斷一樣，讀寫障礙的診斷是準確的，而且以科學資訊為根據。每次我在急診住院病患的小兒科病房擔任輪值主治醫生時，我都會為了某些醫療人員的缺乏準確性而感到羞愧——甚至在這分子醫學的今日——在做出甚至看似最簡單與最常見的診斷上。經常，我們根本不知道如何使用我們的最佳判斷。在讀寫障礙這病症上，我們認識語音缺陷及它終生的影響，如今這使得我們有高度信心能做出極為明智的臨床判斷。事實上，有些時候，我希望在醫療上的其它診斷也能有相同的精確度。

現在，我想要將討論的方向轉至教導閱讀時我們可採取的有效措施：首先，是針對典型的閱讀者，接下來，是針對讀寫障礙小孩或大人。

PART 3

幫助你的孩子成為閱讀者

Chapter 14

所有孩子都能被教會閱讀

我能想像，我最有回報的經驗就是看到那些曾經憂傷、挫敗的孩子，轉變為對學習充滿渴望。在閱讀教學上有全新的科學突破，這就是讓孩子真正改變的原因。Talia Matthews 正是這些快樂的孩子中的一個。

Talia散發著自信光芒，她是聰明、活潑，有一頭紅髮的九歲小女孩。根據她母親形容，Talia 並非一直是這樣的。她在小學三年級被鑑定為讀寫障礙，此診斷屬於耶魯大學醫學院與雪城大學（Syracuse University）的共同研究計畫案的一部分。以下是她母親告訴我的：

> 以前，沒有人說過任何話——沒有任何一句話，甚至暗示 Talia 有閱讀問題。但其他小孩都知道。大家都叫她失敗者。他們會說：「妳是個失敗者。妳不會閱讀。」
>
> 我以為她非常懶惰，只不過是本性難移，因為她在其它方面看起來特別聰明。她懂得不少東西。我記得問過她：「英國女皇的姓是什麼？」而Talia只想了一下就回答：「溫莎（Windsor），妳曉得，溫莎城堡（Windsor Castle）啊！」她不過根據讀給她聽過的某個故事，就冒出流暢、誇張的完整答案了。

我問，Talia 說這件事時是幾歲呢。

七歲。但她還是無法閱讀任何書籍。她變得很容易生氣，因為她的弟弟會坐在旁邊大聲朗讀。每個人都為她感到難過。她會跑回自己的房間。那真的是很糟糕。

她會假裝生病。她不想去上學。她在學校時會想要回家。學校護士打電話給我，跟我說她吐了。她把自己的身體搞到生病，所以她能從學校被接回家來，這樣她就不必上閱讀課了。

我問 Talia 的媽媽，是否曾和學校老師討論過，或是否有老師曾與她談過話。

哦，是的。他們告訴我：「我們認為，假使她能全力以赴，再試著努力一點，那情況就會好轉了……或許她並不如你們所想像的那麼聰明。」他們說的話言猶在耳：「父母都會認為自己的孩子是天才——然而他們並不是。」

後來雪城大學的人員……告訴我：「妳的女兒非常聰明。她的智商非常高。Talia有閱讀的問題。」當我聽到這些話時，我哭了。我說：「啊，我的天。」然後，他們說他們可能有辦法幫助和教導她。

Talia被鑑定為讀寫障礙，並被安置在某個閱讀方案，那是為期一整年的課程，一週四天，每天一小時。

我注意到在 Talia 身上有了真正的改變。我看到她對做家庭作業這件事變得感興趣了。事情就這麼成功了。他們教會她新的學習方法。
她完全照著他們示範給她看的方法去做。那跟學校教她的完全不一樣。因此，假使她不知道一個字，她不再需要任何人幫忙了。而這是很大的不一樣。以前她會請求別人：「拜託，就幫我做吧。」

這簡直是天壤之別。她不再喊肚子痛了。我想她這學年只缺課一天吧；去年的缺課記錄多達三十天。而且，如果當她必須在課堂上朗讀時，她整個人會變得迫不及待，這件事對我們家的影響真令人難以置信。以前我們對待她的方式讓我們覺得很有罪惡感。我會對她說：「妳到底是怎麼搞的？妳弟弟都已經把功課寫完了。我們甚至沒辦法讓妳做完兩題。」我們在質問她，你曉得，好像完全沒有顧及她的面子。所以，直到她被鑑定為讀寫障礙並開始接受閱讀方案之前，我和我先生一直對她有很深的罪惡感。

我們家庭的生活品質變得更好了；生活更正常。Talia開始交朋友，她對自己的感覺更好。當有女同學打電話給她時，她會說：「媽媽，她們真的認為我很酷呢！」

她告訴每個人：「我沒有辦法閱讀。然後我就接受一些測驗。事實上，我有一些問題，他們正要教我如何補救這個問題呢！」

她的學期成績分別是A和B。真的有效果了。她甚至會喜歡為樂趣而閱讀呢。

我問Talia的媽媽，對於那些可能有閱讀問題的孩子，她有什麼話想告訴這些孩子的父母親呢。

一定有一種教會你孩子的方法。你只不過是需要找到對的方法。閱讀可能是這世界上最重要的事情，因為它會影響到每一件事——每一件事。

我會說不要放棄。嘗試去找到某個人可以對你的孩子做一些評估，看看你的孩子需要用什麼方法來教導他。

現在，Talia變得什麼事都能做。她對她人生想做的事懷抱夢想。她將來想成為一位獸醫。

你的讀寫障礙孩子一定能學會閱讀，就像Talia所做的。像這樣的轉變，你並不需要一根魔杖，而是滿足兩個基本要素：早期診斷與有效治療。在前一章，你學到了如何及早鑑定閱讀問題；在接下來章節裡你將會學到，一旦孩子被鑑定有讀寫障礙時你該怎麼辦。我會提供你們基本的原則以引導你們，讓你們判斷什麼方法對你的孩子會最好。它們與鑑定閱讀問題的基本原則一樣有效；現在，你可應用它們來獲得最有成效的治療。

引導你的基本原則

基本原則一

為你的孩子建立一個終生的觀點。有效的閱讀方案是根據兒童或成人的特殊發展需求而量身訂作。對六歲孩子最有效的計畫，不見得對十六歲青少年最有利。因此，設計有效閱讀方案的首要步驟，就是判斷你的孩子在連續發展過程的所在位置。在這樣的基礎上，早期教育的焦點是補救教學，如果可能，鑑定有風險的孩子以預防閱讀困難的發生。當這個孩子的學習有所進展，升上初中、高中時——特別是那些在高度要求的學業課程中有參與潛能的孩子——將孩子的教育重點從補救轉移到提供調適方式。

基本原則二

補救孩子的語音缺陷，善用他們在較高層的次思考與推理方面的優點（透過調適方法）。這麼做非常重要，因為教學重點不僅聚焦在閱讀困難，也同時看重他的優點。這提醒每個人孩子的單一語音缺陷只不過是更大的、整體能力的一小部分。我們往往只將焦點放在缺陷，而孩子的優勢能力（和潛能）因此被忽視。無論孩子的優點是什麼——推理、分析、概念化、創造力、同理心、視覺化、想像或能以新奇方式思考——那些優點都應被大人發掘及培養，使成為這孩子擁有的特質，這件事勢在必行。對許多兒童而言，調適意謂縮短孩子在學業成就與失敗間的差距，以及拉近他們日漸增加的自信與長久挫敗的距離。

在討論具體的教學方法之前，我想先討論將顯著影響你的孩子，在閱讀與人生最終成就的一些重要因素。除了閱讀方案的本質之外，這些因素還包括孩子本身的特質，以及那些與他互動最多的重要成人。

我們應考量孩子本身的特性，他未來的前途將反映其語音缺陷的嚴重性及認知優點的程度。不出我們所料，那些語音問題較輕微且有較高智商的孩子，會有表現較佳的傾向。當前的研究證據顯示，無論如何，不同嚴重程度的讀寫障礙孩子都能從研究本位的閱讀方案中受惠。在發現孩子有讀寫障礙的過程中，他的優點與缺陷所出現的獨特混合可反映他的過去：遺傳基因與成長經驗。但你可盡一切的努力掌控這兩項因素，並發揮他的極限並照亮他的未來：關於孩子將接受的閱讀方案，及孩子如何被他周遭的大人對待，我將在接下來幾章介紹。

在這些讀寫障礙兒童生活裡的重要成人——最具代表性的是他的父母與老師——在決定孩子的未來前途上，扮演了極重要角色。雖然這看似不證自明，但我目睹太多、太多的例子，那些付出關愛且懷抱善意的父母與老師，採取不尋常的被動姿態，以為不管怎樣，「事情自然會有好結果」。要做這些脆弱孩子的父母並非容易的事，尤其當要面對有隱性障礙卻被遺漏診斷的孩子，就如Talia的母親那令人辛酸的自白。然而，在難以對抗的大多數現實的案例中，事情會改善的唯一方法是由有見識與愛心的大人帶領他們，積極的創造及改變自我。大部分時候，那是需要具備耐心、堅持及主動的特質，身兼「行動主義者」的父母。

讀寫障礙兒童需要擁護者，某個願意支持他及毫不畏縮的辯護者；當事情進展不順利時，是他的啦啦隊長；當別人嘲笑及羞辱他時，是他的好友兼知己；擔任他的辯護律師，用行動與建議對他的未來抱持樂觀態度。或許最重要的是，讀寫障礙孩子不只需要某個信任他的人而已，而是能瞭解他的閱讀問題本質，將對他的信任化為積極行動，然後主動、不停做下去，確保他能獲得閱讀協助和其它所需支援。經驗向我證明，假使讀寫障礙孩子能得到這樣的協助，那麼他就能成功。我可舉出幾個模範父母的例子：在洛杉磯的 Ken Kilroy，他付出了無限慈愛與堅持，為他孩子的閱讀需求打一場勝仗，他努力確保他兒子在數學與科學的優勢不曾被忽略；還有Norma Garza，是一位女性企業家及公益事業領導者，她持續不斷的奮鬥，以瞭解她兒子的學業需要，並長期努力將讀寫障礙的研究新知，帶進她兒子位於德州 Brownsville 的那所小型學校裡。當孩子擁有這樣的擁護者，他不只能獲致學業成就，還可保有良好自我感覺與快樂的未

來。我撰寫此書的目的就是希望幫助那些想成為孩子擁護者的父母，提供他們技術與知識，而這些技術與知識真的能使孩子的生命有所不同。

什麼方法能有效的教導孩子閱讀，這部分已透過科學帶給我們。這項新資訊可被用於提供敏銳、成功的方法以教會兒童閱讀——沒有閱讀困難的孩子、有閱讀問題風險的孩子，及已知患有讀寫障礙的孩子。父母經常得面對不同的閱讀教學法的資訊轟炸，還有閱讀障礙的最新「奇蹟式」治療法，父母（老師也是）對於閱讀教學時常感到困惑。身為父母的你如何知道從何處著手，或如何判斷哪種課程對你的兒子或女兒最好呢？這個好消息是，來自世界各地實驗室的研究發現正提供學習閱讀歷程的清楚面貌。終於，關於每個兒童要如何成為優秀閱讀者所需瞭解之閱讀技能，有越來越多的科學家、醫生與教育工作者在這方面建立了共識。

什麼是教導兒童閱讀的有效方法，我們首次建立「實證本位」的引導原則。它是來自一般民眾關心、自然演變而成的成果，雖然數量極多的孩子在學習閱讀的過程中遭遇了挫敗，但可用於幫助父母與老師，從各種教學法中做出重要決定的引導原則卻不多。因此，在 1997 年，國會指示國家閱讀諮詢委員會（National Reading Panel）成立，專家齊聚一堂，針對當前的閱讀教學研究進行客觀與廣泛的檢視。身為此委員會的成員，我能證明這個團體是多麼認真的承擔使命，我們到全國各地旅行，並仔細聆聽父母、老師和其他人的心聲；我們建立嚴格的標準，檢視當今的相關研究；我們最初搜尋了超過六千篇的研究，然後提出符合標準的相關研究，並進行更深入的分析。2000 年 4 月 13 日，經過兩年多努力，諮詢委員會在「國家閱讀諮詢委員會報告」（Report of the National Reading Panel）中發表研究成果「教導兒童閱讀：閱讀科學研究文獻的實證基礎評量及其對閱讀教學的影響」（Teaching Children to Read: An Evidence-Based Assessment of the Scientific Research Literature on Reading and Its Implications for Reading Instruction）。我與委員會主席 Donald Langenberg 博士及國家兒童健康與人類發展研究院（NICHD）的院長 Duane Alexander 博士，我們三人共同將那份令人自豪的專案報告呈交國會。這是在美國教育裡前所未有、最詳盡的一份研究報告，它提供一套足以引導父母與教師的教學準則，指示最有效、最多科學實證支持的閱讀方法。當前，如同在醫學領域一樣，我們可以在教育現場，將科學證據作為選擇治療方式的基礎。在決定閱讀課程的內容之前，父母與老師也可能必須問到：「它將證明什麼？」在這本書接下來章節裡，我將討論國家閱讀諮詢委員會的研究結果。

閱讀諮詢委員會的研究結果已成為當今最具開創性，「不讓任何孩子會落後法案」（No Child Left Behind Act）的重要部分，並獲得了國會的壓倒性通過，由布希總統在 2002 年 1 月 8 日簽署此法案。「閱讀優先」（Reading First）計畫成為此一法案的構成要素，透過嚴格的審核程序，使得各州有充裕的經費補助可供利用。這些經費被用於支持、辦理科學本位的兒童閱讀方案，以及提供教師以科學資訊為依據的專業成長計畫。身為「閱讀優先」（Reading First）經費補助的審核成員，我能證明各州州政府為了獲得經費補助，必須努力達成最高的審核標準。這項成為里程碑的立法案，為兒童如何被教導閱讀的革命發出了開跑信號，它確保每個孩子都能被提供有效的閱讀方案。

在下一章，我將詳細討論在連續的閱讀過程裡，在不同時間點上，什麼是教導閱讀最有效（實證本位的）的方法？我會在此章專注於討論「破解閱讀的密碼」，因為那是最關鍵，且對許多兒童最困難的步驟。然後，在接下來一章，我將把焦點放在如何幫助孩子成為熟練閱讀者，亦即能正確與快速的閱讀，並能理解他所閱讀的內容。我會討論對於持續遭受閱讀困難的孩子我們應該怎麼辦，我將解答一些來自父母的最迫切問題。我將這部分以討論方式做結束，討論如何協助讀寫障礙學生展現長處，特定調整在這方面所扮演的重要角色為何。

Chapter 15

幫助你的孩子破解閱讀密碼

從你的孩子進入幼兒園，到第二年春天要離開這段期間，發生在他身上最令人興奮的一件事，就是他破解了閱讀密碼。要做到如此，他必須解決有閱讀謎團至今的兩部分：一部分涉及口頭語言，而另一部分與書寫語言有關。自從人類開始閱讀大約已有五千年，每一位有潛能的閱讀者都面臨了相同的挑戰。

要解開謎團的第一部分，想成為閱讀者的每個人必須開始意識到，口頭語言是可以被打散的，它們由非常小的語言片段所組成。如你早先讀到，這些極小的語言粒子被稱為音素，而這項對言語覺察力的發展被稱為音素覺識。一旦孩子體認口頭語言能被拆解成明確的聲音，那麼他是真的在解決閱讀密碼裡口頭語言的部分。然後，他準備好採取接下來的重要步驟：弄懂印刷文字是如何與那些聲音產生連結——舉例來說，知道口頭語言 **sat** 的第一個聲音“**ssss**”，是由字母 **s** 所代表，而最後一個聲音 “**t**” 是由字母 **t** 所代表。於是，有一天他解開了這個謎團：他做出關鍵的覺察，書寫文字 **sat** 與口頭語言 **sat** 有相同數目與順序的聲音，“**ssss**”, “**aaaa**”, “**t**”，而且那些字母代表了那些聲音。他破解閱讀密碼了！這個孩子已掌握字母拼音原則。他準備好閱讀了。

這個步驟極其重要，因為一旦孩子瞭解閱讀代碼，印刷文字就不再是難解的謎團。他擁有**對策**了：他知道如何把字母與它們所代表的聲音連結，然後將聲音混合，就能把這個字讀出來。他應用字母如何與聲音有其對應關係的知識，分析和讀出越來越多不熟悉的字。這就是我們所謂的**解碼**。孩子能在解碼文字

上學得越好，他的閱讀就越正確。孩子知道如何將印刷文字發出音，就不用記憶他想要讀出的每個字。能夠把字發出音，使得他可以解開這個閱讀謎團，閱讀他從未見過的字。

最新的大腦研究使我們得以將孩子在學習閱讀所經歷步驟的認識，與他們大腦裡為解開閱讀密碼所要發生的運作產生連結，同樣也連結到閱讀教學。在孩子的大腦，他是逐字建立神經迴路，神經迴路把口頭語言的**聲音**——音素，連結到印刷文字的代碼——代表那些聲音的**字母**。幼兒園扮演的重要角色為提供孩子各種經驗，使他盡可能正確、穩固和快速的建立與大腦聯繫的那些關係。

密碼的第一部分：有關聲音的建議

開始學習閱讀的階段，最初始的目標是把孩子的注意力吸引至語言的聲音。切記，這麼做很重要，孩子在閱讀道路的進展會因人而異。有些人需要慢慢的經歷每個步驟，而同時另一些人則進步得較快速，不需在過程中逐步教導。到達終點時，將期待孩子發展出音素覺識能力，它是學習閱讀的過程中最重要的能力，但有時也是最困難的任務，而且為所有隨後而至的閱讀與拼字教學奠定基礎。音素覺識教學只需在一學年中，每天大概使用十五分鐘即可，盡可能提早在學齡前和幼兒園開始，孩子都會從這種教學中受惠。日復一日的，孩子的注意力被文字的聲音吸引，他首先注意到押韻，然後會比較不同單字裡的聲音，而最後透過學習如何「在文字上工作」，將字拆散、把它們擠回去，以及在那個字裡，把各個更小部分四處移動。當音素覺識與口語的聲音連結，往往能幫助孩子利用字母去強調不同的語音，孩子逐漸增進這項技能，進而提升其閱讀能力。永遠牢記在心，教導音素覺識時不要將它視為一個結果，而是藉此幫助孩子瞭解，字母與聲音之間的關係，它所代表的重要性，以及能幫助孩子成為閱讀者的終極目標。

第一步：發展押韻覺識能力

對孩子而言，一開始第一步是逐漸發展文字會押韻的覺察力。注意到押韻，這使得非常年幼的孩子對文字能被拆開這事實變得敏感。譬如說，知道**fig**這個字跟**jig**是押韻的，孩子必須注意到那只是每個字的其中一部分——結尾的**ig**。孩子開始認識字有更小的部分。很自然的，他玩押韻（單字以相同的音做結束）跟頭韻（連續兩個或兩個以上的字是以相同的起頭聲音開始，例如像**click, clack, clock**）的樂趣，有助於奠定教導音素覺識的基礎。

你可藉由朗讀故事和詩給孩子聽，以幫助他對押韻變得敏感。有一本孩子會喜歡的押韻繪本是*Chugga-Chugga Choo-Choo*，作者是 Kevin Lewis 和 Daniel Kirk。你聽：

> Chugga-chugga
> choo-choo,
> whistle blowing,
> whoooooooo! whoooooooo!

還有

> Into tunnels, underground.
> See the darkness. Hear the sound.
> Chugga-chugga choo-choo, echo calling,
> whoooooooo! whoooooooo!
> whoooooooo! whoooooooo!

當孩子們發出火車的鳴笛聲時，他們通常喜歡握著拳頭、上下的揮動著。

這裡有許多你可以和孩子一起閱讀的書，以幫助他為閱讀做好準備。體認到你在為孩子的閱讀打下基礎，會讓你有更多動機，使朗讀成為你們特別的相處時光裡的例行活動。這裡有一份童書書單，可讓孩子開心進行語言聲音的遊戲。

Bemelmans, Ludwig, *Madeline* (New York: Penguin Putnam, 2000).

Brown, Margaret Wise, *Four Fur Feet* (New York: Hyperion, 1996).

Bunting, Eve, *The Pumpkin Fair* (New York: Houghton Mifflin, 2001).

de Paola, Tomie, *Hey Diddle Diddle and Other Mother Goose Rhymes* (New York: Putnam, 1998).

Fleming, Denise, *In the Tall, Tall Grass* (New York: Henry Holt, 1995).

Fox, Dan, and P. Fox (eds.), *Go In and Out the Window: An Illustrated Songbook for Young People* (New York: Henry Holt, 1987).

Galdone, P., *Henny Penny* (New York: Houghton Mifflin, 1984).

Hawkins, C., and J. Hawkins, *Tog the Dog* (New York: Penguin Putnam, 1991).

Heidbreder, Robert, *I Wished for a Unicorn* (Toronto, Canada: Kids Can Press, 2001).

Ho, Minfong, *Hush! A Thai Lullaby* (New York: Orchard Books, 1996).

Karlin, Nurit, *The Fat Cat Sat on the Mat* (New York: Harper-Collins, 1998).

Kellogg, Stephen, *Aster Aardvark's Alphabet Adventures* (New York: Morrow, 1992).

Krauss, Ruth, *Bears* (New York: Scholastic, 1993).

———. *I Can Fly* (New York: Golden Books, 1999).

Larrick, Nancy (ed.), *Songs from Mother Goose* (New York: HarperCollins, 1989).

———. *When the Dark Comes Dancing: A Bedtime Poetry Book* (New York: Putnam, 1982).

LeSieg, Theo, *Please Try to Remember the First of Octember!* (New York: Random House, 1988).

———. *The Eye Book* (New York: Random House, 1999).

LeTord, B., *An Alphabet of Sounds: Arf Boo Click* (New York: MacMillan, 1981).

Lewis, K., and D. Kirk, *Chugga-Chugga Choo-Choo* (New York: Hyperion, 1999).

Lewison, W., *Buzz, Said the Bee* (New York: Scholastic, 1992).

Lobel, Arnold, *Whiskers and Rhymes* (New York: Morrow, 1988).

Martin, B., J. Archambault, and L. Ehler, *Chicka Chicka Boom Boom* (New York: Simon and Schuster, 1991).

Ochs, C. P., *Moose on the Loose* (Minneapolis: Carolroda Books, 1991).

Pretlusky, Jack, editor, *Read-Aloud Rhymes for the Very Young* (New York: Alfred A. Knopf, 1986).

———. *The Frog Wore Red Suspenders* (New York: Greenwillow Books, 2002).

Seuss, Dr., *There's A Wocket in My Pocket* (New York: Random House, 1996).

———. *Hop on Pop* (New York: Random House, 1976).

———. *One Fish, Two Fish, Red Fish, Blue Fish* (New York: Random House, 1988).

———. *Green Eggs and Ham* (New York: Random House, 1976).

Silverstein, Shel, *A Giraffe and a Half* (New York: HarperCollins, 1975).

Van Allsburg, C., *The Z was Zapped* (Boston: Houghton Mifflin, 1987).

Yee, Josie, *Classic Sing-Along Rhymes* (New York: Scholastic, 2002).

Zeifert, Harriet, *I Swapped My Dog* (Boston: Houghton Mifflin, 1998).

和你的孩子一起朗讀這些讀物會充滿了樂趣；這些書裡安排了押韻與頭韻的文字。當孩子聆聽它們，或甚至加入一起哼唱童謠時，他是朝向閱讀者的目標前進。在加州州立大學教授閱讀課程的 Hallie Kay Yopp，她推薦這份書單上的許多書，並建議一些活動，讓孩子在聆聽這些故事時享受樂趣。首先，她說：「將故事朗讀幾遍，只純粹為了閱讀樂趣與分享。」然後，將孩子的注意力吸引到字音上〔當孩子在聆聽 C. P. Ochs 所寫的 *Moose on the Loose* 時，我可以聽到他們咯咯的笑聲，那個故事是關於一位動物園管理員，他跑遍整個Zown城，他詢問每個人是否看到，「在一輛淡黃綠色的管理員專用車裡，有一隻被鬆綁的麋鹿」（"moose on the loose in a chartreuse caboose"）〕。當你閱讀這些故事時，可提出簡單的看法，像是「有這麼多字押韻好不好玩呢？」，這有助於刺激孩子對押韻的覺察力。你還可要求你的孩子，在押韻的故事裡預測下一個押相同韻的字，或者問他是否注意到，在一個句子裡所有的字都以相同的音開始：「聽聽在這些單字裡起頭的聲音：**Pink pigs picked pretty petals.** 你聽到哪個聲音呢？對了，就是 "**p**" 這個音。還有哪些字是用那個聲音開始呢？」

這裡還有一些書，可讓孩子在練習閱讀時能有更多選擇。我選出我的孩子最喜愛的，由 Seuss 博士所寫的 *One Fish Two Fish Red Fish Blue Fish*：

Bump!
Bump!
Bump!
Did you ever ride a Wump?
We have a Wump
with just one hump.
But
we know a man
called Mr. Gump.
Mr. Gump has a seven hump Wump.
So ...

if you like to go Bump! Bump!
just jump on the hump of the Wump
of Gump.

或者，有些孩子偏愛由 Ludwig Bemelmans 所寫的 *Madeline*，也是用押韻寫的故事。他是這樣描寫 Madeline 的：

She was not afraid of mice –
she loved winter, snow, and ice.
To the tiger in the zoo
Madeline just said, "Pooh-pooh,"
and nobody knew so well
how to frighten Miss Clavel.

當你朗讀這些押韻的故事時，假使你誇張的發出這些押韻字的聲音，這麼做對孩子是有幫助的。

除此之外，你可以邀請你的孩子加入，一起吟詩或朗讀韻文。這些活動能與你孩子的日常例行活動輕鬆的結合；譬如說，你可以做這麼簡單的事，當你的孩子準備上床睡覺時，讓他跟著你一起唱：

Twinkle, twinkle little star,
how I wonder what you are.
Up above the world so high,
like a diamond in the sky.
Twinkle, twinkle little star,
how I wonder what you are.

第二步：在文字上工作

在學會「押韻覺識」和發展「單字有更小部分」的觀念之後，孩子就預備好為閱讀跨出接下來的一大步：將單字拆解和把它們放回去。把一個字拆開成它個別的聲音，這往往稱為**切分**（segmenting）；把這些個別聲音擠回去以形成一個字，這被稱為**混合**（blending）。這兩者是學會拼字與閱讀時所涉及的兩個關鍵處理程序。在拼字方面，譬如說，孩子把口頭語言**切分**成不同的聲音，然後再把每個音轉換成一個字母。在閱讀方面，則是字母被轉變成聲音，然後它們被**混合**以形成一個字。在文字上工作，是最初始的閱讀任務，它是幼童閱讀方案的核心構成要素。就像是一位外科醫生，必須學會人體解剖結構的最小細節，閱讀新手也要對口頭語言與印刷文字的內部解剖結構發展出敏銳的察覺力。

在實踐上，語言的聲音會逐步介紹給孩子認識。在大部分的閱讀方案，一開始都先讓孩子看到，如何將文字拆解成最大塊的聲音——音節，然後再介紹更小的片段——音素。

把字分割成音節　從音節開始做，這是有充分理由的。它們是構成一個單字的最大語音單位，而且，孩子很容易從字裡辨識與操作。有個活動可幫助孩子把一個字裡的聲音拆解，那就是數出（實際的拍手）在他名字裡的音節數目：

Jay . . . son.（拍，拍）。**Jon . . . a . . . than.**（拍，拍，拍）。另外，孩子還可輪流拍出一個星期裡，星期幾的音節數目（**Tues . . . day**）；一年裡的哪個月份（**Sep . . . tem . . . ber**）；可辨識的對象（**cow . . . boy, scare . . . crow**）；例如像黃瓜這種好玩的字（**cu . . . cum . . . ber**）或是灰姑娘（**Cin . . . der . . . el . . . la**）。

孩子也可以練習把音節擠在一起以形成一個單字：「你能不能告訴我 **rain . . . bow** 會組成哪個字？」（**rainbow**）。「現在試試 **a . . . corn**。」（acorn）。

或者，可要求孩子把他自己名字裡的聲音混合：「告訴我，這兩個音 **Jay . . . son** 會組成哪個字？」（**Jason**）。

如果你對一個單字裡的音節數目有任何疑問，你可以查字典。

把音節分割成音素　把單字分割成音節是相當容易的；單字就像被穿孔、可立即被打散。相對的，下個重要步驟是體認口頭語言是能被拆解、分割成甚至更細的部分——音素——這對大多數的閱讀新手是困難的，而對讀寫障礙兒童尤其如此。就如你在本書中讀到的，專注於這些最小的聲音單位的能力，是孩子日後閱讀能力的最佳預測指標之一。

在大部分的有效閱讀方案，首先孩子要練習把不同單字裡的聲音做比較或配對。目的在於讓孩子開始思考，如何將這些字裡的聲音與另一個字的聲音比較。一開始是要求他配對單字裡最起頭的音，以及接著是單字裡最後一個音。準備一套日常物件的圖卡（像是 man, map, door, cat, dog, mom, mitt, can, cup, tag, top），這往往很有幫助。你可從雜誌剪下圖案貼到卡片，或利用孩子的大富翁遊戲的那些圖卡。

你可藉由要求孩子辨識某個單字裡的第一個音來開始練習，像是 **map**（地圖）。讓他看一張地圖圖卡，清楚的說：「這是一張 **mmmap**。」要求他說出那張圖片的名稱（地圖）。接著說：「在 **mmmap** 裡的第一個音是 **"mmmm"**。你能不能發出第一個音？」然後拿出四、五張圖卡，有一些單字的開頭用 **"mmmm"** 發音。要求他唸出每張圖片的名稱，然後把所有開頭用 "mmmm" 發音的圖卡放在一起。

你還可以給他看三張圖卡，譬如說上面有 fan，dog 和 cake，要求他說出每張圖的名稱。然後問他：「你能不能指給我看，哪一張圖片是用 **"d"** 的發音開頭？」你可以指著其中一張圖片（dog），說出它的名稱，然後問到：「你能不能在這個房間裡找到某樣東西，也同樣用 "d" 的音開頭？」或者你可以乾脆要求他造出一個字，是跟目標字一樣，用相同的音開頭：「你能不能告訴我一個字，它是用跟 **ssssnake** 相同的音開頭？」（**sit, soup** 和 **smile**）。

聲音配對遊戲是相當容易的，因為不需要孩子操弄音素，非常適合就讀幼兒園的閱讀新手。

一旦孩子在聲音配對的表現成功，那麼他就有條件面對把單字拆解這個更困難的任務了：先練習開頭的音，接著是結尾的音，再然後是中間的音。孩子先用口語來進行這類活動，然後再進入遊戲——那些涉及構成書寫語言的字母與聲音的遊戲。

你可利用各種方法，練習如何把字拆解開來。你可要求你的孩子拍手，拍出他在一個字裡所聽到聲音的數目。譬如說，你可以說：「**ssss . . . ee**，**see**。用手拍出你所聽到聲音的數目，**ssss . . . ee**，**see**。」他應該為兩個音——**"ssss"** 和 **"ee"** ——拍手拍兩下。很有趣的，大多數幼兒園孩子似乎在分割由兩個音素所組成單字都很順利，例如像 **eat, it, say** 和 **zoo**，但當他們被要求拆解甚至相當簡單的三音素單字時就陷於困境了，例如像 **fan** 和 **mop**。所以，要慢慢的練習。用最基礎的雙音素單字，然後再變成三個或更多的聲音。

你也可加上一個音，問說：「如果你把 **"t"** 的音加到 **see** 這個字，你會得到哪個字呢？」（**seat**）。

你可以拿走一個音，從開頭的音開始練習，問說：「如果你把 **"ssss"** 的音從 **seat** 這個字裡拿走，你會得到哪個字呢？（**eat**）。然後拿走結尾的音，問說：你能不能唸出 **seat** 這個字，但不要有 **"t"** 的聲音呢？」（**see**）。

上述的工作需要音素切分（phoneme segmentation）的能力。而音素混合（phoneme blending）做的是相反的事，它是最重要的，而且出乎意料的，也是閱讀新手需要掌握的最艱難工作之一（回想在閱讀時，孩子必須把字母轉換成聲音，然後把聲音混合以形成一個字）。你可能想在家裡跟孩子練習音素混合的活動。有個方法是把三張圖片排開，例如像 man，map 和 fan。選擇其中一張代表某個字的圖片，譬如說 **man**，並緩緩發出這個字的每個音：**"mmmm"** . . . **"aaaa"** . . . **"nnn"**。要求你的孩子指出哪張圖片所顯示的字是由這些音結合。

稍微困難的活動變化是，不要求你的孩子用手指，反而要求他告訴你這些音結合時會組成哪個字。

針對分割與混合這兩種活動，你可利用以下這些雙音素和三音素單字。要注意在一個單字裡，字母與語音的數目並非總是相同。**zoo** 這個字有三個字母，但是有兩個音。

雙音素單字

is	tie	zoo	shy
to	see	chew	knee
do	toe	row	my
sew	be	mow	it
shoe	hay	key	day

三音素單字

cat	bat	cab
sheep	pan	map
can	jeep	cub
mice	fish	book
feet	man	dog
nap	jet	tag
zap	nip	top
sun	net	mom
cup	bag	tap
bed	bug	tip

對建立成功的建議

這些活動的目標是把孩子的注意力吸引至單字裡的最小部分。當你做這些活動時，這裡有幾件事你可能應牢記在心：

- 孩子需要主動投入。當孩子能主動參與就會專注在學習，那麼學習是進行中的。活動時間應該短暫而且好玩。假使他提不起興趣，就不要勉強他。如果他坐在那裡，被動的聆聽你對他說話，那並不會有任何成效。試著在你和他兩人都是清醒和心情好時來做這件事。

- 要求孩子注意你所說的每個字或字的部分，因此要緩慢和清楚的說，並很仔細的發出每個音。
- 很誇張的發出音來——譬如說，**mmmman**——在他重複唸給你聽時也要求他這麼做。
- 編造你自己的押韻詩、韻文或好笑的故事，特別強調某個音，或甚至合唱一首歌。讓某個音對孩子變得更加突顯，滑稽的、看似荒謬的押韻與頭韻，往往是最有效果的。譬如說，為了強調 **"ssss"** 這個音，跟他一起合唱「Silly Sammy seal slept soundly in the silent silver sea.」
- 利用一個具體物（積木或銅板）代表單字裡的某個音。要求你的孩子必須利用他放在桌上的銅板（或積木）數量，表示他在一個單字裡聽到幾個音。譬如說，對這雙音素單字 **zoo**，他必須把每個音唸出來（**"zzzz" "oo"**），同時拿出一個銅板放在桌上，接著再放一個（見圖 31）。

這些活動的設計有其原理，大體來說，牢記在心會有幫助。它們必須強化你的孩子在課堂上所學的。經常與他的老師聯絡，以確保你、老師和孩子是同步練習中。詢問老師，孩子課堂正進行的具體活動是什麼，以及你在家中要如何配合，以藉此增進孩子的閱讀技能。

關於音素覺識能力的教導，假使老師與父母都偏好使用現成的課程，可從一些優質課程中選購使用。「Phonemic Awareness in Young Children: A Classroom Curriculum」適合學齡前與幼兒園孩子，它對有閱讀困難風險的孩童尤其有用。「Ladders to Literacy」和「The Sounds Abound Program: Teaching Phonological Awareness in the Classroom」這兩套課程是設計給托兒所或幼兒園全班教學使用；相對的，「Phonological Awareness Training for Reading」和「Road to the Code: A Phonological Awareness Program for Young Children」以小組或一對一的教學方式進行最有效。能夠刺激音韻覺識能力的優良電腦軟體，包括了 DaisyQuest、Daisy's Castle 及 Earobics。上述電腦軟體都可作為課外教學補充之用。

❖ 圖 31　幫助你的孩子算出單字裡的音素

當你的孩子每發出單字裡的一個聲音時，例如像 **zoo**，就放一個銅板在桌子中央。

下列這些課程，附有出版單位的聯絡資料與適用對象的年級。

DaisyQuest 和 Daisy's Castle（Adventure Learning Software）

幼兒園與小學一年級

Earobics（Cognitive Concepts）

從學齡前到整個小學期間

Ladders to Literacy（Paul Brookes）

幼兒園

Phonemic Awareness in Young Children: A Classroom Curriculum （Paul Brookes）

幼兒園，小學一年級弱讀者和特殊需求學生

Phonological Awareness Training for Reading（PRO-ED）

從幼兒園到小學二年級

Road to the Code（Paul Brookes）

幼兒園與小學一年級

The Sounds Abound Program: Teaching Phonological Awareness in the Classroom （LinguiSystems）

從學齡前到小學一年級

密碼的第二部分：把它寫下來

一旦孩子學會口頭語言是可以切分的本質，並對不同的語音變得熟悉，那麼他就準備好學習字母了。大多數孩子在學齡前學會唱ABC兒歌，接著進入幼兒園認識了大部分字母的名稱。字母的知識在幼兒園裡得到強化——不僅是字母的字形和名稱，還有它的聲音。在下半年，大多數孩子都能辨識並用印刷體寫出每個字母。此刻他們開始為閱讀的目的而使用字母了。

學習並使用不同聲音與字母的組合來將文字解碼，這稱為發音教學（phonics）。在英語裡語音的數目比字母多——大約有四十四個音素，而只有二十六個字母。這四十四個音素的功能，是讓發展中的閱讀者可藉由它們附加上字母以創造出印刷文字，或是說出「可看得見的言語」。

把字母和字母群與其聲音連結，傳統而言，會在小學一年級時教導此能力。儘管老師都相信，孩子在準備好閱讀之前，可能已對發音教學早有準備。視孩子的個別準備程度而定，此教學法應盡可能提早在幼兒園開始，將有良好的學習成效。如先前所提到，瞭解字母所代表的音值，將有助於當個別的語音出現在口語時，孩子會對它更加注意。

教導初級閱讀 A to Z

儘管語音與字母的認識對於孩子學會閱讀是必要的，但孩子也需要練習閱讀故事。他們要把新獲得技能，應用於發出已知字和未知字的聲音並進行解碼，進一步應用到句子和文本閱讀，以及理解單字和句子的意義。讓我們逐一考量每個活動，一切都從練習開始。

練習 新近的腦造影科技指出，練習對造成神經迴路，並與科學家們稱之為專門知識或技能發展這方面，顯示有力的正面意義。基本上，大腦藉由練習來學習。母親與老師再三重複的叮嚀老格言「練習、練習、再練習」的重要性，結果證明這是正確的。無論為了學會如何投棒球、演奏樂器或閱讀，沒有任何事比神經系統的形成與強化更重要。是什麼導致完美與專門知識的產生，就是練習。2002 年奧林匹克運動會的男子溜冰銅牌得主 Timothy Goebel，這位使用他的四重跳躍，讓鹽湖城（Salt Lake City）的裁判為之驚豔的溜冰選手，他說過：「我只是練習得很多。我總是在練習。所以，我根本就不必再想這件事。」閱讀也是一樣：一旦孩子習得及認識字母與聲音的關係，就能從練習他剛學到東西的機會中有所收穫。

在介紹過字母－聲音的特殊關係之後，下個重要步驟是讓孩子練習單字，先針對單獨的字，然後閱讀簡單的句子和書本，兩者皆要。為了增進閱讀的正確性，孩子必須練習閱讀，默讀與朗讀都需要，尤其是朗讀給別人聽。每一次他把某個特定單字說得結結巴巴時，若有了老師或父母的引導，並做出矯正與改善，那麼他正在他的大腦裡建立越來越多正確的字表徵。最後，他產生了一個精確的神經複製字。他內部的字表徵能精準的反映該字的拼法、發音和意義。書寫這個字和學習如何拼出這個字，有助於他在神經迴路建立正確的字表徵。

學習拼字－聲音的模式，透過不同的單字與閱讀書本來練習這些模式，學習如何形成字母和拼出單字——這對於最後形成該字與神經代碼的關係，都有鍛鍊與再強化的作用。試想閱讀的起源就像是解開一個神秘謎團——一個未知字的字謎。當線索越多，解開這個謎團的機會就越大。當該未知字的複製品越精細、就越能準確建入孩子的大腦神經迴路，那麼當他再次遇到那個字時就越能辨識它。

甚至是識字能力剛萌芽的幼兒園孩子，也能練習此一新技能。孩子喜愛閱讀，即使只有少許字母－聲音連結的概念。簡單的迷你書，大約二十到二十四頁——即所謂可解碼文本（包含孩子被教過的字母－聲音模式）——經由實際閱讀書中文字，就能幫他應用剛發現的技巧。Bob Books出版的系列書籍（見第十六章）就是極佳範例。另一種作法是父母與孩子一起玩耍，共同創作迷你書。這裡要做的事比列出你兒子所學的單字表再多一些，還要融入簡單的句子裡：「Pat the cat. The hat is on the cat.」當他學到生字時，你可繼續加入這個系列迷你書裡，由此看出你的孩子能學會多少。如此一來，當他想「閱讀」一本書時，就可拜訪自己的專屬圖書館。一般而言，在幼兒園和小學一年級初期，這些迷你書對孩子最有幫助。

瞬視字　一旦孩子透過了特定單字學到字母－聲音的關係，他最後會將這些原則類化，利用它們閱讀其它相同字母模式、發音方式一樣的生字。如果孩子能夠閱讀**cat**，並能把它分割成**c-at**，那麼他一定也能將有相同**at**字族的其它單字解碼：**mat, sat, bat**。隨著時間過去，他繼續得到越來越多複合字族的知識。

然而，有時候困難會在你最不期待它的地方出現。我想起這類單字像是 **a, is, are, one, two, said, again, been, could, the** 和 **once**，這些經常在幼兒讀本中跳出的字，它們似乎沒遵守規則。這些字並未依照模式，因此無法照著規則發音。結果必須把它們交付記憶並用視覺識別；不出所料的，它們往往被稱為**瞬視字***

---

* **瞬視字**可以有兩種意義：一種是像我描述的，指的是發音不遵照規則的單字，而另一種指的是能「用視覺」閱讀的單字，即是，自動的且無需透過解碼程序的字。在這裡我使用第一種用法。

〔由於字母－聲音關係的不一致性，它們有時也被稱為不規則字（irregular words）〕。既然瞬視字確定會在兒童讀物出現，那麼讓它們在早期階段成為兒童的部分閱讀字彙，那是很重要的。為孩子製作閃示卡（flash cards），經常複習它們，會有助於孩子學會這些常見字。讓孩子用印刷體寫在自己的卡片上，邊寫邊唸出那個字，這往往能幫助強化字的發音（見第十六章的常見的瞬視字一覽表）。

寫字 關於字母的識別與書寫，它代表了學習閱讀的重要里程碑。寫字教學往往更重視小寫字母的練習，因為它們在生活中更常見。一旦孩子學會書寫字母，無論他寫得多糟糕，都應該進行各種書寫的練習，這些練習會更進一步激發他，對構成單字的聲音的認識，以及對字母如何代表這些聲音的認識。寫出他自己的名字，接著寫出其它的常見字（例如像 **cat, mom** 和 **dad**），以增進寫字的能力。在幼兒園初期，孩子可利用字母積木或字母卡來「寫」字。到了孩子準備離開幼兒園時，他們正在利用字母的發音拼字，雖然未必是正確的。在這類拼字方面，這些最早期的嘗試被稱為「自創拼字」或暫時的拼字。

拼字 拼字與閱讀的關係密切，不只是因為聲音與字母是相互關聯，還因為字被譯成密碼——被逐字放進一個代碼，而非僅僅被辨認或解碼。如我先前所提到，在拼字方面，口頭語言被拆解成個別聲音，然後每個聲音再被解碼，或轉換成代表那個聲音的字母。當幼兒園孩子用他們的手試圖把字母和聲音配對時，自創拼字法有其過渡階段的功能。當孩子試著把他們在口頭語言所聽到的，以聲音為基礎的印刷字體造出時，那正是他們往閱讀之路前進的最好指標。這就是為什麼幼兒園與剛上小學一年級的兒童會被鼓勵練習「自創拼字」，以及被鼓勵寫下他們認為聽起來像是某個音的字，例如像把 **candy** 寫成 **knd**，**horse** 寫成 **hrs**，或是 **cat** 寫成 **kt**。就像你所看到的這些例子，閱讀新手通常都會遺漏母音，因此，孩子對 **house** 的自創拼字可能理所當然的從 **hs** 進步到 **hws**，再到 **house**。請注意，自創拼字的拼音與預期字的拼音非常接近。孩子可以戰勝語音，但不見得能完全掌握聲音與字母的關係。在幼兒園階段這樣做是可以的。

傾聽、玩耍與想像　關於幼兒園的閱讀課程，可利用提高孩子的語言能力與文學樂趣的系列活動來完成。無論在學校或家裡，書本是隨處可得的，聆聽大人為他朗讀故事，大人與孩子討論書中角色與事件，還有積木或玩偶遊戲，這些活動都能培養孩子的思考與想像力、建立字彙及探索他的周遭世界。

閱讀與字詞知識（word knowledge）之間相互刺激、彼此強化。閱讀能建立孩子的字彙量，而對字義的瞭解有助於解碼字詞和增進理解能力。閱讀的主要目標是擷取印刷文字的意義；要做到如此，孩子要先破解這個字，然後在他的字彙裡取得這個字。孩子最初要學會閱讀的字相當簡單，總是在他已有的口頭字彙中，但在這些字變得更複雜和不常見之前還有很長一段時間。在此階段，認識字義有助於增進對字的解碼。當孩子碰到一個不熟悉的印刷字時，他會試驗不同的發音：**ink** 裡的 **i** 發音是不是像 **ice** 裡的 **i**，或是像 **it** 裡的 **i**？假使孩子知道 **ink** 這個字的意思，那麼他就更有可能將它正確發出音來。當一個孩子的字彙量越多，就會擁有越多單字——而且是更困難和更複雜的單字——那麼他將有能力解開密碼來閱讀。因此，把生字和字義介紹給孩子認識，永遠都不嫌太早，它們能強化孩子對每個所遇到生字建立其神經模組。父母可藉由刻意討論你們在故事裡看見的每個生字（或概念），幫助他用簡單的字來解釋那個生字，然後要求孩子把這個字用在一個句子裡。學習生字的字義，不但可加強孩子對周遭世界的認識，還能提升其字詞知識，這兩者皆為增強孩子閱讀理解能力的關鍵要素，這正是閱讀的目標。

聆聽故事，除了能增進字彙，它對孩子的閱讀還有許多正面好處。當在家中閱讀故事時，可要求你的女兒坐在你身旁，要求她看著你所指著每個你正發音的字，以藉此加強正面效果。她很快會注意到，那些花較長時間唸出的字在書頁上看起來比較長。**caterpillar** 聽起來比 **cat** 更長，所以當你看到這個字被印在書本上時，它看起來也會比較長。這樣的觀察有助於孩子學習，口語語詞和印刷字是相互關聯的。而在稍後階段，孩子會開始把印刷字和口語語詞裡的字音、字義連結在一起。最後她可學會，當你唸出每個字時，她要用手指頭把它們指出來，然後她會想要自己唸，以及自己指出那個字。當孩子開始閱讀時，我會建議朗讀下列讀本。它們正適合那些閱讀剛萌芽的孩子。

Cohen, Caron Lee, *How Many Fish?* (New York: HarperCollins, 1998).

Davis, Katie, *Who Hops?* (New York: Harcourt Brace & Company, 1998).

Eastman, P. D., *Go Dog Go!* (New York: Beginner Books, 1961).

Emberley, Ed, *Drummer Hoff* (Englewood Cliffs, N.J.: Prentice-Hall, 1967).

Hutchins, Pat, *Rosie's Walk* (New York: Macmillan, 1968).

Kraus, Robert, *Whose Mouse Are You?* (New York: Macmillan, 1970).

Martin, Bill, Jr., *Brown Bear, Brown Bear What Do You See?* (New York: Henry Holt, 1992).

Martin, David, *Monkey Trouble* (Cambridge, Mass.: Candlewick Press, 2000).

Neitzel, Shirley, *The Jacket I Wear in the Snow* (New York: Greenwillow Books, 1989).

Seuss, Dr., *The Foot Book* (New York: Random House, 1968).

Tafuri, Nancy, *The Ball Bounced* (New York: Greenwillow Books, 1989).

幼兒園小朋友還喜歡編造故事，將故事口述給老師或父母聽，而大人再逐字轉譯為紙上故事。當孩子口述他的小故事，然後注視你一邊指著、一邊把每個字唸回去給他聽時，他正在學習如何把字音、字母和字義連結。他正在建立閱讀所需要的完整神經迴路。他也正在產生他的想像力。

自信　這可能是確保孩子做好閱讀準備，開始踏上適合路徑的最重要因素。歸根究底，當你的孩子離開幼兒園時，對他最重要的成長會是他對自己的感覺是如何。幼兒園的關鍵角色是確保每個孩子對他的學習能獲致某種成就感，若他能獲得老師的正向評語，並因此受到鼓勵。這會讓他保持渴望閱讀的動機。

若缺乏閱讀動機和可能的成就感，當孩子嘗試把看似無法分割的單字拆解時就沒有努力的理由了。

在幼兒園提供適合教學的重要性

每個孩子都是與眾不同的，因此確定你的孩子在閱讀道路上的位置是很重要的。幼兒園提供的教學必須適合孩子，而不是讓學生必須努力跟上（或落後）進度，並因此感覺不自在。

一旦開始教學，就會出現不可避免的問題：這個方法是否有效？我的孩子是否進步並能趕上進度，或者他大幅落後了？假使他能保持這個進步幅度，這對於他作為閱讀者的未來有何意義？對這些問題確實回答的唯一方式，就是藉由評量在此討論的這些技能——押韻、音素覺識、字母名稱與聲音的知識——以及孩子將這些技能應用在閱讀的能力。

在幼兒園階段，最好進行初步的篩選工作。接下來，對孩子的進步持續監控，然後在學年結束時評估其閱讀技能，以確定真正的進展情形，確實瞭解他獲得哪些技能，精熟程度如何。如第十二章提到，由於孩子在進入幼兒園時有著各種不同的語言經驗——有些孩子幾乎無法辨識字母，而其他孩子卻開始閱讀了——我們先等待一學期，再進行初步篩選的工作，以確保所有孩子都得到相同教學機會。這個初步篩選是關鍵所在，因為它能確定孩子在閱讀前的先備能力，確定他是否上軌道，發現任何閱讀困難的徵兆，並指出是否有進一步鑑定的需要。除了篩選評量，假使有需要的話，讓孩子接受更完整的測驗，都有助於確保他首次的正式閱讀教學是適當的，既不會太容易和重複性高，也不會太困難而使孩子受挫。

這樣的評量既不費力、又不費時。德州教育廳（Texas Education Agency）已發展 Texas Primary Reading Inventory（TPRI，可在 www.tpri.org 搜尋），它對於教導初級閱讀是極具靈敏度的評量方法，這個方法能將教學與對孩子的持續評量結合。在一月或二月，讓每位幼兒園小朋友接受簡單的初步篩選——在十分鐘之內。假使孩子需要進一步的後續評量，更仔細的閱讀評估僅需二十五到三十分鐘。對於這個德州模式，我欣賞它的教學可與測驗結果結合。如果孩子被發現在某個特定領域的表現較弱，例如像字母與聲音結合的知識不足，那麼就可提供建議活動來教導這項特定技能。

維吉尼亞大學的克理教育學院（University of Virginia's Curry School of Education）與維吉尼亞州教育部（Virginia Department of Education）合作，共同發展一套篩選評量工具，名為音韻覺識讀寫篩選（Phonological Awareness Literacy Screening, PALS），它的網站（http://curry.edschool.virginia.edu/go/pals/）提供可促進早期閱讀的活動，假使孩子有任何問題被發現的話。

有一種較新的評量方法——基本早期讀寫技能的動態指標（Dynamic Indicators of Basic Early Literacy Skills, DIBELS）——被發展來鑑定有閱讀困難風險的兒童。我極力推薦它。DIBELS 提供一套簡短的（一分鐘長度）、個別施測的測驗，在一學年內施測三次，以評量孩子在閱讀前與早期閱讀的能力。如果孩子的表現很好，那麼三次評量已足夠。如果孩子的表現不佳，DIBELS 的施測可更頻繁，甚至可每週一次，以監控孩子的進展並做出任何必要的教學改進。DIBELS 的網址可由 http://dibels.uoregon.edu 進入。另外，第十二章已提供一些專門針對初級閱讀的優質評量工具（主要是語音技能）。

閱讀優先計畫也提供經費獎勵給學校，以實施有研究支持的篩選方案與評量工具。其必然結果是，現在有越來越多的教育類出版社都將這類型評量融入他們所出版的初級閱讀課程。

當然，身為一位好老師，會在整個學年中監控每個孩子的進步情形，通常是透過課堂觀察的方式。這些觀察很有用，但觀察本身並無法確切指出，孩子在閱讀的連續過程中的真正位置。另一方面，測驗結果、老師的課堂觀察及孩子的作業實例，都能共同針對孩子的進展與需求提供有力及最新的評量。

每個孩子都應得到從閱讀起跑點出發的機會，因此針對每位幼兒園小朋友的閱讀技能，正式的——即是，有系統的——在學年結束之前進行再次評量，這是必不可缺的。得到孩子閱讀表現的準確程度，這麼做會消除任何對結果的猜測。它還可提供數據，可用於規劃下一學年的課程——譬如說，判斷這個孩

子是否需要一套加速的課程，或更密集的閱讀方案，或者他能以目前速度繼續學習。如果他沒有任何進步，也可為他規劃暑期課程，或給予個別的指導。

最重要的是，不要讓孩子留級一年。研究顯示，留級並沒有成效。這些數據來自於比較兩組兒童的研究，兩組的唯一差異在於一組被留級，而另一組繼續升級。沒有留級的學生在學業與情緒的表現較佳。留在原地對那些孩子的閱讀並沒有幫助，而且似乎帶來額外的負面心理負擔。這樣的結果應不令人驚訝。之前我討論過，研究結果顯示並無發展滯留這回事。假使一個孩子遭遇學習問題，在他接受適當的幫助前，他的情況不會因為給予更多時間而好轉。孩子需要的是能證實其成效的介入方法，我將在第十九章討論。在此我要強調，**對孩子曾經無效的教學，即使重複第二次，也不會對他有幫助**。我的建議是反對留級。牢記在心，假使孩子的某個閱讀問題能被及早找出，並得到有效的介入，那麼他就可趕上進度；相反的，若孩子在學習上有所拖延，那麼他在缺口的癒合就會有困難了。

在孩子失敗之前，要先確定他的閱讀問題，這是至關緊要的。甚至有些被認為可能不需要早期評量與監控的孩子，都應當接受完全相同的處遇。有些特別聰明的孩子，譬如說，可能很早學會了閱讀，但他們似乎跳過了語音技能的學習。這些孩子看似能輕鬆記住許多單字，而且很快建立了大量的閱讀字彙。他們只不過是把字記住，卻沒學會如何分析和拆解它們，更別說弄懂如何將生字或不熟悉的字發出音來。總會有些時候，當孩子無法破解這些較長單字的內部——尤其是專有名詞，像是科學名詞（**bicarbonate, polynomial, stegosaurus**），或是歷史、世界有關的人名與地名（**Picasso, Lafayette; Laramie, Timbuktu, Kathmandu**）。他們缺乏對付這些生字的方法。因此，最好保證從一開始，就針對所有孩子的基本語音技能進行評量，如果有需要的話，就可讓他們接受早期與密集的教學。

你的孩子是否正在往閱讀前進的正確道路上？

這裡有一份檢核表，可幫助你判斷到了幼兒園結束時，你的孩子是在閱讀道路上的什麼位置。你應該問你自己或孩子的幼兒園老師，以老師的觀察和孩子在較正式評量的表現為依據，你的孩子是否到達這些里程碑：

- 知道口語語詞能被拆解，以及字母代表了這些聲音？
- 輕鬆說出二十六個字母的名稱，大寫與小寫字母皆會？
- 寫出二十六個字母？
- 是否開始學到字母－聲音的配對？
- 是否開始解碼簡單的單字？
- 是否開始辨識一些常見的瞬視字？
- 使用自創拼字法？
- 對印刷文字的體例有所認識——在書頁上從左讀到右，從上讀到下？
- 字彙量在成長中？
- 期待要閱讀？

假始你的孩子擁有了這些技能，那麼他已從閱讀的起跑點出發了。

Chapter 16

幫助你的孩子成為閱讀者

對你的孩子而言，小學一年級是學習閱讀最重要的時期。在通往閱讀的路途中，他已踏出第一步，而且是最大一步：他已破解閱讀密碼。現在，他必須學習閱讀的技巧再踏出下一步，專注於書頁上文字，理解那些字的意思是什麼。

大多數兒童是**做好閱讀準備**進入小學一年級；他們在離開時，應像是個「真正的閱讀者」，能學會大約四百個單字。他們必須能閱讀簡單的讀本，和甚至簡單的指示，正確的拼出許多短的單字。當被辨識的單字與單字裡的字母或上下文所提供的線索不符時，他們能自我修正錯誤。這些重要成就並非偶然發生；而是透過有結構和系統的活動才能產生，這些活動可吸引孩子更接近、理解文字是如何產生作用。小學一年級的學習是由幼兒園階段奠定基石。最成功的閱讀課程採用之模式，即為本書所介紹，教導兒童如何破解閱讀密碼，它們包括下列活動：

- 學習閱讀單字是經由：
  把短小、簡單的單字發出音來（小學一年級）
  把較長的單字拆解開來（小學二年級和之後）
- 學習拼字
- 記住瞬視字
- 練習口頭閱讀與默讀

- 練習流暢性
- 書寫，包括寫字母與寫故事
- 建立對字詞與周遭世界的知識
- 學習閱讀理解策略

持續努力建立孩子的自信，可增進學習的成效，就是課程成功的最重要關鍵。

在這一章，我把焦點放在閱讀規則字（長字與短字兩者）、記住瞬視字及練習閱讀等必要的基本能力。為了發展這些技能，我將在下一章強調，成為熟練閱讀者的必要條件，是發展流暢性、建立字詞與周遭世界知識，以及學習閱讀理解策略。稍後（在第十八章和第十九章）我會把焦點放在那些努力奮鬥、卻對優質教學沒反應的孩子。

把短的單字發出音來

在學習正確的閱讀的過程中，早期階段是學會把單字發出音來，由簡單的雙音素和三音素的單字開始，像是 **zoo** 和 **pan**，然後繼續到有較長字母與語音的音叢（clusters），它們構成較複雜單字像是 **play, chick** 和 **mask**。小學一年級的孩子能開始更仔細的拆解單字，和學習如何分析與解碼越來越有挑戰性的字。為了學會這些技能，他們學習更多有關字母與聲音的關係，以及學習如何把這項知識應用到閱讀。如前一章所言，這樣的知識就術語而言被稱為發音教學。

在過去，當人們談論教導孩子閱讀的方法，發音教學被聯想的是它特別無聊與重複的特質。有些人曾懷疑它作為部分閱讀課程的價值。但在發音教學的批評中，卻從未有人質疑它幫助孩子學習閱讀的成效；倒不如說，發音教學之所以遭到辱罵是因為教學方式不當。發音教學現已煥然一新，保有教育的核心價值，經過重新設計以吸引孩子進入閱讀歷程。這是個大好消息，因為發音教學為所有隨後發展的閱讀技能打下基礎。發音教學可幫助孩子建立單字精準的神經複製品，將單字聽起來的樣子與其拼法結合。若要讓孩子從發音教學的學習有最多獲益，很重要的是你要對一些比較看不到、但卻往往被忽視的教學層面有所察覺。

發音教學的要素

發音教學的課程呈現多樣性，各有不同程度的教學成效。國家閱讀諮詢委員會發現，**系統化**教學與**明確**教學（我將簡短討論這部分）用於教導發音教學最具成效。系統化的發音教學是一種結構性方法，教導孩子字母是如何與語音產生關係。孩子學習如何將字母轉換成特定聲音，然後將聲音混合以閱讀一個字。他們學習不同的字母組合型態分別代表了不同語音。他們學習規則，也學習這些規則的例外情形。經過一段時間後，孩子會具備分析單字所需知識，他幾乎能辨識任何他遇到的字。這就是系統化發音教學的教學目的。利用系統化教學學習發音，其重要性和獨特性在於此教學方法讓閱讀者能應用他累積的知識，把他從未見過的單字解碼並讀出來。沒有任何其它閱讀方法敢如此宣稱其教學成效。

一般而言，系統化的發音教學課程是以循序漸進的方式，介紹孩子認識各種字母－聲音的配對，從最簡單、最一致和最常見的組合開始，然後逐漸延伸至更複雜和罕見的字。一個典型的課程可能是從下列教學方法開始：

✎ **簡單的一對一、字母－聲音的關係**　這裡的焦點是那些經常出現的子音，看起來或聽起來彼此不相似，而且它們的字母與聲音有可預測的一對一關係。建議介紹子音的順序是 **m, t, s, f, d, r, g, l, h, c, b, n, k, v, w, j, p, y**。只要從前面幾個子音加母音，孩子就可以製造出許多單字（如下所述）。

✎ **母音的發音**　為了達到認讀單字的目的，孩子還需要學習母音的發音。母音有比子音更難發音的傾向。它們可能是**長**或**短**。教導孩子說長母音時，要「說出它的名字」（在 **cake** 裡 **"a"** 的音，在 **key** 裡 **"e"** 的音，在 **time** 裡 **"i"** 的音）。短母音則不是——譬如說，**cap, help** 和 **tip**。

在系統化課程裡，一組特定字母——通常是六到八個子音加上兩個母音——被當作一個單元來教。一旦孩子掌握它們，就繼續學習另一組。最初的歸類方式通常包括上述介紹，幾個子音加上母音**a**與**i**，因為這兩個母音的發音最容易區別。一旦孩子認識第一組子音與母音結合的發音，他會感到興奮，因為他現在能開始把這些字母與其聲音連結，然後把這些聲音混合，讀出書頁上的那個字。這些子音與母音的簡單組合被用於造出孩子的最早讀本裡的字，而且是小學一年級閱讀教學的重點。到了一年級學期中時，孩子必須能把越來越多這樣的單字發出音來。

複合的字母－聲音型態　掌握一個字母－一個聲音的關係，孩子就準備好應付語音與字母之間，並非有一成不變的一對一關係。焦點是放在那些型態，譬如說，型態裡的兩個字母可能代表一個語音；這些組合被稱作**二合字母**（digraphs）。雖然這名詞聽來頗技術性，但二合字母很常見——**ship**裡的**sh-**，**chip**裡的**ch-**，**sing**裡的**-ng**，**thing**裡的**th-**，**when**裡的**wh-**。這些組合及其它更複雜的字母－聲音的關係，通常會在小學一年級被教導，並持續教到二年級。隨著孩子進步，他們會訝異不只學會二合字母，還有**三合字母**（trigraphs）（**wedge**裡的**-dge**，**itch** 裡的**-tch**）或甚至**四合字母**（quadrigraphs）（**weigh** 裡的**-eigh**，**tough** 裡的**-ough**）。為了讓你感受學會這些型態是多麼有用，假使你還沒被教過它們可組合並被造出一個可發出的音，那麼試著想像發出**-dge**（**ledge**）或**-eigh**（**sleigh**）這些字母的音。

規則　教導孩子有用的規則，幫助他們理解不同字母組合型態的正確發音。孩子學到一個字母的發音有時會視哪個字母跟在它後面而定。在小學一年級，孩子被教導**無聲e規則**（silent e rule）：一個母音後面跟著一個子音，然後再一個**e**，像是**take, dime**或**home**，典型的發音是一個長母音。他們還學到當**c**後面跟著**a, o**或**u**的時候，可能被發音成**"k"**（像是在**cake, come**和**cup**），或是後面跟著任何子音時（**clap**和**crack**），**c**可能被發音成"k"；或被發音成**"ssss"**的音，如果後面跟著**e, i**或**y**的話（**cent, cinema**和**cyclone**）。此規則有助於激勵剛起步的閱讀者，去注意一個單字裡的所有字母。

拼字 雖然就技能而言，拼字並非發音教學課程的一部分，但我在這裡把它納入，是因它與閱讀及與字母—聲音的關係有密切關聯。兒童在學習認讀單字時，也開始學習如何把那些字拼出來。一般而言，孩子不應被要求拼出他讀不出的字。認真的教導孩子拼字，是從小學一年級學期中開始，儘管通常孩子到了二年級都還無法掌握正確的拼字技巧。有效的拼字教學不只是死記硬背單字表而已。拼字（從發音到字母）明顯能加強閱讀（從字母到發音）能力，它的教學須與孩子的閱讀課程連結。就像閱讀一樣，拼字教學也遵循邏輯的順序，由音素覺識開始，然後學習哪個字母代表哪個特定聲音。隨著孩子讀得更多並學會更多單字，他開始體認相同語音可能有不同拼法；譬如說，他學到 **"a"** 的音可能被拼成 **mate, weight** 和 **straight**。透過拼字教學，也透過孩子自己閱讀，他學會代表了不同語音，最常見的字母組合型態（警語：最好一開始先強調最常見的拼字，而不是試圖教他一個語音的各種可能拼法，這反而會讓孩子不知所措。在此情況下，**mate** 是 **"a"** 這個語音最常見的拼字）。

隨著孩子有所進展，介紹他認識拼字的策略，可讓孩子應用策略來幫他拼出生字。孩子還學到所謂的不規則（瞬視）字，那些字的語音和拼法與他們被教過的規則（像是 **should** 和 **colonel**）不符；這些單字的拼法必須用死記的方式才能記住。儘管在學習正確的拼字上，讀寫障礙兒童顯然遭受最嚴重和最持久的困難，但兒童的拼字能力有極大的個別差異。

兩種辨識單字的方法

在教導閱讀上，不僅教學內容重要，教師要**如何**教導也很重要。就如我說過的，有效的閱讀教學不僅應系統化、也應使用**明確教學**來教導發音。這裡的教學不是隱約或下意識的；也不是聽任孩子用他的發音方式學習。一般而言，系統化的發音教學課程也會直接教導字母－聲音的關係。「綜合性發音教學」就是這類課程的最佳範例。教導孩子將字母轉換成語音，然後將語音混合（綜

合）在一起，形成一個可發出音的字。這種教學與全語言（whole language）的閱讀課程形成了對比，後者在教導發音的方法上強調孩子不用在文字上工作；文字並未有系統的分析或拆解。焦點不在於語音，而是在語言的意義。一開始，孩子被提供書籍閱讀，或由別人讀給他們聽。它假設閱讀能力是自然而然習得，就跟說話一樣（如我們所知，這是一種不正確的假設）。在此論點上，字母－聲音的關係能自然被學會，似乎是透過滲透作用，當孩子被印刷讀物包圍，以及暴露於閱讀材料的環境裡。根據此論點，沒有理由需要系統化教學或明確教學來教導發音方法；孩子會自己理解一切。

如何指導孩子應付不熟悉的印刷文字，這兩種方法截然不同。發音教學教導孩子嘗試分析單字並把它發出音來，全語言教學法強調從故事裡的上下文或插圖去猜測字。在發音教學方面，辨識單字時所得到的提示是在字的**裡面**，孩子被鼓勵注意單字結構裡更細微之處。而在全語言教學法，提示在字的**外部**，來自故事的意義。國家閱讀諮詢委員會發現，那些被系統化與明確教導讀音法的孩子，比起使用其它類型教學法的孩子，在閱讀的進步更大。

閱讀諮詢委員會發現，在幼兒園或小學一年級即開始教導發音的效果最好。一旦孩子能證明他對口頭語言是如何產生作用有些瞭解時，就是到了該學習字母如何與那些語音連結的時刻。一般而言，發音教學的教導應持續兩個學年。所有的兒童都會從中獲益。

在小學一年級教導發音教學，不僅有助於孩子學習如何發音、單字的發音及改善閱讀準確性，還能增進閱讀理解力。隨著升上較高年級，孩子會閱讀更複雜的文本，發音教學對閱讀理解的影響就更少了。這是合理的，因為較低年級的閱讀理解所涉及的是，孩子要閱讀那些經常是他們很熟悉的、簡單的字。假使他能把那個字解碼，通常他就會知道字的意思。到了較高年級，閱讀涉及更複雜和不熟悉的字。為了理解他所讀的，閱讀者不只要把那個字發出音，還必須知道那個字的意思——而這並不是發音教學要教導的部分。

發音教學還有助於拼字能力的增長，而且越早教越有效。這不令人意外，由於發音教學專注於字母如何代表字裡的聲音，這跟拼字畢竟是同一件事。當孩子在學校日漸進步，他學到那些更可能包含不規則拼法的生字；即是，那些字的拼法並不能藉由發音教學的規則被完全預測。因此，隨著時間過去，發音教學對孩子的拼字有較少的影響。

在發音教學方面，可取得教材的質與量是前所未有的好。國家閱讀諮詢委員會所提交報告與閱讀優先（Reading First）計畫的立法，這兩者在有效閱讀教學的強調，對於如何創造最優質的發音教學課程，帶來強大的激勵作用。在我討論優質方案應包含系統化教學法之前，我想要介紹兩套來自英國的發音教學課程，它們的目標更明確、都是現成的初級課程，並包含有效教學的所有要素。

根據國家閱讀諮詢委員會指出，有趣的發音教學（Jolly Phonics，你可在www.jollylearning.co.uk 找到）似乎恰如其分。它是一套高效率課程，孩子也認為它是好玩的課程。這套課程預定給學校最年輕的初學閱讀者使用；在英國是指四歲和五歲兒童，而在美國則是五歲和六歲兒童。這套課程包含了教導字母形狀和發音、如何將語音混合以形成單字、如何在印刷文字中辨識語音及瞬視字。有趣的發音教學提供了實用建議，使孩子能「發展理解力與自信」，例如建議之一解釋，當兩個母音在一起時，第一個母音提供了長母音，而第二個母音是無聲的。這個建議是這麼說的：「當兩個母音一起去散步時，**第一個**母音老是愛講話。」當我們幫助孩子區別像是 **team, mall** 和 **boat** 這些字時，這樣的描述對孩子而言是有趣的。孩子被教導靈活的記憶術和手勢，幫助他們把字母與聲音連結。另一個例子是教導 **a** 這個字母時，要求孩子聯想 **ant**（螞蟻）這個字，當孩子讓手指爬上他們的手臂時，同時哼唱 **a, a, a, a, a, ants**。教導 **m** 這個字母與其發音 “**mmmm**” 時，要求孩子描述他們最喜愛的餐點，然後揉著他們的肚子時，說著 **m, m, m, m, m, meal**（餐點）。國家閱讀諮詢委員會研究發現，當分別使用有趣的發音教學或全語言教學法的兩組兒童在一年教學之後做比較，接受發音教學課程的那組孩子，他們能閱讀與書寫的字顯然比較多。在教學結束後一年，有趣的發音教學那組的表現持續優於另一組。另一套可愛、實用的發音教學課程，名為字母國（Letterland，可在 www.letterland.com 找到），它也是來自英國。在這套課程裡，不同的卡通人物呈現所代表的字母名稱與形狀，像是 Fireman Fred（救火員佛瑞德）和 Sammy Snake（山姆蛇）。

如先前所述，在小學一年級時，典型的發音教學課程維持正常的教學狀態，並持續到二年級結束。一旦孩子能輕鬆認讀大部分的單音節字，教學重點就從發音轉移到學習去理解越來越長、更複雜單字的策略。無論如何，孩子的進展因人而異；有些人可能會遭遇困難，並且需要繼續進行發音教學到更高的年級。專注於發音教學的教學時間不需太長，每天或許十五到二十分鐘即可。透過孩子的閱讀課程裡的所有活動，鼓勵孩子獨立閱讀與書寫，每天強化此技能數次。

小學一年級之後，閱讀教學應繼續有系統的實施。二、三年級的閱讀教學所強調的基本原則是，鼓勵孩子讀得更多，以逐漸能閱讀更複雜的讀物為目標。到了二年級結束時，孩子應能選擇、閱讀和享受章節書，正確的拼字和寫出自己的小故事。

拆解更長的單字

到了三年級，尤其是四年級及更高的年級，閱讀教學增加新的面向，這是由於焦點集中在長的單字上。使用初學閱讀者在學習拆解簡單字的相同方法，成熟閱讀者也需要使用策略，以分析他遇到的較長、較複雜的單字。在一年級至三年級期間，孩子是**學習去閱讀**，但在四年級至初中二年級，他們是**透過閱讀而學習**（獲取新知識）。到了四年級，孩子確定得開始學習特定的學科，這麼做是為了增加學習的深度，因此他們在日常課業中得面臨數量與複雜性激增的印刷文字。他此時被期待學會讀出多音節字，而為了應付這些字，他採取了簡單、明確的策略，圍繞著「有步驟的將多音節字拆解成較小部分」的基本概念。教學的目的是教導孩子如何弄清楚，在一個單字裡哪裡有自然的裂縫。一旦印刷文字能被拆解，孩子就可利用他對字母－聲音關係的知識，進一步分析每個較小部分。

隨著時間過去，孩子逐步學會了如何對付那些較長單字。這方面的教學通常在小學一年級開始，當介紹孩子認識像 **inside** 和 **goldfish** 這樣的複合字時，教導這些字可被分割成兩部分（**in** 和 **side**，**gold** 和 **fish**）。到了二年級，孩子會被教導明確的策略，弄清楚如何分析較長和更複雜的字，而這方面在三年級甚至會更強調。最有用的方法是，根據字的音節中自然分裂的地方來分割一個字。音節裡包含一個母音的**語音**（雖然它們可能有一個以上的母音字母，像是在**toe**和**bait**裡面）。母音是藉由張開嘴巴製造出聲音（由於這個解剖結構的關係，所以當你在說一個字時，往往可藉由數出你下巴振動的次數來計算音節的數目。你還可在發出不同聲音時，把你的手指放在下巴上來感覺下巴的動作。當說**jaw**這個字時，你會注意下巴振動一次；說 **scarecrow** 這個字，你會感覺到下巴振動兩次）。

利用這些策略，孩子能拆解數目驚人的單字。一旦學生能把單字拆解成為它的音節，那麼他就能把每個音節分析成它的音素，把各個不同的語音混合，然後將這個單字發出音來。所以，如我早先所說的，練習是很重要的。當孩子感覺有足夠的自信，嘗試把這些陌生的字發出音，而且還能自嘲自己的錯誤並努力自我修正錯誤時，就會有最好的表現。練習、引導和回饋並沒有替代物；所以，練習、自我修正和更多的練習。

孩子在學習如何分割多音節單字時，可利用的好策略不少。這裡所列的策略是最有用的。

在兩個子音間分割一個長字

像 **kitten** 這個字變成了 **kit-ten**。孩子把每個音節發出音，**kit** → **“k”** . . . **“i”** . . . **“t”**，然後 **ten** → **“t”** . . . **“e”**. . . **“n”**，然後把各個聲音混合，因而 **kitten** 這個字就被完美發出音來。

認識字的起源

假使孩子知道字是如何被造出來，它們如何被放在一起，那麼他就知道如何把它們分開。孩子日漸學會字首、字尾和字源——先是盎格魯撒克遜語，接著是拉丁語的根源，然後是英語的希臘文起源。這些形式被稱為**語素**（morphemes）——字裡傳達意義的最小單位。字首為一個字的起頭〔**im-**的意思是not

（不）；**impure** 的意思是 **not** pure（不純）〕。字尾為一個字做結尾〔**-er** 的意思是 one who does（做的人）；photographer 就是 one who photographs（照相的人）〕。如果你的孩子能認出字首或字尾，而在某些情況下兩者都能，那麼他就準備好拆解可能是難處理字的各部分。譬如說，**unsinkable** 這個字有兩個常見字綴（affixes）[1]：字首 **un**，意思是不，而字尾 **-able**，意思是有能力。一旦你的孩子認識像是 **un-** 和 **-able** 這樣的常用字綴，那麼他就能把像 **unsinkable**（**un-sink-able**）這樣長的單字拆解並正確發出音來，知道它指的是不會下沉（**sink**）的某件事物。

知道一個單字的詞形變化或字源，對於閱讀是非常有力的輔助，可闡明那個字的發音、它的拼法和它的意義。譬如說，認識拉丁字源 **script**——意思是 to write（去寫）——有助於把像 **manuscript** 和 **transcript** 這樣的字再細分，也有助於學習者知道這兩者都與 writing（寫）有關。依同樣的方式，希臘文字源的知識對於那些對科學或技術感興趣的人是必需的。對學生來說，認識字源 **ology**（**ol-ogy**）是非常有用的，它的意思是指某方面的研究；學生能因此破解和認識在某個範圍內，有潛在困難與學術重要性的字詞，包括 **zoology**（動物學；對動物的研究）、**biology**（生物學；對生命有機體與生命歷程的研究）和 **meteorology**（氣象學；對大氣的研究，特別是對天氣）。假使閱讀者對字的衍生或字根有所察覺，即使最晦澀難懂和看似複雜的字，都可被拆解成更容易操作的單位並被解碼。除非是閱讀最簡單的文本，若是缺乏了這項知識，對學生而言閱讀是困難的。那些沒有能力拆解長字的孩子，會被迫略過這些字或給予它們虛構的名稱，像是把 **astronomy** 唸成 **asty** 或 **Amy**。雖然孩子這麼做將使他得以讀完文本，但由於他每次遇到 **astronomy** 這個字時就會猜成不同單字，因此無法塑造出這個字的永久神經模組。結果是當他的老師隔天在課堂上談到 **astronomy** 這個字時，或是下次他在書上看到 **astronomy** 時，他還是無法辨認出來。

兒童以一種有系統的、邏輯性進展在學習如何閱讀文字。那些能輕鬆讀出

---

1 字綴是一個字母或一群字母，它們附在一個單字的起頭、結尾或字根，會改變單字的意義。字首與字尾都是字綴。

大部分短字，以及對長字、更複雜字有應付策略的孩子，會成為成熟閱讀者。他們準備好了，要將技能應用在教科書裡的技術性或專門性文字，以及在文學裡的不常見字。他們還能善用字典，以確定拼字或查詢正確的字義。

你能做些什麼來幫助你的孩子

我已把你會需要的最重要資訊聚集，來幫助你的孩子成為一位閱讀者。我將這些資訊分成兩部分。第一部分的焦點集中在學校，包括詢問孩子的閱讀計畫的相關問題。第二部分是把注意力放在家庭，以及身為父母親的你，能和你的孩子一起做哪類活動，鼓勵、培養他成為一位閱讀者。

在學校

我經常被問到一個問題：如何選擇一套有效的閱讀課程。自從國家閱讀諮詢委會員在2000年發表研究結果以來，出版社即認真努力的在更新閱讀教材，加入最有效、最有科學實證的教學方法。沒有任何地方比加州更能感受到閱讀諮詢委會員這份報告的強烈影響。在那裡，有一位擔心孫子學不會閱讀的祖母Marion Joseph，由於她的努力，閱讀教學的革命正在那裡進行著。加州已經制定針對閱讀教材準備的全國最高標準。它們出版於《針對加州的公立學校，從幼兒園到高中的閱讀／語文綱要》（*Reading/Language Arts Framework for California Public Schools, Kindergarten Through Grade Twelve*）。書中說明各年級的綜合閱讀課程必須包含什麼。它包含國家閱讀諮詢委會員所發現，有效教學的每個要素、提出閱讀與語文教學所需時間量（在小學一、二年級，每天盡可能多於一百五十分鐘），以及規定必須提供額外時間（一天三十到四十五分鐘），容許練習與強化給那些需要額外幫助的孩子，以及在常態分布曲線前端、需要充實課程的孩子。

每個兒童都應從優質的閱讀教學中獲益。因此，其它州的教育工作者與父

母親，都應要求他們的州政府採取類似標準。針對此一問題，我建議被加州採用的兩套閱讀課程：*Open Court Reading,* California 2002 edition（Columbus, Ohio: SRA/McGraw-Hill; sra-4kids.com）和 *A Research-Based Framework for Houghton Mifflin Reading: A Legacy of Literacy,* California 2003 edition（Boston: Houghton Mifflin; hmco.com）[2]。這些課程完整，包含有效閱讀教學的每種要素，有系統與明確的教導音素覺識、發音教學、拼字、瞬視字、朗讀與默讀故事、練習流暢性、寫字，以及建立字彙與發展理解力策略。假使你的學校目前正採用加州政府所實施的課程，那一切都在你們掌控之中。你的孩子將學會閱讀。當然，其它課程也可能有效教導你的孩子學會閱讀。如我一直強調的，閱讀課程將不斷更新與改善，因此很重要的是，針對你孩子的閱讀課程問對問題，它是否我介紹的那種課程。這裡有一些你能提出的問題和研究方向，以確定孩子的閱讀課程是否有效。

適用你的孩子，針對初級閱讀課程發展的簡單檢核表

教導閱讀的方法是什麼？

這些是可提出的關鍵問題：

- 是否有科學證據顯示這套課程的成效？你可要求具體的證據，像是有關該課程或教學方法成效的一篇論文，它刊登於有同儕評鑑的科學期刊[3]（切記，無視於那些推薦的文章多麼感人，它們既無科學證據，也並未刊登於通訊和雜誌上，或被媒體或網路所介紹）。
- 這套課程或教學方法是否被國家閱讀諮詢委會員檢視過？如果不是的話，

---

2 這些版本是量身訂作，以符合加州所設定的高標準。

3 同儕評鑑是對科學評論設定黃金標準；它意謂由獨立科學家仔細回顧這些證據，並發現它值得發表之處。

那麼這套課程如何與那些有效課程比較？你需要清楚說明。

- 在初級閱讀教學方面，音素覺識與發音教學是否被有系統、明確的教導？
- 兒童如何被教導去應付不熟悉的單字？他們必須感覺被賦予能力，嘗試將生字分析和發出音，而不是從插圖或上下文猜測。插圖與上下文可被用為第二個步驟，用來核對字的發音聽起來是否有意義。
- 這套課程是否包括許多可用於練習閱讀、發展流暢性、建立字彙、發展理解策略、寫字，以及聆聽與討論故事的機會？

教學應如何符合孩子的個別需求？

這些是會期待出現的關鍵要素：

- **個別化**：教學分組的大小與彈性非常重要。有些閱讀要素像是字彙，可採用整個班級活動的方式來教導。無論如何，考慮班級學生在閱讀技能的差異，其它要素如基本語音技能和口頭閱讀，則透過小組教學最能得到滿足。因此，每一天的閱讀教學應有部分時間是以小組方式進行。二十人的班級可被分成三組，每組六到七人，以便每個孩子每週至少一次能得到個別注意，在他嘗試發出字音或朗讀時。這樣的分組方式須因個別閱讀要素而有彈性，它視孩子在某個特定領域技能的進展與程度而定，他可以加入或退出該小組。至於那些進步速度更慢的孩子會受惠於較小團體，且在該技能獲得更密集的注意。
- **回饋與引導**：學習必須是**主動**的，並伴隨許多的師生互動。理想而言，教師為孩子示範閱讀，然後，在孩子重新朗讀文章時提供回饋與引導。當參觀你的孩子上課時，透過直接觀察最能判斷出。
- **持續的評量**：評量孩子的閱讀技能，除了應藉由教師的非正式觀察，也要使用更正式的評量工具。如同我在第十九章將會討論到，為了評量孩子在閱讀的進步情形，需要的是不間斷的過程，以反映他在改變中的需求。在低年級（小學一到三年級）時，他的閱讀在一學年中應至少被評量三次，以監控其發展情形，但若有跡象顯示停滯不前，評量就要更頻繁了。

在家

雖然父母不應成為孩子的小學老師，但父母能成為孩子最重要的幫手。用你那輕柔的雙手、幽默感和這裡找得到的建議，你就能幫忙加快孩子的進步。在大部分情況下，我強烈告誡父母，不要開始教導孩子所有的發音規則或一整套閱讀課程。教導閱讀是一項複雜的任務，必須交由專業人員負責。牢記在心，你的孩子或許一天要上課六小時。你會在他放學後看到他，而他在此時是疲憊的，且對學習較無法吸收，你也是如此，那不是你最有精力或耐性的時候。我建議你在一星期中幾個晚上，和你的孩子一起工作十五到二十分鐘；它應該保持好玩，而不是對你們任何人是例行苦差事。在大多數情況下，週末應該空下來享受，而不是拿來追趕閱讀進度。

把焦點放在強化。學校應是**全新**學習發生的地方；而家裡則是**練習**與**強化**的理想地點。學校幫助孩子建立閱讀所需的神經模組；在家練習則使得此模組被強化與鞏固。試著把任何家裡的閱讀活動，與你孩子在學校所學的結合。目的在於加強與鞏固他所學東西。當孩子每次能專注一個過程或方法，他們會表現得最好。在家的工作內容要與你孩子的老師協調一致。

我鼓勵你們強化為孩子所選擇的基本技能，那些使孩子更理解閱讀，以及最終讓他更享受閱讀的能力。我會提供你們一份適合他的童書書單——那些他能閱讀、享受閱讀，並刺激他讀得更多的讀本。這些活動容易實施，所需要東西只是一組索引卡、磁鐵字母、一枝粗頭簽字筆和一枝螢光筆。針對某些活動，我建議彩色和白色索引卡兩者皆用。

✎ **把短字發出音來**　就像我們的其它行為一樣，我們如何閱讀，能反映透過教學與練習我們所發展的習慣。你在這方面可扮演一個重要角色，藉由鼓勵某些特定行為，以確保孩子能建立良好的閱讀習慣。最重要的就是學習如何把字發出音，並及早學會做這件事。任何時候，當你的孩子遇到一個他不確定的字，鼓勵他試著把字發出音。你可要求他從第一個音開始。譬如說，假使是**mat**這個字，你可用較誇張的語氣說：「第一個字母是 **mmm**。**mmm** 要如何發音呢？」對最後一個音"**t**"重複相同的程序，然後是中間的音"**aaaa**"。一旦他能清楚發出"**mmmm**", "**aaaa**", "**t**"，就要求他快速的把這些音混合，接著說出**mat**。問他發出的這個音聽起來是否正確。它在這個故事裡有意義嗎？此刻他正在練習良好的閱讀習慣，首先將一個生字解碼，然後確認他的發音是否正確。藉由教導他自動問自己這些問題，你也在培養他成為獨立閱讀者，及建立自信心。

跟你孩子的老師談話，問他哪些語音與策略是你的孩子正忙著學的，你能做些什麼來幫助他練習。如果他無法給你任何建議，你可詢問他下列一些活動。這些簡單、有用的策略容易讓你跟孩子一起練習，而協助他拆解數百個他可能想放棄的單字。在你和孩子一起共讀時，這些策略也有用處。假使孩子將某個字說得結結巴巴，而這個字的發音正依賴其中一個策略，你在讀完一頁或整篇故事之後，可把這個困難字作為複習規則的機會。這些策略會使你的孩子將下列單字正確的發出音來：

- 遵照**無聲 e 規則**的單字，使他認識像是 **mate** 與 **mat** 的差異。
- 包含有字母 **c** 的單字，判斷何時 **c** 要輕聲唸，就像 **cereal** 和 **cinder**，或是發出硬音（hard sound），就像 **camel** 和 **clock**；我將此規則稱作**說出 c 的規則**（saying c's rule）。

拆解更長的單字　一旦你的孩子對讀出簡單的單音節字沒有問題，那麼你就能幫助他發展去對付較長、更複雜單字的策略。你可幫助他閱讀：

- 複合字（compound words），像是 **newspaper** 和 **backpack**，它們是由兩個較短的真字所組成。
- 其它較長的單字，藉由學習如何用特定的字母型態，將那些字分割——那些包含兩個子音，且被兩個母音所包圍的字，像是 **goblet** 和 **mitten**。

■ 那些字的起頭、中間與結尾，藉由找出字首、字尾與字根。

下面是上述每個活動的具體細節。專注於那些短字的活動，從這裡開始練習。然後，在與老師確認之後，介紹孩子認識那些原本適合閱讀技能較強的大孩子所用的策略。最有用的規則，最早被教導的規則是：

無聲 e 規則的秘密　將全部注意力放在**無聲 e 規則**上。由於它影響許多字的發音，因此，對初學閱讀者而言，它是極有用的。還有，它教起來容易：(1)告訴你的孩子這個規則；(2)向他展示很多範例；以及(3)練習將這個規則應用到不同的字上。你需要一組索引卡，每張卡片寫上一組組單字，每組字是結尾有**無聲 e** 和沒有**無聲 e** 的單字。在下一頁，你可看到一份列出這些字組的單字表。步驟一是告訴你的孩子：

> 有些字裡藏有一個會告訴你如何唸出它們的密碼。這個**無聲 e**的密碼能幫助你讀出許多、許多的字。密碼在這裡：尋找一個字，它裡面有一個母音，後面跟著一個子音，然後最後面是一個 e，它會讓那個母音說出自己的名稱（母音、子音、**無聲 e**）。

下一步是提供他範例（把每個字寫下來）：

> 這裡有一些例子：**rate, fine, same**。

接下來，指出母音、子音及在結尾的**無聲 e**，然後把每個字唸出來。

步驟三是玩一個遊戲。在遊戲裡，字的一個型態神奇的轉換成另一型態。你將需要在索引卡上用印刷體寫出一組組單字（像是 **pan/pane**）。練習唸出字的一個型態，然後再唸出另一個。譬如說，先唸出 **hid** 這個字，然後指著它那結尾有**無聲 e**的親戚，**hide**，並把它唸出來，**hide**。重複這個方法，將每組字玩一遍，然後要求孩子照著這麼做。一旦他看似掌握這個概念，輪流不同的玩法，有時先開始唸有**無聲 e** 的那個字，然後再唸另一個字（**rate**，然後 **rat**）；而另一些時候，則從短的型態開始（**rat**），接著是結尾有**無聲 e**的另一個字（**rate**）。

接著，你可把規則應用到真實的閱讀中。要求你的孩子找出一本他熟悉且喜愛的書。你坐在他的身旁，讓他拿著一枝螢光筆，劃出並讀出後面跟著**無聲 e** 密碼的每個字。你的孩子將精熟這個練習，並享受他現在能用密碼來破解及認讀許多字了。

這裡有四十組單字可拿來開始運用。將每組字抄寫在一張索引卡上。

bit, bite	cub, cube	cut, cute
can, cane	cap, cape	cod, code
con, cone	Dan, Dane	dim, dime
fad, fade	fat, fate	fin, fine
fir, fire	hat, hate	hid, hide
hop, hope	kit, kite	Jan, Jane
man, mane	mad, made	mat, mate
not, note	pal, pale	pan, pane
pin, pine	rat, rate	rid, ride
rip, ripe	rob, robe	rod, rode
Sam, same	Sid, side	sit, site
tam, tame	tap, tape	Tim, time
Tom, tome	tub, tube	van, vane
win, wine		

你還可以利用磁鐵字母，製作一組組包括有**無聲 e** 及沒有**無聲 e** 的字組。譬如說，拼出 **pal**，然後要求你的孩子拼出 **pale**。相反的，用 **pale** 開始練習，要求他將字發出音來，然後問他是否能藉由移走磁鐵 **e** 而把 **pale** 變成 **pal**。

說出 c　你可幫助孩子瞭解為何在 **cent** 裡 **c** 的發音是一種方式，而在 **can** 裡 **c** 的發音又是另一種方式。與他分享這個規則，給他一些範例，然後練習應用這個當字母 **c** 出現在字裡要如何唸它的規則。這個規則是：當字母 **c** 後面跟著字母 **e, i** 或 **y** 時，它被發成輕音像是 **ssss**，就像 **cent** 和 **cinnamon**。當字母 **c** 後面跟著子音或母音**a, o**或**u**時，它發出一個**c**的硬音（即**k**），像是在**car**和**cup**。

藉由把各種有**c**的單字寫在你的索引卡上，你可幫助孩子練習不同的發音，有些字是 **c** 後面跟著字母 **e, i** 或 **y**，它們製造出輕音 **c**，而另一些字是後面跟著一個子音，或跟著 **a, o** 和 **u** 的母音，它們製造出硬音 **k**。這裡有一些字可幫助你開始練習：

輕音 c 的字：**cent, center, cell, cellar, cinder, Cinderella, cite, city, cycle**

硬音 k 的字：**cab, cake, call, can, cap, car, cat, clam, clap, Coke, cop, cup**

一旦你組合出五、六張卡片，每一張卡片上有兩種發音的任何一種，要求孩子把發音像 **cent** 的字分成一組，而發音像 **cat** 的字分成另一組。接下來，要他朗讀出每組字卡裡的字。假使有一個字讀錯了，就把那張卡片放回它原本的那組字卡裡。這麼一來，他就再次有正確閱讀這個字的機會了。

✎ **複合字**　對於認識較長的字，複合字可作為很好的開始。因為複合字是由兩個真字組成，因此要看出複合字可以如何被分割成較小的單位，對孩子而言是很容易的。有個有趣活動會幫助你的孩子對複合字有所察覺，那就是在家裡各處或從書裡或雜誌尋找圖片，指出並說出常見的家庭用品名稱，像是**toothpaste, toothbrush, hairbrush, washcloth, highchair, dishwasher, staircase, doorway, doorknob, lightbulb, bedroom, baseball**和**driveway**。針對每個字，指出口語語詞可以如何被拆解，像是：「**toothpaste** 實際上是由兩個字所組成——**tooth** 和 **paste**。」然後，每唸出半個字就把它們寫在不同的索引卡上，讓孩子看到它們會如何被放在一起並形成一個字，以及它們還能如何被拆開。這個活動讓你的孩子認識較長的字是由部分所組成，這些部分可被拆開和再次被放回去。

✎ **兩個子音被兩個母音所包圍**　這個策略也容易熟練，當你的孩子學到比較長的字時，對他的學習進展能造成很大影響。這個策略告訴孩子「在字裡面有一個母音，後面跟著兩個子音，然後再跟著另一個母音，那麼你就能把這兩個子音從中間完全分開來。」雖然這個規則拗口，但別讓它把你絆倒了。對孩子來說，這個策略真的不難學。我有時候發現參考這個步驟是有幫助的，就是「當兩個子音的兩邊各被一個母音包圍時（**v, c, c, v**）」。如圖 32 所示，你可告訴孩子，想像母音們正試著把子音們拉開。提供範例總會有幫助，像是**attic**（**at-tic**）和 **magnet**（**mag-net**）。

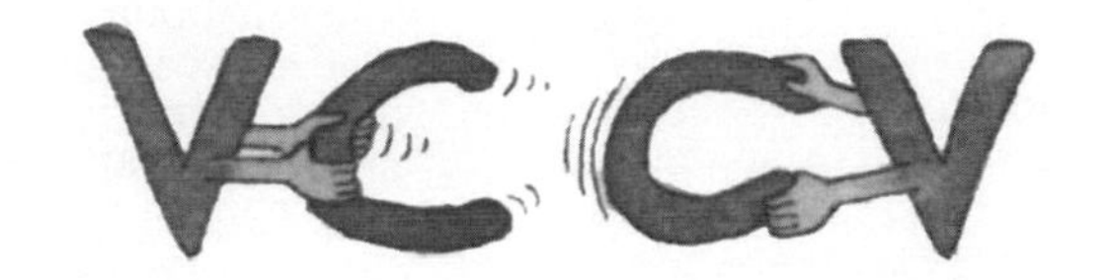

❖ **圖 32　將較長的單字拆開**

上圖（描繪出策略）：當兩個子音的兩邊各被一個母音包圍時，想像母音們把子音們給拆散開來。下圖：把這個策略應用在 **magnet** 這個字。

在跟你的孩子說明此一規則之後，利用下列單字作為範例，對他示範該如何分割這些字。讓他有練習的機會。把這些單字分別寫在不同的索引卡上，然後要求他準確的顯示他會在哪些地方把字分開（前面幾個字應顯示分割的地方；要求孩子將其它的字做分割）。假使他有所遲疑，再重複一遍方法，當你把字的各部分發出音時，要指出中間的子音，像是 **pic-nic**。

ab-sent
attic
basket
com-mon
cotton
custom
hap-pen
helmet
hidden
pen-cil
picnic
plastic
suc-cess
sudden
tablet

blanket	dentist	himself	possum	tennis
blossom	fallen	insect	problem	traffic
bottom	funnel	kidnap	public	triplet
button	gallop	kitten	puppet	trumpet
cactus	goblet	lesson	rabbit	tunnel
cannot	gossip	magnet	ribbon	upset
cobweb	gotten	mitten	signal	velvet
		napkin		

字首、字尾與字根　如稍早提到，教導這些字裡有意義的各部分，是孩子拆解多音節字時最喜愛的策略。學習這些短小的、但有意義的語言碎片，往往能吸引甚至最不感興趣的孩子。他將以一種全新的方式看待文字，他會高興能從字面上解構一個字，以及認識字的發音和意義。介紹你的孩子認識字首（或字尾），解釋它的意義，然後讓他看以下範例。下面所列字首幾乎占了全部有前字綴單字的三分之二（查看第十七章，有更多關於字首的敘述）。

請依照下面針對 **imperfect** 這個字的描述，讓孩子練習所列出的每個字。

對於字首 **im**，你可以先寫出、發音再解釋定義：「**im** 的意思是 **not**（不）。」然後要求你的孩子發出音。接下來，選一個帶有此字首的字，在字首下面劃線（**im**perfect）。要求孩子將底下劃線的字首（**im**）發音，然後大聲唸出整個字（**imperfect**）。一旦他會正確發出這個字的音，你就可討論它的字義：增加字首 **im** 這部分，如何使 **perfect**（完美）變成 **not perfect**（不完美）。最後，將這個字用在一個句子裡，確保你的孩子真正理解這個字的意義。這些字裡有許多字最適合三年級下學期或四年級小學生學習。切記，學生不用等到四年級才被期待輕鬆的讀出多音節單字。

字首

dis-	im-或 in-	mis-	pre-	re-	un-
(not)	(not)	(bad)	(before)	(again)	(not)
disagree	impatient	misbehave	prearrange	reappear	unable
disappear	imperfect	mislay	precook	rearm	unbend
disarm	impolite	mislead	prepaid	rearrange	uncover
disconnect	impossible	misplace	preschool	recount	undo
dishonest	impure	mispronounce	pretest	redo	unequal
dislike	inactive	misread	preview	reenter	unfair
disloyal	incomplete	misspell		refill	unhappy
dismount	independent	mistreat		refresh	unkind
disobey	invisible	misuse		reheat	unlock
disorder				renumber	unwrap
disown				replay	
distrust				retell	

字尾

-able	-ful	-less	-ly	-ment	-ness
(is, can be)	(full of)	(without)	(resembling)	(action/ process)	(state/ quality of)
admirable	careful	ageless	bravely	agreement	cleverness
agreeable	cheerful	beardless	brotherly	amazement	darkness
breakable	colorful	bottomless	cleverly	arrangement	fairness
curable	delightful	careless	fatherly	development	fullness
desirable	fearful	fearless	foolishly	entertainment	goodness
enjoyable	forgetful	jobless	freely	experiment	happiness
excitable	helpful	painless	honestly	government	kindness
laughable	joyful	sleepless	loudly	payment	loudness
moveable	painful	worthless	neatly	punishment	sadness

學習將較短的單字發出音，以及學習拆解較長的字，都只是完整的閱讀課程的一部分。孩子還必須被教導如何閱讀那些不照規則的字，以及如何將這項知識應用到閱讀和寫作。

記住瞬視字　介紹你的孩子認識那些在書中最常見的瞬視字，然後要求他把這些瞬視字交給記憶。當孩子擁有一些基本字，會讓他在嘗試獨立閱讀時更為容易。如先前所說，要學會瞬視字別無它法，只有靠死記硬背。這個步驟很簡單：介紹那個字，把它用在一個句子裡，並把它寫在卡片上，然後要你的孩子把字唸出來。接著，也要求孩子把那個字寫在一張卡片上。他把字唸出聲並同時寫下的動作，有助於強化他記憶裡那個字的發音。也要他把字寫在一個句子裡，因為練習閱讀句子裡的單字，與單獨練習單字一樣重要。把每個字用印刷體寫在一張專屬的彩色索引卡上，這也會幫助你的孩子把字記住；用一個鮮明顏色，跟某個特定的字連結，這有助於對那些難理解字的記憶產生連結。一旦你為這些困難字做好字卡，拿出一個大鞋盒，與孩子一起裝飾這個盒子，貼上「字銀行」標籤，把越來越多的瞬視字儲存在盒子裡。每個星期你和孩子可到字銀行裡，一開始拿兩、三張字卡——之後，拿四張或更多——並將卡片上的這些字複習幾分鐘，持續一整週。拒絕一次拿太多卡片的誘惑。把注意力集中在較少的字上，非常密集的進行此活動，這麼做會更有效。讓孩子的進步引導你。假使孩子對某個字看似困擾，也把這個字加進下週的練習字。任何時候當你在書中、雜誌或報紙上遇到本週應練習的特別字時，試著指出它們，並用螢光筆強調出來。

由於瞬視字是如此常見，而且在最常用的印刷字中具代表性，若要精熟它們，最好的長期對付方法就是幫助你的孩子逐漸把這些字記住，一次只記幾個。這裡有一份單字表，依據字頻書（*Word Frequency Book*）列出在英文印刷讀物中所能找到最常見的 150 個字。這些字是以出現頻率的高低順序排列。假使你瀏覽過它們，你會馬上注意到絕大多數的字為瞬視字。

最常見字

the
of
and
a
to
in
is
you
that
it
he
for
was
on
are
as
with
his
they
at
be
this
from
I
have
not
but
what
all
were
when
we
there
can
an
your
which
their
said
if
do
will
each
about
how
up
out
them
then
she
into
has
more
her
two
like
him
see
time
could
no
make
than
first
been
its
who
now
people
my
made
over
did
down
only
water
long
little
very
after
words
called
just
where
most
know
get
through
back
much
before
go
good
new
write
our
used
me
man
too
think
also
around
another
came
come
work
three
word
must
because
does
part
even
place
well
such
here
take
why
things
help
put
years
different

or	many	way	any	away
by	some	find	day	again
one	so	use	same	off
had	these	may	right	went
	would	other	look	old
				number

由於這些字是如此常見，對於想成為閱讀者的人而言，他必須在「一看到」這些短小的字時就能破解它們。每週只複習幾個字，閱讀最初級的讀物會讓你的孩子占有搶先起步的優勢。從最前面大約十個字開始；光是這些字就占了印刷讀物中所有文字驚人的 25%。

練習閱讀　若要成為一位熟練閱讀者，關鍵在於練習。若缺少練習，孩子可能看到一個字就讓它從腦海永遠漂走了。而透過練習，孩子就能將這個字的神經聯繫強化，以至於一直到這些字再次被需要之前，它是預備好使用的。

有些簡單原則可指導你，如何選擇孩子應練習的閱讀材料。孩子需要接觸那些讀起來輕鬆、又有趣的讀物。由於這些讀物所包含的大部分文字已顯現在孩子大腦裡的閱讀迴路，因此當有了這些讀物，孩子是處在一個熟悉領域裡。這些讀物有助於孩子把學會的閱讀技能變得更穩固；在強化與穩固特定單字與字族的神經網路，與他們一起反覆練習是關鍵所在。孩子也可受惠於閱讀難度較高的讀物。身邊陪伴一位可提供引導和回答問題的老師或父母，閱讀這樣的書籍使孩子擴展字母－聲音連結的知識、例外規則的知識，以及學習字彙與概念。

在練習時，孩子可從最簡單的讀本開始，隨著學習越來越多字母與發音，以及更多瞬視字，他會逐漸憑藉著自己的努力，閱讀更長、更有趣的讀物。但在一開始時，是為了能獨立閱讀的純粹樂趣——以及為了建立自信——就像先前章節所討論，沒有任何讀物能像可解碼的迷你書一樣有效。

一旦你閱讀一本書給孩子聽，他就可能想要自己一再重讀。孩子喜愛閱讀這些簡單的讀物，是因為他們能做得到。由 Bobby Lynn Maslen 所寫的 Bob Books

是用來開始的系列好書。這些小書共三套，它們正好適合。我推薦第一套「閱讀程度A」（Reading Level A），是給那些剛學會解碼的幼兒園學童閱讀。「閱讀程度B」（Reading Level B）和「閱讀程度C」（Reading Level C）則適合小學一年級學生閱讀。這些讀物有系統的介紹新學到的單字裡，其字母－聲音的組合。「閱讀程度 C」是以複合字和長母音為特色，包括**無聲 e 規則**：「Jane likes to play baseball」、「Jane made it to the base. Jane was safe on first base」。Bob Books 是由 Scholastic Inc.所出版（www.bob-books.com）。另一套優良的可解碼迷你書系列，Books to Remember 叢書，是由 Flyleaf Publishing 所出版（www.flyleafpublishing.com）。

一開始，先讀一本書給你的孩子聽，然後跟他坐在一起，再讓他唸給你聽，我會把這件事變成習慣。這樣做可保證他能閱讀那本書，假使他突然遇到一個困難字，你會在那裡為他提供協助。當你與他共讀時，你可藉由下列方法支援他：

- 提醒他閱讀的部分樂趣在於字詞理解，而這件事通常只試一次並不夠。
- 鼓勵他先把字發出音及唸出來，並聆聽這個字聽起來怎麼樣，接著問自己：「它聽起來正確嗎？它在這裡面適合嗎？」
- 鼓勵他相信自己的直覺，假使那個字不太對勁，應用他知道的策略並查看他的「字銀行」，看看它是否需要被記住的困難字。如果是的話，他可和你一起檢查它的發音。
- 跟他分享你在閱讀曾犯的錯誤。

❖ 圖 33　與你的孩子一起閱讀

若要輕鬆閱讀一本書，在一頁文字大約每二十個字裡，孩子必須能正確讀出十九個字。要是做不到的話，那本書就可能對他太難，無法獨自閱讀了。有些輔助工具可幫助你，準確的判斷一本書的難易程度。其中一種系統是閱讀能力等級（Degrees of Reading Power, DRP），其中所列兒童讀物是依閱讀程度排列。相關資訊可自「可讀性報告」（Readability Reports）取得，分為兩種形式：「文學與通俗小說的可讀性」（Readability of Literature and Popular Titles）及「教科書的可讀性」（Readability of Textbooks）。關於文學與通俗小說的書單，可上網（www.tasaliteracy.com）購得——CD-ROM、DRP-Booklink；而教科書的資訊，可在其網站取得。讀物的難易度是從 0 到 100 單位來分等級。大部分書籍的可讀性，範圍是從 30 單位的「簡單讀本程度」，到 85 單位的「更困難讀物」。利用了這個系統，我認識一些極受歡迎童書的閱讀難易度：

書名	作者	單位	可讀性
Are You My Mother?	P. D. Eastman	34	最容易
Cat in the Hat	Dr. Seuss	35	
Clifford the Big Red Dog	Norman Bridwell	37	
Nate the Great	Marjorie Sharmat	38	
Frog and Toad Are Friends	Arnold Lobel	41	
Amelia Bedelia	Peggy Parish	43	
The Boxcar Children	Gertrude Chandler Warner	44	
Superfudge	Judy Blume	45	
Freckle Juice	Judy Blume	45	
Charlotte's Web	E. B. White	50	
Harry Potter and the Sorcerer's Stone	J. K. Rowling	54	困難
Baseball's Greatest Games	Dan Gutman	56	
Ethan Frome	Edith Wharton	59	
The Red Badge of Courage	Stephen Crane	60	
Great Expectations	Charles Dickens	60	
Roots	Alex Haley	62	
The Works of Edgar Allan Poe	Gary Richard Thompson	64	
Silent Spring	Rachel Carson	68	
Profiles in Courage	John F. Kennedy	69	更困難

一般而言，一開始的初級教科書，可讀性平均是 40 單位，之後的小學教科書是 50 單位，初中教科書是 56 單位，而高中教科書是 62 單位。兒童雜誌的可讀性傾向在 48 到 57 單位的範圍，例如《夏綠蒂的網》（*Charlotte's Web*）。青少年雜誌比較難，是在 58 到 64 單位的範圍，差不多與《根》（*Roots*）和《愛

倫坡的作品》（*The Works of Edgar Allan Poe*）一樣。受歡迎的成人雜誌，分級範圍典型從難易度約 62 的《時人》（*People*）雜誌，到稍微有挑戰性、可讀性在 69 到 71 之間的全國性和商業雜誌。報紙的頭版平均是 69 單位。關於各州的駕駛手冊，各地的平均閱讀程度從密蘇里州 55 單位和加州 58 單位的低程度，到阿拉巴馬州和俄亥俄州那令人無法忍受的 70 單位的高程度。學校可加入DRP 計畫，使用 DRP 單位來為閱讀理解測驗與成績評定分數。因此孩子的 DRP 得分可直接與難易程度相同的閱讀材料搭配。

另一種名為 Lexile 架構（Lexile Framework）的計畫，也是透過共同的評量工具（即 Lexile 單位）使學生與讀物間相互配合。這家發行 Lexile 系統的公司為各式各樣的閱讀者提供大量書單。Lexile 的閱讀程度是從 0 到 1700。在此系統裡，《戴帽子的貓》（*The Cat in the Hat*）的可讀性是 150 Lexile 單位，《夏綠蒂的網》（*Charlotte's Web*）是 680，《伊丹・傅羅姆》（*Ethan Frome*）是 1160，以及《寂靜的春天》（*Silent Spring*）是 1340。家長和其他人士可自網址 www.lexile.com 取得 Lexile 架構。

當你想要在書店或圖書館找到一本書的可讀性，可利用 *Children's Books in Print*，其中詳列大量書籍，依照書名、作者或主題來分類；各版的目錄都為每本列出的書標示建議的年級程度（可取得紙本目錄或上網查詢 www.booksinprint.com）。

這裡有一份你可讀給幼童聽的繪本書單。

Allard, Harry, *Miss Nelson Is Missing* (Boston: Houghton Mifflin, 1977).

Bridwell, Norman, *Clifford the Big Red Dog* (New York: Scholastic, 1985).

Brown, Margaret Wise, *Good Night Moon* (New York: Harper & Row, 1975).

Christelow, Eileen, *Henry and the Red Stripes* (New York: Clarion Books, 1982).

Cronin, Doreen, *Click, Clack, Moo: Cows That Type* (New York: Simon & Schuster, 2000).

Denenberg, Julie, *First Day Jitters* (Watertown, Mass.: Whispering Coyote, 2000).

Depaola, Tomie, *Strega Nona: An Old Tale* (Englewood Cliffs, N.J.: Prentice-Hall, 1975).

Henkes, Kevin, *Chrysanthemum* (New York: Greenwillow Books, 1991).

Hoffman, Mary, *Amazing Grace* (New York: Dial Press, 1991).

Howe, James, *Horace and Morris but Mostly Dolores* (New York: Atheneum, 1999).

Kellogg, Steven, *The Mysterious Tadpole* (New York: Dial Press, 1977).

Lester, Helen, *Hooway for Wodney Wat* (Boston: Houghton Mifflin, 1999).

Modarresi, Mitra, *Yard Sale!* (New York: DK Publishers, 2000).

Polacco, Patricia, *Thunder Cake* (New York: Philomel Books, 1990).

Seuss, Dr., *The Cat in the Hat* (New York: Random House, 1957).

Small, David, *Fenwick's Suit* (New York: Farrar, Straus and Giroux, 1996).

Viorst, Judith, *Alexander and the Terrible, Horrible, No Good, Very Bad Day* (New York: Atheneum, 1972).

Waber, Bernard, *Ira Sleeps Over* (Boston: Houghton Mifflin, 1972).

Williams, Linda, *The Little Old Lady Who Was Not Afraid of Anything* (New York: Crowell, 1986).

Williams, Vera B., *A Chair for My Mother* (New York: Greenwillow Books, 1982).

Yaccarino, Dan, *Deep in the Jungle* (New York: Atheneum, 2000).

詩文類

Florian, Douglas, *Mammalabilia* (San Diego: Harcourt Brace, 2000).

Pretlusky, Jack, *A Pizza the Size of the Sun: Poems* (New York: Greenwillow Books, 1996).

Zahares, Wade, *Big, Bad, and a Little Bit Scary: Poems That Bite Back!* (New York: Viking, 2001).

簡單讀本

Lobel, Arnold, *Frog and Toad Are Friends* (New York: Harper & Row, 1970).

Mills, Claudia, *Gus and Grandpa Ride the Train* (New York: Farrar, Straus and Giroux, 1998).

Parish, Peggy, *Thank You, Amelia Bedelia* (New York: Harper & Row, 1964).

Rylant, Cynthia, *Mr. Putter and Tabby Toot the Horn* (San Diego: Harcourt Brace, 1998).

——— *Henry and Mudge in the Family Trees* (New York: Simon & Schuster, 1997).

——— *Poppleton Has Fun* (New York: Blue Sky Press, 2000).

Seuss, Dr., *Mr. Brown Can Moo! Can You?* (New York: Random House, 1970).

——— *One Fish Two Fish Red Fish Blue Fish* (New York: Random House, 2001).

Sharmat, Marjorie Weinman, *Nate the Great, San Francisco Detective* (New York: Delacorte Press, 2000).

Wiseman, B., *Morris and Boris at the Circus* (New York: Harper & Row, 1988).

Yolen, Jane, *Commander Toad and the Space Pirates* (New York: Coward-McCann, 1987).

Ziefert, Harriet, *The Little Red Hen* (New York: Viking, 1995).

——— *The Three Little Pigs* (New York: Viking, 1995).

詩文類

Kuskin, Karla, *Soap Soup and Other Verses* (New York: HarperCollins, 1992).

Lobel, Arnold, *Book of Pigericks* (New York: Harper & Row, 1983).

Maestro, Marco and Giulio, *Geese Find the Missing Piece: School Time Riddle Rhymes* (New York: HarperCollins, 1999).

Pretlusky, Jack, *Awful Ogre's Awful Day* (New York: Greenwillow Books, 2001).

Prelutsky, Jack and Arnold Lobel, *Random House Book of Poetry for Children*, (New York: Random House, 1983).

Silverstein, Shel, *Where the Sidewalk Ends* (New York: Harper & Row, 1974).

Stevenson, James, *Sweet Corn* (New York: Greenwillow Books, 1995).

Viorst, Judith, *If I Were in Charge of the World and Other Worries: Poems for Children and Their Parents* (New York: Atheneum, 1981).

以押韻／字型／複誦為特色的繪本

Adlerman, Daniel, *Africa Calling: Nighttime Falling* (Boston: Whispering Coyote Press, 1996).

Alarcon, Karen Beaumont, *Louella Mae, She's Run Away!* (New York: Holt, 1997).

Aylesworth, Jim, *The Gingerbread Man* (New York: Scholastic Press, 1998).

——— *Old Black Fly* (New York: Holt, 1992).

Buehner, Mark and Carolyn, *Fanny's Dream* (New York: Dial Press, 1995).

Cooney, Barbara, *Miss Rumphius* (New York: Viking, 1982).

Hennessy, B. G., *Jake Baked the Cake* (New York: Viking Penguin, 1990).

Hutchins, Pat, *Don't Forget the Bacon!* (New York: Greenwillow Books, 1976).

Lobel, Arnold, *The Rose in My Garden* (New York: Greenwillow Books, 1984).

London, Jonathan, *Froggy Gets Dressed* (New York: Viking, 1992).

Macauley, David, *Black and White* (Boston: Houghton Mifflin, 1990).

Meddaugh, Susan, *Martha Blah Blah* (Boston: Houghton Mifflin, 1996).

Raffi, *Down by the Bay* (New York: Crown, 1987).

Shannon, David, *Bad Case of Stripes* (New York: Blue Sky Press, 1998).

Silverstein, Shel, *A Giraffe and a Half* (New York: Harper and Row, 1964).

Taback, Simms, *Joseph Had a Little Overcoat* (New York: Viking, 1999).

Wing, Natasha, *Jalapeño Bagels* (New York: Atheneum, 1996).

Winter, Jeanette, *The House That Jack Built* (New York: Dial Press, 2000).

過渡期的章節書

Adler, David, *Young Cam Jansen and the Library Mystery* (New York: Viking, 2001).

——— *Cam Jansen and the Catnapping Mystery* (New York: Viking, 1998).

Cameron, Ann, *Stories Julian Tells* (New York: Pantheon, 1981).

Cleary, Beverly, *Ramona's World* (New York: Morrow, 1999).

Duffey, Betsy, *How to Be Cool in the Third Grade* (New York: Viking, 1993).

Hesse, Karen, *Sable* (New York: Holt, 1994).

Hinton, S. E., *The Puppy Sister* (New York: Delacorte Press, 1995).

King-Smith, Dick, *Jenius: The Amazing Guinea Pig* (New York: Hyperion, 1996).

Kline, Suzy, and Frank Remkiewicz, *Horrible Harry in Room 2B*. (New York: Viking Kestrel, 1988).

LeGuin, Ursula, *Catwings* (New York: Orchard Books, 1988).

Sachar, Louis, *Marvin Redpost* (New York: Random House, 2000).

Spinelli, Jerry, *Tooter Pepperday* (New York: Random House, 1995).

把這些書目視為進一步探索的起點。當地的圖書館是蒐藏優良讀物的寶庫，你也許希望查詢像以下這些指引所推薦的書單：

Books That Build Character by William Kilpatrick et al. (New York: Simon and Schuster/Touchstone, 1994).

Books to Build On: A Grade-by-Grade Resource Guide for Parents and Teachers edited by John Holdren and E. D. Hirsch, Jr. (New York: Dell, 1996).

The New Read-Aloud Handbook by Jim Trelease (New York: Penguin, 1995).

The New York Times Parent's Guide to the Best Books for Children by Eden Ross Lipson (New York: Three Rivers Press, 2000).

閱讀新手渴望投入最新送到、屬於他們個人的雜誌，書中不但有他們能閱讀的簡單故事，還有好玩的活動與字謎。對於兩歲到六歲的兒童，*Ladybug* 雜誌介紹童詩、韻文和兒歌。*Spider*則適合那些六歲到九歲的獨立閱讀者。*Cricket*

的讀者是日漸長大的九歲到十四歲兒童；它包含了精彩的故事、字謎與競賽，它們吸引那些現在會為知識與自我享受而閱讀的孩子。你可聯絡 Cricket Magazine Group, 315 Fifth Street, Peru, Illinois 61354 來訂閱 *Ladybug*、*Spider* 和 *Cricket*，或上網 www.cricketmagazine.com。*Ranger Rick* 關注大自然、科學和戶外活動，雜誌裡充滿美麗的圖片，非常適合七歲到十二歲的好奇兒童。若欲訂閱 *Ranger Rick*，可透過 National Wildlife Federation, P. O. Box 2038, Harlan, Iowa 51593，或上網 www.nwf.org。小學四年級到初中三年級的學生，能享受閱讀 *Calliope* 雜誌的樂趣，這是一本以極度有趣的形式來探索歷史，以及建立字詞與周遭世界知識的特殊雜誌。可從 Cobblestone publishing, 30 Grove Street, Peterborough, New Hampshire 03458-1454（www.cobblestonepub.com）訂閱 *Calliope*。

關於把時事介紹給兒童，我會建議 *Time for Kids* 雜誌，它有三種年輕讀者的版本：*Big Picture* 對幼兒園與小學一年級學童剛好，*New Scoop* 則適合二年級與三年級學童，*World Reports* 則以四到六年級兒童為目標。它們以新聞故事為特色，其中許多文章是由兒童投稿。有關 *Time for Kids* 雜誌的建議活動及訂閱者資訊，可上網取得 www.timeforkids.com。對於年紀較大（從八歲到十五歲）渴望獲得運動相關報導的兒童，*Sports Illustrated for Kids* 雜誌（www.SIKIDS.com）不但報導所有一流的、有組織的運動球隊（NBA、NFL、NHL 和 MLB），還報導最流行的運動。

這些雜誌為不同年齡與興趣的人，提供誘人的、可一口吃下的閱讀資訊。提供讀者真正感興趣的資訊，能讓閱讀變成一種習慣，而練習則有助於建立自動閱讀系統。

即使你挑選一本書或雜誌，結果證明對你的孩子太難了，你永遠都可改用共讀的方式。你唸書中大部分文字，但當你碰到一個字是孩子能讀出或順利發音時，你就得暫停一下。

一旦你的孩子學會正確的認讀單字，那麼他準備好跨出下一步了，在下一步，他不但要讀得正確，還要讀得流暢與快速——可以毫不考慮的。他要如何成為那樣的流暢閱讀者，還有，你能做些什麼來幫他達成目的，這將是下一章的主題。

Chapter 17

幫助你的孩子成為熟練的閱讀者

流暢性是將文字快速、準確及充分理解後讀出的一種能力，那是閱讀技能熟練者的品質保證標記。那些已是流暢閱讀者的孩子喜愛閱讀。由於花費的力氣不多，因此閱讀是輕鬆、愉悅的。流暢閱讀者容易沉迷於書中，他們會是手握書本走到晚餐餐桌旁，或是想在夜裡把床頭燈繼續開著，好看完「只要再一章就好」的孩子。對於無法流暢閱讀的人而言，打開書本根本不是件令人愉快的事情。

為了瞭解流暢性，讓我介紹你們認識兩位年輕的閱讀者，Megan與Christy，她們是小學四年級的同學。兩個女孩都極為聰明，都加入校內的資優生（Talented and Gifted, TAG）課程。

近來，Christy 的頭痛毛病變得更嚴重，而且頭痛經常讓她無法上學。儘管她的閱讀能力似乎比她的故事理解能力更落後，但她從未被當成閱讀困難學生。Christy 會想盡一切辦法來逃避閱讀。當她確實在閱讀時，她必須用盡所有注意力來破解這些文字——在正確讀出一個字之前，她往往得嘗試好幾遍——因此沒剩下多少力氣可用來思考所讀文章的意義。她會缺乏表情，單音調的朗讀著，那很難讓人聽得懂。而另一方面，Megan 卻是滑行過一行行文字，她會調整她的速度，或讓她的嗓音抑揚頓挫的反映出文字的意思。Megan的閱讀是流暢的，而 Christy 不是。

假使父母和老師瞭解流暢性在熟練閱讀所扮演的必要角色，而且瞭解它可

以如何輕易的、有效的被教導，那麼它就不會再是最受到忽視的閱讀技能了。根據全國教育進展評量（National Assessment of Educational Progress）的報告，有44%的小學四年級男、女學生仍未成為流暢閱讀者。這些數據令人震驚，所揭露之事實是孩子被期待在小學二年級結束前成為流暢閱讀者。或許這是因為許多教育工作者相信，一旦孩子能把字讀得正確，那麼成為一位閱讀者——以及教導閱讀——的工作就完成了。正確的認讀文字，只是把孩子帶到熟練閱讀的起點。在幫助初學閱讀者轉變為熟練閱讀者的過程中，這正是父母和老師應扮演的重要角色。

孩子能學會正確的認讀一個字，然後經過許許多多練習之後，他能學會流暢的閱讀。流暢性是可以被教導的。流暢性說明了熟練閱讀者是如何朗讀。如我稍早所提到的，在大腦的處理過程中，要如何使流暢閱讀變得可能，我保留**自動**（automatic）這名詞。切記，我們相信，大腦神經迴路已把一個字的所有特徵都整合了，以至於只要對那個字匆匆一瞥，就能活化它被儲存的模組，並把它存在後腦左側的字形區。這就是我們相信為何流暢閱讀者能快速閱讀，並具備完整的發音與理解能力。流暢閱讀者不再有必要把單字一部分、一部分的發出音。

流暢性搭起解碼與理解能力間的橋樑，而孩子由逐字閱讀中養成流暢性，藉由反覆接觸一個字——**假使**他們對那個字的發音開始正確的話。我想要強調，流暢性不代表孩子能在突然間達到某個階段，並可流暢讀出所有文字。流暢性是一個字、一個字養成的，它反映孩子已經讀過、而且能完全掌握文字了。對一個字能自動辨識，至少四次正確的認讀是有必要的。雖然，對流暢性而言，正確性是必要的前導，但正確性並非一定可以逐漸發展出流暢性。這對於那些無法向專門字形區求救，反而須依賴較緩慢、次要閱讀神經路徑的讀寫障礙兒童來說，它確實如此。這些路徑對正確閱讀而言是不錯的選擇，但對流暢性則不然。

教導流暢性：什麼是最有效的

當國家閱讀諮詢委會員（NRP）分析多達一百篇有關流暢性的研究文獻時，他們提出了重要發現，那些運作起來最有效，且能產生最大效果的課程，三個共同關鍵特色為：(1)教學焦點在孩子的口頭閱讀上；(2)提供練習的機會，容許孩子在連貫性文本裡，將單字反覆的朗讀；以及(3)當孩子閱讀時，持續不斷給予回饋。朗讀使回饋有發生的機會。默讀則不可能有回饋。回饋是不可或缺的要素，因為它使孩子得以修改某個特定單字的發音，並同時修正那個字已儲存的神經模組，使越能反映那個字的正確發音與拼法。不用說，回饋須以建設性和積極的態度來實行。讓孩子喪失自信心，或產生在人前閱讀的恐懼，你一定不能冒這樣的風險。

你可能聽過被稱為**引導式重複朗讀**（guided repeated oral reading）的教學方法。這樣的引導可來自老師、家庭教師或是父母。一旦孩子從大人那裡得到回饋，而且他的閱讀已相當流暢，那麼他就可以和同儕一起，或甚至藉由聆聽他在錄音機裡錄下他所讀的方式來練習。這種教學法也被稱為重複閱讀、配對閱讀、分享閱讀、輔助閱讀和回聲閱讀。譬如說，在回聲閱讀中，老師先朗讀一段文章做示範，然後學生在老師引導下朗讀同樣的文章。當天晚上，孩子在家裡閱讀一樣的文章，父母在旁邊聆聽，並輕聲的給予修正性回饋。接著在第二天，學生在課堂上與同學搭檔，輪流朗讀每一頁（或每一段）給彼此聽。在這方法裡，每當學生們成對閱讀時，要由一位老師專門負責記錄與監控這群學生。孩子還要每天獨自默讀二十或三十分鐘。這方法對小學生很有用，無論他們是否為熟練閱讀者。

很有趣的是，引導式重複朗讀可用不同的方式幫助弱讀者與強讀者。針對閱讀困難者，反覆的閱讀一段文章，同時接收回饋，那是一種得到輸入以掌握某個特定單字的途徑。它能使弱讀者在他大腦裡，為那個字建立更正確的神經表徵，這必有助於他正確的發出字音來。相較之下，朗讀文章能幫助強讀者將

那個字的字義與上下文結合，使他對那段文章掌握更好的韻律或節奏感。

從國家閱讀諮詢委會員的大規模回顧中，小組推論這些引導式重複朗讀課程「有助於改善孩子的閱讀能力，至少能持續到小學五年級，且可幫助比這些孩子發展更為遲緩、閱讀問題更嚴重的學生改善其閱讀。」然而，引導式重複朗讀雖可增進閱讀流暢性，其已證實之成效卻過度受到忽視，這情況令人難以接受。事實上，研究證據是如此有力，因此我極力主張採用這些閱讀課程，作為每所學校裡整體小學閱讀課程不可缺少的一部分。引導式重複朗讀甚至可能對某些初中或高中學生有幫助。它理當如此，因為此課程會幫助閱讀者掌控各個學科的專門用語，譬如說，生物或歷史。記住，假使一個孩子在字的發音有麻煩，那麼他就不太可能在他大腦裡擁有那個字的正確表徵，並儲存或檢索與那個字有關的訊息。對他而言，這麼做是很困難的。假使對孩子有困難的字能事先被辨識，隨後並引導他們出聲練習，那麼孩子就比較容易建立那個字的神經模組，並將相關訊息與那個字產生連結。

流暢性訓練是綜合閱讀課程的構成要素，每一節課或許要花十五分鐘或少一些。切記，在孩子能流暢讀出一個字之前，他必須先能正確讀出這個字。所以，在實行引導式重複朗讀時，很重要的是孩子要以他自在的方式練習閱讀文章段落。如稍早提到的，當孩子能在二十個字裡正確的讀出十九個字時，他們對這個文本會感覺自在；像這樣的讀物是符合兒童的**獨立閱讀程度**。你可要求老師推薦他認為適合孩子的讀物。假使你們學校所參與的課程是 DRP 或 Lexile 的其中一種，那麼老師一定能提供你一份書單，它會與孩子的閱讀程度及興趣符合。

父母能夠幫忙建立流暢性

身為掌握最新資訊的父母，在幫助你的孩子成為流暢閱讀者的過程中，你可扮演強而有力、積極的角色。到了小學二年級學期中時，孩子必須開始流暢的閱讀。你可藉由聆聽，孩子以自己的程度能讀得多順暢，以及透過表達，他能讀得多好，來測量他的流暢性。

聆聽他朗讀，通常是你在這過程中能做到，唯一最有意義的活動。把時間空出來，每一個晚上做這項活動，或至少每週三次或四次。我希望強調，練習活動應保持一致性，這會比每個時段的時間多寡更重要。在這些時段裡，你可讓孩子朗讀給你聽，或是你們兩人輪流朗讀給彼此聽——每次一段、一頁或是一小章節。對於正在艱難前進的孩子而言，往往很有用的是你先朗讀一點點，然後讓孩子重新朗讀你剛才示範讀給他聽的相同閱讀材料。假使可能的話，找出兩本相同的讀本，因而你們兩人在彼此朗讀時能跟著看。給他一把尺或是其它平直的書籤，當他閱讀或跟著看的時候，可以放在每行字的下方，就能保持他閱讀的位置。

在傍晚，花些時間與孩子共讀，建立孩子終身享受閱讀樂趣的模式。我深信與此經驗結合所產生的愉悅、滿足，會放進孩子大腦的閱讀網絡。因此，當兒童長大成為青少年，然後是年輕人，而不再與他父母一起朗讀時，每當他拿起一本書開始閱讀，往日時光的快樂回憶便緩緩的被喚醒，當時的他依偎在母親或父親的身旁，學習閱讀《戴帽子的貓》（*The Cat in the Hat*）、《月亮晚安》（*Good Night Moon*）、*Danny and the Dinosaur*，以及後來的 *The Pumpkin Smasher* 和《繼承人遊戲》（*The Westing Game*）。

如果你的孩子討厭閱讀，而且讀得不好，那麼定期與他一起朗讀，很快就能使你警覺到，孩子是否存在任何閱讀問題。會逃避閱讀的孩子是最需要練習與引導的一群孩子，跟他一起朗讀會對他特別有幫助。那會避免閱讀能力日趨落後的常見問題，在閱讀困難者身上，經常能觀察到這種現象。這樣的孩子會逃避閱讀，造成結果是他們從未參與練習，或得到更多對閱讀有利的回饋與修正。這些孩子變得更少閱讀，落後同儕越來越多。他們從未建立對快速與自動文字辨識所需要的快速神經迴路。甚至，對那些最被動的閱讀者來說，都可能為他找到讓他願意跟你一起朗讀，使他感覺自在、有趣的讀物，目的是幫助孩子練習朗讀這些印刷文字，而非教導他認識文學。

我們永遠要鼓勵孩子，為追求樂趣和知識而閱讀；然而，**假使孩子對閱讀躊躇不前或欲振乏力，僅僅鼓勵他默讀，並無法讓他成為更好的閱讀者。**他只會一再重複錯誤——或做著白日夢。只有透過朗讀、再朗讀，加上回饋與修正，才會使他注意閱讀的真正收穫在哪裡。我很高興，我稍早介紹的**閱讀優先**（Reading First）計畫中明文規定，若學校要求經費補助，就必須在閱讀課程裡包括有科學實證基礎的流暢性教學。

這裡所描述的方法，是預定給那些典型的閱讀者所使用；而讀寫障礙者可能需要更多策略。為了那些努力、掙扎中的閱讀者，我將在第十九章提供一套全面性、有效的流暢性課程。

一旦孩子能開始正確、快速讀出越來越多的字，他就可將注意力轉移到更複雜的文本。在這個階段，他那較高層次的思考與推理技能就會開始運作，他的字彙與他對周遭世界的知識，能夠一起幫助他從閱讀中獲取意義。

一位成熟閱讀者須具備字彙與背景知識，才能理解並清楚他剛才所讀文章的脈絡。譬如說，假使他遇到**Eiffel Tower**（艾菲爾鐵塔）這個字，他需要知道如何把每個字發出音來。但若要賦予這些字意義，他還要知道什麼是 Eiffel Tower——在法國的一座巨塔。這就得累積他的字詞知識，即是他的字彙。甚至當他能透過上下文，更完整的理解這個字時，那情況會變得更好。因此，他認識 Eiffel Tower 是坐落於巴黎的 Champs de Mars 大道，認識它是由 Alexandre Gustave Eiffel 為了 1889 年的博覽會所設計，還有它是重要的旅遊景點。這類型資訊是閱讀者對周遭世界所擁有的知識，幫助他從正讀的內容裡獲取意義。字詞知識可在字典裡找得到，而周遭世界知識則較可能從百科全書取得。

因此，孩子不只是打開一本書，把文字解碼了，他就可神奇的瞭解書中內容。他的字彙與背景知識的廣度與深度，會決定他從文本獲得意義的勝任程度。還有，很重要的是主動的思考歷程，閱讀者會利用它們與他現有知識及所接收新知整合。就一般意義而言，這些思考歷程可被視為一種推理能力。以此模式為基礎，教導理解技能的方法是將焦點放在加強與擴展孩子對字詞與周遭世界的知識，以及提供他一系列策略，使他在閱讀時能組織與指揮他的思考。

文字的意義

孩子的字彙量有多少，是對他閱讀理解能力的最佳預測指標之一；擁有最多字彙的孩子，可能是能力最強的閱讀者。當孩子的年紀越大，就越有可能成為事實。所以，現在讓我們將注意力轉移到如何建立孩子的字彙。

在一開始時，孩子在印刷讀物中所看到的大部分文字，一定是在他的口頭字彙裡。然後，大約到了小學三年級時，他在印刷讀物中所遇到的字就較不可能是他熟悉的。這在孩子發展為熟練閱讀者的過程中劃下時間的樞紐。他必須建立他的口頭字彙，以便當他讀到那些他較不熟悉的字時能夠去辨識它們。

首先，教導字彙的目的是讓孩子不是只將生字視為一個名稱，而是一個完整概念。其目的是幫助孩子將那個字變成他思考歷程中的主動部分，而不是死記一個字的定義，或是急促背誦同義字。假使孩子能把一個字和他所熟悉的概念或過去的經驗結合，那麼這個字就可能跳進他的生活裡。舉例來說，假使這個生字是 **transmission**（傳動），而這個學生非常熟悉汽車並知道汽車是如何運作的，那麼他就會很快的將 **transmission** 加入他的知識庫，並利用這個字作為他可用字彙的一部分。牢記在心，很重要的是，概念優先於一切。因此，最多的教學時間應專注於討論特定文字所代表的概念。事實上，在說出字的名稱之前，先討論字的意義及與它有關聯的一切，這樣做往往會較好。就成效而言，這好比編織一個籃子，一旦某個字被提到，就能將它取得並放入這個籃子裡。

若要達到最好的字彙教學效果，就要從每個可能的觀點，讓孩子積極的學習那個字。當他能把生字與他所認識的字詞與周遭世界連結出越多的關係，那個字就會更加突顯，就更有可能成為他可用字彙的一部分。一旦生字被介紹給孩子認識，在這學習過程中不可缺少的一部分，是鼓勵他盡可能的多運用這個字——最初只是用它來造句，然後將它融入日常生活裡。讓孩子重複遇到相同的字，也有助於確保字義可穩固的建入他大腦裡的自動閱讀迴路，而且隨後能快速被檢索出來。

孩子的字彙每年大約以三千字的速度在成長。這些字可作為字彙課程的一部分，被直接、明確的教導，或透過間接的方式學習，就像它們大部分是透過日常生活經驗——聆聽他的父母，還有他的同儕與老師的對話，透過了電視和電影，上博物館或超級市場的經驗——或透過閱讀（在讀寫障礙兒童的情況裡，文字可從聆聽別人說故事，或使用有聲書的方式獲得）。在孩子的字彙裡，只有極少比例是來自於直接教學。這其中是有其意涵的。

老師和父母都需要對孩子被期待學會的字有所選擇。基本的選擇標準是那些最有可能發展孩子心智的字彙，那些就概念而言是困難的字（但不是他無法理解的字）——即是他不可能獨自理解的字彙。這並不是一個競賽，得膚淺的含括大部分的字或挑選出最罕見的字。而是要讓孩子整合及運用他可能遇到的字，但通常是他還無法獨自學會的字。最重要的是必須與孩子相關且實用的字；譬如說，你可預先閱讀一本指定的書，挑選出將用於密集字彙教學的特定單字。孩子也可建議一些曾讓他吃盡苦頭的字。密集的字彙教學所選出的字必須與孩子正學習的故事（或主題）的核心概念結合。聚焦於某個題材（或主題）的一組字，學習效果往往會最好，這麼做不但能學到個別的單字，還可藉此強化這組字裡其它字的學習。至於與此共同題材相關、但意義相反的字，學起來也會有效果。

以下是採用主題為「害怕」的教學方法。老師和學生努力想出一份與「害怕」有關的單字表，把每個字都寫在黑板上。當累積大量單字之後，再將這些字分類。學生也被鼓勵想出一些不是傳達「害怕」意思的字——像是單字 **intrepid**、**heroic** 和 **brave**（大膽的、英勇的）。在這被稱為腦力激盪的方法中，還可發展出許多變化方式：

Emotions（**情感**）／**reactions**（**反應**）：terror, horror, fainting, quaking

People（**人**）／**creatures**（**生物**）：monster, ghost, bogeyman, alien, humanoid, poltergeist, Dracula

Places（**地方**）：cemetery, graveyard, haunted house, funeral parlor, unlit street, dark alley

在想出所有字的過程中，孩子忙著把自己與「害怕」有關的經驗做廣泛分類的討論，活化他們的背景知識，並與班上目前正閱讀的書籍產生連結。在這活動裡，一個重要的結果是孩子可增加及擴展對「害怕」的瞭解。現在，他們擁有最新的文字工廠。在如何對文字與其潛在意義進行思考上，把這些單字分類的實際行動為孩子帶來了結構與方向。

父母的角色

父母可輕易跟隨老師的帶領。譬如說，當你的孩子專注於某本書，為了之後的學習和討論，你可要求老師從每一章挑選一、兩個生字。老師可用螢光筆突顯單字，在那一頁貼上便利貼，或把單字速記下來。之後你跟孩子兩人，可看看這個字在文本裡是如何使用，並討論它的意思可能是什麼。在上下文裡尋找相關線索。它是否引出屬於孩子生活經驗裡的任何印象或關係？孩子是否知道任何相似字？討論這些字有哪些共同之處，它們是如何不同。還有哪些字是你們兩人都能想到的，會想出相同的想法或概念？把那些字寫下來。拿出一疊便條紙和一枝筆，看看你們兩人以個別腦力激盪的方式可產生多少字。一起將這些字分類。要求你的孩子用每個字造出一個句子。讓他玩「文字偵探」遊戲，看看在接下來二十四小時內，他會看到和聽到這個字多少次，然後再次造訪這個字並繼續你們的討論。充滿創意的老師與父母，能在書本與課堂之外發展出有益於字彙教學的輔助工具。在一個極為成功的課程裡，老師讓孩子比賽誰能變成「文字巫師」，當他們把在不同校外環境裡用到、看到或聽到的某個新學字彙帶回班上，就能得到分數。

以字典作為出發點是很有用的，但字典往往對字的定義提供不足。所有小學三年級和三年級以上的孩子，都受惠於知道如何使用字典查詢單字。但要認識一個字卻不應只限定這一種來源。Dictionary.com是實用性頗高的網路資源，它能查詢字的定義、同義字和反義字，還附有特別吸引人的「word of the day」（每日一字）可產生源源不絕的生字。這個網站還以「Dr. Dictionary」（字典醫生）為特色，你可透過電子郵件把你對字和使用字的問題寄給它。

教學本質須保有**彈性**，且取決於字的本身。有些單字像是 **democracy**（民主），需要附帶範例有全面的討論；其它單字像是 **double helix**（雙螺旋），則最好透過影像與解說兩者來學習。每樣東西都是可以討論的對象——甚至是利用英國鬆糕或 Tennyson 的詩「Flower in the Crannied Wall」（牆縫裡的花），都能因此學到「nooks and crannies」（角落與裂縫）。學習生字時還能藉由**反覆與強化**中獲益。在概念上具有挑戰性的單字，需要一而再、再而三的介紹與討論；孩子並不會在遇到一個字一次、兩次或甚至三次後，就能吸收並運用這個字。這需要多次反覆的做。

可鼓勵孩子利用他們對單字部件（word parts）的知識，尤其是字首、字尾和拉丁文與希臘文的字根，將一個不認識的字拆解以判斷它的意思。而正因你不會嘗試教你的孩子認識故事裡每個他不熟悉的字，所以，把焦點集中在只學習最重要的那幾百個字綴與字根，這麼做是會有幫助的。假使你的孩子對這些單字部件已瞭若指掌，那麼他就能大量增加他的閱讀字彙。幸運的，這些單字部件只有相當少數是真正頻繁的出現：只有二十個字首占了英文教科書裡，找得到附有字首的所有單字的 97%，而這些字首裡，有九個字首占了全部有字首單字的 75%。下頁列出最常見的幾個字首。

由於孩子會從日常生活經驗裡，不經意的增加這麼多字彙，將他學習生字的能力擴展到極限是很重要的。這裡的指導原則是，當孩子對周遭世界知識的網絡越加豐富與稠密，那麼為一個生字找到及抓住相關「掛鉤」，活化他現有知識，以及在此網絡被整合的可能性就越大。同樣的，當孩子的字彙量越大，就更有可能瞭解與欣賞新概念或一些資訊。當他越能接觸各種有意義的經驗並閱讀得更多，他的字彙量與知識網絡就會擴增。

等級	字首	所有有字首的單字的百分比
1	un- (not)	26
2	re- (again)	14
3	in-, im-, il-, ir- (not)	11
4	dis- (not)	7
5	en-, em- (put into)	4
6	non- (not)	4
7	in, im- (in)	3
8	over- (excessive)	3
9	mis- (bad)	3
10	sub- (below)	3
11	pre- (before)	3
12	inter- (between)	3
13	fore- (earlier)	3
14	de- (reverse)	2
15	trans- (across)	2
16	super- (above)	1
17	semi- (half)	1
18	anti- (opposite)	1
19	mid- (middle)	1
20	under- (too little)	1
其它		4

父母與老師可以鼓勵孩子注意生字，而因此學會它們。我認識一位父親 Hayden，他利用照顧水族箱的嗜好，作為給他兒子 Jeremy 的學習經驗。Jeremy 陪他爸爸到寵物店，購買養魚用品和挑選新的魚。在開始前，父親跟兒子看遍他們手邊許多有關魚的書籍，研讀不同魚種和對魚的照顧方法，選擇了最有興趣的種類，然後把魚的名字寫下來。剛開始由爸爸閱讀所有內容，兒子一起看著圖片並聆聽。Jeremy 很快就能辨識那些印刷文字，每當那些魚的名稱出現時，他就能指出 **zebra fish**（斑馬魚）、**shark**（鯊魚）、**angelfish**（神仙魚）、**parrot fish**（鸚鵡魚）或 **clownfish**（小丑魚）那些字。沒過多久之後，他們很快的開

始一起朗讀。而現在的 Jeremy，一個小學四年級學生，可以閱讀越來越多文章給他爸爸聽。這對父子的討論不再只以魚為中心，還有海藻、珊瑚、海葵、葉綠素、肉食動物、魚類易感染的疾病、進化與生態。一開始對水族箱魚類的興趣，擴展為對海洋和海洋生物的更廣泛興趣。至於其他父母則利用孩子對運動、狗、貓、滑板運動、娃娃屋、政治、宇宙或馬的興趣，發展孩子更多的字彙，成為更寬廣、更豐富的世界觀的推動力。

教導孩子學會生字，沒有唯一的公式。反而，很重要的是牢記在心，每個經驗都是學習的機會——釣魚、拜訪祖母、打棒球、超市買菜後把食品雜貨擺好、到森林散步、看電視新聞及閱讀（書籍、雜誌、報紙和甚至標籤與招牌）。關鍵是讓孩子接觸各式各樣的經驗，跟他一起談論這些經驗及那些以開放方式學到的單字，使他不會有錯誤答案。然後，鼓勵孩子盡可能的經常利用這些生字。

父母應如何培養孩子的閱讀理解能力

就如同父母能在流暢性與字彙的培養產生正面成效，他們對閱讀理解力也能有類似效果。一項針對七歲與八歲孩子所執行的最新研究確認，家庭閱讀習慣是孩子往後在閱讀表現的有力預測指標。熟練閱讀者較常聆聽父母閱讀給他們聽，而且較可能與父母共讀，一起討論書本與故事。

基本概念是鼓勵你的孩子成為主動的聆聽者，那是主動閱讀者的前身。為了達成此一目標，你採取的所有步驟都是為了引起他的注意力，並把他帶入閱讀。目標是那些字及它們在呈現意義時所代表之概念。因此，你不斷的尋找方法，將書頁上正發生的事與對你孩子而言是熟悉的或有意義的事物產生連結。

我喜歡將閱讀理解活動分成三部分：打開書本前，那些你可以做的活動；在你孩子閱讀時，那些最有幫助的活動；以及在孩子讀完後，那些會幫助他組織想法和總結故事事件的活動。這些活動都很好玩，卻也是密集的。你絕不應感覺有義務，要對每本你與孩子共讀的書都得完成每項活動。我是在提供各種可能性。你必須決定，在這些活動裡哪些最適合你和你的孩子。把閱讀理解技能教給你的孩子，沒有唯一正確的方式或一套公式可依循。其概念是把對閱讀的思考方式遷移（transfer）到你的孩子身上。一旦他同化（assimilate）這種對閱讀主動思考的方式，那麼他就是獨立的閱讀者了。

在打開書本之前

從最一開始，就確定閱讀目的是很重要的——譬如說，發現什麼事將會發生在主角的身上，或是秘密將如何被解開。有很多方法可讓你啟動孩子思考閱讀的目的。詳細說明那本書的書名或作者。假使這本書的封面有插圖，你們可以討論什麼是插圖要表達的，關於這本書及它的目的。在閱讀前先將這本書瀏覽一遍，有助於閱讀者熟悉這本書的內容，並讓他有種感覺知道這本書或這一章進行到哪裡。考慮 Marjorie Flack 與 Kurt Wiese 所著繪本《鴨子的故事》（*The Story About Ping*）。封面圖畫是以中國舢舨為背景，襯托一隻蹦蹦跳跳的鴨子，舢舨靜靜的停泊在夕陽西沉的河岸。如果你打開書本會發現Ping的身影，那隻蹦跳的鴨子，還會發現其它鴨子、船、水、抱著Ping的小男孩，以及在故事結尾，Ping 被站在一堆乾草裡的一群鴨子包圍。你可以問你的孩子，他認為這本書看起來是關於什麼的故事，以及他預測在故事裡會發生什麼事。

關於鴨子Ping這本書的封面插圖，可醞釀為對鴨子的討論，去參觀一個農場，或是你對鴨子所知道的一切。鴨子喜不喜歡玩水？牠們會游泳嗎？你認為鴨子Ping在水裡做什麼呢？船又是怎麼一回事呢？看看書的封面，你會看到在遠處有個隱約見到的落日。問問你的孩子，他認為封面描繪一天中的幾點鐘，以及為什麼？問他是否認為這將是個快樂或悲傷的故事，以及為什麼？你正在為你的孩子示範，一個優秀閱讀者是如何開始閱讀。熟練閱讀者也是個主動的閱讀者，他並非漫無目的的閱讀；他是有目的閱讀，進行猜測，並想知道他的預測是否有效，或需要改變它們。預測將孩子引進故事裡，並讓他渴望繼續閱讀。

預先考慮任何潛在困難，或是不熟悉的字或概念，這永遠都是個好觀念。如果你有時間的話，你應把那一章或那本書預先閱讀或瀏覽過，以找出那些令人煩惱的單字。在這個故事裡，**Yangtze**這個字可能對你孩子而言會是個生字。

你可向他展示Yangtze River（揚子江）在地球上的位置，或者你可以談到河流，包括任何在你們當地的或你已拜訪過的河流。用這樣的方式，你能幫忙孩子活化他的背景知識，藉由把這個故事與他已知道的或對他有意義的事情相連。最後，你可試著把故事和其它故事連結，像是那些與鴨子有關的故事。這些策略相當有彈性。你可在朗讀給你的孩子聽時，或之後當孩子朗讀給你聽時，應用這些策略。

 在閱讀時

解釋故事的最前面幾句，或是故事的第一段來出發，這會確保你的孩子從一開始就主動投入。開場的句子是關鍵性的，它們往往為整個故事鋪設舞台，向你介紹地點與人物。在《鴨子的故事》裡，我們很快就遇到鴨子 Ping，以及牠的「媽媽和爸爸，還有兩個姊妹，跟三個兄弟和十一個阿姨跟叔叔，還有四十二個表兄妹」。我們發現「牠們的家是在揚子江上，一艘有兩個聰明眼睛的船」。而只讀了幾小段之後，我們就知道，「鴨子Ping總是小心翼翼的，非常小心的不要走在最後一個，因為最後一隻過橋的鴨子會被打屁股。」而讀到這裡，你可以暫停一下，好好想一想，到目前為止學到些什麼，以及作者可能為讀者準備些什麼。你可以問：「當我們翻到下一頁時，你認為鴨子Ping有沒有可能最後一個上船？為什麼？如果牠是最後一個的話，你想牠會怎麼辦？你會怎麼辦呢？」藉由討論故事，以及你的孩子會如何與它產生連結，你正吸引他進入故事敘述裡，並藉此提高他的興趣。在一開始就要做對，這是很重要的，一旦孩子失去興趣，就很難把他帶回故事中。而在另一方面，孩子一旦是發生事件的一部分，他就會開始上癮，因此想要知道接下來會發生什麼事。

還有件很重要的事，從一開始就要先確認**何人**（who）、**何事**（what）、**何地**（where）、**何時**（when）、**為何**（why）。這些訊息代表這個故事的結構；它能提供討論的參考架構，並固定故事的敘述模式。知道故事裡的這些事實，還可以幫助你的孩子想像發生什麼事，這有助於鼓勵他把對地點和角色的聯想產生影像。在頭腦裡保有這樣的影像，是對書中情節與更好的理解又增加連結。

就像你稍早所做的，你可找出困難的字與概念來跟孩子們討論；在鴨子Ping的故事裡，這些字可能是 **wise**（聰明的）、**scurrying**（急匆匆的跑）、**running away**（逃跑）或**reunion**（團聚）。要求你的孩子指出什麼是他看到的，在故事角色遭遇困難時影響了他們，然後建議一些可能的解決方法。你們可以討論每個細節。隨著你們繼續往下讀，詢問孩子他的預測是否要改變或修正，並要求他解釋想法。

偶爾你可要求你的孩子概述故事情節，詳述已發生事件的先後順序，或告訴你剛才唸到那一段的大意。最後這個活動會幫助孩子把重要訊息與瑣碎或冗長的訊息有所區別，而這正是掌握故事要旨的關鍵。為了增加故事的豐富性，使你的孩子更接近這個故事，詢問他更多與書中角色有關的問題；你可以討論鴨子 Ping，或是那個每天晚上都大喊「La-la-la-la-lei!」的船主人，或甚至把鴨子Ping從水中拉出的那個小男孩。他喜歡故事裡的每個角色嗎？為什麼呢？這些人物是否讓他想起任何他認識的人，或是他以前讀過的某個角色？這個故事讓他的感覺如何——快樂、悲傷、幸運、害怕、渴望或興奮？為什麼呢？當你閱讀其它故事時，循著相同模式，永遠要讓你的孩子和他的經驗融入故事的結構裡。

在閱讀完這本書之後

要求你的孩子概述這本書的情節，告訴你發生了什麼事，以及他對這本書的感覺。看看他是否能把發生的事件依順序重述一次。如果不能的話，那就是要用到紙筆的時候了，把故事的樣貌透過圖表繪製出來，例如像是原因與結果，或是事件的特定順序。詢問孩子是否想重讀故事一次。問他是否想閱讀更多相同主題的故事；在這個實例裡，則是有關鴨子、船、河流或中國的故事。

由於這些活動涉及基本推理技能，因此，你甚至可以在孩子學習閱讀前就介紹他認識這些技能，但絕對要在解碼教學開始之前。對你的孩子朗讀，是一種讓他開始的極佳方法，而最早要教會孩子的事情之一，就是認識閱讀的目的是從印刷字中擷取意義。你可以示範給他看，在一個故事裡要找什麼和聽什麼

（討論如下）。你和你的孩子，甚至可表演故事中的人物。這類活動會把孩子帶進故事裡，鼓勵他做個主動的聆聽者，幫助他學得能增進意義理解的那類技能。它們有助於發展孩子的口頭語言技能、字彙、背景知識，以及增進對書本功用的瞭解。

書本是孩子閱讀能力發展的核心，許多精彩的兒童讀物可提供各種年齡、興趣和閱讀程度的孩子使用（見第十六章）。很早開始閱讀，把書本介紹給孩子認識。隨著孩子日漸長大，要閱讀給他聽。確保他不但能（依他的閱讀程度）朗讀給你聽，也能朗讀給自己聽。最初，他每天應該最少閱讀二十分鐘，而之後是三十分鐘或更多時間。**持之以恆的**閱讀——每週最少閱讀四天或五天，即使用很短時間——這會比每天花在閱讀時間的長度來得重要。頻繁的閱讀，尤其是朗讀，能提升孩子的閱讀能力，而且，這比任何事都更能激勵他想閱讀更長的時間。

為了理解，孩子所需要的基本技能及求救策略，隨著時間過去仍保持穩定。孩子一旦開始接受閱讀教學，字彙與理解技能都應隨著解碼技能同時被教導。

引導你的活動

這裡是討論過的活動清單。每次在親子共讀時，你們可專注其中幾項。

- 建立閱讀的目的
- 確認書名與作者
- 對封面插畫表達意見
- 瀏覽書頁上的文字
- 確定五個 W：who（何人）、what（何事）、where（何地）、when（何時）、why（為何）
- 將故事與事件和孩子的現有知識及興趣產生連結
- 預測未來會發生的事件（讀一段、暫停、評論，然後要求孩子預測，接下來會發生什麼事）

- 概述主要的概念
- 一邊閱讀、一邊提出問題
- 推論
- 澄清有困難的字或容易混淆的概念
- 利用心像或視覺化（visualization）
- 組織概念，或透過在紙上繪製圖表的方式
- 重述事件的順序
- 享受閱讀故事的樂趣

另外，盡早帶你的孩子上圖書館，甚至在他學會閱讀之前。當他一符合資格時，就馬上幫他辦理圖書證。經常上圖書館，參加說故事時間，認識當地的公共圖書館，負責童書的圖書館館員（以後在學校也是），這是你能為孩子做的一件明智的事。負責童書的圖書館館員是兒童讀物專家，可變成你和孩子很棒的資源。當圖書館館員認識你的孩子，能對他的興趣、最喜愛的書與作者，以及他是什麼樣的孩子有所判斷，那麼他就可幫助你的孩子留意他喜愛的書、近期活動訊息，以及最新送達的書籍。

理解力：有困擾的徵兆

坐在孩子的身旁與他共讀，附加好處是你會對他當前的閱讀理解能力有深入瞭解。以下所列是孩子在閱讀理解有困擾的一些徵兆：

- 在他的閱讀中，他似乎理解得有限。
- 他對於回答「這本書是關於什麼？」的問題有困難。
- 他無法享受閱讀的樂趣。
- 他花在簡單段落的時間，跟他花在困難段落的時間是一樣的。
- 他無法把他已開始閱讀的東西讀完。
- 他似乎無法將他的閱讀與他知道的事連結。
- 他有困難從閱讀中做推論；他總是小心的照著字面意義解釋。

- 他不能提出主要概念或概述他所讀的。
- 他無法將文本中的重要概念與較不重要的區別出來。
- 他對預測有困難。
- 他很少回顧之前讀過的，以檢視他的閱讀。
- 他會說閱讀是件無聊或令人疲倦的事。
- 他會逃避閱讀。

如果這看似在描述你的孩子，那麼就需要證實你的印象了。跟孩子的老師談一談，或許讓他在學校接受測驗。很重要的是，不只判斷他是否有閱讀問題，還要判斷問題的本質。幾乎是經常的，當孩子遭遇閱讀困難時，那反映出他在正確、流暢的解碼文字上有困難。他可能試圖學會那個字而正奮力掙扎著。一般而言，孩子的理解技能是在所有先備能力都定位後才會成熟：解碼的正確性、流暢性、字彙、背景知識和策略。若其中任何一項有缺陷，就會影響到理解力。

就像我在門診中與家長的討論，這裡的討論一樣針對你們而寫。知識授予你力量，而當你瞭解了閱讀，就有信心幫助你的孩子。不用擔心單一的和所有的細節。一旦你瞭解了這些道理，你會知道要做些什麼，並隨即付諸行動。

PART 4

戰勝讀寫障礙：將閱讀困難者轉變為熟練閱讀者

戰勝讀寫障礙
Overcoming Dyslexia

Chapter 18

Sam 的閱讀課程：一個有效的模式

Sam的學習一直不順利。他的父親是一位專職作家，而母親是建築師，Sam在進入幼兒園之前就被鑑定有說話問題，並被安置在一個促進構音發展的教育方案。六個月之後，他的說話問題被認為已有明顯改善，因此被要求離開那個方案。當Sam在小學一年級掙扎於閱讀時，他的媽媽被告知要「給他時間」。

到了三年級時，Sam 的父母親非常擔憂，他從未自己拿起書來閱讀。當他的媽媽試著跟他一起閱讀時，他會找盡理由來逃避。他的媽媽覺得他應該接受測驗，但老師說沒有那個必要；在經過非正式測驗後，Sam 的老師斷定他沒有閱讀問題。他的父母親害怕若與老師及學校人員敵對，情況會更加惡化。Sam在家裡煩躁、生氣，並逃避任何家庭作業。在學校裡得到可使用電腦的額外時間。一切似乎都沒有改變。絕望之中，這個家庭來到了耶魯研究中心；Sam 接受測驗並被發現有嚴重的閱讀障礙。Sam 的父母帶著這份鑑定報告回到孩子的學校，那時學校正舉行學生安置團隊（Pupil Placement Team, PPT）會議，而Sam被鑑定為有閱讀障礙的特殊需求學生。那時候是二月了。他開始接受那套在新英格蘭區頗受教師歡迎的閱讀課程。到六月時，有一點進步了。這一刻的他自信滿滿，是個優雅的棒球游擊手；而下一刻他卻顯得不安、結巴，是即將升上四年級的閱讀者。那時我與所有相關人士見了面。

學校人員對於 Sam 是真誠的感興趣與關心，但那套閱讀課程做了錯誤引導。發音教學課程中並未包含系統化或明確教學的特色，像是大雜燴一般。到目前為止，我能證明沒有任何科學證據支持 Sam 的閱讀教學有任何成效。此外，這個九歲孩子被安排上兩種不同的閱讀課程（一種是跟著他的特教老師，而另一種是在普通班裡上課），它們反映出兩種不同的閱讀策略。字彙與閱讀理解技能幾乎都被忽略了。

我特別擔心是因如你們現在所知，小學四年級不再強調學習去閱讀，是透過閱讀而學習。Sam 持續在單字有困難，並得努力讀懂社會科課本。儘管 Sam 有智能及動機去精熟這個科目，但他一定會不及格的。對我而言，那曾是——而且仍是——難以接受的，因為適合讀寫障礙兒童的有效閱讀課程的確存在。甚至對 Sam 來說，那麼不完整的課程都能被調整為有效的。它在 Sam 的身上發生了，因此它也能發生在任何孩子身上。

我們為 Sam 所設計的課程，焦點鎖定三個主要目標：

1. 強調實證本位的閱讀介入，由具備這方面知識的老師，提供足夠的教學強度。
2. 將 Sam 的特殊閱讀課程與普通班課程整合。
3. 保證他的閱讀狀態被穩定的監控。

從一開始，很重要的是由一位專責的、具備這方面知識的教育工作者負責 Sam 的教育計畫。對這位學校新來的閱讀專家來說，這角色看似非她莫屬，我稱她為 Griffin 老師。她和我共同檢視一系列實證本位的介入課程，然後挑選「語言！讀寫介入課程」（**Language! A Literacy Intervention Curriculum**）。這套課程在小學高年級與中學學生的實施成效及其綜合本質，都讓我們印象深刻。閱讀是被視為整體語言經驗的一部分來教導，它整合閱讀、書寫、拼字、文法、語言的使用與字彙；而且，不但將大量時間專注在朗讀，還用於獨立閱讀。為了趕上進度，Sam 有許多事要做，因此我想確保介入是以足夠力量被傳遞。他需要接受大節教學，且是小組指導，並保有最多的師生互動。我們也感到滿意，這套課程提供教師密集的專業成長方案，幫助及確使這套課程能被有效的教導。

這裡是 Sam 已經做的。取代他原有的普通班上課，Sam 被安排在有三位學生的小組裡，每天接受九十分鐘（相當於兩堂課）並結合閱讀與語文課程。流暢性練習——用單字、片語和連貫性文本——每天都提供這些練習。當 Sam 能實際看到他每分鐘正確讀出的字數在穩定增加時，他那好競爭的天性使他特別喜愛定期畫出能顯示他閱讀流暢率的曲線圖（第十九章有更多關於流暢性的敘述）。

另外，Sam 還接受每週四次、每次四十五分鐘的資源班教學。資源教室的功能是作為普通班與家裡的橋樑。這些時間多半用於將 Sam 的閱讀需求與他在其它科目的教學整合；教學重點是**預讀與重讀**。在 Sam 可以單打獨鬥之前，他與老師一起工作使他能預讀（社會與自然科學）閱讀作業。在這段時間裡，他會練習困難單字的發音，把每個字抄寫到索引卡上（而且，時間允許的話則查詢字義、造句，畫出相關卡通圖案來提醒他那個字的意思）。他盡可能快速的把字朗讀好幾遍。所有課堂講義也都複習過。Sam 在這裡接受課堂紙筆測驗，由資源班老師幫他報讀試題。他不但在隨堂考試中獲准延長時間，在全州能力測驗（statewide proficiency tests）也是。

Sam 的普通班正透過積極的努力幫助他。就如我說過的，在所有課堂活動裡，在同學面前朗讀是那些閱讀困難學生最害怕的事。在 Sam 的案例裡，當他得在課堂上朗讀時，他會在前一天被告知，以便跟他的資源班老師和（或）他的父母在家練習指定段落。（當孩子把自己讀過幾遍的段落錄音起來，因而先知道他聽起的感覺，他往往較有自信）。假使他覺得準備好在班上朗讀時，他就會自己舉手。

拼字與寫字活動則與普通班與特殊課程結合。作為他的部分閱讀課程，Sam 被期望正確拼出他學到的那些字。由於拼字比讀字更難，所以，假使他無法讀一個字，他就不會被期待拼出那個字。

寫作（寫字與作文）對讀寫障礙者帶來了挑戰。瞭解 Sam 有書寫困難、時間的限制，以及他對電腦的使用熟練、靈巧，我建議他學習鍵盤輸入技巧。另外，讀寫障礙者比其他孩子需要更多練習，因此直接教導他們寫作策略、造句及發展文章段落應遵循的結構，他們會更有收穫。Sam 在資源教室接受基本作文技巧的指導，並與社會課與自然科學課的書寫作業結合。Sam 在普通班的作文寫得越來越多了。而接下來他會先在普通班寫指定作業，然後在資源教室複

習它們。一旦他的鍵盤輸入技巧變得熟練，他打算購買一個攜帶式迷你鍵盤（AlphaSmart 是個好鍵盤；見第二十三章），他就能帶著它到不同教室上課。

在資源教室方面，也把努力的重點放在保證 Sam 在家的下午和晚上都會有收穫。如先前所提到，他在資源教室複習所有家庭作業，以確保他能正確的閱讀每樣功課，而且知道該怎麼做。另外，Sam 的每本教科書都訂購自視障及閱障者有聲書圖書館（Recording for the Blind and Dyslexic, RFB & D）所錄製的錄音帶或光碟版有聲書（見第二十三章）。最後，他的錄音機與錄音帶會放在家裡，使他在家時能跟著錄音帶重讀教科書。我還建議 Sam 在家裡保留另一套教科書；這能使父母或家庭教師在 Sam 朗讀課文時得以跟著他閱讀。

在 Sam 的閱讀、資源教室和普通班老師之間，以及在學校與家裡之間，這整個過程的基本原則是建立持續、無接縫的溝通系統。為了便於彼此溝通，一個正式計畫準備妥當。如我所強調的，家裡是強化 Sam 所學技能及讓他享受閱讀的地方；他應不用依賴他的家庭教師或父母教導他新的技能。同時，由於練習對讀寫障礙學生有極大幫助，我將學校與家庭的合作視為延續他學習的積極手段。對 Sam 的家庭，我鼓勵這樣的合作方式。他在家裡的閱讀會強調三個特定的目標。第一，他必須藉由練習，對他的父母或家教**朗讀**學校的教材，以強化他在課堂所學。第二，Sam 被鼓勵為樂趣而默讀。這些讀本都是他有高度興趣，而且適合他的閱讀程度。「語言！讀寫介入課程」的閱讀教材與閱讀能力等級（Degrees of Reading Power, DRP）系統（請見第十六章）緊密連結，有助於 Sam 的興趣能與他的閱讀能力配合（「語言！讀寫介入課程」的所有閱讀材料，將依其難易程度自動的轉換成 DRP 單位；這排序可用於取得依字母排列、數以千計的讀物，它們按照 DRP 等級與主題排列）。由於 Sam 熱愛運動，並享受在小聯盟打球的樂趣，這麼做就可以輕鬆找出一系列符合他的閱讀程度，與棒球有關的讀物。第三，如果時間允許的話，Sam 的父母會為他朗讀比他目前閱讀程度高的讀物，或讓他使用錄音帶或光碟來聆聽。這樣的方式能使 Sam 有機會接近那些符合其智力程度，但超過他的閱讀程度的印刷讀物，而且能獲得新字彙與周遭世界的知識，否則以他個人之力，是無法得到那些知識的。

這些家庭活動支持了他的學校教學，不但有助於發展流暢性技能，還能增長對熟練閱讀非常重要的字詞與周遭世界知識（當然，這些活動並非全都得在一個晚上做完；我已將它們的重要性排出優先順序。所以，朗讀學校教材會是最優先要做的）。

Sam 的閱讀進展持續受到監控。他在課程的精熟程度會定期被測試（在每六堂課結束時），使用口頭閱讀流暢性和閱讀理解正式評量。在學年結束時，Sam 會接受標準化的閱讀測驗，以檢視相較於與他同齡的其他孩子，他的表現是如何。針對這個目的，我所使用的測驗是 Woodcock Reading Mastery Tests（WRMT）、Gray Oral Reading Tests（GORT）和 Test of Word Reading Efficiency（TOWRE）。有關教導及測試讀寫障礙兒童的流暢性的方法，在第十九章會討論到。

學習主要應在上學時發生，那是孩子最靈敏的時候，然而在強化孩子的閱讀技能上，家庭教師執行的功能有其價值。他可幫助孩子練習朗讀，將孩子日漸增長中的閱讀與書寫技能應用到他的家庭作業。家庭教師可把讀書方法介紹給孩子，尤其是安排時間與整理筆記的技巧，那對孩子有長期好處。Sam 的家人希望由課後家庭教師提供額外的支援。我極力主張家庭教師與學校閱讀專家應密切合作；他們就像一組工作團隊，共同合作是有必要的。在任何情況下，家庭教師絕對不該是唯一的執行者。

在為 Sam 實施這套課程九個月之後，他的閱讀成績已增加將近兩年的水準。最重要的是，他開始認為自己是個閱讀者了；他再也不會胡亂猜測他不熟悉的字了。假使他碰到一個字，他說得結巴了，一般來說，他最後都有辦法把那個字正確的發出音來——而這是僅僅在幾個月之前從未發生過的大事。甚至當他無法完全將一個生字解碼時，他會有合理的企圖心這麼做；他會利用他對字母如何代表聲音的知識與他優秀的字彙能力來弄懂那個字。他會在班上舉手發言，渴望被叫到名字。他更專注於把文字流暢的讀出來，學習如何拆解長字，認識以拉丁文為基礎的字源，使他能認讀那些經常出現在社會與自然科學教科書裡的生字。Sam 從預習課本裡的閱讀作業有所收穫，他會找出困難的字然後加以練習。他放學後一回到家，就渴望朗讀一段文章給父母聽。對他來說，拼字仍是困難的，但在進步中。他快學會鍵盤操作技巧了，而且他現在會用電腦

寫作。這一點讓他釋放極大壓力，他因此能專注於作文的內容，而不是字母的構成。他的進步讓他開心，他的父母與老師也有相同感受。老師開始把 Sam 的課程再調整給其他閱讀問題學生使用。

像這套成功用於 Sam 身上的課程，可發展給任何孩子使用。若要這麼做，你必須牢記在心，教導讀寫障礙兒童學會閱讀須使用與教導任何孩子閱讀相同的原則。儘管讀寫障礙兒童的神經系統在負責將印刷文字轉換成語言時，可能不如其他孩子那麼有反應，然而，**教學必須堅持不懈，並以任何可能方式發揮其能力，使教學深入並扎根**。最終目標是幫助孩子成為獨立、熟練的閱讀者。此過程的目標為建立他負責閱讀的神經系統——首先，是分析每個字時，速度較慢的左前額葉與頂－顳葉系統。然後，如果可能的話，是允許流暢閱讀走自動快速路徑的字形系統，而流暢閱讀正是熟練閱讀者的特色。

我稍早告訴過你們，有效的閱讀課程採用了三方並進的方法，它涉及閱讀介入、介入與普通班課程的整合，及對閱讀進展給予經常的監控。當然，關鍵就在於介入，而介入特別值得在此一提。

成功的閱讀介入所包含之要素

成功的閱讀介入是由幾個要素所構成。第一個要素是課程內容，這部分我會在下一章詳細討論。在此我想把焦點放在執行的議題上——何時、如何、由誰，以及要提供多久的介入給學生。這些因素用來判斷介入最終會成功或失敗，甚至判斷這是否為最好的介入。然而，這些因素往往被忽略。它們反映加入 Sam 課程的那些成分。所以，你必須保證每個要素都是孩子閱讀課程的一部分。

早期介入

要成功的教導讀寫障礙兒童學會閱讀，診斷是不可缺少的第一步——越早越好。因為我親眼見到許多父母，由於想要「再等一下」或「給他一些時間」

而喪失了寶貴時機。我想提醒你們，否認或將問題合理化都無法改變現況；那只會讓你的孩子更落後並傷害他的自尊。孩子需要在失敗之**前**得到幫助。

那些得到早期幫助的孩子，能夠像他的同儕那樣，依循一樣快速的閱讀途徑。至於後來才被鑑定的孩子，是失敗在基本練習的不足。如今你瞭解，流暢性的發生來自對相同字詞的重複練習，以至於在大腦裡這個字表徵最終會發展成一個完美複製品。弱讀者得到最少量的閱讀練習，儘管他們需要最多練習。他們逃避閱讀，閱讀量不足，所造成結果是一天天落後於同儕讀過或練習的印刷文字數量。一直到小學三年級或稍後階段都還沒被鑑定的讀寫障礙兒童，他所落後沒學會的字已達千字，那是若他想要追趕上同儕，他必須拉近的差距。所以，最好的介入是在幼兒園階段的預防，或在剛上小學一年級所進行的補救。

而幸運的，如早先所說的，我們擁有強而有力的大腦造影證據，它證明科學本位的介入能為孩子的大腦迴路重新裝配，使他們與從未有閱讀問題的孩子在實際上沒有差別。早期指標是孩子的學習成長有維持的傾向，甚至在特殊課程結束之後。

密集教學

提供給讀寫障礙兒童的閱讀教學必須用極大的強度來傳遞。這反映讀寫障礙兒童對教學有更多需求，那是更加精準和明確的教學。牢記在心，讀寫障礙兒童落後於他的同儕。因此，如果他要追趕上就得比同儕進步更多。他必須有個大躍進；如果沒有的話，他會持續處於落後狀態。

有效的閱讀教學會針對孩子的獨特需求、他的教學活動和他的行為而回應。老師必須知道如何放慢速度、重複、加快或改變速度、找出其它解釋及停止。這意謂老師必須和學生有足夠頻繁的互動，以便能察覺改變並調整教學。

理想而言，一個正遭遇閱讀困難的孩子應被安排在三人小組學習，不要多於四位學生，而且每週應至少四天接受這種特殊的閱讀教學，一週五天會更好。若小組的人數更多或時間給得更少，會大幅削弱成功的可能性。

 優質教學

優質教學來自於高素質的老師。就像我的同事 Louisa Moats 經常說：「教導閱讀就像是火箭科學。」因此，孩子如何學會閱讀，老師所持有的知識，還有他在特定課程的教學經驗，最終會決定閱讀課程的是否成功，即使那是最好的課程。

近來的研究強調，老師對閱讀課程的整體成敗能造就不同的結果。在一個實例裡，同樣的教學方法被用於兩項研究中，但卻有不同結果。根據完成這兩項調查的研究者的說法，在證實該課程為最有效的研究裡，是「聘請教學技能極豐富的教師，他們全都有教導閱讀障礙兒童多年的經驗」，而在另一項研究，則是「聘請經驗不足的教師」。這是個有力論點，它確保任何人若要能承擔這樣的責任，必須是具備這方面知識的閱讀教師，或是受過最新訓練的教師，並對科學本位的閱讀教學法有經驗。教導讀寫障礙兒童閱讀的主要工作，不應丟給教師助理、同儕小老師，或沒有足夠必要知識或經驗的老師。

在另一項研究，則利用電腦教導閱讀障礙兒童學習理解策略。這些孩子看似對學習這些特定方法的成效非常好，但卻無法運用他們所學的。當這些孩子坐在電腦前，而老師陪伴在身旁時，他們能應用那些學會的策略。但當孩子獨自坐在電腦前時，不管如何，他們就是無法應用那些被教過的策略。所以，策略的學習和運用不必然相同。電腦並無法取代一位好老師。

教導讀寫障礙兒童閱讀是一件苦差事。它強調高度互動的過程，在師生間快速的來回共振。要獲得孩子的注意力，需要老師那一方的持續努力，老師須努力讓孩子投入閱讀、詢問他問題，或要求他解釋回答的理由（「Sam，我想知道，你為何會這麼回答。你能告訴我嗎？」）。對讀寫障礙學生而言，閱讀是極為艱難的工作，而老師的目標是預防他對閱讀逐漸疏遠，或是做白日夢。作為一位老師，必須不斷傳遞必要的知識給學生，而同時努力確保教學能帶給學生，他認為對孩子有意義的方法。他持續不斷在思考，如何將這些訊息傳達給孩子。

足夠的教學時間

在教導讀寫障礙兒童閱讀上，一個最常見的錯誤是太早結束看似有效的教學。一個能夠正確閱讀，但依其年級水準卻無法流暢的孩子，仍然需要密集的閱讀指導。一個有閱讀障礙，但沒有被早期鑑定的孩子，可能需要一百五十到三百個小時這麼多的密集教學（在大部分上課日，每天至少九十分鐘，持續一年到三年之久），假如他要縮短和同儕間的閱讀差距。當然，鑑定與有效的閱讀教學被拖延得越久，這個孩子就需要越多時間才追趕得上。

藉由以下這些建議，你能夠幫助、確保你的讀寫障礙孩子學會閱讀：

- 提早得到幫助；
- 安排頻繁的教學時段、小團體和足夠的教學時間，將時間增加到最多；
- 堅持聘用合格的教師；
- 堅持使用實證本位的閱讀課程。

Chapter 19

教導讀寫障礙兒童閱讀

1. 學習正確的閱讀文字

高效能的預防與早期介入課程如今已成為事實。它們的目標是鎖定五、六歲兒童，在幼兒園或小學一年級，那些孩子因缺乏這方面指導而有閱讀困難的高風險。高危險群孩子因有閱讀困難的家族史、早期語言問題，或在幼兒園篩選測驗的分數低下，而可能出現閱讀問題。孩子的閱讀表現應日趨穩定，因此到了一年級時，他的閱讀能力已有力預測他日後的閱讀成就。更值得注意的是，對於改變有風險孩子他一生的閱讀道路，許多新研發的課程是如此成功。根據**國家兒童健康與人類發展研究院**（NICHD）負責領導閱讀研究的 G. Reid Lyon 所說，若能大規模實施這些有科學實證的預防與早期介入課程，必能大幅降低需要高年級特殊教育的兒童人數。在佛羅里達州 Tallahassee 的一所小學就實施這樣的課程，而閱讀困難學生的百分比降低至八分之一——從 31.8%降到 3.7%。

在這些課程裡，共同的主軸貫穿每種課程。它們都遵循相同模式，那就是先前我所描述，教導孩子如何破解閱讀密碼。所有孩子都必須精熟相同的閱讀要素，以成為有讀寫能力的人。對於閱讀障礙者而言，要他們掌握每個步驟，過程顯然更艱難。有效的早期介入課程所包含之要素如下：

- **系統化**教學與**直接**教學，針對：

  音素覺識——注意、辨識與操弄口頭語言的聲音

  發音教學——字母與字母群如何代表口頭語言的聲音

  把字發出音來（解碼）

  拼字

  閱讀瞬視字

  字彙與概念

  閱讀理解策略
- **練習**將這些技能應用在閱讀和寫作上
- **流暢性訓練**
- **豐富孩子的語言經驗**：聆聽、討論和說故事

這些成效頗佳、且經過實證的閱讀課程包括了上述特色，此刻它們正把尖端科技直接帶進教室。很多有成效的閱讀課程是針對所有年齡層和閱讀程度的兒童所設計。我絕對會推薦「現成的」綜合性課程，而非那些老師們拼裝的折衷式課程。像那樣的折衷方法並未被測試過，實質上是可能或不可能成功的實驗。我不想讓我的孩子冒這個風險；我反而願意接受一套實證的、整合性課程，這類課程不會讓意外有機會發生。

假使你的孩子有閱讀風險或有困難學閱讀，你必須詢問他的老師他正在使用什麼課程。如果是被推薦的那一種，那麼你就可以放心：你的孩子被妥善照顧；他將學會閱讀。如果不是被推薦的那一種，那麼和老師討論那些課程，並建議他考慮其中一種給孩子使用——或是能反映相同原則的類似課程。

所有老師都希望學生學會閱讀，但許多老師根本就缺乏優良、可靠的資訊來源，好讓他們取得研究本位的有效閱讀課程。你的角色——事實上，也是你的責任——成為孩子最重要的擁護者，就是把最新的、最重要的資訊帶給孩子的老師和學校。趨勢已經改變，帶來國家閱讀諮詢委員會的研究發現及閱讀優先（Reading First）的新立法。現在，學校承擔起責任，要提供實證本位課程給他們的學生。這件事並沒有其它方法。

我想強調，這些課程中的每一種都有成效。**從其中挑選某個特定課程，其重要性遠不如在音素覺識與發音教學上，提供孩子系統化與明確的教學，再教導他們如何將這項知識應用在閱讀與寫作**。課程的具體內容正不斷更新，但指導原則維持不變。

基本上，有兩種有效的方法可用來預防閱讀困難；兩種方法都是準備給那些有早期閱讀問題徵兆的幼童使用。第一種方法是提供一種結構化、綜合性閱讀課程，給整個班級有閱讀風險的孩童。這種方法的範例是 *Reading Mastery*。

Reading Mastery 是一套結構化的閱讀課程，適合從幼兒園到小學六年級，有閱讀問題高風險的兒童使用。這套課程是以直接教學（Direct Instruction, DI）為基礎，需要老師按照如腳本般、詳細編寫的教學計畫，把概念打散成較小的次技能，逐一的教給孩子，直到他們掌握特定的概念後才允許他們繼續前進。有些老師對於教導這麼嚴密控制的課程會感覺不自在，認為它缺乏創意或個人的空間。無論如何，*Reading Mastery* 是極具成效的。

第二種方法是讓有風險的兒童接受一種組合式教學，除了班上正常進行的實證本位閱讀教學，又加上額外的、三十到四十五分鐘的閱讀補充課程。在補充課程方面，我偏好密集的、高度聚焦在特定的基本閱讀技能，而且以小組教學方式進行。提供孩子補充課程，用意並非將它作為全部的閱讀課程。有效的閱讀補充課程有 *SRA Early Intervention in Reading*、*The Optimize Intervention Program* 以及 *The Read, Write & Type! Learning System*。

我想要介紹一套補充課程，以及如何有效運用它的範例。*Open Court Reading*（見第十六章）是一套很棒的班級閱讀課程，目標鎖定一般的閱讀者。除了每天全班的閱讀課之外，還針對那些需要更密集指導的學生，提供一節三十到四十五分鐘的彈性課。在原本的 *Open Court* 課程之外，研究者最近又將 *SRA Early Intervention in Reading* 開發為更實用的補充課程，是特別為小團體的閱讀困難學生量身訂做。*SRA Early Intervention in Reading* 適合那些閱讀表現正開始往下滑的一年級學生，它提供額外的解釋與練習，使孩子能繼續留在學習軌道上。針對那些有輕微閱讀問題的孩子，在將孩子們帶起來時，它是特別有幫助的。

The Optimize Intervention Program（www.scottforesman.com）是由奧勒崗大學

（University of Oregon）的研究者 Ed Kame'enui 與 Deborah Simmons 所研發，適用於幼兒園和一年級的小團體學生，在學生平常接受的實證本位閱讀教學之外，*Optimize* 可作為一種補充課程。針對閱讀基礎技能需要更密集指導的孩子，*Optimize* 提供了三十分鐘的系統化教學活動，強化他們在語音覺識、字母名稱與聲音、認讀字詞、拼字和閱讀簡單句的技能。在一項最新研究裡，*Optimize* 被用於一群閱讀能力最弱的幼兒園孩子身上，結果證明在改善他們的閱讀技能上，這套課程極具成效。研究結束之後，許多學生的閱讀程度與一直是強讀者的同儕不相上下。

作為小學一年級的補充課程，*The Read, Write & Type! Learning System*（www.readwritetype.com）是很有幫助的，或者能當作家庭作業，以加強孩子的基本語音技能。這套課程以多感官學習為特色：孩子學習將某個特定聲音與一個字母連結，並將手指頭輕輕敲在鍵盤上。附加好處是孩子在年紀很小時就能熟悉電腦鍵盤操作。這套課程及其作為介入課程所獲得之正面結果，在第 288-289 頁有進一步討論。

今日，這是前所未有的，你那高風險的孩子能被教導這一類實證課程。這是由於閱讀優先（Reading First）計畫的推動，它奠基於「不讓任何孩子落後」（No Child Left Behind）法案，分配實質的補助經費給各州，供給從幼兒園到小學三年級學生，均可使用研究本位、有效能的閱讀課程。

還有，提供給年紀較大兒童的高效能課程，適合那些尚未受惠於上述課程、仍掙扎於閱讀的孩子。圖 34 說明了落後的孩子為了趕上而需要的學習躍進。一分鐘也不能浪費。教學必須是高效率和高效能的。大約是從小學二年級開始，平常的閱讀課程再也無法滿足你的閱讀困難孩子在音素覺識和基本語音技能的教學需求。再者，就像是 Sam，假如他持續落後，並接受無效的閱讀課程，那麼他一定無法應付其它科目（像是社會和自然科學）在閱讀的要求。

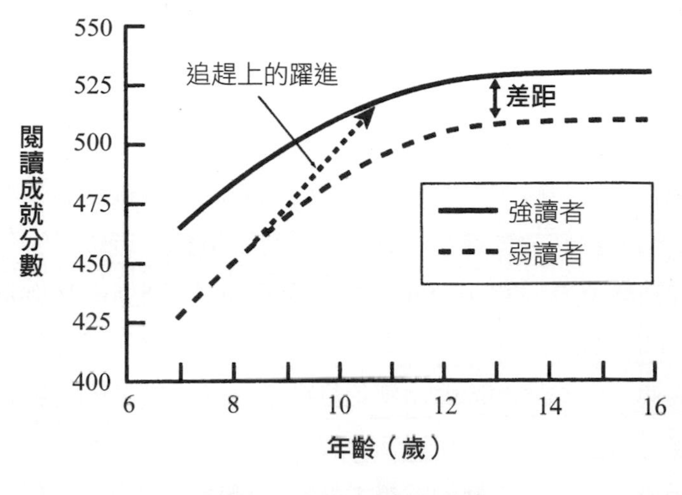

❖ **圖 34　縮短閱讀的差距**

要縮短同儕（上面的曲線）和他自己（下面的曲線）的差距，讀寫障礙兒童必須加速他的閱讀學習速度，以躍進到較高的閱讀程度。假使他維持同樣的速度，那麼他一定無法追趕上那些持續進步的同儕。

以下這些課程，目標是鎖定在那些落後一年或兩年年級水準的小學高年級學生和初中生（或更高年級）。一般而言，他們在掌握早期閱讀技能上遭遇失敗，卻需要快速的指導，及提供主題與字彙可適合他們年齡的閱讀材料。這些課程還包括必要的評量工具，診斷目的最初是為了安置，之後是持續監督進展，尤其在重要里程碑，像是某個教學單元結束時。這些最優質的課程包括「語言！讀寫介入課程」（*Language! A Literacy Intervention Curriculum*）；*READ 180*（www.scholastic.com）；*Fast Track Reading Program*；*High Point*；*REACH System*。每種課程的對象都是小學四年級和四年級以上的閱讀障礙者。與之前介紹一致，*REACH*也以直接教學為基礎，是三種課程的組合——*Corrective Reading*、*Reasoning and Writing*及*Spelling Through Morphographs*——它們以整合形式滿足閱讀困難學生的閱讀相關需求。附加的拼字課程對於年紀較大的閱讀困難者特別有幫助。它強調拼字首、字尾和字根的學習，提供可適用許多複合字的策略，同時教導字義與改善閱讀能力。上述課程主要為反映國家閱讀諮詢委員會在部

分研究中回顧及發現的有效課程或方法，隨後被加州政府採納。但這不意謂它涵蓋全部的有效閱讀課程。

至於其他以年紀較大（也有較年幼的）學生為對象的課程，並非綜合性課程。焦點放在教導孩子如何把字發出音，並辨識它們，以及如何把字拼出來，都伴隨閱讀練習，但一般來說，它們並未與有效的或系統化的字彙、理解力或寫作教學有連結。它們預定用在小組教學，而不是整個班級。譬如說，你可能聽過一種被通稱為 Orton-Gillingham 的閱讀課程（是以 Samuel Orton 博士與其合作夥伴 Anna Gillingham 來命名），這是一種針對閱讀困難者開發，可作為家教課程的教學方法。Orton-Gillingham 課程具備了結構化與系統化特色，在學習字母與其聲音時，嘗試使所有的感官都參與學習（當孩子把字發出音時，用每根手指輕敲他的大拇指），典型的教學方式是以一對一或小組教學。也發展許多變化版本。其中一種課程，*Wilson Reading System*（www.wilsonlanguage.com）是開發給較高年級小學生使用，需透過大人協助使用，現在也有適合較年幼兒童的課程。Wilson 主要是教導音素覺識、解碼、拼字，涉及理解技能教學的部分較少，也提供特別優良的閱讀材料給年紀較大的學生。它提供學生許多規則，因此可能特別迎合那些善於口語表達、較聰明學生的訴求。領有證書的 Wilson 指導員被要求參加大量的專業發展課程。

還有一種課程，*Spell Read P.A.T.*（*Phonemic Analysis Training*）（www.spell-read.com），被用在小團體的弱讀者或有風險的閱讀者，年齡從五歲到成人。該課程的焦點是發展孩子對越來越複雜的字母組合，可自動辨識聲音的能力，然後輕鬆、不費力的將這項知識應用於認讀單字與拼字。對改善閱讀正確性、理解力與拼字上，最初的研究成果證實該課程的成效。

另外，有些有效的課程適合那些已準備好在閱讀上跨出下一步的學生，即是，弄清楚如何開始對付較長或更複雜的字。要閱讀這些複雜的單字，對付的策略包括在下列課程裡：*Benchmark School Word Identification/Vocabulary Development Program* 及 *Benchmark Word Detectives Program*（www.benchmarkschool.org）；*REACH* 的單元課程 *Spelling Through Morphographs*，焦點在字首與字尾的學習；以及 *REWARDS*（*Reading Excellence: Word Attack and Rate Development Stra-*

tegies）的課程（www.sopriswest.com）。這些課程是針對那些已學會如何解碼短字，就讀三年級和三年級以上的小學生，當他們在閱讀材料遇到越來越多的多音節字時則陷入困境，這些課程對這群孩子特別有幫助。

相對於教導孩子將注意力放在字**看**起來是什麼樣的課程，另一類課程則鼓勵孩子，學習特定聲音是如何被清楚的發出音來，每個聲音聽起來的**感覺**如何。這個教學法直接專注於音素在實際上是如何被形成，這套課程被稱為*Lindamood Phoneme Sequencing Program*（LiPS）（www.lblp.com）。在這套課程裡，孩子學習個別語音的**口腔運動**特色。這是指孩子瞭解他們的發音機制裡的各部分（即嘴唇、舌頭和上顎）是如何一起運作，以形成每個聲音。孩子被鼓勵研究不同聲音形成時嘴唇位置的圖片，並且當他們發出不同聲音時，也會對自己的嘴唇動作變得熟悉。

國家閱讀諮詢委員會發現，這個教學法很有效，對那閱讀障礙兒童而言，一年級學生的效果比年紀較大孩子來得更有效。這個課程是密集、辛苦的，根據開發者所說，那些嚴重受影響學生需要的理想教學，可能是要跟著一位受過訓練的老師（通常是語言治療師），每天有多達四小時的練習。而在受讀寫障礙影響最嚴重的那些人身上，這套課程通常是成功的。LiPS最初是採取個別的教學，目前它已調整為適合在學校環境實施的小組教學。

你可能聽過許多人宣稱某種課程優於另一種課程。好消息是所有的實證本位課程都是高效能的，並能產生顯著、可比較的結果。根據研究發現，沒有任何課程會大幅超越其它課程。儘管這些課程強調不同的閱讀要素，證據告訴我們，只要它們包含本章一開始所概述，那些不可缺少的要素，且由訓練有素的老師負責執行，使用足夠強度及需要的時間長度，那麼課程就全部是有效的。

2. 從正確性到流暢性

普通的閱讀者能成為自己最好的閱讀老師。他把所讀的每個字，自動的跟那個字被儲存的神經模組比較。如果它是個完美的配對，那麼閱讀者就會立即辨識出這個字。假使他的模組並非完全正確的複製品，那麼他會修正它，經過幾次閱讀後，他就會有一個完美、合適的模組。那個字便成為他內部字典裡，那些只瞥一眼的單字中的一個。另一方面，讀寫障礙者閱讀量的不足，這導致字的神經模組是有缺點、不正確或不完整的。「缺口」永遠無法被填滿，因此他與那個字永遠缺乏足夠的相遇次數使他能正確讀出那個字，而那過程是為了建立一個穩定、正確的字表徵所必需的。所導致結果是，讀寫障礙者的內部詞典是非常細薄的。

 建立流暢性：鍛鍊你的大腦

就你們所瞭解，對讀寫障礙者來說，流暢性是無法捉摸的，但不需如此。所以，對那些在閱讀上已獲得某種程度正確性，但仍讀得緩慢，且遲疑是否要持續接受流暢性訓練的讀寫障礙兒童來說，這件事至關緊要。其目的是讓你的讀寫障礙孩子成為流暢的閱讀者。

之前我回顧國家閱讀諮詢委員會的研究發現，這些研究指出各種閱讀者發展流暢性的最有效方法。那些強調重複口頭閱讀，並伴隨老師給予回饋與引導的方法，提供了最有力的結果。在此我想要介紹你們一些額外的活動，它們對讀寫障礙者可能特別有幫助。一般而言，這些活動所依賴原則是**過度學習**（over-learning），它其實是另一種說法罷了，亦即某件事會變得扎根與自動化，無需任何主動的注意或蓄意思考。過度學習對任何領域能力的自動化發展都可能是必要的。它是藉由大量的重複、訓練與練習的結果。教育家 B. S. Bloom 在十五年前對優秀運動員所進行的研究中發現，那些成為奧林匹克運動選手的人，是那些過度學習特定動作技能的人。對舞蹈和音樂而言，這個說法也同樣適用。父母不會想讓孩子錯過曲棍球或豎笛的練習。然而，對孩子說「你現在得練習你的朗讀」，這念頭卻不容易出現，儘管事實是這件事很可能對他未來的影響遠遠超過了運動或音樂。

就像任何運動員一樣，流暢性訓練必須付出努力才能達成。既然這樣，我們就得專注於建立一個極穩定、正確的字神經模組。每個流暢性訓練時段，應

該每天只需幾分鐘。練習須保持一致性，並延續幾週時間，幾個月則更好。由於流暢性是以正確性為基礎，所以學生須練習他們已能解碼的閱讀材料。實際上，就是他們要以高度的正確性，閱讀他們所挑選的文章段落，每讀二十個字所犯的錯誤不能多於一個字。練習意謂相同的段落**至少**要重讀四次（當然，不必安排在同一個練習時段）。要建立學習動機。學生需要看到自己進展的有形跡象。測量流暢性速率，然後將結果繪製成圖表，那就像我們為 Sam 所做的，這為一個努力、用功的學生，提供了看得見的進步證明，並願意繼續練習的強烈動機。

整體而言，流暢性訓練可透過反覆的口頭閱讀來達成，無論是整個文章段落或單字。反覆的口頭閱讀文章段落，加上老師的回饋，這些教學方法在第十七章描述過，在此我想告訴你們，練習認讀單字的最有效方法。這方法被稱為**文字加速訓練**（speeded word training），目的是讓孩子變成很快的回應者。在練習中一個截止時間被設定，是關於一個字需要多快被唸出名稱來，用較短的截止時間能導致較快的閱讀速度。目的是把唸名的時間減少到每個字一秒鐘，使孩子每分鐘至少能唸出六十個字。這些字可以是閃示卡上的單字，或是以每排五、六個字，用印刷體寫在大張的卡紙上。有很多方法可用來練習認讀個別單字。只要遵照上一段所說的指導原則，你就可即興創作。一如往常，詢問孩子的老師，哪些單字或字母的組合是孩子正學習的；他一定能提供你最適合練習的字。訓練速度的分級單字表（以及簡單的指示）也可從 Oxton House Publisher（www.OxtonHouse.com）取得。

反覆的文字加速練習，目的是將一個單字裡的重要特色緊密結合以成為一個單位——這過程是為了識字，成為自動字形系統的必要條件。這樣的練習讓讀寫障礙者實現其他閱讀者透過高效能「自我教導」機制所做到的。慢讀者或弱讀者似乎從反覆閱讀練習中獲得的，甚至比能力更好的同儕更多，得知此事實並不令人意外。

 在學校與在家的流暢性練習

流暢性練習如何產生更強的推動力，我無法想像，有什麼能比以下描述更具說服力了，那是來自 Timothy Rasinski 描述，緩慢、不流暢的閱讀在某位學生身上所帶來的影響，Rasinski 在肯特州立大學（Kent State University）創辦一個臨床閱讀工作坊：

> 想像你自己是個五年級小學生，在學校被要求閱讀一章有十二頁的社會科課本。再想像你是個不流暢或缺乏效率的閱讀者。你每分鐘閱讀五十八個字……或是只有你同班同學的一半速度。你盡了最大努力開始閱讀。就像大部分學生，你非常清楚在你身上發生什麼事。你的那段文章讀到差不多一半，而且你注意到有許多同學都已經讀完了——他們完成了，而你卻仍有六頁要讀。你該怎麼辦？你要假裝你做完功課了嗎，即使你還沒讀完或尚未理解整段的意思？或者你要繼續閱讀，你知道這麼做會讓你的閱讀問題公開，而且得讓同學們等你？沒有一個解決方法令人開心，然而這問題卻太常見……即使是指定在家閱讀的功課，對大部分學生是六十分鐘的閱讀作業，對你卻變成兩小時的閱讀。

幸運的，這樣的流暢性問題能被順利解決，在學校與在家都可以。

在學校　流暢性練習可在孩子的閱讀正要起步時就開始。可解碼文本是很理想的教材，其中所提供的反覆練習，是孩子為了快速閱讀少量基礎字所需要的。之前推薦的 *Open Court and Language!* 閱讀課程，有部分教材製作成這類迷你書，或者可購買它們（見第 227 頁）。孩子必須練習到文字能被流暢讀出。當這樣的情況一發生時，孩子便可立即開始更廣泛閱讀書籍與故事，以提供他為了增加閱讀字彙，及建立數量越來越多的正確字表徵所需要的練習。

一旦學生能正確的閱讀基礎字，那麼就有很多有效方法可用來增進流暢性。關鍵是找到有趣的方法激勵孩子朗讀。讓孩子讀詩，是增進流暢性的絕佳方法。

詩通常都是短的，押韻的，而且最適合快速閱讀及用聲調表達。有些老師會舉行「詩的派對」。讓孩子們選擇一首詩，然後接下來幾天，一再練習朗讀這首詩。到了詩派對這一天，把燈關掉並用手電筒或提供微弱光線和氣氛的燈具。在經過充分練習之後，甚至閱讀能力最弱者似乎都能帶著正確性、流暢性與聲調表情來朗讀他們的詩（見第十六章所推薦詩的讀物）。

另外，許多學生喜愛並受惠於從挑選的劇本做戲劇演出。他們享受反覆閱讀劇本所帶來的樂趣，並樂意成為參與者。劇本閱讀確實能增進流暢性。在一項最近的研究中，學生們參與這為期十週——被稱為閱讀者劇場（Readers' Theatre）——的教學方法，一整年期間，他們在改善閱讀速度上都有收穫。學生們可面對一群觀眾或只是圍成一個圓圈坐著，然後把劇本讀出來。閱讀者劇場對小學二年級這麼年幼的孩子就能奏效，並可繼續到高中。

學生們還喜歡把歌曲或打油詩拿來一讀再讀或把它唱出來。可將一首歌的歌詞印成講義，發給全班或一小組。幾天後大家坐成一排，朗讀那首歌或把它唱出來。歌詞特別適合用在合唱式閱讀（choral reading），進行時老師先讀一遍文字，然後再與學生一起朗讀，把歌詞重讀四次或甚至更多次。

年紀較大的讀寫障礙學生可擔任較年幼學生很棒的閱讀家教。每一位學生都會從朗讀中受益；此外，讀寫障礙學生還能從幫助別人閱讀中，產生難得的滿足感和成就感。

就如佛羅里達大學（University of Florida）的研究者 Cecil Mercer 在最近的研究中指出，日常的流暢性練習只需五分鐘或六分鐘這麼少時間。接受特殊教育課程的初中生，被要求練習各種加速式口頭閱讀——字母、單字、片語、段落——每天只要六分鐘，但維持六到二十三個月這麼長的一段時間。學生在閱讀的正確性與流暢性皆得到豐富收穫。這方法特別有激勵作用，因為對象是那些有嚴重閱讀困難的較年長學生，是一群很難補救的學生。*Great Leaps Reading* 帶來這令人矚目的成果，可上網 www.greatleaps.com 取得。它非常適合老師、家庭教師和父母使用，使用對象從幼兒園孩子到高中生都可以。

在家　讀寫障礙者的父母也可幫忙增進孩子的流暢性。在肯特州立大學的臨床閱讀工作坊中，家長跟孩子一起參與一種名為**配對閱讀**（paired reading）的教學方法── 重複朗讀的變化版本。它只需每天晚上十五分鐘。由父母唸短篇故事或一段文章給孩子聽，接著父母與孩子一起把相同段落讀幾次。然後再由孩子獨自唸給父母聽。由比較顯示，與父母一起共讀的孩子在流暢性上有較多實質收穫。

孩子也可在家練習流暢性，使用特別針對此目的所設計的商業版課程。其中一種，*Read Naturally*（www.readnaturally.com）課程，它遵循有效的流暢性教學的基本原則：由學生閱讀一篇故事，同時聆聽錄音帶或光碟版本的相同故事，然後朗讀三遍或四遍。重要的是，他測量自己的朗讀時間，並將他的流暢速率繪製成圖表──在練習前和練習後都要這麼做──這會使孩子和你能監督他的進展。這套課程內附有二十四篇非小說故事，適合從一到七年級閱讀程度的學生。它可被用於學校課堂中。

有個令人興奮的新課程*ReadIt*，由Soliloquy Learning的研究者Marilyn Adams開發，她針對從小學二年級到五年級兒童，研發最新的言語辨識科技，來增進兒童的流暢性。這套充滿企圖心的課程與上述課程的相似處是：孩子從電腦上聽故事（這時，文本會跟著說故事者的聲音被即時突顯出來），然後他對著麥克風朗讀。在這過程中，利用高科技軟體的好處是電腦能在好幾方面幫助孩子。電腦可監督並記錄孩子的閱讀速率。如果孩子暫停並困在一個字，電腦就會幫他把那個字發出音來；另一選擇方式是，孩子可要求電腦發出某個字的音，或朗讀一整段給他聽。他可聆聽他自己朗讀聲音的播放。他還可要求文本裡任何字的書面或口頭的定義，或者要求一份所有令他頭痛單字的清單。有一種附加課程 *Soliloquy Reading Assistant*，提供給學校課堂使用。針對家裡和學校所用課程，孩子可選擇詩文、小說和非小說短文，包括那些頗受兒童歡迎的雜誌，像是 *Spider* 和 *Ladybug*。

Reading Naturally 和 *ReadIt* 這兩套課程都可讓孩子進行獨立的閱讀練習，監督自己的進展，並同時提供父母（和老師）有關這孩子在發展流暢性進展情形的持續記錄。我強力推薦這兩套課程。另外，針對想要閱讀簡單故事書的學生，根據其年級程度（從 1 級到 4.5 級）分類，紐豪斯教育中心（Neuhaus Education

Center）出版《發展正確性和流暢性的實施》（*Practices for Developing Accuracy and Fluency*）（neuhaus.org），這本手冊包含一整套三十篇短文，每一百個字就會出現一個記號。孩子可依照他的年級程度來閱讀，同時父母可測量他花了多少時間讀到第一百個字，並把孩子在一個時期內的進展繪成圖表。這套課程裡包含對家長有幫助的資訊，可引導父母將這些短文做最妥善的利用。

我極力主張，讀寫障礙兒童的父母應協助孩子做流暢性訓練——重複朗讀——這是他們最應優先考慮的事。由於它強調強化，而非教導孩子新概念，因此在家自學是最理想的。流暢性訓練是任何父母都能為孩子做到的事。它需要一點點時間和極少專業，而且一定有成效。你可閱讀小說、詩文、劇本和甚至單字或商業性課程。這麼做你是在訓練孩子的大腦，幫忙他建立正確的字模組，以及為了快速與正確閱讀所需要的字形閱讀系統。提供給讀寫障礙者的活動很少像「引導式重複朗讀」這樣，以它所用時間量能提供如此多改善。

反覆的，正確的讀出一個字，可使正確的神經字表徵發展完成。強化孩子字彙的活動，有助於建立這些字彙在大腦的模組。在認識字的意義方面，孩子已為那個字建立部分的神經模組。而一旦孩子掌握這個印刷文字的一個特色（意義），那麼要他把那個特色與其它特色連結，事情就變得更容易了——那個字的發音及被拼出的方式——並將那個字加入他會閱讀的瞬視字裡。

幫助年紀較大的孩子讀得更流暢

年紀較大的孩子因缺乏流暢性而受到打擊。他們被期待讀得更多，懂得更多，但卻被閱讀的要求，那多到難以置信的努力與時間擊敗。從瞄準流暢性訓練的目標中獲益，對他們為時不晚。應使用的原則與對較年幼兒童所描述的相同，但會被調整以適應年紀較大學生的需求與興趣。

朗讀短文對所有年齡的學生都有幫助，但年紀較大學生會有困難找到適合他朗讀的材料。為了滿足這個需求，波士頓雷斯利大學（Lesley College）的閱讀研究員 Mary E. Curtis，以及內布拉斯加州，隸屬於弗拉納神父的少年之家（Father Flanagan's Boys' Home）的少年城閱讀中心（Boys Town Reading Center）

的主任 Ann Marie Longo，已彙整一份適合讀寫障礙高中生的閱讀書單，其中包括下列讀物：

Avi. *Something Upstairs* (New York: William Morrow, 1990).

Bennett, J. *Death Grip* (New York: Ballantine Books, 1993).

Cannon, A. *The Shadow Brothers* (New York: Delacorte Press, 1990).

Clark, M. *Freedom Crossing* (New York: Scholastic, 1991).

Crew, L. *Children of the River* (New York: Laurel Leaf, 1991).

Hayes, D. *The Trouble with Lemons* (New York: Fawcett Book Group, 1995).

Hesse, K. *Letters from Rifka* (New York: Penguin Putnam, 2001).

Hobbs, W. *Bearstone* (New York: Simon & Schuster, 1997).

Nixon, J. *A Place to Belong* (New York: Bantam Books, 1996).

O'Connor, J. *Blizzard* (*Survive!*) (New York: Grosset, 1994).

Paulsen, G. *Canyons* (New York: Bantam, 1991).

———. *The River* (New York: Bantam, 1995).

Rylant, C. *Fine White Dust* (New York: Simon & Schuster, 2000).

Taylor, M. *The Road to Memphis* (Upper Saddle River, N.J.: Prentice Hall, 1999).

至於其它選擇，學生可利用 DRP 和 Lexile 系統，幫助他們選擇符合其閱讀程度的有趣讀物。無論是什麼閱讀材料，學生應練習朗讀那些較短的、兩百字的短文，或是字較少的更好，文章最好不要太長以免不容易記住。

年紀較大的學生也會從認讀單字中獲益，尤其是所謂的不規則字。大約在小學四年級時，不規則字的比例大量增加，那些字不是照一般的規則發音，因此無法借助規則發出字音。讀寫障礙兒童除非被提供針對這些字（譬如說 **bough** 和 **though**）的特定練習，否則孩子將遭受挫敗之苦。大家都知道，大約在小學四年級時，孩子會出現閱讀表現的下跌，而這種難解碼字的意外突擊可能是問題背後的原因之一，它被俗稱「四年級的突然退步現象」。幸運的，越來越多針對年紀較大讀寫障礙者的有效閱讀課程，都包含不規則字的流暢性練習。舉例而言，在「語言！讀寫介入課程」的較高階單元裡，學生可練習像是 **canoe, courage, promise, bouquet, cousin** 和 **enough** 這些字。這些字可能在適合較高年級學生的閱讀材料被發現，但須透過流暢性練習中，「反覆練習」的部分一再學習。先前提過的，從 Oxton House Publishers 所取得的單字表，其中包含一百個以上的不規則字。

有些年紀較大的孩子可能從相關字的練習有最多收穫，那些字是為了他們的課業學習必定需要的。我在此推薦那對 Sam 有很大幫助的練習程序：學生從不同科目的閱讀材料裡找出單字來練習認讀，像是社會科與自然科學。在實際執行上，學生跟著他的老師或家教，先一起預習那些科目的閱讀作業，發展一份學生要練習的單字表。可把這些字寫到索引卡，或透過電腦來練習認讀。聆聽錄音帶或光碟版文本並同時認讀也會有幫助。若缺少這類支援，光是指定讀寫障礙學生閱讀教科書，可能只會導致挫折與失望。

由於我在較年幼孩子身上觀察到，建立較大的字彙量對於閱讀單字的流暢性也有助益。對那些能從更多練習與強化中受惠的讀寫障礙者而言，電腦教學軟體在補充字彙教學方面是有幫助的。在 *Ultimate Word Attack* 的課程裡，它的目的是支援字彙，而這些字彙往往對某些初中生與高中生有困難。該課程最迷人的特色是，它容許使用者選擇要練習的字及表現的速度，不僅能增進字彙，又可加強流暢性。有各種領域的專門術語字彙表，包括商業、建築、地理、法律、文學、運動、科學、醫藥和藝術。對讀寫障礙者特別有吸引力的特色，是能取得有小型字彙表和字義的有聲光碟。可找得到 *Ultimate Word Attack*（由 Davidson 設計的軟體）那部分的套裝軟體，它是由 Knowledge Adventure（www.smartkidssoftware.com）出版的 Excel@Middle School 和 Excel@High School。

閱讀流暢性的缺乏，往往會伴隨說話流暢性的不足，亦即在快速檢索字詞有困難（例如當一個學生在課堂上被叫到，要解釋或描述一個主題時）。我的許多學生都發現，利用部分的自修時間，個別與一位老師（或在家和一位家教）

一起學習是極有幫助的，他們一起閱讀，然後將功課的**內容討論一遍**。能說出並使用與某個科目相關的特定字彙，往往能對學生的檢索歷程產生潤滑作用，使他能更快速的正確取出他想要說的東西。假使讀寫障礙兒童在課堂與討論時間內能更充分參與，這些策略（預習、複習和討論一遍）對他們都是非常重要的。

流暢性的某些層面會特別衝擊到年紀較大的學生，就是閱讀速度（流暢性）與閱讀理解之間的複雜關係。譬如說，當一個人讀得更流暢時，也會理解得更好。要記住，很重要的是，不管怎樣，直到讀寫障礙者達成流暢的目標之前，**若他們能被給予越多閱讀時間，就越能增進其理解力**。所以，要確保他們被提供來做家庭作業和考試的額外時間。

評量流暢性

與教導流暢性幾乎同等重要的就是流暢性的評量。有些實用的指導方針可幫助你判斷，相對於其他同年齡者，你的孩子的流暢性是如何。在口頭閱讀短文方面，低年級兒童被期待的流暢性速率如下：

年級程度	每分鐘能正確閱讀的字數 （Correct Words Read per Minute, CWPM）
一年級下學期	40 到 60
二年級下學期	80 到 100
三年級下學期	100 到 120
四年級和四年級以上	120 到 180

這些速率是近似值，可提供你口頭流暢性的一個預期範圍。一群奧勒岡大學的研究者採取了下一步驟，設下小學低年級學生在口頭閱讀流暢速率的具體門檻。若學生得分低於下述標準者，就是處於閱讀失敗的高風險：一年級下學期：10 CWPM；二年級下學期：50 CWPM；三年級下學期：70 CWPM。這樣的孩子就需要緊急、密集的介入，要使用本章一開始所介紹的那些課程。

要評量孩子的流暢性，從他被指定閱讀的材料裡選出二或三個段落。讓他朗讀這篇短文，以確保他能自在的唸出它們（每二十個字裡，能正確讀出十九個字）。接下來，指導他盡他所能的，快速、正確的閱讀，當他朗讀這篇短文時要計時一分鐘。計算他所唸單字的總數。精準的計時有時很難做到，所以你可能需要為他計時兩篇或三篇短文，然後取一個平均值，以取得一個更可信的評量結果（會有幫助的是，影印他正閱讀的短文，如此你可把他讀錯、漏掉或遲疑超過三秒鐘才讀出的字做記號。假使他唸錯而在三秒鐘內自我訂正，那麼這個字就被認為正確）。將他唸讀短文時所讀錯的字數加起來。每分鐘正確閱讀字數的得分（CWPM）是所讀單字的總數減掉讀錯的字數。跟測量流暢速率一樣重要的是追蹤記錄（用簡單的圖示）他的進展，隨著他持續練習，每週至少記錄一次。如何追蹤流暢速率，並對每週進展設定期待，將會在下面敘述。

3. 回答最常被問到的問題

若要監督我的孩子在某個閱讀課程的進展，最好的方式是什麼？

有兩個互補方法，當結合時能提供孩子在閱讀進步速度與成就水準的最及時監督。其中一個為課程本位評量（curriculum-based measurement, CBM），使用孩子課堂上的閱讀材料對閱讀流暢性做持續測量（理想上，每週測量一次；一學年裡最少三次）。測量目的是確定孩子獲取新知的速度有多快。另一個方法並不嘗試非常頻繁的施測，它使用標準化的閱讀測驗，定期評量孩子相較於同年齡同伴的閱讀表現。

以課程為本位的評量方法，是由范德堡大學（Vanderbilt University）的研究者Lynn與Douglas Fuchs所提出，評量孩子從他被教導的東西中能學得有多好。在達成為他設計的閱讀課程要求上，他的進步隨著時間變化被繪製成圖表。因此，不論他有成長或成長不足是清晰可見的。在不同閱讀領域的進步情形——

包括發音教學、解碼無意義字、閱讀真字和朗讀短文——都可以被測量。稍早我討論過各年級被預期的流暢性水準。課程本位評量可作為一種客觀的測量方法以追蹤閱讀的流暢率，確定孩子對某個特定教學法是否有反應，以及是否需要修正它。將孩子的閱讀成長速度與常模比較，常模的建立是根據各年級程度所預期的每週成長量，從小學一年級開始到六年級的學生。沒有孩子必須等到學年結束，才能得知他的閱讀進展。

孩子的閱讀成長**速度**會依循一個明確模式：(1)在學齡階段初期，成長速度是最快的，而在接下來的每個年級則變慢；(2)在每個學年一開始，成長最常是它的最大值，並隨著接近下學期而變小。

以下使用口頭閱讀短文為例，我列出「預期的閱讀成長速度」—— 一個孩子每週應被期待**進步**多少（每分鐘能正確閱讀的字數）。在這裡重要的數字是改變量——孩子每分鐘能正確閱讀的字比前一週多出多少。針對每個年級程度，提供一個較小數字（被稱為「務實的」）跟一個較大數字（叫做「有企圖的」）。那個「務實的」數字代表對一般孩子觀察到的進步量。正遭受閱讀困難的孩子已大幅落後了，他得追趕的範圍更大，因此，他必須比同儕進步更快。他的目標是達到「有企圖心」的成長速度，假使他想有學習的躍進，追趕上他的同學。

每週預期的閱讀成長速度

（每分鐘能正確閱讀字數的增加量）

年級	務實的	有企圖的
1	2.00	3.00
2	1.50	2.00
3	1.00	1.50
4	0.85	1.10
5	0.50	0.80
6	0.30	0.65

課程本位評量是在教室裡實施。孩子依其年級程度朗讀短文，每一週用一

段難易度相同的短文評量他。他的口頭閱讀計時一分鐘；當他閱讀時，他的老師拿著這篇短文的複本跟著看，利用第 282 頁所敘述的方法來評分。流暢性分數——每分鐘閱讀的全部字數減掉讀錯的字數——被計算出並繪製成圖表。譬如說，一個二年級小學生的流暢（有企圖心的）速率應是每週增加兩個字；五年級學生的成長則應是每週增加一個字。要讓這個方法奏效，孩子的閱讀程度必須至少在一年級的平均程度。很重要的是，不要僅以一週或兩週來作為判斷基礎，而是觀察孩子經過五、六週或更多時間之後的進展。如果他能上軌道，那麼這計畫就必須繼續下去。但假使觀察到的閱讀成長低於「有企圖心的」速度，那麼這計畫就需要被修正。

關於早期評量孩子在基礎閱讀技能的流暢性，DIBELS（請見第十五章）是極有幫助的。相較之下，它的對象鎖定從學齡前到小學三年級的兒童。目的是鑑定哪些孩子沒有進步，以及哪些孩子可能從早期介入受惠。DIBELS（或是比較性監督）能讓所有的初學閱讀者都獲得好處，尤其是那些有閱讀障礙風險或顯現早期閱讀困難徵兆的孩子。

至於第二種監督進步的方法，是把焦點放在孩子表現的絕對水準，在一個固定時間點，用標準化閱讀測驗來測量，跟他同年齡或同年級的同儕做比較，例如像 Woodcock Reading Mastery Test。這些測驗的結果是用百分位數記錄成績（譬如說，一個九歲男孩的閱讀程度在第 40 百分位，即表示他是優於 40%的所有九歲男孩）。它們也可以用**標準分數**（standard scores）來報告，分數被調整使得 50%的兒童的得分低於或高於 100 的平均數。這類標準化測驗通常在學年結束時實施。測驗結果會顯示孩子的閱讀程度及他跟同齡的其他孩子比較的結果，但它們無法幫忙判定出孩子在掌握特定閱讀技能會有多快。切記，閱讀正確性與閱讀流暢性這兩者，還有理解力也是，都必須藉由這些標準化測驗來評量。否則那些付出極大努力，閱讀得正確但緩慢的學生會被忽略，因而得不到需要的幫助。

並非所有的孩子對課程的反應都是完全一樣。最重要的是曲線呈現的方式。當出現一條相當平穩的、顯示進步很少的線條，即可大聲說出有改變需求，又如出現一條陡峭上升的斜線，即可自豪的宣布有快速的進步。慶幸的，新的閱讀課程，就像那些我所推薦，及採用自閱讀優先（Reading First）計畫所規定的課程，都是慣常的在實施持續性監督。

透過這些科學本位課程，孩子的學習成長是否能繼續維持？孩子是否會變成獨立、熟練的閱讀者？

閱讀流暢性是達成永久性的重要指標。閱讀流暢者在他的閱讀的自動字形系統裡，已形成永久、完美的字模組。最有可能透過教學而發展出流暢性的孩子，是那些接受了早期介入的男孩、女孩，以及就理想而言，是那些曾在幼兒園或小學一年級加入預防性服務的孩子。至於那些已遭遇閱讀困難的孩子，最有可能維持他們的改善情形的方式，是使用我所推薦的實證本位課程，由具備專業知識的老師教導，參加足夠長的一段時間，並給予較大強度的教學（在個人或小團體環境下）。更密集性的介入，意謂有更多接觸印刷讀物，及練習認讀字彙的機會，而這是發展流暢性的先決條件。

應在何時結束一套閱讀課程？

一般而言，孩子剛獲得閱讀動力時，是全力推進的時機，絕對不能突然終止。

僅僅教導孩子如何發出字音，而沒有提供他練習及把這項技能應用到閱讀，結果會是他能把某些字發出音，但隨著課業進展，他將有困難閱讀他遇到的許多生字。他無法成為流暢的閱讀者，他的閱讀將持續吃力。你若置之不理，他就會去逃避閱讀。因此，把目標鎖定在流暢性時也是一樣，那就是維持相同教學強度和品質的時機。

再重複一次：直到孩子能根據他的年級程度，**流暢的**閱讀單字與短文為止，他都不應從一個有效的閱讀課程中被移走。幸運的，由於像是Test of Word Reading Efficiency（TOWRE）這樣的標準化測驗出版，要評量孩子認讀個別單字的效率現已有可能了，而其它像是Gray Oral Reading Test-4（GORT-4），可測量孩子流暢閱讀短文的能力（請見第十三章）。GORT-4 提供了測試孩子口頭閱讀的正確性、速度和理解力的標準化評量。孩子可能有效率的認讀個別的單字，但當字連接在一起成為短文時，他仍有閱讀的困難——這是一項要求更高的任務。在做出任何決定，把孩子從某個特殊的閱讀課程移走之前，要求得到孩子在上述這兩種測驗的結果，然後與適合的老師討論他的測驗結果。

通常用於教導讀寫障礙學生閱讀的公立學校課程，是否有任何人評估其成效？

是的，一般而言，公立學校課程對閱讀障礙兒童是沒有成效的。就像對Sam來說，公立學校課程的本身內涵在特殊教育的部分應不足。閱讀障礙兒童的父母必須仔細的檢視孩子在閱讀介入的所有細節。

特殊教育課程傾向把讀寫障礙學生在閱讀失敗的程度穩定，而不是縮短他們與同儕之間的差距。研究證據是壓倒性的。某項研究檢視了學童花費三年時間，在資源教室（屬於特殊教育的一部分）之前與之後的閱讀能力。研究發現，相較於同儕，讀寫障礙學生的識字分數沒有改變，而在閱讀理解測驗的表現有顯著的**衰退**。另一項研究的發現時呼應這些結果；相較於以前在普通班的表現，接受特殊教育的四年級與五年級學生，其閱讀成長速度在實質上沒有改變。得知這樣的結果並不令人意外，因此，研究者觀察孩子在資源教室的日常活動，證實他們所接受的閱讀課程缺乏有效介入的那些基本要素，例如教導的強度與小團體教學（從五人到十九人組成的團體）。再者，儘管孩子在閱讀技能的差異極大，卻極少被提供個別化教學。情況反而變得更糟，由於這樣的孩子從普通班學習中被抽離，他們往往錯過不在時的語文教學。結果是最有需要的學生得到了**最少**閱讀和語言的指導。

相關研究檢視了「融合教育班」，學童在自己的普通班接受特殊的閱讀協助，也顯示類似的結果：相較於同儕，這些孩子在閱讀能力顯現極少的改變。而另一方面，研究顯示孩子若接受科學本位的新課程，會獲得大量與持續的閱讀成長，遠遠超過了以前的成長速度。由於閱讀優先（Reading First）法案的實施，需要特殊教育的孩子也減少很多，而那些孩子確實可以從我所推薦的科學本位課程中受惠，而我對此深表樂觀。

在教導讀寫障礙兒童閱讀上，電腦扮演什麼角色？

迄今，電腦在強化課堂教學方面已產生最大影響。語音合成的數位化課本、語音辨識軟體及吸引人的圖像與動畫，皆為有效的閱讀課程提供潛在的支援。譬如說，使用光碟製作有聲書，孩子可以選擇特定的單字、片語或一整頁文字，由電腦朗讀給他們聽。然而，對於暫時性依賴高度發展的電腦軟體，來作為教導閱讀的**主要**來源，父母與老師對這必須小心謹慎。不過，仍有一些重要的電腦軟體值得我們一探究竟。

由 Talking Fingers 所製作的 *The Read, Write & Type! Learning System*（在之前討論過），提供了基礎語音技能方面，系統化、明確的教學，它強調寫作是通往閱讀的途徑。至少一項研究發現顯示，在有風險的一年級學生身上的結果令人印象深刻。透過三人小組的實施方式，得到這一類電腦支援的孩子在經過一學年之後，其閱讀的正確性與流暢性皆有顯著增加。研究者宣稱，學生在使用 RWT 課程後，只有大約 2%到 4%的孩子在唸完一年級後仍然為弱讀者。

RWT課程還證實，提早到小學一年級開始，孩子可成功學會鍵盤操作的技能。這些技能奠定其它活動的學習基礎，例如文字處理。這對讀寫障礙者來說特別重要，有許多讀寫障礙者的寫字（和拼字）能力拙劣，使用鍵盤「寫字」會比用筆更方便。

科羅拉多州的研究者 Barbara Wise 與 Richard Olson，研究一群小學二年級到五年級的閱讀障礙兒童，這些兒童接受的部分教學是個別化電腦課程。這套電腦本位教學是透過師生比例 1：3 的小組教學來進行，並與未使用電腦教學的研究（師生比例 1：1 的小組）結果相比較。電腦本位教學的介入期相當短，只持續四十個小時。很可惜的，研究結果顯示，當孩子在一、兩年後被測試時，學習的成效並未被保留。產生的疑問是，是否需要更密集或是長期的電腦本位教學，才能使這個教學方法在介入停止後仍有影響力。

總結電腦教學的研究證據，國家閱讀諮詢委員會宣稱：「根據可取得實驗研究的少量樣本，要做出具體結論是極度困難的。」最重要的是：電腦教學在教導閱讀的成效，裁判仍宣判它「出局」，雖然無庸置疑的，它是一種非常出色的練習工具。

我的讀寫障礙孩子要如何最有效學會課程的內容？我該如何告訴他的老師，以促進他的學習？

讀寫障礙學生通往學習的途徑需要透過意義：意義為記憶打下基礎。他得比其他人做得更多，他必須完全的瞭解主題；死記硬背對他完全無效。把焦點放在概念，給予真實生活的例子、經驗，以及提供許多練習的機會。這個從上而下的方法是重視整體畫面，先教導概念，建立各種事實的類別，然後指出在類別裡和類別之間的關聯性。尋找實際動手做的經驗；鼓勵將文本或課堂討論中提到的概念與事實視覺化。切記，雖然這可能會花更長時間去取得，但透過了意義而獲得的知識，將會比死記硬背更為持久。

動機對於學習是不可或缺的，可藉由堅持簡單的原則來加強：第一，任何孩子，特別是讀寫障礙兒童，需要知道他的老師關心他。第二，動機能讓孩子擁有控制感而增加，例如對作業的選擇——他要閱讀哪本書或報告哪個主題。第三，他需要某些確認以瞭解他有多努力，也需要有形的證明，知道他的努力會造成改變；這一點可用流暢率在圖表顯現進步的方式，或收到一份關於他書寫作業內容描述的成績單，而不是書寫的形式。

錄音帶和錄影帶是否會有幫助？

由視障及閱障者有聲書圖書館提供的錄音帶與光碟形式的書籍與雜誌，幾乎是種類無限，可在網址 www.rfbd.org 取得（第二十三章有更多相關資訊）。這些出版品使讀寫障礙兒童能跟得上他們無法輕易閱讀的課堂指定作業。使用小說或劇本的錄影帶也基於相同道理；觀看它們，可先提供一個輪廓或結構，使讀寫障礙孩子能把細節依附到故事上。一旦孩子看過錄影帶，並抓住了故事大意，他往往能閱讀那原本對他太難的書。讀寫障礙兒童特別是如此，當他們在腦海裡浮現一個整體畫面——完整的故事和個別角色時，他們會表現得最好。就在這裡，讀寫障礙者能將他的概念與豐富字彙應用在字的上下文，藉此取得字的意義與發音。

我能讀什麼樣的書籍或故事給讀寫障礙孩子聽？

若孩子仍有閱讀困難，即使每晚只用十五到二十分鐘這麼少時間為他朗讀，那也會很有幫助；那可以是一篇故事或書裡某個章節。由 Jim Trelease 主編的 *Hey! Listen to This: Stories to Read Aloud*，書中包含五歲到九歲兒童（幼稚園到四年級小學生）特別感興趣的故事集錦。由相同作者所寫的 *Read All About It!* 則是為青少年前期與青少年準備。聆聽故事能幫助孩子保有對閱讀與書籍的興趣，讓他接觸若是他閱讀時得自己弄懂的字彙與觀念。切記，讀寫障礙兒童對於他所聽到事物的理解能力，往往比他的閱讀能力提前好幾年。

是否有任何簡單的、更一般性策略，可讓讀寫障礙兒童幫助自己，用於他的閱讀？

當孩子遇到一個不認識或困難的字時，有個教導他怎麼做、最有幫助的一般性策略。如先前所介紹，教他檢查組成那個字的字母。在練習中鼓勵孩子盡可能的發出那個字的音，稍後教他找出一個聽起來音相似、放在那個句子裡前後文意也會通順的字。把這個技巧移到閱讀障礙者身上，老師在這方面扮演了重要角色。首先，老師引導孩子藉由混合語音來認讀單字，或對一個已認識的字，用類推（analogy）方法閱讀，接著檢查這個字的意義是否正確。透過了時間與反覆練習，孩子在閱讀上越加獨立，會嘗試各種策略並監督自己的閱讀。一旦他的支援被撤除時，經常檢查總是明智的，以確保孩子繼續應用他新學會的策略。

對於那些看不懂一行字裡很多字的閱讀困難者來說，他可能找不到字的位置，結果變成跳到另一行裡讀一些他看不出意義的字。當孩子閱讀時，用手指著文跟著閱讀，這個簡單的習慣可以防止他閱讀時漏字或跳行。一般來說，要讓手指的指示對閱讀產生效用，孩子在唸讀時須至少能發出起頭字母的音。當孩子再長大一些時，可利用一把尺或邊緣平直的其它東西來取代。

讀寫障礙兒童對閱讀介入的反應如何，「大量優點模式」是否為重要因素之一？

一旦孩子破解閱讀密碼並開始遇到更複雜的單字，那麼在決定他對閱讀教學的反應有多好這方面，他的推理能力，和特別是語文能力，將扮演越來越重要的角色。對孩子學會音素覺識或掌握字詞發音，當他的整體認知能力可能起不了作用時，那麼他的語文與推理能力就可能影響他將語音技能遷移至認讀真字及理解所閱讀的東西有多好。當孩子擁有的字彙庫更見深度，對周遭世界知識的儲藏更豐富，以及推理技能更敏銳，他就更能辨識不熟悉的字，尤其如果那個字是出現在故事裡，他就可利用字的上下文來弄清楚。

就像孩子的語音缺陷能透過有效介入來克服，他的優點也能被培養及加強。孩子的字彙可以更豐富，對周遭世界的知識可以被擴展。對讀寫障礙兒童來說——他是如此依賴閱讀的知識，但卻無法從閱讀中獲得那麼多——特別重要的，要提供他明確的字彙教學（見第十七章及279頁、281頁），也要提供他各種生活經驗，例如博物館之旅、旅遊、視覺性輔具（地圖與地球儀）、教育類錄影帶和有聲書、家庭討論活動，以及培養嗜好與特殊興趣，這些都會讓字彙與周遭世界在他眼前活躍起來。

有效的介入是否只會影響閱讀？是否有延伸至其它方面的漣漪作用呢？

研究者注意到，孩子在接觸有效閱讀課程後隨後在其它方面的改善。譬如說，在一般語言技能方面，孩子顯現令人矚目的學習成長。除了閱讀的進步之外，還反映師生言語溝通的豐富性，當孩子被反覆要求思考閱讀的內容、闡明或辯證其回答時。由於被鑑定為閱讀障礙的孩子，往往會在小學和初中期間出現語言技能衰退的情形。所以，這樣的增長尤其令人印象深刻。讀寫障礙兒童在記憶和快速唸名測驗的表現也有進步。

孩子過暑假的最好方法是什麼？讀寫障礙兒童應接受閱讀家教的指導，或被容許享受一段沒有壓力的時間？

若未能持續給予閱讀技能練習，讀寫障礙兒童會有失去它們的高風險。他們尚未建立永久的字神經模組，因此他們的字模組仍是脆弱和不穩定的，而且可能經過一個夏天不用就消失了。我建議孩子在暑假期間接受一些家教指導，或定期的跟爸爸或媽媽一起朗讀。假使孩子嚴重落後，就必須針對其基本技能，得到足夠的家教指導（每次兩小時，每週或三個早上），不用一整個暑假都要，但量要足夠。當地的學校或大學經常會在暑假辦理臨床閱讀工作坊，那些活動值得一探究竟。其他進步較多、但仍未讀得流暢的孩子，能從練習朗讀中得到很多成長。朗讀暑假閱讀書單裡的課外讀物，並得到閱讀下學期指定新讀物的動力，這麼做往往有極大助益。在下學期結束之前，先想辦法得到下學年課堂上要用的書單。暑假是個大好時機，可訂購有聲書或掃瞄（將之數位化）秋季重返學校時要閱讀的書本（見第二十三章）。但絕對要允許你的孩子在暑假期間享受一些樂趣。不要讓上學變成全年無休的體驗；做一些好玩的活動，把時間花在孩子會喜歡、又擅長的事情上，這也是必要的。

並非只有兒童和青少年才會有閱讀困難。那些離開學校的成人仍會受到讀寫障礙的影響。所以，我在下一章會討論那些有效的方法與課程，它們可用來幫助不同年齡的閱讀障礙成人。

Chapter 20

幫助成人成為更好的閱讀者

一個人何時能學會閱讀，沒有最後的期限或年齡限制。研究證實，在成熟的大人身上，大腦有其可塑性與重塑能力，就如同在兒童身上一樣。許多離開學校在工作或退休的讀寫障礙成人，他們想要的只是學會閱讀，能更專注於工作目標，或追求高中同等學力（General Education Development, GED）文憑，像這樣的成年人正面臨一個艱鉅挑戰，但這是有可能成功對付的挑戰。

讀寫能力的不足是國家的重要大事——在這個國家，有將近四分之一的成年人無法閱讀一段簡單的短文，像是報紙上的文章，並回答相關問題。有趣的是，調查報導指出，許多閱讀能力受限者認為自己讀得很好而少有需要求助。這或許可以解釋，為何只有極少比例（小於 10%）閱讀能力有限的成年人會加入成人讀寫課程。

任何無法閱讀或掙扎於閱讀的成人（無論他有多老或多年輕）都應該參與讀寫課程，這會讓他的人生有一百八十度大轉變。對於提供訓練、工作與生涯的選擇上，讀寫技能是必不可缺的。譬如說在職業學校裡，學生會被期待閱讀工作流程手冊，這是使用高中一年級或更高程度所撰寫的。事實上，在未來絕大多數的新工作將會要求求職者具備高中畢業的閱讀程度。閱讀能力會影響日常生活品質。我們每天要閱讀的印刷資料，所要求閱讀水準是出人意外的高：Friendly 餐廳的菜單、自動提款機上的指示，以及美國國稅局的 EZ 表格，全部都以高一程度來撰寫。允許一個人進入成年期，但他的閱讀能力仍非常有限時，這等於宣判他是個二等公民。

有閱讀問題的成人是一個異質性群體。以最基本程度來看，有些人有嚴重的閱讀障礙，但得到不充分或非專業的閱讀協助。而另一些人則被鑑定，但只得到有限幫助。或許他們學過如何解碼文字，但卻得不到為增進流暢性所需要、被指導的閱讀練習，他們的閱讀能力因此薄弱，無法為樂趣或吸收資訊而閱讀。這些學生中有些人輟學了，而現在他們要努力取得 GED 文憑。

值得慶幸的，對付像這樣的閱讀困難，高效能課程可顯著改善他們的閱讀能力，有時經過一年時間，可提升相當三年閱讀精熟程度這麼多的進步。更常見的是經過了每六個月的教學，學生被觀察到至少有一年的成長，這會取決於教學的強度與閱讀問題的嚴重性。因此，儘管及早解決問題是理想的，但要學會閱讀永遠都不嫌晚。

如同對兒童一樣，處理成人閱讀問題的方法已有重大改變，就從適當程度的分級開始。最新的讀寫課程並非針對閱讀的全面測試，而是對成年人進行分級測驗（placement test），以判定他們在各種閱讀技能的確實程度，發現他們在閱讀發展上的明確差距。儘管那些閱讀能力薄弱的孩子尚未學會基礎的技能，對照之下，成年人可能在某些技能學得一知半解，而其它技能則完全缺乏。因此，對於較年長的閱讀障礙者來說，分級測驗特別的重要，因為每個人都是從不同的起點開始，因此顯現的閱讀技能並不一致且無法被預測。切記，分級測驗的目的是使教學與成人的需求盡可能配合。老師（成人學生也是）往往高估成人的閱讀能力，而看到測驗結果時經常會嚇一跳。

理想而言，讀寫障礙成人的閱讀教學強調研究為基礎、系統化，並在小團體環境教導。接受小組教學（跟訓練有素的老師）的成人會表現得特別好。小組教學的特色是吸引人的、能引起高度動機的、社會化和有效率的。成人能從互相學習中受惠。最理想的，每週進行四次教學，每節課持續一個半小時至兩小時。有些成功的課程是每週上課兩次，但上課時間較長，例如每節課三小時。持續的參與是必要的，因為學生是否獲致更多進步，出席是少數的相關因素之一。

成年人對於持續參與和上課時間的問題特別的敏感。成人白天需要工作或可能家裡有年幼的孩子（在成人閱讀課程裡，大多數學生的年齡在十六歲到三十歲之間），因此若要每週上課超過兩次往往會有困難。每次上課的間隔時間太久和在家的閱讀練習不足，都是不能快速進展的真正阻礙。成人學生可被期望，每一百個小時的教學就增加一個年級的閱讀水準；顯然的，每週的上課時數越多，進步就更快。所以，非常重要的是，使課堂教學的時間量增到最多，以及特別重要的是，在家反覆的練習。

針對教導成年人，我推薦以下這些課程：「語言！讀寫介入課程」、*Wilson Reading System* 和 *Starting Over*。這三種課程的設計原則全部來自第十九章討論過，實證本位的 Orton-Gillingham 方法。「語言！讀寫介入課程」涵蓋最大範圍，幾乎包含語言教學各個層面，也設法巧妙整合不同的語言要素。如今你知道，每個學習單元都依據它本身的閱讀難易度被分級，並附有「可讀程度」代碼，此代碼係根據DRP準則而定。學生一旦知道他在「語言！讀寫介入課程」屬於哪個閱讀水準，就能與 DRP 分數連結，進而與大量適合的讀物結合。現在，使用「語言！讀寫介入課程」的學生有機會閱讀十五類，共計一萬冊的讀物，包括探險、運動、科幻小說、歷史、生物、科學和推理小說。若是缺乏這樣的系統，要精準的確定一本書的可讀程度，往往比你能想像的更困難。想像這對成人閱讀者是多麼美妙的一件事，能夠讓他找到一本感興趣的書，而且有能力閱讀。雖然「語言！讀寫介入課程」的設計是適合教導整個班級，但它對小組教學也有幫助，小組教學的效果甚至可能更好。

Wilson Reading System 也在第十九章討論過，使用操作性教具（即是使用字母卡片及敲手指的作法），有系統的教導發音教學和字詞分析技能，並強調流暢性、加入拼字教學，及提供吸引人的閱讀材料給成人。整套課程是針對一對一或小組教學所設計。通常需要一至三年時間來完成，頗受老師與成人學生的歡迎。另一種課程為 *Starting Over*（www.epsbooks.com），主要是設計給成年男女所使用，尤其是那些參加成人基礎教育班的人士。欲參加此課程的成人須先接受深度訪談與評量後才能進入此課程。成人學生被介紹認識語言的基本聲音結構，包括音韻覺識與字母－聲音的關係；也還有寫字、作文、拼字、字彙與理解技能的教學。儘管並未提供與該課程特別有關的文本或故事，但鼓勵老師利用各式各樣的印刷資料，包括報紙、字典和電話簿。甚至程度最高者、可閱

讀小學五或六年級程度的閱讀者，也至少需要一年才可成為有能力、獨立的閱讀者；大多數學生需要大約三年時間。另外，要練習閱讀技能的成人會發現，有個電腦軟體很有幫助，它叫做*Lexia Reading SOS*（*Strategies for the Older Student*／適合年紀較大學生使用的策略）（www.lexialearning.com）。它遵循上述三種課程所使用的Orton-Gillingham方法，提供各種閱讀技能練習，這些技能從字母－聲音的連結，到應用分析多音節字的策略，再到學習字根、字首和字尾的意義。*Lexia* 可作為一種補充性，而非完整的閱讀課程。

在康乃狄克州，有一套非常成功的成人教育課程，Read to Succeed，學生們參加每週四個晚上、每節兩小時的課程。強調的是強度；學生在一年內不能缺課多於十三天（除了一個四週假期之外）。學生的進步通常極為醒目，有些成人達到高中三年級的閱讀精熟度。有些人來上課，是因為工作的關係。譬如說，四十三歲極有才幹的設備維修師 Carmine Lombardi，當他的公司開始使用最新的電腦技術時，他就必須增進他的閱讀技能。如今，在修理工作上，要應用機械技巧的地方比閱讀能力來得少。現在，大部分的新型洗衣機和烘乾機都用電腦晶片製造，它們提供機器內部操作的詳細電腦圖。結果是所有診斷工作都視維修人員能否閱讀與詮釋圖示及其它電腦所提供的文字資料而定。

儘管 Carmine 是個高中畢業生，他卻幾乎無法閱讀。他在公司的支持下註冊了，勤奮的上完三年課程，而現在他已具備高中閱讀程度了。一談到閱讀是如何改變他的人生，Carmine幾乎無法克制他的快樂。他不僅在工作上獲得許多升遷機會，他在日常生活的許多方面也得到好處。近日，他在與同事共進早餐時，桌上放了一份當地的報紙，其中一則新聞吸引了他的目光。由於那是關於一位朋友的報導，他便開始朗讀起來。如他自己所描述：「我在同事面前朗讀，它是一件讓我做起來非常興奮的事。我要打電話告訴我太太這件事。」如今，他一生中的第一次，靠著他自己，他能為他的妻子朗讀及為她挑選一張生日卡、在診所裡填寫醫療記錄表，還有完成參賽表格，去參加他熱愛的摩托車越野競賽。以前，他會走到競賽場拿了一份比賽表格，再帶著很深的羞愧感，拿著表格並把它摺起來放進口袋裡，然後低頭快步走出大門，希望「那些傢伙沒有一個人會注意到」。而稍後回到家，他的太太會為他把表格填完。這一切都改變了：如今，他可以「讀任何一個字」。他繼續去上晚上的課程，他在課堂上經常教導新來的老師如何把不同的字母群發出音來。未來他希望進入社區大學就讀，主修電腦維修課程。

我認識另一位成年人，她參加某課程的大部分原因是她盼望將來能為她那剛出生的小孫女朗讀床邊故事。還有一位學生，長久以來都希望能在她的讀經班朗讀。每一個人都成功達成他們的目標。

如果你知道，有誰可以更進一步從閱讀教學中受惠，有好幾件事是你能幫忙的。譬如說，從未有過這麼多閱讀材料是提供給閱讀技能有限的成人，包括 *News for You* 週刊（www.news-for-you.com），這是由 Laubach Literacy International 的部門 New Readers Press 所出版；以及 *Thumbprint Mysteries*，是一套三十本的易讀讀物，與美國推理作家協會（Mystery Writers of America）聯合撰寫，由 McGraw-Hill Contemporary Publishing（mhcontemporary.com）發行。現在，越來越多圖書館都會特別蒐集這類書籍，它們很吸引成人的興趣，是讓那些閱讀程度較低者能夠閱讀的書；向當地的圖書館館員詢問這類書籍。有關加入課程的細節，或更多針對成人讀寫課程的一般資訊，我建議的聯絡網址是 www.literacydirectory.org，網站中提供了讀寫能力查詢名冊（Literacy Directory），打電話給你那一州的教育廳，聯絡成人教育的部門，或拜訪當地的公立圖書館，要求州政府的查詢名冊（有些圖書館也提供可作為讀寫課程的場所）。

我必須補充說明，GED 文憑是要給那些高中沒有畢業的學生，他們想追求更高等教育，或所應徵的職業需要高中文憑或同等學力。獲得文憑需要通過一項嚴格的考試。於 2002 年修訂通過，考試的內容包括五個科目：閱讀、限時寫作、社會科、自然科學和數學。它需要的是通過十二年級的學生，所擁有的閱讀技能與學業知識。準備 GED 考試的學生可先參加讀寫課程，先把他們的閱讀水準提高，然後再登記為 GED 分測驗所開設的練習課程。GED 可提供調整給那些要求額外時間的人。若需要更多資訊，請聯絡高中同等學力測驗服務中心（GED Testing Service）的官方網站 www.gedtest.org。

負責成人教育的老師，往往能針對學生的需要來設計教學。公司與社團都會在工作場所贊助這些已鎖定上課對象的閱讀課程，它們的數量正在持續成長中。參加者的動機十足；譬如說，教學的重點是工作相關資料中最常用到的字，這將使得員工在工作任務執行上更輕鬆，或者能幫助他提升至更高水準，就像 Carmine 那樣。這些課程是短而密集的，從三十到六十小時，為期八到十週。Tom Sticht 在 1970 年代為軍隊開發了極成功的讀寫課程，他相信這種與工作相關的課程會特別有效，因為課程與學生的個人生活目標有關——學生很快就能體驗到有形的結果，例如像閱讀食譜，假使他想成為一位大廚師；或是閱讀配管工程的操作手冊，假使他想要修理水管。

為讀寫能力所下之賭注，是前所未有的高。在這日趨科技化的社會，一切都與印刷文字有關：職場上、電腦、汽車、組合兒童玩具需要的使用說明；旅行或工作、用藥、沖泡嬰兒奶粉、安全、選舉投票指南；透過信件、電子郵件、網路、呼叫器和傳真所獲得的訊息。學習閱讀，是追求更美好、更璀燦的未來開啟一扇門。使用有效的課程，教導不同閱讀能力和年齡的人學會閱讀，學習閱讀，真的永遠都不嫌晚。

Chapter 21 選擇學校

對所有父母來說，為孩子選擇一所適合的學校是至關重要的。而對閱讀障礙兒童來說，甚至更是如此。有這麼多問題要回答：哪一所學校會有最好的閱讀課程？那所學校的歷史和自然科學的師資是否同樣堅強？除了應付孩子的閱讀問題之外，他還可能有機會繼續發揮在數學的長處及探索對攝影的興趣嗎？什麼是我的孩子最能被賞識和瞭解的？哪些類型的孩子會成為他的朋友呢？因為他喜愛踢足球，學校是否提供優質的運動課程呢？

大部分我所認識的父母，都寧願讓孩子進入當地的公立學校就讀。但如我說過的，在公立學校，典型的特殊教育課程能讓讀寫障礙兒童進步的功用並不大。Sam 的經驗足以說明這點。總結來說，公立學校鑑定閱讀困難的過程是緩慢的，提供了太少指導。而且，最糟糕的是，公立學校往往使用缺乏實證及不完整的課程，而且任課老師可能對教導閱讀所知不多。

另一方面，讓孩子留在當地的學校，也有許多好處值得一提。公立學校提供的多樣性，通常比私立學校的環境可發現的要更多。這種多樣性將延伸至這個學生的主體，延伸至他對學校課程選擇的可能性，以及延伸至他參與重要的非學業性活動的機會，例如像運動、音樂和藝術。還有，公立學校是免費的。

為了閱讀障礙兒童，全面改善公立學校教育，並不需要花費多少力氣。教育改革正在全國各地如火如荼進行著。這些學校對於新觀念全面開放，願意改變並成功發展出有效的課程。父母與老師若能利用本書所提供的資訊，結合國家閱讀諮詢委員會的研究報告，將實證本位的閱讀教學帶進每個孩子的教室裡，尤其是閱讀優先（Reading First）法案的推動，對閱讀困難學生來說，實證本位的介入方式很快會成為普遍的事實，老師將期待閱讀障礙學生獲致成功，而孩子一定會受益無窮。

特殊教育的可利用性在於它本身，當然，它無法保證孩子正得到適當的教育。父母必須經常保持警覺，以確保孩子正接受最有效的閱讀教學，那是與孩子的其它學科相互整合，而且他的長處並未被忽略。

有可能在對你孩子是最大利益的情況下讓他轉學。假使你已試過公立學校環境，但是：(1)學校已提供特殊的閱讀課程，但你的孩子仍然大幅落後；或是(2)經過許多努力之後，學校仍未安排一致性課程，而你的孩子正在落後；或是(3)要學校提供承諾性服務的持續奮戰，已不利影響到你的家庭，那麼就必須對轉學這件事慎重考慮。

對父母而言，選擇哪所新學校代表一個關鍵時刻。當 Jack 與 Inez Johnson 這對夫婦來拜訪我時，他們正處於這樣的時刻。他們的兒子Eddie，簡直和大塊頭、臉色紅潤的爸爸是同一個模子印出來的。Eddie已進入紐約市郊的一所私立學校就讀。事實上，經常就像這樣，Johnson 夫婦把 Eddie 送到私立學校的理由是很複雜的。表面上看似明顯，假如你夠聰明，而你的父母又負擔得起，那麼要讀的學校就是*這所*。Eddie 的父親渴望給兒子他自已從未有過的教育。

父親 Jack 是一間大型律師事務所的合夥經理人，他瞭解有閱讀問題是怎麼一回事。從還是孩子時，一直到現在，閱讀對他來說，曾經是、也仍然是一件困難的事。父親起初為Eddie優異的字彙能力與解決數學問題的快速感到高興，他在學齡前的表現樣樣聰明，於是讓他登記私立小學。但到了那裡，Eddie不再是他父母眼中的那個明星學生了。父母認為或許他只是在適應期罷了。他是個男孩，而男孩要調適總是比較慢的。他們深知無法對外承認這件事，於是開始著手為他們的兒子打造一個安全的防護網。他們聘請一位家庭教師。Eddie的上學時間是從早上八點到下午四點；然後在晚餐後，他跟他的家教或爸媽的其中一人一起做功課。每天都像是個漫漫長日，而且是一場充滿挫敗的戰爭：Eddie像個自由落體直直的落下，落到了全班的最底層。校方卻對他的需求充耳不聞。

「他必須得全力以赴，還要更加用功」，那位女校長告訴 Eddie 的父母親。到了十歲時，Eddie是嚴重的閱讀障礙者。他每天得面對那些大量湧來、看似要將他淹沒的生字，又長、又複雜的多音節單字；僅僅靠著死記硬背，他再也無法撐下去了。Eddie 唯一保留的光榮是，他是一位足球明星。

Johnson 夫婦每晚被 Eddie 的家庭作業搞得精疲力竭，他們擔心 Eddie 會變得越來越憂鬱，於是夫婦倆來到耶魯中心。在討論過 Eddie 的評估結果與他對專門閱讀指導的需求之後，我們討論了對學校的選擇：在公立學校的特殊教育、另一所全日制私立小學，或一所專門教導閱讀或其它學習困難兒童的學校。我們討論與每種類型學校有關的好處及得付出的代價。

許多父母轉向私立的全日制學校，是因為他們發現當地的公立學校不夠好。私立學校是採小班制教學，可能有更多個別化學習的機會。學校的紀律比較嚴格，而且學生進入大學唸書的機會也較大。當然，就像公立學校一樣，私立學校的品質也因校而異。這種學校最好的情況就是，能提供給像 Eddie 這樣的孩子一個有建設性的保護空間。假使行政人員與教師有積極的作為，一間小型的私立學校就能為改進閱讀而鋪設有效課程的基石。當學校是相對的小型，還可為學校帶來一種親密感，對學生有更多認識，為這整個學校架設起激勵、支持的網絡。

非傳統、小型的私立學校的數目正在成長中，這類型學校對於創新與服務學生的個人需求頗為自豪。這些精品式小學填補父母在某些方面的職責，因為在發展孩子不同領域的興趣（例如科學、戲劇、藝術和音樂）時，它們把最尖端的教育研究融入課程。這種私立學校的數目正在增加中，但就我的經驗來看，它們在過去仍屬於體制外。許多孩子選擇的私立學校較可能是鄉間、不用寄宿的學校或寄宿學校。最後，這些學校多半成為閱讀問題兒童的災難之地。相較於大部分的公立學校環境，我發現私立學校的孩子較有可能保持一致的學習步調。這樣的學校會以它的一致性而自豪，這種一致性也往往會影響學校的課程，甚至影響閱讀教學。由於這種環境裡的學生缺乏了差異性，通常無法顧及閱讀障礙學生的權益；而創新與發展特殊課程的機會是受限的。

Kara Winsford 在維吉尼亞州某所學校的經驗，勾勒出私立學校往往會使讀寫障礙兒童感受一種令人意外的冰冷氛圍。如同 Kara 的媽媽 Claire 告訴我的，她的女兒是資優兒童，而且是用功上了癮的孩子，卻必須不斷的努力，只為了能勉強及格。在一份校外完成的鑑定報告中，揭露Kara患有讀寫障礙。學校的反應卻是：「沒有讀寫障礙這回事。她只是必須更用功。」

學校並未嘗試任何的介入，也沒有提供任何特殊服務。學校堅持Kara應繼續使用傳統課程學習。

如 Claire 告訴我：「Kara 的長處往往會遮掩她的弱點；你不容易或是能從表面上看出她的缺陷，但它們是要付出代價的。」藉由不斷努力，Kara 能夠讓功課勉強過關，即使她迫切的需要協助。學校的老師多半是年輕的，而且缺乏經驗，沒有太多或經常未接受任何專業訓練。如 Claire 所描述：「對於那些經常看不清未來方向的年輕男女來說，這些學校就像是一扇旋轉門，這些有愛心的年輕教師待個幾年，然後便離開繼續他們的人生跑道。而那些留下來的老師，往往反映出這個學校對生命本身——在身體力行、道德和教育上——的觀點。」他們對於一成不變與傳統感到自在，且對學校的政策置之不理。

通常對滿足讀寫障礙兒童教學需求的不情願，反映出學校對閱讀障礙學生真正本質的無知。如果閱讀困難的盛行率是這麼高，那麼在Kara的學校裡，就很可能每班至少有兩位或更多學生的閱讀能力是受損的。這樣的學校會主動勸告學習障礙學生不要來註冊。否則事情會變得複雜；否則他們的所有畢業生就無法成為「完美無瑕」的教育象徵，也不可能是學校的宣傳招牌了。

除了無法處理許多學生的學習問題，這些學校往往也拒絕為了應付孩子的閱讀障礙，所提出的修正或調適要求。否認問題，使得學校從必須處理問題之中被隔絕開來。因而，在這些傳統堡壘中，通常得不到較新的、實證本位的閱讀介入；不但無法提供豐富的語言教學，也不能針對拼字與寫作，給予額外的支援。那些為了孩子，堅持要求有這類修正的父母，他們被對待的方式往往有損其顏面。就如 Claire 告訴我：「如果你堅持有所改變，你的孩子就必須離開學校。」在 Kara 的例子裡，學校不准她在大學申請表上註明她是個閱讀障礙者，學校也不允許她在參加大學入學考試時申請調適服務。

我懷疑這是否為單一案例。還是有很多私立學校提供了優質的閱讀課程。

在你為孩子註冊之前，要先去評估這個學校在所有課程的整體品質，這是你的責任。再者，假使你的孩子已被鑑定有閱讀問題或是你懷疑他有，那麼在入學之前，就必須實施適當的測驗或評估。找出問題及問題的本質，那將使你更有能力去問對問題並找到最好的學校。

如稍早提及，對讀寫障礙孩子的父母而言，就讀私立學校代表他們相信，孩子會得到比公立學校更多的關注和更好的教育。但從另一個或許更深的層面來看，就讀私立學校表示孩子能被接納，意謂他跟任何人沒有不同。許多父母擔心，若是他們的兒子或女兒去唸為閱讀障礙兒童而設的特殊學校，那麼孩子一定會脫離社會主流，將無法像正常人一般的參與。社會不僅傾向把障礙者看待成與眾不同，還視為次要的個體，社會上往往對學習障礙與心智遲緩或障礙混淆不清。

像 Johnson 夫婦這樣的父母，往往被弄得精疲力竭。相對於智能的優勢，Jack 的貧乏閱讀技能使他在學校與生活飽受痛苦。現在，他希望他的兒子能接受更好的教育，能成為一位閱讀者。他曾經贊成把 Eddie 送到附近一所專門為閱讀及學習障礙兒童而設的全日制學校。另一方面，送 Eddie 去唸那些特別招收讀寫障礙兒童的學校，這想法卻讓 Inez 害怕。「讓他在學校多唸一年」，她懇求她的先生。「我們得更加努力，找到更好的家教。這麼做一定會成功的。」她擔心那種學校的孩子，一定不會像 Eddie 那麼聰明、可愛。唸特殊學校意謂 Eddie 得放棄足球，而過去他從足球中得到了許多正面回饋。媽媽希望把 Eddie 留在他的朋友身邊，好讓他能繼續踢足球。她心想她兒子是這麼聰明；他的閱讀能力遲早會出現的。而 Jack 則根據他自己的經驗，相信唸特殊學校可幫助 Eddie對自己有更正向的看法。Inez則認為，倘若他們的兒子去唸那樣的學校，他的自我意識會被削弱；他會把自己看成是某方面的殘障者。

Johnson夫婦到處打聽，接下來他們拜訪那一帶的幾所學校。他們躊躇、猶豫；他們想做到對 Eddie 而言最好的一切。終於，Eddie 的父母決定他們最優先考慮的事項。這所學校必須：(1)在通勤距離內；(2)招收混合的學生族群，而非只有學習障礙學生；(3)提供很強的運動課程，能讓他們的兒子參與校際競賽；以及(4)已準備好了或至少願意發展綜合性課程，而且以實證本位的閱讀介入為課程核心。Johnson 夫婦選擇可突顯 Eddie 的長處——能與一群無障礙同儕，有社會性互動，及主動參與團隊運動——而非突顯其差異的環境。他們發現了一所主要招收一般學生的學校，但這個學校也願意接納學習障礙學生。這個學校的閱讀課程是認真的，構成大部分課程的要素是以實證本位的介入為特色；無論如何，我們不清楚這些要素是否足以提供 Eddie 為了成為熟練閱讀者所需要的明確性、練習與教學強度。我們必須看事情的進展會如何。

還有專為閱讀障礙男、女學童而設的特殊學校。就像所有學校一樣，它們的教學品質和學生組成會因學校而異。當讀者得知此一事實，或許會感到驚訝，就像我當初一樣，那就是有相當多數、極有成就的大學生，他們的成長過程中有部分時期是在專收讀寫障礙兒童的學校度過（在大部分實例裡，是兩年或三年）。我自己的印象是，比起就讀傳統私立學校的學生，那些就讀這種學校的讀寫障礙學生較可能有整體的正向成果。這類學校包括了康乃狄克州Greenwich的鷹山學校（Eagle Hill School）。我觀察過那裡的班級，與教職員和學生會面。每次我去拜訪，當我離開時，總希望每個讀寫障礙男孩、女孩都能親身經歷這種學校的好處。每個孩子縱使無法都能完全成功，但每個人都可帶著完整尊嚴與成就感離開學校。

像鷹山學校這樣的學校是特殊的，因為實際上，從小學低年級到高中，那裡所有的孩子都需要閱讀的幫助；這確保與閱讀相關的教育需求成為全校課程的核心，而不是偶發或次要的。關於適當的閱讀教學，不需要談判或爭論；學生得到實證本位的閱讀教學，是用足夠的強度並經過需要的持續時間。教師的專業知識豐富，共享如團隊般的情誼；期待孩子獲致成功，而不是失敗。教職員被鼓勵參加研討會，在閱讀教學中不斷掌握最新的發展。實施有效的教學：孩子以迷你小組的方式被教導；與語言相關技能的學習占了一天的主要部分；課程協調圍繞特定的主題或孩子的需求；而且新科技很快被調整使用，以服務孩子的需求。每個孩子的讀寫需求能與學科課程完全整合：閱讀與寫作是密切相關的，而寫作與孩子在文學或社會科正學習的內容有關聯。自然科學課程的內容並未被稀釋，但在被指定閱讀課文之前，難發音的字會先被預習。沒有孩子需要害怕當他被叫到名字把字讀得結巴時，全班同學會嘲笑他。

在鷹山學校的學生很早就學會如何駕馭電腦，來幫忙他們克服弱點、展現天賦。孩子在小學低年級學會打字後，便能積極利用電腦寫作、整理筆記和製作大綱。讀寫障礙學生對於記憶細節和檢索單字可能特別有困難，會避免做標準的口頭簡報。但由於相同的這些學生往往對電腦的操作熟練，而且頗具創意，他們可被教導如何準備電腦 PowerPoint 簡報。他們很快會發現，自己能更有效率的發表口頭簡報，先藉由在電腦做筆記，然後這些筆記被投射在教室前方的螢幕上，並使用某種 TelePrompTer（演員的提詞設備）。在準備歷史報告或科學計畫時，網路電腦系統讓學生可以瞭解並獲得與夥伴合作的好處。

孩子還學會如何利用電腦，讓自己更有組織力。舉例來說，電腦被用來將家庭作業的內容傳送給孩子及父母。然後，每個孩子完成的作業會被保留在個別電腦檔案裡。這麼一來，指定作業就不會被遺漏或搞不清楚了。

雖然許多父母對這種學校感到退縮，像是Eddie的媽媽Inez，因為他們害怕學校對孩子的自尊有負面影響，但我的看法是，它的結果常常剛好相反。我相信，甚至不只在閱讀的改善，成為這種學校的學生，最重要的長期好處可能就是它對孩子的自尊帶來正面影響。建立自尊，對日後的成功是必要的。當就讀一所學校，而你在那兒屬於主流群體，這對那些有閱讀障礙的男孩、女孩代表了極為不同的經驗。他們可在這裡放鬆，再也不需要躲藏或掩飾自己的閱讀問題。他們還能遇見像自己一樣的聰明人。這就好像你注視著鏡子，喜歡你所看到的。學生往往感到驚喜，因為發現了別人和他們一樣，有著共同的經驗與擔心的事情。他們還體認到，他們不必像所有閱讀障礙者一樣；就像任何人，這樣的人也能掌控一切個性與特質。由於這些學生身處一個支持的環境，因此他們可認識並練習在其它環境所需要的自我擁護（self-advocacy）能力。一般而言，如我說過的，孩子在這種學校學習兩年或三年的時間，然後回到當地的公立學校，或去上一所非專門的私立學校。擬定詳細的計畫，可幫助及確保孩子有順利的轉銜。

像在鷹山學校的孩子，缺少在其它地方往往會有的壓力，他們擁有成長的機會並能發現自我。他們能自我覺察各方面的能力，不只是他們的長處，還有他們的弱點。譬如說，在迎風學校（Windward School），這所學校的學生會參

加一個認識學習障礙的課程，發展出學習者對自我特質的覺察。與就讀特殊學校是象徵缺陷的看法相反，唸這樣的學校，可以是學生通往成功之路的起點。事實上，我在耶魯大學最早遇到的一位讀寫障礙學生，他曾經唸過查爾斯阿姆斯壯學校（Charles Armstrong School）。在這所學校最近的校訊裡，報導了哪些畢業生是全國菁英候選人，還有哪些畢業生進入知名的大學就讀。像這樣的答案，已經回答這些學生能否在「現實世界」表現的疑問。

坦白而言，沒有一所學校能提供完美的環境，適合每個閱讀困難學生及其家庭。完美的學校並不存在；每所學校都有其優缺點。選擇學校的關鍵是決定哪所學校的概況最能符合你和孩子在某個特定時刻最優先考慮的事項。而你要優先考慮的事，會隨著孩子在校繼續學習而有改變。譬如說，在小學一年級，你優先考慮的可能是讓孩子學會閱讀；稍後，當孩子升到九年級時，例如是考試時的額外時間和參與團隊運動，提供這樣的調適可能是最重要的。

一旦確定你的優先考慮事項，很重要的是你不但認識每種學校的類型，還認識你所考慮的那些特定學校。為了幫助你蒐集、整理相關資訊，我提供一份針對應採取步驟，以及對每所考慮的學校應問問題的核對清單（顯然的，並非每位父母都要提問每個問題；你必須選出對你和孩子最重要的問題）。此外，藉由研讀這些問題，你可認識一所可能提供給孩子課程與服務類型的學校。

盡你所能的，向很多人打聽這所學校

盡你所能的，從朋友和鄰居那兒去查明這所學校。試著跟他們的孩子，正在該校就讀或已畢業孩子的父母談一談。他們的孩子最近曾在哪兒求學，但已畢業了，那些父母通常是最坦白的人。

拜訪學校

在決定任何學校之前，不管是公立或私立學校，父母也可接著帶孩子一起拜訪學校。問問你自己：

- 整體環境看起來如何？
- 那裡的孩子看起來快樂嗎？
- 學校是否給你有秩序的感覺呢？
- 老師與行政人員的態度是否開放、友善，他們對你的問題是否愉快回應呢？

瞭解這所學校是如何看待它自己

大部分學校都有其教育宗旨；查明這所學校的教育目標為何。

- 該校是否制定關於障礙兒童的政策？
- 在該校學習障礙兒童比例是多少？
- 該校對於接納這樣的兒童已有什麼經驗？

觀察幾個上課中的班級

將注意力放在你的孩子可能就讀的班級。想像他在這個團體開始上課，他在社交和情緒，還有學習的反應會如何。在此拜訪過程中，強迫你自己記住孩子他原本的樣子，與你所想像的、理想中的孩子是相反的。若是可能的話，盡可能多花些時間在學校。要對學校有感覺往往需要一點時間，而你的印象可能在一天中會隨著你看得越多而改變。

認識在這所學校就讀的學生

- 該校學生的組成為異質性（社會地位、種族、學習程度）或同質性？
- 學生們唸這所學校的共同理由是什麼？
- 在這些學生當中，你所發現的閱讀問題有多嚴重？
- 他們的一般能力是什麼？
- 在這些學生當中，普遍出現的嚴重行為問題是什麼？

- 學生是否居住在附近？
- 學生們放學後留校讀書的平均時間有多長？
- 學生們離開學校後會去哪裡唸書？
- 有多少學生會繼續上大學、他們唸了哪些學校？

認識這所學校的學科課程和閱讀課程

一旦你對這所學校和它的學生有了大致的想法，就可詢問有關閱讀和其它學科所提供的教學。試著獲得建構閱讀課程的磚塊（課程內容）與水泥（明確性、強度與教學品質）有關的具體答案（見第十八章，可喚起你對有效閱讀課程的基本要素的記憶）。

- 使用哪些特定的閱讀課程或方法，它們是否為實證本位？
- 因為有效的課程能教導孩子音素覺識、發音教學、流暢性、字彙和閱讀理解力，詢問這些技能是否為課程的要素。
- 這些要素是否被系統化和明確的教導？
- 是否讓初學閱讀者使用可解碼的迷你書？
- 這些孩子是否在監督下定期的朗讀？
- 對於流暢性的鼓勵程度如何？它是否被測量；如果有的話，多久實施一次（見第十九章，可喚起你對教導流暢性的記憶）？
- 使用哪些方法增進孩子的字彙成長？
- 是否教導特定的理解策略？
- 是否安排特定的寫作課程？
- 班級的大小如何？
- 學生如何被分組？
- 如何進行個別化教學，以適合每個孩子的需求？
- 對於那些聰明、但無法輕易閱讀不同科目的教科書的較年長學生，學校會採用什麼方法來因應？

- 閱讀教學如何與其它學科的活動結合？
- 是否提供實際操作或實驗的學習，亦即從做中學的活動？
- 在藝術、數學或自然科學課程中，是否安排進階的學習活動的機會？
- 如何利用科技（雖然有新型電腦與最新電腦軟體是重要的，但更重要的是不要讓電腦取代老師的第一線教學地位）？
- 學生在課堂上能否使用筆記型電腦做筆記及寫作？
- 如何追蹤學生在閱讀的進展？
- 如何利用測驗所得資料？
- 對於發展組織能力與讀書方法，是否提供正式的課程或給予不間斷支援？
- 如何協助孩子完成日常的家庭作業和長期的功課？
- 是否教導與練習自我擁護技能？

瞭解學校對於提供調適（例如額外的考試時間）的態度

- 是否有專門的（或有興趣的）教職員為閱讀障礙學生提供協調、服務？
- 學生是否能得到調適，如果有的話，是什麼樣的調適？
- 學校是否使用由視障及閱障者有聲書圖書館所出版的有聲書（請見第二十三章）？
- 是否允許讀寫障礙學生在考試時有額外的時間？
- 考試中是否可使用電腦作答？
- 學校在外語學習的政策是什麼，是否同意學生放棄呢？

認識學校的教職員

- 學校裡是否有任何老師為閱讀專家？
- 對於需要額外協助的學生，可取得教職員協助的程度如何？
- 就上述這點而言，教職員是否提供開放的政策、特定的辦公室服務時間，或是放學後可聯繫的方式？

- 由誰負責監督及記錄每個孩子的進展？
- 針對每個孩子的進展，教職員彼此間如何溝通及提供最新的訊息？
- 父母如何被告知孩子的進展？
- 整體而言，老師在學校任教的時間有多久？

瞭解學校提供了哪些課外活動

- 是否有團隊運動，如果有的話，是哪些？
- 是否有球隊參加校際聯盟競賽，如果有的話，是哪些？
- 是否提供學生探索其它興趣與技能的機會？
- 是否有藝術課程？
- 是否有攝影課程？
- 是否有戲劇課程？
- 是否有給錄影專用的設備與錄影室？
- 是否有學校的廣播電台？
- 是否有音樂課程？
- 是否有學校管弦樂團或樂隊？

再說一次，讓我將每種與選擇學校有關的優、缺點做總結。

公立學校

公立學校使孩子能和不同類型的兒童互動，並參與各式各樣的當地活動。這些學校是方便、免費的。而在不利的方面，沒有證據顯示公立學校的最新特殊教育閱讀課程可縮短差距。如我所指出的，隨著閱讀優先（Reading First）法案的推動，這方面可能正在改變，法案提供經費，鼓勵學校使用實證本位的閱讀課程。如果當地的學校願意提供實證本位的介入（或許可將 Sam 的課程作為參考），將孩子的閱讀需求與其它學科結合，並定期監督他的閱讀進展，那麼這個學校絕對值得一試。因為當學校體系與教師對實證本位的介入能有所察覺，學校對開發更多有效閱讀課程的接受度就會增加。六個月或一學期，代表一個合理的試驗期。這樣的試驗期長到足以看出正面成效，而即使傷害會發生，也不至於對你的孩子產生永久傷害。最重要的是，假使課程的成效會困擾你，那麼就不要再等待了。假使你握有對策，而且你的孩子正遭遇困難，那麼就應考慮選擇一所其它類型的學校。

私立學校

假使你已打定主意，要把你的孩子送到一所私立學校就讀，重要的是，你要去瞭解學校面對閱讀困難兒童的態度。詳細的詢問學校，他們如何因應讀寫障礙兒童的需求。通常私立學校並不會提供特殊的閱讀課程給這樣的孩子。這些學校對於調適的理解程度和可利用性會因校而異。他們也許會提供自然科學或電腦的進階課程，給那些有興趣、又有能力的學生。課外活動與社交活動往往是他們的優勢。

為讀寫障礙兒童而設的特殊學校

假使孩子患有嚴重閱讀障礙，而他的父母擁有經濟資源，那麼無庸置疑的，特殊學校應該被認真考慮。事實上，對於閱讀障礙較不嚴重的孩子——像是Kara，那些卡在夾縫中的孩子——這些學校也應當被考慮。這些孩子往往不被注意和未被協助，然而他們卻可受惠於特殊學校所提供的教學，以豐富他們的閱讀技能及建立其自尊。這裡有一份這類學校的推薦名單：

The Charles Armstrong School	Belmont, California
The Park Century School	Los Angeles, California
The Summit School	Los Angeles, California
The Prentice School	Santa Ana, California

The Eagle Hill School	Greenwich, Connecticut
The Eagle Hill-Southport School	Southport, Connecticut
The Forman School	Litchfield, Connecticut
The Vanguard School	Lake Wales, Florida
Atlanta Speech School	Atlanta, Georgia
The Schenck School	Atlanta, Georgia
The Assets School	Honolulu, Hawaii
Brehm Preparatory	East Carbondale, Illinois
The Cove School	Northbrook, Illinois
Jemicy School	Owings Mills, Maryland
The Carroll School	Lincoln, Massachusetts
The Landmark School	Prides Crossing, Massachusetts
The Churchill School	St. Louis, Missouri
New Grange School	Trenton, New Jersey
The Kildonan School	Amenia, New York
The Churchill School	New York, New York
The Gow School	South Wales, New York
The Windward School	White Plains, New York
Marburn Academy	Columbus, Ohio
The Benchmark School	Media, Pennsylvania
The Hamilton School at Wheeler	Providence, Rhode Island
Trident Academy	Mt. Pleasant, South Carolina
The Greenwood School	Putney, Vermont
The Lab School of Washington	Washington, D.C.

在最後的分析中，我的忠告是，獲取你所能得到的一切資訊，權衡所有的因素——但也要重視你的直覺。你對那所學校的整體印象是很重要的，而它可能對無形的東西提供一個線索，這無形的東西很難描述其特徵，但可能對你及

你的孩子具有意義。學校可能在紙上計畫看起來非常好，但總無法以令人滿意的方式讓每個部分相加。不要忽視你的直覺，只因你無法輕易的將它放進文字裡。相信你的本能。

Chapter 22

保護並教養孩子的靈魂

身為父母親，除了自然而然的給予你的孩子愛與教養，閱讀困難孩子的父母（還有老師也是），應把維護孩子的自尊設為他們的首要目標。自尊是讀寫障礙兒童最脆弱的地方。對於有隱藏性障礙的孩子，老師與父母往往抱持高度期待，而後當孩子在學校表現不佳時，大人卻感到驚訝、失望或甚至生氣。假使孩子經常被指責為不夠用功、缺乏學習動機，或是他根本不是真的那麼聰明，那麼他很快就會開始懷疑自己。只是為了跟上進度，他必須付出極大努力與非比尋常的毅力，卻似乎得不到任何回報。這就是為何瞭解孩子的閱讀問題本質，幫助他發展正面的自我感覺，對於父母、老師，和最終對孩子都是很重要的。

對讀寫障礙兒童自身的價值給予堅定承諾，這是至關重要的。每個閱讀困難孩子都會在求學過程裡經歷高低起伏。因此，在一開始時每個孩子都需要知道，不管如何，他永遠都能得到父母的無條件支持。所有那些因任何理由獲致成功的讀寫障礙者，他們分享的共同之處都是父母給予的無盡關愛與支持，或有時是來自老師或配偶的。像這些支持的父母親，在孩子隨時隨地需要支持時，他們總是準備好在一旁支持——在尋求正確的診斷，和接著是進行有效介入時；在幫忙確保學校會成為正面的學習經驗時；在他接觸世界時，他的閱讀困難不會阻礙他認識世界；以及在與他一起閱讀時，和或許在朗讀給他聽時。這些父母不斷的提醒他們的孩子，他身為一個人的價值所在。

這裡有幾個你可採取的特定步驟，以幫助孩子建立自我形象。第一個步驟

是讓他瞭解閱讀問題的本質。當得知為何會有這麼多閱讀困難時，孩子會如釋重負。當孩子開始發現他有讀寫障礙時，你必須與他分享某些事實：

- 告訴他，他面臨的困難有個名字，叫做**讀寫障礙**。
- 告訴他，讀寫障礙是聰明的人會有的閱讀問題。你可實際利用我們的解釋模式，閱讀困難被大量的長處所包圍，用適合這孩子的年齡和理解程度的方式來告訴他。把它畫出來也會有幫助。
- 向他再三保證，讀寫障礙和他有多聰明是一點關係都沒有。
- 向他解釋，他的問題是在拆解字的聲音有困難所引起的；把這些聲音稱為**黏住的聲音**。
- 告訴他，字所擁有的聲音是可以被分開的，而讀寫障礙者對於把聲音拆解有困擾。他無法聽出一個單字裡有三個聲音，他可能只聽到一個或兩個聲音。你可以利用一組積木來解釋你的觀點。
- 向他解釋，**黏住的聲音**在發出字音時會引起的那類問題；他會對音相似的字感到困惑，例如像 **general** 和 **gentle**；朗讀及拼字，還有對字的發音。你可告訴他，有些人往往知道題目的答案，但讓正確的字從他們的嘴裡說出卻有困難。
- 向他再三保證，很多孩子都有這個常見問題，而這個問題能藉由正確的教導得到幫助。
- 告訴他，他一定可以學會閱讀。
- 告訴他關於許多聰明、成功，但也是讀寫障礙者的名人故事。根據他的年齡和興趣來對他解釋，這些名人包括最新的諾貝爾物理學獎得主Niels Bohr；歌手 Jewel；Dilbert 系列的漫畫家 Scott Adams；演員 Tom Cruise；劇作家 Wendy Wasserstein；維京航空公司（Virgin Airlines）的執行長兼創辦人 Richard Branson 爵士；喜劇演員 Jay Leno；財經專家 Diane Swonk；撰寫受歡迎的系列童書「內褲超人」（Captain Underpants）的作者 Dar Pilkey；為美國太空總署太空計畫（NASA space program）工作的火箭科學家（哇，是火箭科學家！）Kettler Griswold。引用本書所介紹的故事為證，那些努力與讀寫障礙對抗的人現在都很成功。

- 向他再三保證，他的頭腦是正常的，他的大腦裡沒有漏洞、也沒有故障。
- 跟你的孩子解釋，對讀寫障礙者來說，他通往閱讀的那條快速道路或高速公路被堵住了，因此他得採取另一條路徑，那條次要的路徑是較為顛簸的，而且是比較慢的鄉村小徑。結果變成他可以到達目的地，但要花費更長的時間。

我的一位病患 Phillip，跟他的三年級同學分享了他的腦部核磁共振造影，在告訴他們他有讀寫障礙之後，他的老師寫了一封信給我，孩子們對讀寫障礙感到好奇，並提出以下疑問（後面跟著是我的回答）：

什麼是讀寫障礙？

讀寫障礙的意思是你在學習閱讀時會遇到很大困難。

當你患有讀寫障礙時，你就會永遠有這個問題嗎？能不能讓它變好一些？

患有讀寫障礙的兒童能學會如何閱讀。有時候要花一些時間才能讓閱讀進步，但它總是會改善很多。

你是怎麼得到讀寫障礙的？

兒童有讀寫障礙，就像他們有褐色或綠色的眼睛，或是長得矮或高——他們是天生就有的。

讀寫障礙是從病毒感染嗎？

不是。讀寫障礙並不會被傳染。你不可能從另一個人身上得到。

為什麼稱為讀寫障礙，像這麼一個古怪的名字？

讀寫障礙（dyslexia）這個字是源於外文（希臘文）的「dys」，它的意思是**困難的**（difficult），而外文（希臘文）的「lexis」，它的意思是**說話**（speaking）。有趣的是，第一位使用「dyslexia」這個字的 Berlin 把「lexis」的意思誤認為**閱讀**（reading）；他刻意把「dys」和「lexia」這兩部分放在一起，來表示**閱讀困難**（difficulty in reading）的意思，而這就是「dyslexia」這個字目前的意思。Berlin 的錯誤證實一件事，甚至是最有名望的人有時也會犯錯。

你的孩子或許還有其它疑問，你或許想告訴他這個新的互動網站，www.sparktop.org，它是為有讀寫障礙或其它學習差異兒童所設立。這個網站為孩子解答他們對學習可能有的疑問，幫助孩子賞識他們的長處，激發他們的創造力，並與其他像他們一樣的孩子互動連結。

及早幫助你的孩子確認他的興趣或嗜好，這是很重要的，他可在其中獲得正向經驗的某個領域，無論它是純粹的樂趣，或能讓他脫穎而出有優異表現的能力——釣魚或搖滾樂的興趣、旋轉指揮棒或變戲法的才華、溜冰或游泳技能、演戲或繪畫的天分、能理解自然科學或電腦的性向，或對詩文與音樂的愛好。是什麼樣的興趣或嗜好都沒關係。對作家 John Irving 而言，是他對摔角的參與及能力，幫助他承受在學校時遭遇的極惡劣經驗。擅長某項興趣或體育活動，它往往意謂孩子的生活並非總是消極的，或並非完全只能關注在用功或趕上進度這些事情。它使孩子得以將他自己視為一位勝利者，他是精通某個主題或領域、有勝任能力的人。他有機會體驗成功的感覺。你一定要鼓勵他去探索各種可能性——在校內和校外皆是，在青年會、運動、音樂、藝術、攝影——及支持他積極參與。並非每個孩子都會立即愛上某種活動，因此很重要的是讓他接觸各種可能性，並且當他的第一個反應是他可能想要放棄時，要幫助他度過一開始的難關。切記，在大部分領域裡，明星並非與生俱來，而是要經過許多練習與努力之後才能有所成就。讚美不應被視為一種施捨；只要他如實應得，就要樂於讚美你的孩子。你的孩子除了會得到來自無知者的過多批評；你一定得保證孩子認得出讚美他的溫柔聲音。

鼓勵你的孩子，將他自己看待成有話要說，而且必須被大家尊重的人。跟他一起討論重要的決定。這些決定可能是影響整個家庭的議題，例如暑假要去哪裡度假，或對他而言更私人的議題。你們可以討論時事議題，像全國的、地方的或學校的選舉，或是一部電影或電視節目。當他在表達自己時，你要耐心傾聽他說話。認真的聆聽他的意見並給予回應。隨著他長大成人，將有許多場合需要他發表意見，及做他自己的擁護者。養成暢所欲言與被聽見的習慣，為這件事做好準備是無價的。讓孩子完全瞭解，他的閱讀問題本質及影響，這是很重要的。因此，當他繼續在學校學習時，他能夠決定他對教育修正或調適的需求，並對自己的發言感到自信。跟父母、信賴的老師或家教之間的角色扮演，都是對他有幫助的練習。

身為父母，你如何看待你的孩子會變得非常重要。如果你覺得讀寫障礙的診斷意謂孩子在未來注定要失敗，那麼他也會有那樣的感覺。讀寫障礙的診斷並不會阻礙孩子追求他的夢想。當擁有足夠的智能、技能、毅力與支持，讀寫障礙兒童可以追求幾乎是任何他們感興趣的領域。那些患有讀寫障礙的男性與女性，已經在你能想像得到的每個領域裡出人頭地，這其中包括了無知者可能不相信讀寫障礙者會做得到的領域：寫作、法律、醫藥、科學和寫詩。讀寫障礙兒童不應轉身就走向一條非學業志向的路徑，除非那顯然是他們偏愛的選擇；他們至少應該接受幫助，瞭解他們有更充分的選擇自由。

許多讀寫障礙兒童的父母，本身也經歷過閱讀困境。假使你經歷過的話，告訴你的孩子那是怎麼一回事，在你的成長過程中，那是什麼樣的感覺。讓他有可能看到那些他崇拜的人，他們並不完美，但卻能在人生創造成功。

要察覺孩子的某些行為，例如與準備考試有關，在閱讀或複習上的拖延行為，這可能反映出他很焦慮，焦慮是與他以前在閱讀或考試所遇到的困境有關。如果這些行為開始妨礙到他的日常生活功能——亦即他總是看似焦慮、憂鬱或擔心——那麼跟兒童心理醫生或心理學家諮詢將會有幫助。你的小兒科醫生能給你適當的轉介。跟專家會面往往有助於你把問題處理得更好，或者有助於避免出現更嚴重的問題。

最後，不要過度保護孩子或降低對他的期待。永遠把他看成是一個多面向的人，而不只是有閱讀問題的人。讓他的長處來界定他是個什麼樣的人，而不是他的弱點。

Chapter 23

調適：搭起一座通往成功的橋樑

對讀寫障礙者來說，調適代表一座將他與他的長處連結的橋樑，並使他在這過程中得以發揮潛能。調適的本身並無法獲致成功，但它是成功的催化劑。隨著讀寫障礙者在學習有所進展，調適的重要性也與日俱增。當孩子進步，他的長處更加成熟了——在思考、推理、字彙和分析技能方面；他在學業的挑戰也會同時增加。為了繞過他的語音缺陷來接近他的長處，必然的，對讀寫障礙者而言，調適甚至變得更重要。

無疑的，對讀寫障礙者而言，最不能缺少的調適就是提供他額外時間。讀寫障礙已剝奪一個人的時間；而調適把時間還給他。過去二十年間所完成的研究已證實，讀寫障礙者對額外時間絕對有其「生理」需求。對他們來說，更多時間是必需的，而非可以選擇的。這是讀寫障礙者的獨特章法，它讓額外時間在發揮正面效果上成為可能。就這樣的閱讀者而言，他們的學習能力完整無損；他只需要時間使用它。

越來越多的科學證據顯示，在通向成人閱讀的道路上，強讀者與讀寫障礙者依循截然不同的路徑。給強讀者走的路徑是平坦、平直和有順序的：強讀者的語音技能會隨著年齡而增長，他們的閱讀越來越準確與自然，而且不需要依賴文字的上下文去辨識單字。到了小學四年級，強讀者就不再需要利用上下文去辨識單字。然而，讀寫障礙者得面對其語音缺陷所造成的瓶頸，他必須採取一條替代的、間接的和費力的路徑。這條次要的路徑會讓他到達相同目的地，但得耗去更多時間。他能夠學會正確的閱讀，但閱讀的正確性若要達到和非讀寫障礙同儕一樣的水準，他就必須讀得更緩慢，並得付出極大努力閱讀。那條通往閱讀的自動道路並未開放給他走。必然的，假使讀寫障礙者要辨識書頁上的許多文字，他就必得暫停腳步，轉而依賴他那較高層次的思考技能來給予支援。他必須藉由這條較緩慢、間接的路徑，全面檢視上下文以取得字義。

David Boies 是一位優秀的訴訟律師，他是一位讀寫障礙者。他試圖在法庭中不去依賴他的筆記，那是因為身為讀寫障礙者的他並未具備自動化的閱讀能力。假使他需要察看他的筆記，他一定無法立即掌握紙上文字。他一定需要花些時間。在這個天資聰穎的男性身上，這就是他的閱讀缺乏自動化的印記。那樣的匱乏現象有時會顯現在意想不到的地方。譬如說，John Irving 發現，很令人沮喪的是當他在機場時，他無法在航班起飛時刻的螢幕上立即找出他的班機，即使他很努力的尋找。

> 我緊盯著那個東西看，而我是唯一在跟它努力奮鬥的人。我心想，可惡，我得在 [我太太] Janet面前找到那個城市、班機和登機門號碼。而Janet……對這一點也不在意。我正在折磨我自己找出去杜塞爾道夫（Dusseldorf）、巴黎（Paris）或赫爾辛基（Helsinki）的班機。而Janet只是抬頭看了一眼，就說：「哦，是B-9 登機門」，就這麼簡單。立即的。而我就是做不到。

他的太太，一位自動化的閱讀者，在一眨眼時間就可做到這些事。John Irving則必須費力的去做，因此更加緩慢。

 提供額外時間與保持安靜的需要

有關讀寫障礙者必須採取的閱讀路徑，大腦造影研究正提供我們最新的理解層次。簡單複習一下，在讀寫障礙者身上，字的所有特徵並未被恰當的整合，因此他們並未發展出自動字形區。結果變成必須依賴其它大腦系統，用費力的方式搞清楚那個字，然後才能取得字義。這個過程要花費更多時間。如之前所提到，兒童與成人的大腦造影研究結果顯示，在有讀寫障礙與沒有讀寫障礙的

閱讀者身上，兩者的大腦活化模式有質的不同。強讀者在大腦左側後方被觀察到有密集活化的現象，而讀寫障礙者的活化模式則比較散漫，是在大腦右半球及前腦被觀察到。一個神經系統的輔助團隊正試圖接管中斷的主要閱讀系統，而這麼做會需要額外時間。為了能夠達到平均水準的閱讀準確性，讀寫障礙成人必須求助於這些備用的、較緩慢、次要的神經路線以通往閱讀之路。

從這些研究，及對其他學生、年紀較長的成人和兒童所做的研究，我們得知，誠如約翰・霍普金斯醫學院（Johns Hopkins Medical School）的資深研究者 Maggie Bruck 說過的：

> 成為讀寫障礙兒童特徵的缺陷模式，與那些童年有此病史的成人身上所顯現的特徵，是極為相同的模式。儘管事實上有許多學生已順利接受教育，也儘管事實是身為成人的他們已提升其識字技能水準，這些研究數據推斷，他們的主要缺陷並沒有被消除。其語音機制與歷程看似沒改變或變得成熟。

對於那些雖然能正確的閱讀、但速度緩慢的大學生的觀察——在美國、英國、法國和義大利——顯示他們的語音缺陷與神經中斷是持續存在的。如圖 35 所示，假使讀寫障礙者要將他眼前的印刷文字破解出來，那麼他就必須依賴較高層次的知識來源——字彙與推理——以及較慢的、次要的神經路徑。讀寫障礙成人的閱讀大概可以用這樣的公式列出：**較高層次的思考技能 ＋ 上下文脈 ＋額外時間 ＝ 意義**。

聰明的讀寫障礙者對上下文的依賴是絕對又獨特的。對於那些閱讀能力低下、但不是讀寫障礙的兒童——譬如說，那些有全面性語言困難的孩子——一般而言，並無法從文字的上下文受惠。他們的口語能力不佳，尤其是缺乏了字彙和推理技能，那些都是有助於順利辨識生字的必要能力。也唯有擁有大量長處的讀寫障礙者能應用字詞的上下文，來幫忙弄清楚那個神秘字的字義。

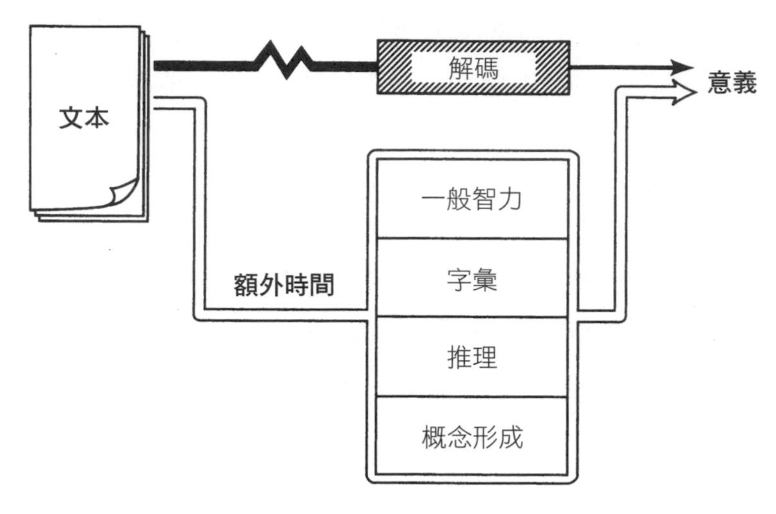

❖ 圖 35　利用上下文需要時間

由於讀寫障礙者無法採取那條通向字義的直接路徑，因此他必須將他的智力、字彙和推理能力應用到生字的上下文裡，以便取得生字的意義。這意謂採取次要的閱讀路徑會需要額外的時間。

藉由智力與口語能力的輔助，會使得極有能力的讀寫障礙者希望繼續接受高等教育，但他們會面臨標準化測驗的阻礙，這將使得他們在標準化測驗的表現糟糕。提供少量上下文的選擇題測驗，加上測驗時間的限制，這些對他們尤其不利。若以這些測驗來推估個人的知識水準，那對讀寫障礙者是不公平的。

John Irving 與 Stephen J. Cannell，這兩位作家在 SAT 語文部分的成績都很糟糕。知名學者兼醫師 Delos M. Cosgrove 與 Graeme Hammond，他們在醫學院入學考試（Medical College Admissions Test, MCAT）的成績是如此低，若非他們的個案情況特殊，這兩人都無法被醫學院接受入學。David Boies、法律學者 Sylvia Law 及金融家 Charles Schwab 都加入了這個菁英人士的圈子，這個圈子裡的人都是天資聰穎，但他們在限時標準化測驗的表現卻被低估其能力——而且幾乎阻礙他們追求夢想與達成志向。

接下來，是那些平凡老百姓的故事。Hannah 是出生在南方小鎮的一位讀寫障礙者，多年來，她遭受了那習以為常的誤診與身處絕望的痛苦。在十八歲那年，高中二年級快結束時，她帶著糟透的成績和看不到任何協助，她從學校輟學了。一如往常的，無論她的閱讀能力如何，她依舊熱愛思考與想像。一旦從一個不曾關心過她的學校環境的負擔中解脫，她開始使用筆記型電腦工作，並在接下來三年內嘗試成為一位作家。不再受到得用手寫作或趕寫報告的壓力，她樂於創作。她的自信心被找回來了，並著手準備取得GED文憑。當地一所社區大學在得知事實後，允許她可以擁有她曾在公立學校被拒絕的調適（主要是針對考試，提供額外時間與單獨一間教室）。她在非常短的時間內通過了考試，並被授予同等學力文憑。

當 Hannah 在 ACT 考試被允許有類似調適，她的 ACT 考試成績優異，之後並被一所小型州立大學接受入學，她在那所大學裡繼續獲得調適，並得到在校平均成績 4.0 的完美分數。如今 Hannah 在一所名校攻讀法律學位，她在那裡繼續得到調適。

這是提供讀寫障礙者的典型調適方式，Hannah在考試時仍需要額外時間與單獨一間教室。由於她的閱讀能力相當薄弱，她持續需要單獨一間安靜的教室，使她能完全專注於手邊課業。為了確保安靜，她會在考試時使用耳塞。任何噪音或令人分心的事物都可能打斷她的閱讀，把她的注意力從閱讀中抽離，因而干擾她的考試表現。這些調適對任何學校幾乎都不會造成麻煩，所以每一個讀寫障礙學生都應該有使用的機會。

達成外語必修的目標

如我提過的，讀寫障礙學生得艱苦對抗學習外語的問題。由於這些學生還必須精熟他們自出生以來，已埋首其中的那個語言的基本語音，因此，當他們還年輕時，他們幾乎不可能再精通一種新的語言。有些中學生能夠、而且往往真的能過關，那是靠著死記硬背、拚命用功和人緣好才能得到及格的成績，但他們卻沒有任何使用那種外國語言會話的能力。但到了大學階段，學生會被期待精通某種外國語言，能夠用它來對話，並閱讀那種語言所寫的文學作品。

學生有時候會明瞭他們的努力徒然無功，因此會對外語能力畢業門檻的必修課程請求部分學分的抵免。有經驗的任課教授也可能最先察覺學生的問題程度，然後再由他建議學分抵免。在耶魯大學，經過了仔細複檢之後，允許抵免部分學分的條件是，學生被要求在任何特定的非英語文化或社會研究中，有關文化、歷史、政治或文學方面的課程中選修六學分。這個選課模式的政策重申大學賦予外語必修的重要性，以及學校希望讓學生認識這些必修課程的精神，而非僅僅是考試過關而已。這是一項非常有用而且適當的調適。另外，它可避免學生產生不必要的苦惱及浪費時間與精力，使學生得以專注於那些他有可能完全精熟的課程。

 有聲書

在 2000 年春天，耶魯大學的新鮮人 Seth Burstein 榮獲了視障及閱障者有聲書圖書館所頒發的 Marion Hubert Learning Through Listening Award 獎，頒獎典禮在紐約市的 Essex House 舉行。身為讀寫障礙者的 Seth 在忍受了多年的艱苦抗戰之後，一直到他上高中時，他得知視障及閱障者有聲書圖書館的相關資訊，並訂購他上課教科書的錄音帶。很快的，有聲書成為他人生裡的正面力量。

> 我幾乎可以記得所有我聽過的東西，但我讀得太慢以至於趕不上進度，而且我投入那麼多心力，試圖把那些字搞清楚，而事後我對那些字的理解卻不多。當我開始使用那些有聲書，一切都改變了。我能夠在閒暇時跟著書邊聽邊讀，吸收幾乎是每一樣我閱讀的內容，而且再也不需要依賴我的父母讀給我聽了。我開始對自己更有自信了。我是真的在學習閱讀，而且我再也不用製造藉口，是因為功課讓自己感覺很糟而去逃避它。有聲書改變了我的人生。這是我有生以來第一次，我的成績得到全 A。

除了學校功課之外，讀寫障礙摧毀了成長中青少年特有的獨立性。讓他使用有聲教科書就能緩解這個問題。如另一位讀寫障礙學生所說的：「當你無法為自己閱讀時，那意謂你必須完全依賴你的父母和朋友，在他們方便時為你做這件事。」

當孩子的閱讀困難被察覺時，父母與學生都應當立即聯繫位於紐澤西州普林斯頓（Princeton）的視障及閱障者有聲書圖書館。這些有聲書將是學生前進閱讀世界的通行證。聆聽錄製在錄音帶或光碟上的書籍，使學生得以用自己的理解程度參與課程與學習，而不是被他緩慢的閱讀所牽絆。再者，錄音帶引導他遇見字彙，否則以他有限的閱讀能力並無法接觸這些字彙。聆聽與邊聽邊讀改善了學生的閱讀能力，並使他能主動鑽研於閱讀之中，藉由在字底下劃線、做筆記和用螢光筆強調重點——當他完全專注於破解書上文字時，甚至不必考慮給予重要的增強活動。

視障及閱障者有聲書圖書館目前擁有超過九萬冊的有聲書，藏書主題的範圍廣泛，包括科學、文學、歷史和女性研究，讀者涵蓋了所有教育程度，從幼兒園到研究所和專業學校。如果某本特定書籍或文本尚未被錄製，那麼視障及閱障者有聲書圖書館會依照讀者的請求來錄製它。假使那是一本最新出版的教科書，它會視需要交給一位報讀者來錄成錄音帶，因此試著盡可能及早取得書單，理想上是在新學年或學期開學之前。

讀者若欲加入視障及閱障者有聲書圖書館，只需完成一份會員申請書，並取得身心障礙領域的一位專家簽名。可上視障及閱障者有聲書圖書館的官方網站與它聯繫，www.rfbd.org。

最近，視障及閱障者有聲書圖書館正透過它現有類比圖書館的轉換，及藉由新書的母帶數位化，在光碟上製作可用數位化形式收聽的教科書。慶幸的，這個稱為AudioPlus的新數位版本，依然呈現自然的人聲，而不是語音合成的聲音。具備多功能的數位化光碟書籍意味讀者能立即進入他們確實想閱讀或重讀的某一章、某一頁或某一段，或是他能利用家用電腦聆聽。利用這最新的數位形式，使得這些錄製品能達到真正的輕便性；學生還可在搭乘公車或慢跑時，使用他的隨身光碟播放機聆聽某一頁或某一章。依照預定的計畫，這些錄製品可能在不久之後就能在網路上取得（見331-333頁有關數位書籍的額外選擇）。

因此，對讀寫障礙學生而言，搭造一座通往成功的橋樑需要三個基本組成要素：(1)額外時間及考試時安排單獨一間安靜的教室；(2)外語必修可以有某種形式的學分抵免；以及(3)把文本錄製成聆聽形式。這些都是被動的調適方法；

它們提供了一座橋樑，這座橋樑使讀寫障礙者的長處顯露，他的潛能得以表現其本質，而不是給予讀寫障礙者某些東西。除了這三個組成要素之外，還有一些有用的調適方法：改變考試的形式（寫申論題、口頭報告、研究計畫）；錄製講課內容；以及在課堂上或考試時使用筆記型電腦。從學習材料所提供，附於印刷文字的視覺形象（圖表、圖形、插圖），讀寫障礙學生也會從中受益；課程與評分強調的是概念而非獨立細節、是內容而非形式；以及運用先進的電腦科技（請見 331-334 頁）。

為了提供有用的指導，如何將這些調適與其它調適融入學生的教育計畫，我會將焦點放在 Andrew 與 Gregory 的身上，放在我為他們兩位所發展的教育計畫上。

從理論到實踐

Andrew 的計畫（高中與大學）

Andrew Bennett 當時十五歲，正準備升上高中一年級。他在耶魯中心做過評估並被診斷為讀寫障礙之後，我與Andrew和他的父母見面，並說明診斷的結果。像Andrew這樣在進入大學時立刻會被期待獨立的青少年，對於什麼是讀寫障礙及它將如何影響他的日常生活，他得有基本程度的瞭解，這些事情對他格外重要。那麼Andrew會有更好的能力，弄清楚要如何應付各種狀況。他握有自制權了，而且在此過程中，成為爭取他自己需求的有力擁護者。

我為Andrew做出以下總結，概述可預測的讀寫障礙後果，及針對每種後果建議最適切的調適。由於讀寫障礙學生能透過先瞭解整體畫面的方式而學得最好，因此，我從提供一個概念架構來開始，概述這個計畫在整體上的基本理由與目標。

瞭解你是如何學習：你的長處與你的弱點

想像語音缺陷像是一座被包圍、被劃界的孤島，它四周被汪洋大海般的長處所圍繞（優秀的推理技能、字彙、理解概念的能力；見第 57 頁的圖 11）。

記住這個目標：將長處增加到最大，把弱點縮減到最小

教育計畫的基礎是建立在對讀寫障礙的瞭解，讀寫障礙是根源於語言的問題，它影響到閱讀、寫作和說話。這裡列出讀寫障礙對你會造成的五種基本後果，以及你對每種後果必須如何處理。

1. 閱讀是緩慢、吃力的

請求給予考試時的額外時間　考試時有額外時間是必要的。時間的長短無法從考試本身來確定，應該根據你自己的經驗而定。當你第一次請求這項調適時，要求兩倍的時間。以這個時間量對你的效果有多好為根據，你可為接下來的考試要求更多或更少的時間。由於你的解碼技能尚未自動化，閱讀每個單字將用掉你較多時間。另外，許多像你這樣聰明的讀寫障礙者，都會利用一段文章裡的上下文來幫忙辨識無法解碼的字。譬如說，在一個段落裡，你可能無法讀出某個特定單字，但你往往能讀懂前後的文字，以至於理解文章的重點。這麼一來，使你得以為這個生字的空格填進大概的意思，即便你無法將這個生字發出音來。走這條到達字義的間接路徑需要花費額外的時間。如果你打算表現出你確實知道，那麼你絕對需要額外時間。絕對不要對請求額外時間感到羞愧。讀寫障礙者需要額外時間，就如同糖尿病患者需要胰島素一樣。一間安靜、單獨的教室與耳塞，會有助於將令人分心的事物減至最低，並使你在閱讀測驗題目時專心。所以，雖然你的閱讀速度緩慢，但你的理解程度是好的，因為你

能應用你的字彙和思考能力去理解文章的意義。

避免選修太多需要大量閱讀的課程 你應該限制自己，每學期不要選修超過兩堂以上「需要閱讀的」課程；如果有必要的話，高中多唸一年（以後在大學也是）。當你開始上大學時，在第一學期（或甚至是第一學年）嘗試減少課程的負擔，一直到你能適應大學生活的學業及其它要求。

調整你的閱讀步調。閱讀二十分鐘，休息一下，練習一下，然後再回到你的閱讀。由於你的閱讀能力脆弱，因此要在一間安靜的房間閱讀。聆聽像是爵士樂或古典樂這樣的背景音樂——只要沒有歌詞的音樂就好——它有助於隔絕或遮住任何令人分心的事物。

許多學生不知如何從指定閱讀的文章中找出最多資訊——他們把注意力集中在所有細節，卻記不得多少——但有種方法對很多學生都有效。它鼓勵**主動**的閱讀，主動閱讀是將你讀過的內容記憶的方式。這種方法稱為 SQ3R；每個字母代表一個幫助你閱讀的步驟：

S—survey（**檢視**）。在你閱讀那一章之前，先仔細檢查文章一遍。看看標題和每一段的小標題，然後閱讀前言與結尾的總結。這樣會幫助你知道能從你的閱讀材料期待什麼；這會讓你處於一種接收資訊的心態。

Q—question（**問題**）。把標題改變成問題，然後讓這些問題引導你的閱讀。譬如說，在生物課本中那一節的標題是「胃的功能」，那麼就把它改成「胃的功能有哪些？」。

R—read（**閱讀**）。閱讀文本，為你創造的問題尋找答案。把關鍵句用螢光筆劃出重點或在字底下劃線，可以幫助你回想資訊。將每一節所劃的重點做成簡短的筆記，也會幫助你記住要點。

R—recite（**朗誦**）。把你的答案朗誦出來。

R—review（**複習**）。在完成那一節的 SQ3R 程序後，藉由朗讀資訊來複習你劃出的重點或你的筆記，並要確定你讀得正確。

這個極簡單的流程能幫助你整理你的閱讀材料，並有更多收穫。讀寫障礙學生經常發現，利用電腦做簡短的筆記，對他們的學習非常有幫助。事實上，當資料越是提煉所得到的就越多，從他們做的筆記中再去做筆記，一直到筆記只剩下很少內容為止。重抄筆記有助於把它記住，能創造出一套精簡、濃縮的資訊，並可用這套資料去準備未來的考試。

主動學習、背誦與**反覆練習**，是讓你牢記的關鍵。使用螢光筆強調重點、字底下劃線和甚至將印刷文字影印放大，主動投入閱讀，這些都有助於突顯閱讀材料的重點。針對特定觀念或概念出聲解釋，或是改變文字的敘述方式，還有一次次朗讀你的筆記，也都能幫助你將資訊保留在記憶裡，並在需要時將它檢索出來。將你所讀內容心像化，可能對你特別有幫助。創造一個誇張或滑稽的視覺影像，或就某方面而言，對你有意義的任何影像，這麼做一定更容易記住。

取得製成數位形式或錄音帶的書籍　從視障及閱障者有聲書圖書館取得教科書的錄音版本。在學期開始之前，向你的指導教授索取一份書單，使你確定能及時取得上課用的有聲書。在你閱讀課本時聆聽其錄音。同時聆聽與看到文字，會幫助你把困難字發出音並記住它們。主動的聆聽，譬如說，當你閱讀時可將重要部分用螢光筆強調或在字底下劃線。為了休閒而閱讀時，也可善用有聲書資源。這麼一來，可使你享受閱讀故事與文學的樂趣，那是你可能無法從印刷文字形式中體會的。閱讀雜誌也能獲得這種樂趣。

另一種選擇是，你可以考慮Kurzweil 3000（Kurzweil Education Systems, www.kurzweiledu.com），或是 WYNN 3.1（What You Need Now, www.freedomscientific.com），這些電腦軟體能把掃描的印刷資料轉換成電腦文字檔，透過你的電腦朗讀出來。這個系統需要基本的硬體（一台掃描器），並將專門的 Kurzweil 或 WYNN 軟體安裝在你的電腦。（Kurzweil 在 PC 或 Mac 上皆能運作；WYNN 只能用在PC。）掃描器的價錢並不貴，很多學校都擁有一台。掃描內容冗長的教科書章節，需要耗費相當多時間，但當文本被數位化時，就有很多選擇可幫助你閱讀你的教科書。這個軟體能朗讀文本給你聽（你可選擇速度）；在朗讀時這套軟體會用顏色標示所讀到的每一段；它的特色是當電腦在朗讀時，會有第二個顏色標出讀到的每個字，可幫助你邊看邊讀或做筆記。你還能把文字放大，改變字型，在每一行文字間增加空白，以及把文字到處移動。有一項搜尋功能

可使你快速找出文本裡某個特定的字。文本的特定段落可被「剪下」，並儲存為一個獨立文字檔。此外，這些軟體還提供書籤、字典的功能、語音筆記（你可口述簡短的筆記，並貼到特定段落上，有需要時可重新播放它們）、拼字檢查，以及能從任何文本創造大綱。它們還可連接及閱讀網路電子郵件，以及其它網際網路上的資訊。硬體需求包括一台 PC、一台 Pentium IV 或速度更快的處理器、256 MB 記憶體、120-150-MB 的硬碟和一個高品質音效卡。這個軟體也適用於 Mac，主要是附加 Connectix（connectix.com）所生產的 *Virtual PC with Windows*。

另一個選擇是數位化文本（也稱為電子文本），有時候可透過 Bookshare.org 線上取得，連接到 Kurzweil 或 WYNN 的軟體來朗讀給你聽。

電腦產品不斷的推陳出新，它能透過語音辨識（speech recognition）、拼字檢查和語音回饋幫助你。語音辨識軟體例如 *NaturallySpeaking*（ScanSoft，只適用於 PC，www.scansoft.com）、*ViaVoice*（PC 與 Mac 皆可）以及 *iListen*（MacSpeech），容許你對著一個耳機式麥克風口述，然後你的言語會被自動轉換為印刷文字，可在電腦螢幕上看得到。這需要訓練電腦程式來辨識你的聲音。這種電腦程式對於說話清楚的人效果會更好；它們並非魔術，所以無法將含糊的話語變成一篇有深度的學術論文。有一個軟體程式 KeyStone 的 *ScreenSpeaker*（www.keyspell.com）可與其搭配使用，它允許學生聽到電腦從他的聲音指令所轉錄的內容。因此，把 *ScreenSpeaker* 與 *NaturallySpeaking* 連結使用，就能把 *NaturallySpeaking* 已轉錄的內容朗讀給學生聽。所以，學生可利用這個系統口述一篇文章，再把它轉譯成印刷文字，然後再由系統讀給他聽。這使學生得以修改他的作文，訂正任何拼字錯誤或對同音異義字的混淆（請見以下內容）。

語音辨識的電腦程式，與 Kurzweil 和 WYNN 系統一樣，要求相同高檔的電腦硬體。語音辨識的電腦程式還能與其它軟體程式結合，例如 *WordSmith*（www.textHELP.com）或 *Co:Writer 4000*（DonJohnston.com），它能把你用鍵盤輸入的文字朗讀並發音，確定你輸入的字是你想要的字。*WordSmith* 提供一個特別受歡迎的特色，是給予同音異義字的支援。在這個電腦程式裡，電腦會朗讀任何你寫的字，並提供一個定義。因此，如果你寫的是：「I wan to **heel** the sick.」（我想要**治癒**病人，**治癒**誤打成**緊跟**。）電腦便會朗讀**heel**的字義，並提供其它同音字的拼法與定義。一旦你看到並聽到 **heal**（治癒）這個字的字義被讀出，你就能訂正你的拼法。*WordSmith* 與 *Co:Writer 4000* 還可幫忙組合完整的句子，預測哪些常用字應有邏輯的放在你所輸入，最前面的幾個字後面。這個特色對撰寫論文和報告很有幫助。

Franklin Electronic 出版社（www.franklin.com）也出版電腦輔助產品，這家出版社是以掌上型產品聞名，包括拼字檢查器與同音異義字檢查器。譬如說，Speaking Spelling Ace 能把你用鍵盤輸入的字發出音並提供定義。電腦軟體程式例如 *Home Page Reader* 和 *eReader*（CAST.org）可讀出網頁上的文本。當然，當網頁上的很多資訊是以圖像、漫畫或其它非文字形式呈現時，它們就無法被這些軟體程式讀出來。

所有這些精密的工具都需要被瞭解、指導、時間與練習。針對這些及其它在市場上跟進推出的產品，找到一位能給你專家意見的人會很有幫助。教育性的電腦產品需要維修與微調。雖然電腦諮詢師對這些服務會收取費用，但他們可以保證你新買的軟體程式能發揮它的最大性能。學校、電腦公司及你那州的職業復健部門（Department of Vocational Rehabilitation）都具備這方面知識，並能為你轉介社區裡最幫得上忙的電腦諮詢師。同樣的，假使精密科技要有效用在學校環境，學校人員必須在科技的執行上接受完整訓練。如果學校人員對它感到不自在或不瞭解該如何操作，那麼甚至是最尖端的科技也毫無用武之地。

為閱讀原著而尋找替代選擇　假使你必須為某堂文學課閱讀一本書，那麼請你試著先找一本替代版本；譬如說，莎士比亞的《哈姆雷特》（*Hamlet*）和 Theodore Dreiser 的《美國的悲劇》（*An American Tragedy*）都已被拍攝成電影*。有一個很有用的電影網站 www.imdb.com，它提供了一套幾乎是所有已拍攝成電影的完整目錄，你可查詢目錄以確定某本書是否被拍攝成電影。將觀賞那部電影當作閱讀那本小說的預備活動，這將引導你認識故事情節、角色和地

* 《美國的悲劇》最有名的電影版本為《郎心如鐵》（*A Place in the Sun*）。

點，這麼做會讓日後閱讀那本書變得更容易。

Charles Schwab 和 David Boies 兩人都告訴我，他們在年輕時從經典漫畫中學到很多東西。可用類似的方式讓你閱讀一套「精簡版莎士比亞」（Streamlined Shakespeare），它是以重新編寫莎士比亞的作品為特色，因此當讀者為小學四年級或四年級以上的程度，都可以讀得輕鬆自在；另外，還有「基礎古典小說」（Cornerstone Classics），它包括《孤雛淚》（*Great Expectations*）和《格列佛遊記》（*Gulliver's Travels*），是用小學三年級到四年級的閱讀程度撰寫。這兩本系列套書在 High Noon Books 都找得到，此公司附屬於 Academic Therapy（www.academictherapy.com）。或者你可聆聽有聲書；這些有聲書可從網路下載到你的個人數位助理（PDA）上，例如 Palm 或 MP3，或燒錄到光碟上。有一家叫 Audible（audible.com）的公司會依據訂閱來提供這項服務。報紙、雜誌和例如像公共廣播電台的節目 All Things Considered 或 Car Talk，也都可以訂閱。

即使你的閱讀量不多，還有另外一些選擇可幫助你獲得資訊和認識周遭世界：觀看電視新聞、收聽廣播新聞和參觀博物館。你可在博物館租借耳機導覽，還能一邊走一邊聽簡介。如果這麼做對你有效，電視、電影和漫畫書都能被接受和甚至被鼓勵。

為辨識你無法發音的字而預先閱讀　假使你無法把某個字發出音來，而在隔天你就可能無法在教科書或課堂中認出它。找出一本袖珍型字典，每天帶著它。養成查字典的習慣，尤其是字的發音。把那個字大聲的發出音來，有助於你學會它的語音，這是通往字義的途徑。這在像是生物和化學的課程尤其重要，這些課程裡經常會出現複雜難懂的生字（例如像 **oxidative phosphorylation**）。最新的輔助性科技像是 Quicktionary Reading Pen II（www.wizcomtech.com）能幫助你。這枝電腦筆能夠先把文本裡某個有困難的字掃描進去，然後在筆的上方，一個大小適當的視窗內顯示；它能為你朗讀這個字，並告訴你這個字的定義。Kurzweil 和 WYNN 這兩個軟體都能發展一份你有困難的單字表，讓你可以事後複習。The American Heritage Dictionary 的光碟字典，還能把帶給你問題的那些字發出音來，Encarta World English Dictionary 也同樣做得到，它可在網路上免費取得。

跟你的老師或家教，以一對一方式把閱讀材料討論一遍 由於你在從印刷資料中瞭解訊息有困難，所以跟你的老師或家教見面，把閱讀材料討論一遍，你一定能從中獲益。通常最有成效的方式是在你把指定閱讀的部分讀過之後。一種主動的、一對一的互動方式能幫助你理解概念，並記住它們。在這樣的對話中，使用新名詞能使你認識不熟悉的字，而且當你下一次在印刷讀物中看到或在上課中聽到這些字時，會更容易認出它們。你對你聽過的資料會比讀過的記得更牢。此外，在準備考試時試著加入一個讀書小組。討論一遍閱讀材料，聆聽小組的人在說些什麼，這比起你獨自一人坐在房間，努力試圖閱讀大量資料，那往往會幫助更大。

避開選擇題考試；請求給予申論題考試 你可利用文章的上下文來理解你無法解碼的字。選擇題考試不能提供足夠的上下文，來幫助你瞭解那些無法解碼單字的字義。申論題（或是口頭報告）對你而言是最好的考試形式；它們容許你證明你真正的學識水準。

避開要求快速閱讀的課程 這些課程不會讓你或任何的讀寫障礙者得到好處。不必浪費你的時間。

2. 始終存在的基本語言問題

在外語必修課程中，得到學分的抵免 切記，讀寫障礙反映你在語言處理過程中最基本的層次有缺陷：到達字的聲音結構這方面。如果你在學習自己的母語會有問題，那麼在學習外語的精熟度上，你必定會遇到甚至更多困難。學習外語的目的是認識另一種文化。請求抵免部分學分，用有關另一個國家文化的課程來替代（或是一個獨立計畫案）。現在許多大學都接受那些用文化課程替代語言學分的學生，並允許學生進修中學後程度的課程，以獲得部分學分的抵免。

將閱讀材料視覺化 視覺影像與視覺化學習的引導，可能對你特別有幫助。當你能想像書頁上的內容，或能把印刷資料轉換為視覺形式，例如像圖表或繪圖，那麼你的學習效果會最好。*Inspiration V6*（www.inspiration.com）的電腦軟體能幫助你，將你的想法組織成視覺化影像；你可使用這個軟體，創造出流程圖、概念圖、樹狀圖、圖表和大綱。

不要讓語言問題影響你在其它學業領域的表現 只因為你有語言問題，你就可能在考試有問題。你無法閱讀題目或是解釋。讓人家把題目唸給你聽，或是聆聽錄成錄音帶的考試題目，以確保考試能實際測試出你的學識，而非你的閱讀技能，這麼做會有極大幫助，就像涉及學習數學文字題時。

3. 寫字吃力、字跡難以辨讀

取得一台筆記型電腦 由於你在組成字母和單字有困難，所以你的寫字速度往往非常緩慢，而且字跡難以辨讀。針對這個問題，最佳治癒良方就是文字處理軟體。購買一台筆記型電腦，不管你走到哪裡都帶著它。利用電腦做筆記，假使指導教授講課的速度合理的話（否則，請看以下敘述），並用它來完成指定作業。經常試著用你的電腦寫作或考試。這會讓你免於手寫的費力，並幫助你專注於所寫作業的內容。你可使用 AlphaSmart 3000（www.alphasmart.com）來降低費用，它有短小輕便、價格較便宜的鍵盤，上面有個讓你看到幾行文字的小視窗。利用 AlphaSmart 3000，你可在上課時整理你的筆記及寫作；它會儲存你寫的所有內容，然後連接到幾乎是所有的文字處理軟體。因此，當你到家時，你就可把在學校所寫的任何東西下載出來。或者假使你有一台 Palm OS 的掌上型設備，那麼你就可買一個小型摺疊式鍵盤來連接，用它在課堂上做筆記很有幫助。

針對整理書本的筆記這方面，QuickLink Pen（wizcomtech.com）可把句子掃描起來，那麼你就能事後在你的電腦下載。

跟別人借筆記 因為當你聆聽上課內容時，在檢索音素及把它們寫下來有困難。所以，事先做好安排，取得老師或同學的筆記來影印。你在上課時只要草草速記最重要地方，而剩下部分就可從別人的筆記取得。

把上課內容錄音下來 使用袖珍型數位錄音機，把上課內容錄起來。為了弄清楚上課重點，使用這樣的機器為教材做備份確實很有幫助。如果你剛好在睡覺前聆聽，它會幫助你把東西記住。

把你自己的作文錄音下來 把你正嘗試寫出的作文錄音下來，這往往會很有幫助。你可經由同儕、助手或老師的協助，將作文謄寫出來。口述錄音的方式有時可替代書寫的作文。當然，假如你能輕鬆使用語音辨識軟體，那麼你就可以先錄音，再聆聽你的作文，然後在列印出的稿件上修改作文。

應該根據你書面作業的內容，而非它的形式來評分，特別是拼字部分 就像許多讀寫障礙者一樣，你的概念化能力非常好，但因為你有語音缺陷，使你遭受寫字與拼字的困難。當你試圖執行反向處理程序時（即是拼字），就會暴露你在解碼字詞（從字母到達聲音）的相同困難，拼字依賴的是聲音編碼，需要將它們轉譯成字母的能力。由於你經常無法將書面文字（即是，字的拼法）的準確模組儲存起來，你也會對同音異義字混淆不清。你不會注意到你把 **heel** 寫成 **heal**，或是把 **sale** 寫成 **sail**。為了這些理由，我建議你讓某個人來校對你的書面作業。跟本章前面介紹電腦軟體產品一樣，拼字檢查器也是個極好的幫手。

 4. 要「當場」給予口頭回答時，你是緩慢且費力的

影響你閱讀的語音缺陷，還可能同樣影響你快速口頭回答的能力。口頭語言的發展也是依賴語音能力。你必須進入你的內部字典，選擇適當的音素，將它們依正確的順序排列，然後表達這個字。這說明為何你經常會把字的某部分弄混淆，以至於它們是以錯誤的順序出現。你也許可在自己身上辨認這些徵兆：

- 你對於要立即給予口頭回答有困難。
- 你會把單字或片語的發音唸錯。
- 你對於要找出某個正確的字有困難，你說話時會經常繞著一個主題打轉。
- 你有朗讀的困難。
- 人家說你的用字不精確，例如like（好像）、stuff（東西）、thing（事情）、you know（你知道）。
- 你對聽起來音相似的字混淆不清。

如果你有這些困難，那麼它說明了為何當你在課堂上被叫到名字，甚至是你知道答案，你卻無法說出正確的答案。你對於要快速的口頭回答有困難，一旦你瞭解問題形成的原因，你就能採取步驟矯正這個狀況。你的老師在這件事情上會是個重要夥伴；你必須對他解釋，你的讀寫障礙是如何影響你在課堂上的反應。跟你的老師分享以下這些建議（我還把每項建議所根據的理由也加入，你可能該影印一份給他）：

允許事先準備口頭簡報，而不要求在課堂上立即口頭回答　身為一位讀寫障礙者，你對於要立即檢索字彙有困擾，但給予充足的時間，你就能有所準備，並做出很棒的口頭報告。在組織與發表這類簡報方面，電腦能有很大幫助。學會使用 *PowerPoint*（Microsoft）軟體來準備報告。這個軟體不但能使你發揮你那強而有力的視覺與思考技能，還可在發表簡報時利用幻燈片作為輔助工具。當然，你也可以在家裡練習。準備 *PowerPoint* 的簡報（或僅利用電腦

製作大綱），在組織大量資料及學習如何選出最重要的要點上，它也是一種很好的練習。對於像你這種視覺傾向的人而言，稍早所介紹的電腦軟體*Inspiration*是再適合不過了，因此在組織你的思考，準備對全班進行簡報時，它會是個重要的幫手。這個可以產生圖像顯示的軟體，也能針對相同資料創造出傳統的文字大綱。當你對其中任何一種做修正或改進時，你甚至可在圖表與文字大綱間來回的切換。以這種方式利用電腦，能讓你有機會證明你的長處，並在同學面前得到正向回饋。它也是一種有趣的方式，可藉此學習準備工作的重要性。

 **語音缺陷不應被誤解為知識不足**　假使你的口頭回答聽起來並未擊中目標，你的老師應考量它可能是語音錯誤所導致，並應容許你解釋。讀寫障礙者往往對於找出確切或具體的字彙有困難。你應被要求詳細的解釋或更完整的描述你試圖說出的內容。告訴你的老師：「我說錯了，讓我解釋我的意思。」

5. 藉由從上而下，從意義到事實的方法來學習

你所要選擇的課程，它應強調概念而非細節。你在那些重視你的長處——瞭解廣泛的概念與思想，運用推理與分析技能——的課程會表現得更好，而不是重視記住單獨資料片段的課程。死記硬背（記住確切的日期與地點）需要很強的語音能力。你最擅長的是記住那些有意義的資料。在選擇某個課程之前，先查清楚你是否被期待記住具體事實，或是你可透過計畫和簡報來證明你的知識。後者對你是更好的方式。在那套課程開始之前，不要害怕跟你的指導教授討論你將會如何被評量。要成為你自己的擁護者；說明你的需要與需要的理由。

Andrew 跟父母及他的高中校長見了面，並給校長看過我的評估結果及建議。校長的正面反應讓他們感到驚喜。他看起來是放心了。我們交給他一份行動方案。這項新消息對Andrew的學校生活有了一百八十度大轉變。對於提供額外時間與一間安靜教室，在Andrew的考試表現上造成了差異，他和他老師兩人都是又驚又喜。現在有幾位Andrew的老師願意提供講課筆記的影本，好讓他在

上課前能先預習，因此他的課堂表現有了明顯的改進。他用一堂法國文化課程來抵免外語必修的部分學分。他買了一台筆記型電腦，而且他很吃驚文字處理軟體對他這麼有幫助。當看到Andrew在課堂上使用筆記型電腦，這使得他的好幾位非讀寫障礙同儕也為他們自己買了電腦。Andrew覺得很高興，因為這讓他不會那麼引人注目了。就像許多其他的讀寫障礙者一樣，Andrew最想要做的一件事，就是他看起來像每個人一樣，而不是被人注意。

在最後一次拜訪中，他報告事情的進展相當順利。他感到快樂，而且是多年來第一次，他的父母能夠對他的未來感到樂觀。

Gregory 的計畫（醫學院）

你們已經認識 Gregory，那位我在《美國科學人》（*Scientific American*）所描述的那位聰明年輕人。他在醫學院裡遭受挫折，而且知道事情不該像那樣。我跟 Gregory 所就讀醫學院的學生部主任見面，告訴他有幾個關鍵步驟將會對 Gregory 產生重大的改變。在運作方式上，這意謂老師們必須認清並嘗試給予 Gregory 調適，而不是給他不公平的待遇。

我說的是那些你們現在已經熟悉的話，我告訴主任，像 Gregory 這樣的讀寫障礙者是無法立即作答的，但他能夠學習——而且學得非常好——如果給他機會做的話。我提到將學習歷程與評量分開來看，那是很重要的。譬如說，醫科學生在臨床實習期間的第一次嘗試或反應往往被視為最終評量結果。但Gregory必須有免於恐懼的學習機會：假使他第一次的嘗試表現猶豫或不正確，那麼它不應被看成學習失敗的指標。在對他評量時，一定不可以把他的口語技能與他的能力混為一談。因此，必須根據 Gregory 的知識與推理能力來評量他，而不是他的說話與回應速度。

我提到，在每門課的學習上，Gregory需要定期與一位學識豐富的人會面，他能與這個人將課程的重點預習及討論一遍。這麼做能幫忙 Gregory 克服他在快速檢索字彙的困難。教師們、好友夥伴、高年級學長或甚至是退休教師，都可在這角色上發揮有效的功能。這個人並**不是**評量過程的負責人員，我認為這點非常重要。

我還提到，假使有一位教師能扮演 Gregory 的擁護者或具備導師功能，那麼會讓事情有真正的改變，這個人就可以向臨床課程的主任說明 Gregory 的需求。像這樣的人應當是任課教授中的其中一位，他會是醫學機構的權威，受到大家的尊崇，對讀寫障礙的本質與後果有深入瞭解，而且真心的支持學生。讓一位受到敬重的教師來處理學生的學習問題，將為這個學生創造一個不同的世界。否則這位學生可能說了相同的話，但得到的效果卻是有限的。

最後，我提到評量過程必須反映 Gregory 的能力，而不是診斷他的障礙。我告訴主任選擇題考試對Gregory是多不公平及為何不公平。這一點已在Gregory的產科／婦科醫學的輪替實習期間被證實。在完成那門課的六週期間，他的表現被許多負責指導實習的醫師與團隊成員一天天的觀察著；大家都一致認為他的表現優異。在輪替實習結束時，由兩位資深教授對他進行兩項口試；在其中一項考試中他被評為優等，而另一項是極優異。明顯對照之下，他在選擇題的書面考試卻不及格，一個他早已預料的結果，也跟教授那門課的老師談過這問題。他在病房及口試的表現，與選擇題考試的表現形成了對比，兩者間的差異有如天壤之別，事實證明並清楚提供證據，說明用這類考試來評量 Gregory 的學習成就的不恰當。

像 Gregory 這樣有讀寫障礙的醫學院學生，幾乎在整個求學生涯裡，他必須去適應並對付他的長期障礙，他顯然擁有許多身為醫生所能貢獻，最有意義的、但卻最教不來的許多特質，包括了同情、同理心與敏感，還有智慧與動機。當Gregory擁有我強調的那種支持與瞭解，他不只能夠生存，他一定會成功的。

我的大部分建議都被採納了。Gregory 現在正完成他的住院醫生實習。

改變是由小地方開始。調適對讀寫障礙兒童並不存在的時代已經結束了。而且相關跡象顯示，對調適拒絕很快成為過去式。在奧勒崗州，經過漫長的努力之後，目前讀寫障礙學生在高風險測驗中，都能使用附有拼字檢查軟體的電腦來作答。此外，當需要時，他們被允許以口頭方式敘述答案，讓別人為他們報讀測驗題目，以及得到額外時間作答。許多人相信，這項開明的政策為保護學習障礙兒童的權益訂下規範，也確保是測驗他的能力而非其障礙有所規定。

我們對讀寫障礙（與學習）的最新瞭解程度及看待調適的重要性，如今正在改變中——透過個別學生的請求、教師敏銳的眼光及公共政策的改變——轉變為教育實踐與政策上實際與持久的變更。有科學基礎的、為迫切需要的，以及由提供調適而造成孩子一生的差異，它們已被證實且正在全國各地的教室扎根。由於這些調整的迫切性需要，讀寫障礙學生現在能有機會發揮所有的潛能。並不只有個人能受惠，還有整個社會也是。

回答最常見的問題

如何在大學與研究所學生身上鑑定讀寫障礙？

鑑定讀寫障礙是一種臨床診斷；它必須由一位臨床醫生執行，這位醫生瞭解這位學生，能把與個人相關的病史資料、臨床觀察和相關測驗的結果，經過深思熟慮後做出綜合研判。診斷基礎是建立於發現結果的模式；它絕對不應根據某項單一測驗的結果而做出診斷或排除。測驗被視為一種指標；個人的生命史及這個人如何朗讀的事實，這些是在一位有成就的成人身上最好的診斷方式。

讀寫障礙的特徵是，相較於這個人在其它認知與學業的能力，他在語音與閱讀出現非預期的困難。在大學（以及大學之後）的階段，最有效的方法是看一個人是否有成就，像是他的學術表現（在數學、哲學或化學的優異成績）；教育程度（就讀或畢業於一所競爭激烈的大學、研究所或專業學校）；或是專業身分（一位律師、醫生、作家、工程師或成功的女商人）。一位閱讀緩慢、且吃力的大學生、法學院研究生或是醫生，他在這樣的背景下正顯現非預期的閱讀困難。（IQ測驗的使用與誤用在第十一章討論過；到了青年期，閱讀障礙的影響可能已人為的壓低了智商分數，記住這點很重要。）

在一位聰明、受過教育的成人身上，閱讀的正確性不應作為測量閱讀能力的手段。到了青少年階段，讀寫障礙學生在識字能力的正確性會改善，以至於他在識字正確性的評量表現會被期待在所謂的平均範圍。因此，平均的識字能力的發現，這結果在一位受過教育的讀寫障礙成人身上，對於確定他是否遭受閱讀困難並沒有太大幫助。科學證據顯示，那些有讀寫障礙童年史的成人似乎能正確的識字，但在閱讀那些相同的字時，他們的方式卻不同於其他人；他們讀得更緩慢，而且是利用了不同的大腦系統。

在聰明的成人身上，缺乏流暢性是診斷他是否有讀寫障礙的唯一指標。一個人如何**出聲**閱讀，是診斷流暢性最重要的評量方法：當他在閱讀時是否會把字讀得結巴或吞吞吐吐、發音錯誤、漏字或出現贅字的情形？此外，計算一個人的默讀時間，或另一種選擇是讓這個人在限時和不限時的情況下默讀，然後回答與那段文章有關的問題，這些方式都可能提供一些指標，證明這個人的閱讀有多麼流暢。

是否有其它問題可能與讀寫障礙混淆不清？

在一位聰明的中學畢業生或是有成就的成人身上，可以合理的與讀寫障礙混淆不清的問題少之又少。假使我在本書中所概述的模式已在某個人身上確立，那麼他就有讀寫障礙。只有讀寫障礙會產生由語音缺陷與較高層次認知長處之矛盾特徵所形成的臨床症候群，在那個人的一生顯露其本質。假使追溯一個人的童年，發現他有與語音相關的說話、閱讀和拼字困難的歷史，而且，儘管他有顯示其認知長處的徵兆，現在他閱讀得非常緩慢——那麼這個人就是有讀寫障礙。

注意力缺陷／過動症有時會與讀寫障礙混淆不清；那不應當如此。如你所知，讀寫障礙者在取得語言的基本聲音有困難；注意力缺陷／過動症反映的是注意力與活動力的控制有問題。它們的症狀、神經生物學和有效的治療方式皆不相同。不過，偶爾，讀寫障礙者可能看似對閱讀不專心，那是因為要他破解書頁上的文字是何等苛求。所以，說他有基本的注意力問題，倒不如說閱讀對他而言，要求的是不尋常的注意力付出。

決定讀寫障礙者考試時需要多少額外時間，什麼是最好的方式？

唯一有效的估計方法是那個人自己的生活經驗。絕對沒有任何測驗可提供這項資訊。每一位有成就的讀寫障礙者，都已發展出他繞過自己的語音缺陷的路徑；隨著年齡增長，他已使這些具體策略或替代路徑更加完美，並發現那是對他有效的，這些因素都會決定他需要多少額外時間。

一個人應該多久被施測一次？

讀寫障礙是一種長期的症狀，並不是長大成熟了就不會再有。一旦某位學生被鑑定為讀寫障礙並接受調適，就沒有任何合理的理由可以相信，為了發揮他的認知長處，會有那麼一刻他不再需要這項調適（針對限時考試）。如稍早所提到的，科學研究已清楚證實，語音缺陷的威脅會持續影響讀寫障礙者一生。造影研究也證實，甚至所謂的「被補償性讀寫障礙學生」會持續求助於次要的（非自動的）神經路線，而且讀得比同儕更慢。絕對沒有任何證據證明，讀寫障礙者長大成人後就會突然變成流暢的閱讀者，並能使用傳統、主要的大腦系統來閱讀。由於這方面的證據不足，所以沒有理由去申請更新鑑定。要求一個唸完高中的學生，再次接受一連串的最新評估——去經歷金錢的耗費與心理創傷——沒有證據顯示可從中得到好處，但卻有錯誤詮釋的可能。

在這個背景下，許多人相信一旦讀寫障礙學生唸完高中，又要求他接受頻繁的測試，那等於是設下人為阻礙，阻撓他申請調適。對讀寫障礙者而言，額外時間的需求十分重要，它是沒有反駁餘地的；沒有看似合理的理由讓我們相信，讀寫障礙者一定不再需要額外的時間。

調適是否為一種好處？它是否會引起不公平？

研究者比較了學習障礙與非學習障礙大學生，他們在限時與不限時的標準化測驗的表現。研究的結果是前後一致的：只有在被診斷為學習障礙的學生身上，會實際顯示出，藉由使用額外時間能讓他們的考試成績有顯著的改善。

而那些擔心額外時間為讀寫障礙者帶來「好處」的人，他們無法體會，即使有了額外時間，讀寫障礙者仍持續有被催促的感覺。額外時間並不是一項好處，它是讓這場遊戲保持為公平的嘗試。即使用了額外時間，閱讀緩慢者跟一般閱讀者比較起來，仍會持續感到至少一樣或更多的時間壓力。

會不會有人假裝有讀寫障礙，只為了取得相關的「補助」？

有人相信，很多父母，尤其是那些住在郊區收入中等的父母，他們會尋求學習障礙的診斷，好為他們的孩子獲得某些料想中的好處，這些說法是一種暗中的、缺乏事實根據和惡意中傷的謠言。這些謠言汙染學習的氛圍，並造成反衝力，對那些正遭遇學習困難的孩子，以及那些正努力瞭解與幫助孩子的父母親，這些謠言傷害了他們。

最近，一個專家小組做出結論，寧可過度鑑定郊區的學生為讀寫障礙，這問題反映了對弱勢兒童相對的鑑定不足，尤其是少數族群兒童。專家小組強烈的主張，主要的測驗機構應主動在先，知會那些弱勢的閱讀障礙學生，他們對考試的調適是有權利的。

調適應該在多早開始實施？

一旦孩子被期待學習寫作，完成費時的課程或家庭作業，以及準備接受標準化測驗，那麼就應該考慮提供他調適。到了小學二、三年級時，可介紹閱讀困難孩子認識視障及閱障者有聲書圖書館，及幫助他們學會使用電腦打字。建議老師們，讀寫障礙學生的作文應根據他的創意來評分，而不是他的拼字能力。如果家庭作業看似幾個小時都做不完，那麼學生應被允許減少功課份量，例如做完單數題就好。減少完成指定作業所需時間是很重要的；對於一個三、四年級的小學生來說，他得在家裡花上幾個小時來完成他的作業，這件事多令人洩氣並會造成自我挫敗。

讀寫障礙兒童需要給予考試的額外時間。這對於高風險的標準化測驗尤其重要，它們往往是決定誰可進入特殊課程或成為學校的守門員，而且越來越多考試額外時間的需求是針對升級和畢業。

調適的提供一定要考慮孩子的尊嚴與隱私權。在同一個班級裡，經常會有好幾個孩子出現閱讀困難，這迫使調適有其需要性。在提供調適方面，最明智與最有效的方法是它必須成為每所學校例行性、計畫性討論的一部分，而不是臨時起意，和有時是以散漫的態度在執行。

 對於請求給予調適是否帶來任何不利影響？

由於與讀寫障礙診斷有關的汙名化與誤解，會讓大部分的成人與兒童寧願隱藏有讀寫障礙的秘密。請求給予調適，幾乎總意謂要把一個孩子或年輕人的缺陷公開。那個有讀寫障礙又得依賴調適的學生，他可能會開始懷疑自己，並質疑自己對調適的需求。但在某個層面上，正當這些感覺確實烙印在一個人的腦海中時，在另一層面上，大部分的讀寫障礙者都能賞識他們自己的獨特性。

在提供學生調適時維持匿名的方式，這是有可能做到的。耶魯大學法學院所發展出的一項方案計畫，可作為其它學校的示範。詳細內容可從耶魯大學身心障礙資源中心（Yale University Resource Office on Disabilities）取得。

將經過調整的考試成績註記，這項措施讓許多身心障礙學生苦惱不已。雖然調適的目的是要把那些身心障礙者與其他應試者放在同等位置，但註記在成績旁的星號卻對所有看到它的人發出訊號：這位應試者有障礙。這個證據強烈顯示，一旦入學許可委員會看到這個星號，就可能「將那位申請者的檔案放在這一疊底下」。從這個星號辨識那位申請者已接受特殊待遇，他的成績無法被測驗機構承認有效。有一個民權法律團體「障礙權利擁護者」（Disability Rights Advocates, DRA），代表一位肢體障礙者 Mark Breimhorst 提出法律訴訟。他控告教育測驗服務中心（Educational Testing Service, ETS）的政策，把調整過的考試成績註記，並加註「在特殊情況下取得之成績」，這違反加州與聯邦的反歧視法，「給障礙學生烙印上像紅字那類的聖傷痕」。法官審理這個案件並做出判決，考試必須是「平等的測試障礙與非障礙應試者的技能」，所以，將這些成績加上記號並沒有必要。在一份民權團體與ETS所達成的和解協議書中，ETS同意在那些透過調適參加這些考試的肢障或學障者的考試成績上將不再加註記號。這項新政策最初被用於Graduate Record Exam（GRE）、Graduate Management Admissions Test（GMAT）、Test of English as a Foreign Language（TOEFL）以及針對教師的測驗 Praxis。一個專家小組被任命，重新檢視加註記號這件事，並對主要的標準化測驗 SAT I 做出建議。2002 年 7 月 15 日，這個專家小組發表他們的發現：「基於科學、心理測量學和社會學證據，專家小組的多數立場是停止 SAT I 的加註記號措施。」我服務於這個專家小組，並參與多數小組成員的意見討論，見證此對抗加註記號的「令人信服的」證據。

對考試的調適需求，將會如何影響讀寫障礙者離開學校後的工作勝任程度？他有能力「把工作做好」嗎？

我要強調，大部分的讀寫障礙者都能在工作上有所成就。這個問題是由選擇題考試所造成的人為阻礙。讀寫障礙者通常在從事醫療、法律、工程、寫小說或劇本等行業中並沒有問題——假使他們可以從跨越選擇題考試的障礙賽中倖存。這些測驗擊中他們的弱點，卻同時也是他們通往未來機會的入口。

之前已提過這點，在某些職業上，讀寫障礙者相對比別人更成功。諷刺的是，他會有困難的工作是那些依賴較低階技能的入門工作，對較高層次的思考能力要求非常少。讀寫障礙者不喜歡從事那些處理文書或歸檔性質的工作。

在法律這一行，需要具備快速閱讀或死記硬背的能力，就工作技巧來說，這些能力往往跟思考與推理能力混淆不清。以前沒人預料到，David Boies 這個直到小學三年級還不會閱讀的人，在那看似非常依賴閱讀的專業領域中，他竟能成為他那個行業的領導者。然而，Boies 的人生經驗使得這句格言更有說服力，即是重要的不是你閱讀得有多快，而是你**思考**得有多好。Boies的對付方法是先瀏覽過全部文字，直到他辨認出重點；然後他放慢速度，再回到這份資料裡，並仔細閱讀關鍵事實。他具有一種不可思議的能力，可以準確捕捉到什麼是重要的；一旦他在心裡設定好最有意義的目標，做更進一步的分析，他就能專注在這些份量已減少許多的資料中，並能仔細分析它。

之前我提過患有讀寫障礙的醫生，包括那些事業有成的外科醫生。是什麼公然違抗了我們對外科專業的許多假想，那就是有些最知名的外科醫生在醫學院求學時，他們的解剖學不及格。其中一位外科醫生跟我說，解剖學和外科手術的技巧無關。「它真的和開刀房的工作沒什麼關係，」他告訴我，「在解剖學課程的表現，跟記住身體各部位名稱的能力比較有關係。」大部分的外科醫生一致同意，「開刀手術是與思考、知道該怎麼做有關，而不是與知道特定結構的名稱有關。」希望這項訊息能警惕那些醫學教育工作者，在他們的職業諮詢上要更加深思熟慮；他們不該認定那些在醫學院解剖學有麻煩的讀寫障礙學生會無法成為傑出的外科醫生。

閱讀緩慢的律師、拼字糟糕的作家，以及在醫學院解剖學不及格的外科醫生——他們都嘲弄了傳統的看法。從這些人身上，我們學到了閱讀緩慢代表的意義是與理解能力無關，糟糕的拼字和一個人的寫作創意沒有關聯，以及不能背熟解剖結構名稱，並無法預知這個人在相同身體部位的開刀技巧是如何。大部分的人可能會想要對這些人提出忠告，反對他們去追求已在其中找到如此成就感的夢想職業。我盼望教育工作者與父母親，都能鼓勵讀寫障礙孩子勇於追求他們的夢想。

在評量讀寫障礙者時，選擇題形式的標準化測驗扮演了什麼角色？

透過仔細的觀察，這些普遍存在、有其影響力的測驗，它們看起來並不是那麼站得住腳。我們對這些測驗和其預測值的許多假設，結果都證明它們是可疑的。這些測驗的功用與其有缺點的本質，其間的不平衡對讀寫障礙者是特別有害的。這些測驗評量要求對死記事實的快速檢索能力，就直接擊中讀寫障礙者的語音缺陷，而最無法測量出的可能是讀寫障礙者最強的資產，那就是，他可以推理、抽象思考、看到整體畫面及跳脫框架思考的能力。這些能反映出讀寫障礙者擁有大量長處的創意能力，讀寫障礙者可以在那方面得到第 99 個百分位的認知技能——它們卻被一項簡單的測驗所測試。因此，選擇題考試帶給讀寫障礙者另一種矛盾：它們顯露讀寫障礙者較低層次的弱點，而同時遮蓋了讀寫障礙者的天分，他們的天賦持續被隱藏著。

作為大學表現預測指標的高中 SATs 測驗，在高中學校成績之外，它能補充說明的地方是出人意外的少。而在下一個就學階段，法學院入學考試（Law School Admissions Tests, LSAT）並未準備成為法學院表現的有力預測指標。有位法官提議，要法學院「放寬或甚至排除對 LSAT 的依賴」。如《華爾街日報》所報導，這位法官描述測驗「一點都不能預測某個人在法律專業上的成就……令人質疑的是，為什麼法學院只關心一位申請者的 LSAT 分數。」

美國醫師執照考試現在也受到抨擊，經常受到如布朗大學醫學院學生部的副主任 Stephen Smith 博士，以及耶魯大學醫學院外科醫學教授 Graeme Hammond 博士這些人的批評，這兩位教授都任職於國家醫學考試委員會（National Board of Medical Examiners），並參與命題過程。根據 Hammond 博士所說：「每當我想到那些編造出來的題目，我就感到不寒而慄……這些考試除了測試考選擇題的能力外，其他的沒有多少，我認為擺脫這些考試的時刻已來臨。」

未來：希望的時刻到來

我對讀寫障礙者的未來感到樂觀。凝聚科學、道德和法律觀點，提供了基本理由、社會良善與法律依據，共同支持對讀寫障礙學生提供調適。越來越多學術團體正開始質疑這些測驗所扮演的角色。沒多久之前，加州大學校長 Richard

C. Atkinson 提議：「結束使用 SAT 測驗作為進入州立大學系統的入學必要條件……最大、且最知名的系統之一。」Atkinson 指出，「他想要從數字的學生性向測驗中走出，鼓勵以一種更『全面的』方法來評估應試者。」

提到高等教育，有一篇發表於《美國醫學協會期刊》（*Journal of the American Medical Association, JAMA*）的綜合性研究指出，那些由非傳統的醫學院入學方式所培育的醫生，他們大學畢業後的訓練與職業經歷，與那些透過更一般程序所選出的醫生之間並看不出有差異。這項由加州大學 Davis 分校所進行的研究調查，研究者針對挑選未來醫生所考慮的各種重要因素，在入學許可過程中給予特殊考量，他們對此程序的後果感到興趣。其目的是挑選出最「佳」申請者，而不是被傳統的平均成績（GPA）標準和醫學院入學考試（MCAT）分數所束縛的人。那些標準化測驗的成績不佳，但卻證實其它較難測量特質的人，都符合了入學許可委員會所考慮的資格。這項研究的調查期間從 1968 年持續到 1987 年，大約有 350 位學生是經由特殊考量的標準獲准入學；有 67%的學生並未符合校方針對入學許可而設的標準化測驗的最低標準，而同時有少數學生也不符合大學平均成績 GPA 的最低要求。

入學許可委員會能對標準化測驗的結果不予理會，反而挑選出那些能繼續順利完成醫學院與住院醫師實習的學生。等到他們成為住院醫師時，這群特殊學生和那些分數較高的同儕之間並未顯示任何差異。

就如《美國醫學協會期刊》的評論所指出：

> 雖然 MCAT 分數與 GPA 是低於對普通入學許可所制定的「最低標準」，然而那些符合特殊入學方案申請者有了優異的成果，與那些以一般方式獲准入學的學生相比是不相上下的。而那些 MCAT 和 GPA 分數較高者，比起那些透過特殊入學方案就讀的學生，並不顯然更有機會畢業、順利完成住院醫師實習、成為有執照的醫生、取得委員會證書或有全方位的就業機會（包括了醫學的學術領域）。假使 MCAT 和 GPA 最高分者都無法預測出這些成果，那麼它們就不會是決定入學的有意義因素了。

數字成績並無法區分誰會和誰不會成為好醫生，這將大幅增加入學許可委員會委員的工作；他們顯然必須依賴其它東西，但願那是更有效的判斷標準。

因此，有越來越多證據出現——在大學入學許可，在研究所、還有現在在法學院與醫學院的入學許可上——作為對未來表現的可靠預測指標，那個對標準化測驗成績的依賴並未履行它的承諾。這樣的測驗成績也許無法挑選出最好的學生，但事實上，還可能把那些不但有能力順利畢業，而且能以獨特方式貢獻其專業的學生擋在門外。

更無形的特質——超越事實的瞭解——它的重要性更勝過對理論的關注。這些特質會影響我們的日常生活，會造成一位好的與優秀的科學家、醫生、律師、藝術家或作家之間的不同。這一切確實是依賴事實的累積與較高層次思考能力的差異。所以，這就是為什麼我們絕不放棄未來，我們要挑選下一世代的領導者，絕不是根據他們在機械式、標準化測驗的分數考得有多好。我們一定要接受這個人的所有特質，那種不會被輕易簡化的特質。創造力是無限的，而且無遠弗界，以至於它無法被塞進選擇題泡沫般答案的狹小空格裡。

戰勝讀寫障礙
Overcoming Dyslexia

結語：像那樣的人……

不久前在一個餐會中，與我同桌的一位教授談到了讀寫障礙。「如今讀寫障礙者想要進法學院唸書，」他說。「你能想像：讓**那樣的人**當你的律師嗎？」我對他回報以微笑，同時回答：「能讓David Boies當我的律師，我會認為那是很幸運的事。是的，像**那樣的人**。」

我這位被誤導的晚餐同伴還沒理解到，那些在學校與讀寫障礙奮鬥的孩子往往勇往直前，在人生的表現優秀。我想要介紹一群人給你們認識，他們依任何人的標準都是成功的讀寫障礙者，以藉此來切題的結束這本書。這些人在小時候都掙扎於閱讀，他們無法拼字，當他們在課堂上朗讀時會被嘲笑，很少讀完一本書，外語成績不及格，以及在標準化測驗中慘遭挫敗。但對於所有像**那樣的人**來說，成功是在他們的掌握之中。

John Irving

當John Irving還是菲利浦艾克瑟特學院（Phillips Exeter Academy，一所為進入名校大學作預備的私立高中）的學生時，他展現了只有少數人能賞識的少許天分。他是SAT Verbal分數475、英文成績C－的學生，後來，當然，他成為《蓋普眼中的世界》（*The World According to Garp*）和《心塵往事》（*The Cider*

House Rules）的作者，一位最暢銷的作家，並且是獲得奧斯卡金像獎的編劇家。就如 John Irving 所描述的：

> 我單純接受了當時的一般看法——我是有學習困難的學生；所以，我是愚笨的。
>
> 我需要五年時間去通過三年的外語必修課程……我的初級拉丁語及格了，得到了D，而拉丁語第二級就不及格了；然後我改修西班牙語，我僅僅能夠死裡逃生……
>
> 一直到我的小兒子 Brendan 被診斷為輕微讀寫障礙，我才瞭解我曾經是如何接受了不公平待遇。他的老師們說，Brendan 能理解他所閱讀的一切，但他的理解速度不像他的同儕那麼快；他們說他也能表達自己，或事實上比他的同儕更好，但那得花去他更多時間在紙上組織他的想法。對我來說，這一切聽起來很熟悉。小時候，Brendan 會用他的手指頭指著句子閱讀——當我為他閱讀時，當我**依然**在為他閱讀時。除非我把東西寫下來，不管是什麼「東西」，我都讀得非常緩慢——而且是用我的手指頭一起讀。
>
> 我在艾克瑟特時並未被診斷為讀寫障礙；我根本被看成是個徹底的大笨蛋。我的拼字考試不及格，因此被安置在一個拼字補救班；由於我無法學會拼字——我**仍舊**不會拼字！——我被建議去看學校的**心理醫生**！這項建議在當時對我沒有任何意義——現在對我也沒有任何意義——但如果你在艾克瑟特是個成績爛的學生，那麼你就會產生像是一種持續的自卑感，覺得總有一天你可能需要一位心理醫生。
>
> 當我還是艾克瑟特的學生時，我但願我知道有那麼一些字，因為它讓我要當一個學生是這麼艱難；我但願我能跟我的朋友們說我有讀寫障礙。我反而是保持沉默，或是——對我最親近的好友——我會製造一些關於我有多麼笨的不高明笑話。Brendan 知道他並不笨；他知道他跟我是同一類學生。

人們不承認 John Irving 是多麼努力在嘗試，這對他而言是痛苦的。

> 我唯一的憤怒是來自那些認為我是懶惰的人——因為我比任何人都更努力。每個學年都至少有一位老師，認為我除了懶惰，什麼毛病都沒有。

不是學業，反而是體育——摔角——那是 John Irving 的救星。任何他在課堂上得不到的滿足，他都在摔角墊上實現了。

> 是我的教練 Ted Seabrooke 把我留在學校；他讓我對自己有足夠的信心——透過了摔角——使我每天能在課堂中接受一場敗戰，然後繼續回來接受更多的敗戰。關於我在艾克瑟特的最後一年得留級重唸這件事，有件很諷刺的好事是，我終於成為摔角隊的隊長——這是我僅有的優點、我唯一的榮譽，在唸這所學院的五年期間。

對 John Irving 來說，他的寫作才華並非自動產生。他必須學會如何努力做到這件事：

> 要把任何一件事做到真正的好，你必須過度擴展你自己。在我的實例裡，我瞭解我就是得付出兩倍那麼多的專注力。我體會用一再重複做某件事的方法，某件絕非天生的事會變成幾乎是第二天性。你體認到你有做那件事的能力。然而，事情不是一夕之間可達成的。

讀寫障礙是如何影響他的寫作呢？

> 它變成一種好處。在寫小說這件事情上你必須得慢慢寫，這麼做並不會對任何人造成傷害。你必須對某些東西一遍遍的重新來過，這對任何一位作家都不會有害。
>
> 我有信心寫那類小說的理由是，我對我的毅力有信心，一再重複做某件事，無論它有多困難——不管要四次、五次或八次。那是一種督促自我的能力，使你不會因此怠惰。關於這件事，我會把它當作是我從小就必須克服的困境。

John Irving 是一位弱讀者，他又是如何閱讀自己創作的大量作品呢？

> 我閱讀得很緩慢，而且得大量反覆閱讀。當我閱讀某個段落時，如果我無法百分之百的專注於我所讀內容，或是如果我有點疲累，那麼我就會出現問題了。而從那其中我也認識到，假使你得比別人加倍專心，你就會加倍疲累——加倍快速的感到疲累。因此當我有點疲累時，差別是很大的。
> 我也必須反覆練習。事實上，對於我自己的作品，我是非常好的閱讀者。但我想那是因為我練習去朗讀我的作品，我練習去瞭解我作品的節奏感。我會在寫作時朗讀自己的作品，或是我會邊唸邊寫出來。所以，事實上，當我在家裡的工作室寫作時，經過我身旁的人總會認為我正在打電話。
> 我還會利用我的手指頭，就跟我還是學生時做的動作一樣。特別是當我感到疲累，或當印刷字體有點太小時，我就得讓我的手指頭停留在字的上面。以及當我為讀者公開朗讀時，我從未把我的手指頭從我所讀的地方移開過。

關於一位非常聰明的讀寫障礙者是如何閱讀，或是關於朗讀所帶來的好處，你無法要求更經典的描述了。

拼字的惡魔現在仍持續折磨著 John Irving。

> 字典，一本非常巨大的字典，它就在我身後一百八十度的位置。所以，當我求助於它時，我要做的只是旋轉我的椅子。它隨時都是打開的。而我也會隨時利用到它。然後，或許一週一次或兩次，我會打電話給我的助理或我的太太 Janet，那是因為某個字的拼法對我是那麼遙不可及，以至於我在字典裡找不到這個該死的東西。

時間影響到 John Irving 的課業學習，還有他在標準化測驗的表現：

> 從艾克瑟特離開後，那些准許我入學的大學全都接受我的作品，還有幾封老師們寫的推薦信，他們在信中提到我的寫作能力。假使我只能以我的標準化測驗成績被評定，我肯定是無處可去的。

隨著 John Irving 繼續接受教育，人生對他而言變得更美好了。研究所時期是最美好的，因為它更要求專業。

當我在愛荷華大學（The University of Iowa）研究所主修創意寫作時，我選修了一堂文學課。我能夠持續專注在一件事情上三、五個小時，而不是做某件事一小時後就將它擱到一邊，然後再花一小時去做另一件完全不同的事。

作為一位剛起步的學生，你必須緊跟著別人的腳步前進。想要專注於某個學科並鑽研得越來越深入，這對你來說是奢侈的。

當你是研究所學生時，你就有自由來設定自己的速度，發展任何你感興趣領域裡的專門知識。如今，身為一個成年人，John Irving 依然需要許多時間來完成他的工作，但他現在可以規劃他自己的時間表，而且他需要多少時間，就能用多少時間來完成他的寫作。

John Irving 對死記硬背的困擾並未帶來一般記憶的問題。當涉及記住最複雜的資訊時，他擁有「非比尋常」的記憶力——只要它具備某種有意義的關聯性。雖然他無法記住電話號碼（它們是隨機數字），但他能回憶起他小說裡最晦澀難懂的細節，因為它們是資訊網路的一部分，那形成一個有意義的整體。「當我在十八、九歲時，我對我自己的形容是，我的記憶力爛透了，」他說。「如今我發覺我有很棒的記憶力，因為要寫出一本長篇的、複雜的、情節扣人心弦的小說，你需要有非比尋常的記憶力。」

而雖然他有能力閱讀與瞭解最複雜的敘述，但他卻幾乎無法閱讀使用說明書。

每一樣東西——小孩的玩具、鬧鐘——任何一份附有使用說明書及需要被組合的東西。我沒有辦法理解它們。任何時候碰到要閱讀——譬如說，聖誕節時的玩具禮物——我岳父或我太太就會來做這件事情。我沒有辦法把某些東西組合在一起。當我進行這個組合工程到一半時，我感覺我又回到了選擇題的世界裡。我就是搞不懂。我非常努力去試圖瞭解使用說明書，然而我根本沒辦法弄懂它。

John Irving 搭乘了他人生的雲霄飛車，那是你作為讀寫障礙者必須要體驗

的，而且將會被此經驗深深影響。身為父母，他也對讀寫障礙兒童的需求極度的敏感。

當父母和老師看到指定閱讀對孩子變成一種挑戰時，我認為大人的責任是要盡可能的讓學習變得有趣。他們必須找到能夠不斷獎勵孩子的方法。而且，你一定不可以降低你對孩子的期望。你一定要保持你對孩子的信任，並繼續打造你對他未來的願景。

我在學校遭遇到困境。但我有陪伴在我身旁的父母與教練所給予我的支持，我認清一個事實，我需要對我自己有更多與更多的自信，因為那是我從學校裡得不到的。因此你必須在任何事情上更加努力，那麼更重要的是，你需要有人告訴你，你做了一件很棒的事。你需要有人給你許多鼓勵、許多支持；有人知道你有多麼努力。

我認為父母跟老師做的一件不可原諒的事是，當孩子在與困境對抗時，大人就認為或暗示孩子是懶惰的或不夠努力。事實上，甚至在年幼時必須經歷某件艱難的事情，它可以變成是對你非常正面的經驗——如果你是被支持的，而且不斷被告知你做了一件很棒的事。我深信，告訴孩子，他們是很棒的孩子，你知道他們做得有多努力——這件事你絕對不會做過頭。所以，最後，你必須幫助孩子去想像，他一定能夠成功，並且支持他對自己築夢。我最早的一位摔角教練曾說，在你能夠打敗某個比你強的人之前，你必須想像你將會是一個勝利者。你一定要相信，你能夠做到那件事。一方面它聽起來像是教練的行話，但就另一方面來說，它是千真萬確的。

Wendy Wasserstein

「我獲得普立茲獎的劇本獎，但我卻伴隨著閱讀困擾長大，」Wendy Wasserstein 談到。

這位在喜劇與諷刺劇才華出眾的劇作家，Wasserstein所獲得的榮譽包括《海蒂傳記》（*The Heidi Chronicles*），這個劇本除了讓她獲得1989年的普立茲獎之外，還讓她贏得紐約劇評圈的最佳劇本獎、紐約劇評圈外最佳劇本獎及東尼獎。對許多人而言，她是具有文化涵養、高雅紐約客的象徵。

她也是一位讀寫障礙者。雖然她在就讀布魯克林的 Flatbush Yeshiva 學校時，**讀寫障礙**這個名詞並未被使用到，但她知道她的確有閱讀問題，而且曾試著去適應。特別困擾她的是她必須同時學習希伯來語和英語。每當 Wendy 聽到「唸這段」時，她往往會以飛快的速度假裝翻到下一頁，以至於她的老師會批評她說，「妳讀得太快了。」

事實上，Wendy 一直在跟閱讀奮戰著，她閱讀得非常緩慢。就在一所當地大學的速讀課程幫不了她的忙時，她在五年級時轉學到一所強調教學改革的學校 Brooklyn Ethical Culture School，那兒容許 Wendy 的才華透過其它的途徑來表現。在那裡，她對藝術的興趣，特別是戲劇與藝術史，從此萌芽了。她被劇本吸引住了。

> 我看出來它們雖是短小，但也能被大量印製，並在書頁裡留有許多空白。而且，你可以到表演藝術圖書館去（像我以前做的），同時閱讀與聆聽它們。而且稍後當你重讀這些劇本時，你會聽到那些劇中人物的聲音。

Wasserstein 的拼字總是把她的作文成績拉下來。

> 我生命的喜悦是當我發現我能夠有一位打字員時——甚至當時我並非真的有錢，能付錢給某個人替我的作品打字。我無法表達那像是什麼。它改變了我的人生。在那之前，在高中時，在劇本寫作時，我會因為劇本的內容得到成績A，而劇本格式得到D，然後他們會把成績平均，給了我一個C。

對 Wendy Wasserstein 而言，就像 John Irving 一樣，她的情況隨著她接受更高等教育而有改善，並「開始專注於我能夠做的事情」。一位優秀的老師——史密斯學院（Smith College）的教授Leonard Berkman，幫助 Wendy Wasserstein 相信她能夠成為一位劇作家。Wendy Wasserstein 以自己為例，勸告讀寫障礙學生不要讓自己被歸類或屬於某種刻板印象。只因為你的閱讀技巧不熟練，但那不意謂你無法成為一位作家。她說，甚至是現在，閱讀還是得花去她很多的時間。

對於那些閱讀起來輕鬆容易的人，Wendy Wasserstein 深受他們的吸引，因此她熱愛圖書館。

> 我在圖書館裡寫作，幾乎是因為我對所有坐著閱讀的那些人有種驚奇感。我對真正閱讀的人心生敬畏。在這世界上，我最親密的朋友都沉浸於閱讀之中。他們會跟我談論閱讀。

對她而言，閱讀是持續的「耗盡能量」，她需要安靜才能專心。「當有其他人在這個房間時，我就是無法閱讀。人在困境時並不會有好運氣，但願我是能帶著一本書在夏日週末時光出現的訪客，而在所有人大聲喧嘩時我還能看得下書。」

身為一位讀寫障礙者，印刷字體與書頁外觀對她來說尤其重要。「我不打算閱讀一本字太小或字很多的書。假使那本書有粗黑字體，那是會有幫助的。」而雖然她讀得不多，「如果我真的閱讀的話，我會讀得很徹底。」她有可能看完一本書，「假使它是一本對我很重要的書。但那需要專注與時間。」對 Wendy Wasserstein 來說，她讀得「如此緩慢與徹底」也有好處。「假使我讀過它，我就記住它了。」這在她為電影與電視改編故事和創作的工作方面，明顯帶來了好處。

Wendy Wasserstein 還針對今日的讀寫障礙兒童做出敏銳觀察：

> 學習方法有很多，而且你可以不經由閱讀來學到東西。學習一定要有樂趣；一定要有創意的抒發管道。那所我就讀的教學改革學校很重視舞蹈與戲劇。真正的學習也能透過討論與說故事而發生。就某些方面而言，成為一位讀寫障礙者是上天賦予的，因為你較不擅長於線性思考。而且你必須知道，能跳脫框架思考是很不錯的事。

Stephen J. Cannell

Stephen J. Cannell是一位小說家，而且是艾美獎得主的作家，他的作品包括像是電視上風行一時的影集《洛克福德檔案》（*The Rockford Files*）和《天龍特攻隊》（*The A-Team*），他也是一位讀寫障礙者。對他來說也一樣，學校生活曾經是個惡夢。

> 我沒有辦法拼字，我的字寫得亂七八糟，我會寫印刷體字而不是草體字，而且我的閱讀速度緩慢。我的朗讀能力糟透了。糟透了，我無法跟上我們班上的速度，最後我被留在原來的四年級。然後我被告知我不能留在那所私立學校了。
>
> 然後，在上高一時，我進入Choate就讀，之後並被退學了。我是那一班的代罪羔羊。最後，我以班上最後一名的成績從另一所學校畢業了。

像Cannell這麼有彈性的人，還是被這些經驗蹂躪著：「我總覺得我是全校最笨的學生。」他瞭解這種經驗的持久影響：「我對讀寫障礙者真正的擔心，並不是他們得跟混亂的印刷字艱苦奮鬥，或是他們無法拼字，而是擔心他們會在離開學校前就先放棄自己。」

對Cannell特別造成傷害的是人們對他能力的嚴重錯判，尤其是他當作家的潛力。「我無法拼字，那對他們而言意味我無法寫作。」就因為不能拼出某些字，影響 John Irving 和 Wendy Wasserstein，拼錯字也一樣限制 Cannell 的寫作能力。他回憶起「甚至我認為我會拼的字，我都拼不出來。到了上大學時，我只能利用那些我會拼的字。因此，我無法利用我字彙裡的所有字。這限制我寫出一篇好文章的能力。」

還有，再提一次，就像 John Irving 和 Wendy Wasserstein 一樣，當 Cannell 長大成人時，人生對他來說更加美好了。

我最大的喜悅就是，我從把我退學的那四所學校獲得了傑出校友獎。當然，他們有判斷人的特定方式，而我並不適合那種模式。我所有的天分都被隱藏在表面下。他們看不到我的創意思考歷程。他們看不到我的想像力。他們看不到我是如何被某個故事弄糊塗。他們只會說我在做白日夢。

Cannell對私立學校有其矛盾情緒。他知道他們的小班制和學校課程保持對優質教育的承諾，但他希望他們能夠更寬容與更有彈性，特別是針對讀寫障礙學生，就像對他的孩子：

他們打算把我兒子趕出去。他還只是小學四年級而已，而且他是那麼努力要跟上班上的進度。我的太太Marcia跟我一起去和學校的女校長談話。我試圖解釋讀寫障礙和他的拼字困擾。

她注視著我，接著說：「喔，Cannell先生，你知道，如果他真的努力嘗試過，他就會做得到。」而就在當下，我們明瞭，眼前的這個人過去一直是個好學生；像這種事情對那位女士從來就不是個問題。對她而言，努力永遠都是跟成果有關的——假如你更用功些，你就會表現得更好。因此，你碰到某些特定的人，他們的人生經驗使他們看不到孩子的需要，當那個孩子無法告訴你一年裡月份的順序或是他無法拼字……他就是那個不努力的孩子。

這位女校長無法理解，對於某個有讀寫障礙的人而言，你可以用功到臉色發青，但你不會因此讀得更快，你還是無法正確發出所有字的音，還是不能把字拼得更好。有的人就是做不到某些事情，對有些人來說這個觀念很奇怪。所以，我對她說：「妳知道，假如妳努力過妳就會寫小說，假如妳真的努力過。」

是足球拯救了Cannell。它像是有緩刑的功能，或許這給了他唸完高中的一種過渡期支持。身為一位足球跑衛，他依然保持他創下的高中足球紀錄，因此至少——每個星期天早上——他能夠在當地報紙上讀到有關他自己的好事。然而，若是運動建立他的自尊，那麼是一位特別的老師Ralph Salisbury，終於看到

Cannell 在先前十二年的學校教育裡持續被隱藏的天分。心存感念的 Cannell 描述這位老師對他的意義：「Salisbury 老師是我整個求學生涯裡至今有過，第一位這麼告訴我的老師，他說：『你能不能拼字對我來說並不重要。我感興趣的是你的想法。我是教創意寫作的老師，而不是教拼字的老師。』」

Cannell渴望被人們瞭解，什麼是Salisbury老師所瞭解的——那就是寫作能力與拼字是無關的，還有就是寫作能力與讀寫障礙也是無關的。「**寫作和讀寫障礙之間沒有任何關係。拼字和讀寫障礙之間是有些關係的，**」他強調。他時常被問到，讀寫障礙者如何能夠選擇寫作為他的職業：「我們（有讀寫障礙的人）非常擅長於抽象思考。而那就是寫作的成功訣竅，」他說。你可以感覺到，當他描述他的寫作大綱時他內心的那種激動——這是他所謂「大腦的部分」——是如何容許他寫作「更出自內心深處部分」：

> 我寫的每一樣東西我都看得見；寫作真的是藉由文字呈現畫面。那宛如我跟故事中角色共處在那個場景。我看待寫作就像是一場電影。而且我常常會用我的想像力去掌握敘寫方式。就對話而言，我就是那個場景中的每個角色，而且我說出對話中我的台詞。如此一來，我的大綱就建立結構，它讓我自由的去做所有的人，去跟我的故事角色們一起開一場派對。

對Cannell而言，驅使他寫作的動力是**影像**。他能使用文字將他想像中看到的畫面塗上色彩。文字是服務視覺影像的僕人。它們是他所描寫影像的工具，而不是創造者。

Cannell 不讓自己因為書中角色發出字音的問題而感到洩氣：

> 我無法正確發出生字的字音。在我的頭腦裡它聽起來是不一樣的。當我閱讀一本小說時，我對唸出書中角色的名字也會發生這樣的事。而後當我聽到作者唸出這個名字時，我才恍然大悟，喔，那是Alicia不是Alice。當我在寫作時，我就是不讓它難倒我。我想它不是我的長處罷了。我的長處是抽象思考。

Cannell分享這個觀點，讀寫障礙也帶來一些好處：「我沒有出現作家會一

時文思枯竭的現象，作家的寫作障礙是因為他們渴望追求完美。而你知道，身為讀寫障礙者，你是不會變得完美的。」再者，瞭解他自己的不完美，讓Cannell學到當作家要非常謹慎。譬如說，當他在處理科學名詞時，他會確定他完全正確的抄寫每個字，一次次的重新檢查它。他說：「當你認識了你的限制時，你就會特別仔細。有讀寫障礙的人就不會犯下錯誤。我有一個自我檢查的安全機制；我十分謙虛，我會重新檢查我所做的每件事。」

Cannell 可以給讀寫障礙兒童的父母哪些建議呢？

父母在任何他們能夠的時候，必須為孩子創造成就感，無論是音樂、運動或藝術。你希望你的讀寫障礙孩子能夠說：「是啊，閱讀很困難，但我有其它我能做到的事。」

假使一個孩子正掙扎於閱讀，但他在足球上得到了成就感，那麼你不能把足球從他身上奪走。他不能花一輩子時間在用功讀書。你必須徹底認識這個孩子，你不能只是關心——或忽略——這孩子的任何部分。你必須培養並確認那些長處。那正是會帶領他度過那些艱難時光的特質。我知道它。我曾經歷過。

當孩子逐漸長大成人，他認為對孩子最有幫助的是什麼呢？

我認為不限時考試對讀寫障礙者真的必要。它們意謂孩子會——或不會——達到其潛能與實現其夢想之間的差異。對讀寫障礙兒童來說，不限時考試代表所有的一切。我閱讀得非常緩慢。我瞭解額外時間可以對孩子與年輕人帶來不同的結果。

讀寫障礙也許讓孩子在學校裡遭遇重重困難，但它也可能是一種極大天賦。那是讀寫障礙必須被看待的方式。因為一旦你離開學校，你會看到這個世界是極度需要抽象思考與創造力。任何人都可以不斷的使用方程式和公式、記住細節，但只有極少數的人能提出全新的問題或見解。

患有讀寫障礙的作家還包括了 John Cheever、Fanny Flagg、Richard Ford 和 John Grisham。

Charles Schwab

Charles Schwab 這位徹底改革金融服務業的人，他也是一位讀寫障礙者。

> 小時候，學校作業對我從來就沒容易過。閱讀與寫作尤其困難，雖然我對數學頗為擅長。儘管當時我不知道為什麼，我卻得比別的孩子用功三倍才能完成同樣的事情。
>
> 我在史丹佛大學的英語考試不及格，不是一次而是兩次。我沒有辦法寫出一篇作文。我無法看完一本書。我從未讀過一本小說。我和法語課艱苦對抗。我在高中時上過拉丁語課程，所以我能記住那些非常有邏輯和前後一致的東西，那幾乎是一種數學的東西。

「我的朗讀能力不好，但我在討論和解決問題就能做得很好，」他的解釋指出他同時有困難、又有大量長處的特質。就是這些長處幫助他完成了學業：

> 我的個性外向。我充滿自信，而自信使我能繼續前進。在某些方面，我乾脆就指揮自己勇往直前。我擁有優秀的領導能力，並且待人和善。
>
> 我也具備思考方面的長處。我擅長概念的形成。就像我說過的，我天生就擅長科學與數學。因此，可能在我頭腦的創造力部分，是留給想像力和問題解決用的。就我的記憶所及，我小時候就能解決幾乎是任何的事情，只要我思考過那件事的話。但我從未催促自己這麼做，因為我的英語是那麼糟糕。
>
> 即使我無法讀得很快，但我在想像事情上卻比有些人快多了，像是那些在連續性思考困住的人。在解決複雜的生意問題方面，這一點對我的幫助很大。我能夠看見在隧道盡頭的事物會是什麼樣子。

他握有策略，可讓他避開他那慢得令人難以忍受的閱讀速度。

任何我做得到的時候，我總會利用那種濃縮版的書籍，那種能給我五頁概述的濃縮本。就像回到小學時期，我讀完了經典漫畫書。而當學生時就像這樣，我會依賴這些漫畫書來「閱讀」像是《雙城記》（*A Tale of Two Cities*）和《劫後英雄傳》（*Ivanhoe*）這種指定閱讀功課。

對 Charles Schwab 來說，運動也非常重要。「我的 SAT 成績非常糟糕，所以若是根據那些考試成績，我絕對得不到史丹佛大學的入學許可。很幸運的，我的高爾夫球打得很好。」

當讀寫障礙孩子必須在嘲笑他的同儕面前朗讀時，Schwab親身經歷讀寫障礙在孩子身上所造成的衝擊，而且「這孩子就得死於無數次毀滅」。Schwab最大的擔憂是這孩子的自尊，以及讀寫障礙在孩子與其家人身上所產生的影響。他永遠都忘不了他與他太太 Helen 那難以承受的無助感，當時他們察覺到他們的一個孩子有讀寫障礙而最後問題也被確認出來。事情常常就是這麼發生的，在他孩子身上的診斷，導致他也被診斷出有讀寫障礙。後來他創立史瓦伯學習（Schwab Learning），那是查爾斯與海倫．史瓦伯基金會（Charles and Helen Schwab Foundation）的一項方案計畫，他和他太太希望可以提供給讀寫障礙兒童的父母親，他們能得到的那些服務與支持。

他不希望孩子再受苦，而很多痛苦是因為閱讀困難所引起的。

有些孩子會覺得他們似乎真的很笨。如果有任何事是我希望他們知道的，那就是他們並不笨。他們只是學習的方式跟別人不一樣。一旦他們瞭解這點，他們對自己的感覺就會好多了。

當Schwab描述為讀寫障礙學生提供調適的基本理由時，他證明了他進入問題核心的能力。那是我遇過的最佳總結：

你要努力做的是把知識傳遞給這些孩子，而不是努力哄騙他們遠離成功。

最重要的，Charles Schwab想鼓勵患有讀寫障礙的男性與女性勇於追求他們的夢想：

那些對工作懷抱熱情，並證明他們做得到的人，都應該受到鼓勵，繼續往更高的層次前進。帶著他們的熱情、智慧和同情，他們也許能夠成為一位最好的律師或醫生。

重要的是，要讓一個人專注於他有熱情的事情上。當你在某件事情上越專注，你就能在這方面有所成就。

在大部分情況中，我的閱讀速度依然緩慢。我花了很多時間在一個主題上——商業，這對某些人來說頗為無聊，但對我卻不是。我對《華爾街日報》再熟悉不過了，因為我每天都埋首其中。因此，現在我對商業語言相當瞭解，謝天謝地。但是，當我去度假時我會在行李裡放一本很破爛的[James Clavell所著]《幕府將軍》（*Shogun*）。而且，這是第十次我試著再讀完一部分。我仍在努力看完這本書，也許我會花另一個十年把它全部讀完。

Charles Schwab相信，是讀寫障礙讓他具備遠見卓識，使他能在企業上有所成就。在一份繼續更新的男性、女性企業家名單裡，讀寫障礙者並不罕見，而Charles Schwab只是其中一位，這份名單還包括：維京企業（Virgin Enterprises）創辦人Richard Branson爵士；思科系統公司（Cisco Systems）執行長John Chambers；惠普公司（Hewlett-Packard）共同創辦人 William Hewlett；戴維斯公司（Davis Companies）總裁Ken Kilroy；第一細胞公司（Cellular One）執行長兼創辦人Craig McCaw；金果（Kinko）創辦人Paul J. Orfalea；宜家家居（IKEA）創辦人Ingvar Kamprad；第一銀行（Bank One）首席經濟學家Diane Swonk；以及透納廣播公司（Turner Broadcasting）創辦人Ted Turner。

Graeme Hammond

Graeme Hammond 是一位致力於尖端研究的外科名醫，他還同時保持忙碌的開刀行程。這位心臟外科醫師目前的研究重點是移植，特別是發展異種移植的方法，將組織或器官從一種物種移植至另一物種。如果成功的話，這條研究路線將戲劇性改變組織移植的全貌，並為等候移植名單上的千萬男女帶來了新希望。

在千鈞一髮之際，Hammond醫師獲准進入醫學院就讀。他的閱讀問題在小學時就很明顯了。

> 在剛開始那幾年裡，我知道我不能閱讀。我連一樣東西也讀不出來。每當輪到我朗讀時，老師會看著我並試圖幫忙我。那情景真是可怕。我想要把那些字從書中刪除。我真想用我的鉛筆，把那些對我毫無意義的字都磨掉。我會開始拍打那些課本，因為我沒辦法讀出那些字。

最後，他的父母帶他去看了他這一生中的最後一位診斷專家，Samuel Orton醫生，他證實這個小男孩有讀寫障礙。於是Hammond開始上閱讀課，但上課內容缺乏結構，沒有任何成效。他大概花了好幾年，一直到八年級，才閱讀他的第一本書《波普先生的企鵝》（*Mr. Popper's Penguins*）。

> 那種感覺真好。我感到很自豪。我簡直不敢相信。那不是一本很厚的書，但是我真的讀完它——我從封面讀到封底，都沒有把它丟開、扔掉或發脾氣。

曾經在高中的時候，外語必修的規定幾乎讓他無法畢業。「高中的外語課把我毀了，」他回憶起。「我花了四年時間才上完兩年的西班牙文課程。我畢業時是八十八個學生裡的第八十二名，那就是其中一個原因。」

Hammond在就讀霍巴特學院（Hobart College）時開始遇到困難，之後他便輟學了。然後他被徵召入伍（那時正值韓戰期間），那成為改變他人生的正向經驗。他在軍中體驗成功並建立自我勝任感。在退伍之後，他熱切希望再次嘗試申請大學。他在自然科學領域一直都是個優秀學生，現在，他發覺他對自然科學特別有天分，並且計畫成為一位地質學家。

> 然而，當時我在耶魯大學地質系有一場面試。主考官非常、非常嚴肅的告

> 訴我，若要取得博士學位就需要精通兩種語言。所以，我直接了當的回答，不。這不適合我。而那就是為什麼我會申請唸醫學院。若是唸醫學院，我就不需要選修任何外語課程，而且我知道我能應付自然科學這門課。

Hammond發現，隨著他進步，他能更深入的學習醫學，他在醫學院唸得「一年比一年好。終於，在最後一年，我是我們班前十名學生之一。」

畢業之後，他被麻薩諸塞州綜合醫院錄取，擔任住院醫師工作，接下來在耶魯大學任教。他的教授們——哈佛與耶魯兩所大學的資深外科醫師們——一致公認，Hammond擁有做為一流外科醫生所具備的特質。不過，正當Hammond能行使優秀的判斷力、使用穩健的雙手開刀，並對每天手術之外的各種需求應付自如時，然而，要他通過全國醫師執照考試就不是那麼一回事了。對他來說，那似乎與考試技巧比較有關，而不是知識本身。但是這些考試卻幾乎縮短他的職業生涯：

> 我一直都是個慢讀者，而且在這類考試上的成績很糟糕。當我還是醫學院的大四學生時，我絕對是無法通過全國醫師執照考試的。我依然不曾通過。因此，我必須得用走後門的方式才能考過。而這個全國執照考試的後門就是各州執照考試，它是採用申論題形式，而非選擇題。我對申論題一點問題也沒有，因此我參加紐約州的執照考試並順利通過了。然後，當我在麻薩諸塞州綜合醫院擔任住院醫師時，麻薩諸塞州的考試委員會也承認紐約州考試委員會的考試結果。他們從來就不知道我從未通過全國執照考試。後來我成為國家醫學考試委員會的委員，並從他們那兒獲得一張證書掛在我的牆上，感謝我長期以來擔任委員。但諷刺的是，我從未通過他們的執照考試。

他在嚴格的住院醫師訓練期間學到外科手術之後，就在繼續他的職業生涯之前，他又面臨另一次選擇題考試。

> 在外科執照考試的第一部分，我考得糟透了；那部分的考試是筆試。而它們跟全國執照考試根本是一樣。我斷然放棄了。但我必須去參加一個在芝

加哥舉辦的課程，不是去學外科手術，而是學習如何回答這些問題。在那個課程結束之後，我通過了執照考試。

外科執照考試的第二部分是口試。「我就這麼順利通過了口試，」他說。「手術是一種判斷。而這是你無法被外科筆試測試出的，只能透過口試。」

讀寫障礙使得他非常沮喪，就像其他人一樣，他也非常相信讀寫障礙是最終能幫助他成功的因素：

讀寫障礙讓我因禍得福。閱讀困難賜予我無限的毅力；我的一生都在努力奮鬥，因為有那麼多路障阻擋在我的人生道路上。我看到許多樣樣都行的外科醫生，他們從來不曾懷疑過自我。他們從未被迫嘗試另一種解決問題的方法。在我自己的案例裡，我已經發展出尋求其它解決方法的能力。

就像 John Irving 特別會被不夠努力的指控所觸怒，Hammond 也同樣在年輕時被懶惰的指控所傷害，他至今仍是傷痛難消。事實上，在 1998 年，當他看到我在《新聞時刻》（*The Lehrer News Hour*）談論到，讀寫障礙者在神經系統的功能受阻，他便知道他找到了他一直在尋找的東西：

這就是了，我告訴我自己。他們找到它了。他們找到問題所在。那些造影說明我可以指出一些有形的東西，它們是造成我問題的原因。當我看到那些造影時，我的情緒非常激動。這太了不起了。現在，我希望能對所有那些批評我的人說，我是對的。你們錯了。

Delos M. Cosgrove

Delos M. Cosgrove 醫生的綽號是 Toby，這位在克里夫蘭臨床醫學中心（Cleveland Clinic）擔任胸腔兼心臟血管外科部的主任，也是一位讀寫障礙者。他在醫學界以心臟瓣膜修復聞名，他在這個領域孜孜不倦，使得心臟手術的過程更加安全與有效。他以手術革新與創意出名，他在十八項心臟手術程序的專利已成功的解決在心臟瓣膜手術所遇到的許多難題。

在Cosgrove接受的早期教育中，他始終艱苦的學習閱讀。在大學時，法語「幾乎成為我的終結者，因為我得日以繼夜的用功，卻只得到三個 D，重修法語之後我又得到另一個 D。」閱讀、寫報告或是討論，一直都是我的「大問題」。對於年輕的Toby來說，大學生活就是永無止盡的作業。「我所能做的一切就是用功讀書，甚至是在週末時。當所有人正在開派對、看電影或運動時，我則是打包行李然後離開校園回家，一整個週末都在家用功。」

標準化測驗對他是個大災難，反映出他有閱讀的困難，其中包括醫學院入學測驗（Medical College Admission Test, MCATs），因此Cosgrove究竟能不能實現他當醫生的夢想，似乎令人懷疑。事實上，在他申請的十三所學校裡，他只被一所學校接受。維吉尼亞大學醫學院（University of Virginia Medical School）渴望招收他所就讀的威廉斯學院（Williams College）的學生，因此他的入學許可很快就被發送。身為一位醫學院學生，Cosgrove 在外科醫學上得到了「我生平第一個 A」。當他被徵召進入空軍服役時，他已經是一位醫師並完成他的外科住院實習。在1968年與1969年之間，他在越南的峴港（Da Nang）擔任傷患運送大隊的隊長，並榮獲美軍所頒發的青銅星勳章。他在服完兵役後被波士頓的麻薩諸塞州綜合醫院聘用，擔任外科住院醫師的實習工作，與幾年前Graeme Hammond所完成的住院醫師實習課程是相同的。

在Cosgrove的職業生涯中，他幾乎在所有主要的心臟胸腔外科期刊擔任過編輯。他仍然持續經歷那些提醒他有讀寫障礙的事物。這些喚起他回憶的事物並不會在他的專業工作中出現，但卻在其它時刻浮現。

> 一天中有四、五次，我要將病人的心臟完全停止，在一兩個小時中不讓它跳動，好讓我進行某種手術介入，然後再嘗試重新啟動心臟。每個病例中總會有一個緊張時刻，那是當我在等著看心臟是否會開始跳動時。沒有比這個時刻更令人緊張了，但我知道一切都在我的控制之中，而且我能應付任何可能產生的突發狀況。

在手術完成之後，就不是那麼一回事了。當我拿起電話要呼叫在等候室的病人家屬時，我經常無法唸出病患姓氏的發音。

那些人名等於是無意義字，讀寫障礙者之前可能沒見過多數的名字。這導致他不曾記住這些名字的發音，因此無法把這些人名正確的唸出來。

Cosgrove 將失敗視為學習與發現過程的起點。甚至在被十三所醫學院的十二所拒絕之後，在被麻薩諸塞州綜合醫院告知他是班上最糟糕的實習醫生之後，以及在被強烈忠告，不要進入心臟胸腔外科界之後，他永不放棄並繼續追求他的夢想。至今，幾乎每所曾拒絕過他的學校，都曾邀請他擔任外科系主任的職位。沒錯，他拒絕了他們。

Hammond與Cosgrove追隨許多知名醫生的腳步，過去的與現在的，那些患有讀寫障礙的醫生，其中包括了Harvey Cushing，他創辦現代神經外科，並因他為 William Osler 爵士所撰寫的傳記而榮獲普立茲獎。

Gaston Caperton

在 Gaston Caperton 的早期職業生涯中，他將一間當地的小型保險公司成功轉型為美國排名前十大的私有銀行與抵押公司。當他接任州長時，州政府正面臨破產邊緣；十年之後，西維吉尼亞州被《金融世界》（*Financial World*）雜誌稱為「全國進步最快的一州」。目前，他是美國大學理事會（College Board）的執行長兼主席。

學校對年輕的Gaston來說是一種掙扎。他記得「好多、好多的暑假在上家教課，我好像都要去家教那兒上課。」他就讀一所私立學校，但在「五科有三科不及格」後能繼續留在學校，只因為他父親不斷的鼓勵。在用功一整個暑假之後，他補考過關了。他的成績進步了，下學期結束前，在某次全校集會時宣布他得到全校優等生獎。當他從集合隊伍走出時，有一位老師對他說：「假如 Gaston Caperton 都能做得到，全校任何一個人都可以。」當我在跟 Caperton 談話時，他解釋說：「當時這句話聽來是在開玩笑，但當我回頭看時，毫無疑問的，它不是鼓勵孩子的方式。」單是應付他的閱讀、拼字和外語的問題，那很難讓 Caperton 認為自己是聰明的。譬如說，雖然他是他初中足球隊的四分衛，但他不被准許來指揮比賽。這個責任寧可交給那個成績全得A的中衛。他在高中時的成績進步了，因此他不只是踢四分衛，還可以負責指揮比賽。他在讀大學時主修商業。「我努力用功得到了C；我必須比大部分的人都更努力。」Caperton能夠保有他的自我價值感，主要是他相信他的父母看待他是聰明的，並對他維持著高度期待。

保持高度期待加上勤奮努力，這兩者的組合已成為他成功致勝的關鍵，並影響他在人生所做的每一件事；他將這個組合看作是對大部分問題的解決方法。此外，他還相信，早期所必須承受的艱苦，有助於他發展優勢與保持彈性。他以自己為例，解釋當他以前在學習閱讀時，也開始對他自己和他的長處有更多認識。他因此建立自信與樂觀的態度，這種態度持續成為他人生中向前進的強大動力。

身為成人的 Caperton，覺得需要更瞭解他閱讀問題的本質，因此他去見了西維吉尼亞州的一位醫生，這位醫生曾因對學習障礙的貢獻而被身為州長的 Caperton 表揚過。這位醫生告訴 Caperton 他能提供「很多測驗」，但他已經知道 Caperton 哪裡不對了。

「你有閱讀的困難，」他說。「你在外語學習的表現很糟糕。你仍然不會拼字。」

Caperton 對醫生的每項描述都回答是的。醫生繼續說：「你並不擅長記住人名，對不對？」

這位州長回答說：「不擅長，糟糕透了。」

「你是有直覺力的。當你坐在一個房間裡，人們在討論一個複雜的問題，並詢問最好的解決方法應該是什麼——而你能夠比任何人快兩倍去想出解決方法。」

Caperton 回答是的。

「你有讀寫障礙，但很幸運的，你擁有一個優秀的頭腦。你不過是處理事情的過程和別人不同罷了。」

對這位州長而言，那些話好像讓他放下了千斤重擔。

如今的他是一位創作豐富的閱讀者，而閱讀成為他最喜歡的休閒活動。當他到處進行他的日常活動時，還是有些事物會喚醒他讀寫障礙的存在。他發表了很多演說；多半是看著重點演說，而不是逐字唸稿，因為朗讀對他依然是困難的。他還相信，讀寫障礙是一項「極大的資產」，一項使他擁有更好的直覺力、成為更具獨創性的思考者，而且有更多創造力。他相信由於讀寫障礙，讓他培養出更多同理心，並對別人有更多瞭解。

在閱讀過這些故事之後，應該沒有人再懷疑，「**像那樣的人**」能夠在他有興趣、有天分的任何領域裡成為一位勝利者。這些是成功者的故事——他們不但戰勝了天生的困難，而且還有那些誤解、誤判，以及何謂真正能力與天分的刻板印象。對於這些讀寫障礙者與其他無數的讀寫障礙者，成功的阻礙往往不是他們與生俱來的生理弱點，而是別人被誤導的觀念，那些人相信對讀寫障礙者而言，拼字與創意寫作是有關係的，緩慢的閱讀與敏銳的思考是不相容的，標準化測驗的成績會預測真實生活的表現。每一位我們剛剛遇到的極有天賦的人，差一點就實現不了他的夢想。這造成了每個人都覺得自己愚笨或無能。所謂的專家們設起障礙，還提出錯誤的建議。但每個人最終都戰勝了，將讀寫障礙視為一種天賦更勝於負擔。如Richard Branson爵士在《查理羅斯訪談》（*The Charlie Rose Show*）亮相時所言：「如果我不曾是個讀寫障礙者，那麼我永遠也無法獲得今日的成就。」

讀寫障礙者的思考方式與眾不同。他們是直覺的，擅長於解決問題，能看到事情的整體畫面並化繁為簡。他們盡情享受視覺化、抽象思考，並能脫離框架思考。他們不擅長死記硬背，但卻充滿靈感、深具遠見。讀寫障礙成人是剛強的：他們歷經艱苦，曾經身處逆境；現在，勤奮努力與堅持不懈來得自然而然。他們遭遇過失敗，無所畏懼、不怕失敗。重複與練習成為一種生活方式。每一位我所對焦的人都被一位特別的人拯救過——父母或老師——這個人看見了他未經琢磨的天賦，並擠身於所有的否決者之中去培育他的天賦。希望的感覺由來自藝術或一些其它活動的成功滋味所支撐著。沒錯，讀寫障礙的症狀會持續出現，但它們沒有必要影響到成功。

成功正等待著你的孩子，現在你知道該如何幫助他創造成功。你不必依賴機會。你知道如何及早辨識出問題所在，也知道如何得到適當的協助，以確保最終是由你孩子的長處來定義他自己，而不是用別人的錯誤看法來界定他。你知道什麼是可能的及如何去滋養它：孩子會因為獎勵與讚美而成長，也會因為高度期待而茁壯。最重要的是你必須保持對孩子的信任感，提供他無條件的支持，並真實保有他對未來的願景。這個報酬會是很大的。

當今，每一位讀寫障礙兒童都可以自由的發展他的天賦，追求他的夢想——並且知道他將會成功。讀寫障礙是可以被克服的。

參考文獻

第 2 章　讀寫障礙的歷史根源

A. M. Binet and T. Simon, "Methodes nouvelles pour le diagnostic du niveau intellectuel des anormaux," *L'année Psychologique* 11 (1905): 191-224.

Adolf Kussmaul, *Die Storungen der Spache* (Leipzig, Germany: Verlag Von F. C. W. Vogel, 1877).

Arthur L. Benton and Robert J. Joynt, "Early Descriptions of Aphasia," *Archives of Neurology* 3 (August 1960): 109/205-126/222.

E. Bosworth McCready, "Defects in the Zone of Language (Word-Deafness and Word-Blindness) and Their Influence in Education and Behavior," in *American Journal of Psychiatry* 6 (old series 83, 267-277 (1926-27).

E. Bosworth McCready, "Congenital Word-Blindness as a Cause of Back-wardness in School Children." *Pennsylvania Medical Journal* 13 (1910): 278-284.

E. Jackson in "Developmental Alexia (Congenital Word-Blindness), " *American Journal of the Medical Sciences* 131 (1906) : 843-49.

E. Nettleship, "Cases of Congenital Word-Blinsness (Inability to Learn to Read), " *Ophthamic Review* 20 (1901): 61-67.

J. H. Fisher "Congenital Word-Blindness (Inability to Learn to Read), " *Transactions of the Ophthalmological Society of the United Kingdom* 30 (1910): 216-25.

J. Hinshelwood, "A Case of Congenital Word-Blindness," *The Ophthalmoscope* 2 (1904): 399-405.

J. Hinshelwood, "Congenital Word-Blindness, with Reports of Two Cases," *Ophthalmic Review* 11 (1902): 91-99.

J. Hinshelwood, M. D., "Congenital Word-Blindness," *The Lancet* (1900): 1506-08.

J. Hinshelwood, M. D., "Word-Blindness and Visual Memory," *The Lancet* (December 21, 1895): 1564-70.

J. Lange. "Agnosia and Apraxia," as quoted in J. W. Brown (ed.), *Agnosia and Apraxia: Selected Papers of Liepman, Lange, and Potzl* (Hillsdale, N. J.: Lawrence Erlbaum Associates, 1988), p.85.

James Hinshelwood, M. D., in "A Case of Dyslexia: A Peculiar Form of Word-Blindness," *The Lancet* 2 (November 21, 1896): 1451-54.

R. Berlin, "*Eine besondre Art der Wortblindheit*" (Weisbaden, Germany: Verlag von J. F. Bergmann, 1877).

W. Pringle Morgan, "A Case. Of Congenital Word Blindness," *The British Medical Journal* (1896): p. 1378.

William Broadbent, "Cerebral Mechanisms of Speech and Thought," *Transactions of the Royal Chirigal Society* 55 (1872): 145-94.

第 3 章　讀寫障礙的完整面貌：誰有讀寫障礙及這段期間會發生什麼事

B. A. Shaywitz et al., "A Matthew Effect for IQ but Not for Reading: Results From a Longitudinal Study," *Reading Research Quarterly* 30 (1995): 894-906.

B. Rodgers, "The Identification and Prevalence of Specific Reading Retardation," *British Journal of Educational Psychology* 53 (1983): 369-73.

C. E. Snow, M. S. Burns, and P. Griffin (eds.), *Preventing Reading Difficulties in Children* (Washington, D.C.: National Academy Press, 1998), p. 98.

D. J. Francis et al., "The Measurement of Change: Assessing Behavior over Time and Within a Developmental Context," in G. R. Lyon (ed.), *Frames of Reference for the Assessment of Learning Disabilities: New Views on Measurement Issues* (Baltimore, Md.: Paul H. Brookes, 1994).

G. R. Lyon et al., "Rethinking Learning Disabilities," in C. E. Finn, Jr., R. A. J. Rotherham, and C. R. Hokanson, Jr. (eds.), *Rethinking Special Education for a New Century* (Washington, D. C.: Thomas B. Fordham Foundation and Progressive Policy Institute, 2001), pp. 259-87.

H. W. Stevenson et al., "Reading Disabilities: The Case of Chinese, Japanese, and English," *Child Development* 53 (1982): 1164-81.

Interagency Committee on Learning Disabilities, *Learning Disabilities: A Report to the U. S. Congress* (Washington, D.C., U.S. Government Printing Office, 1987).

J. W. Lerner, "Educational Interventions in Learning Disabilities," *Journal of the American Academy of Child and Adolescent Psychiatry* 28 (1989): 326-31.

Jun Yamada and Adam Banks, "Evidence for and Characteristics of Dyslexia Among Japanese Children," *Annals of Dyslexia* 44 (1994): 105-19.

Kerris Schwalbe's story appeared in *Newsweek* magazine, February 3, 1992, p.57.

L. Ganshow and T. R. Miles, "Dyslexia Across the World," *Perspectives* (Newsletter of the International Dyslexia Association) 26 (2000): 12-35.

Matthew 13:12 (see also 25:29), *The New Oxford Annotated Bible*, New Revised Standard Version

(New York: Oxford University Press, 1991).

National Education Goals Panel, U.S. Department of Education: *Reading Achievement State by State*, 1999. Washington, D.C.: U.S. Government Printing Office, 1999.

P. A. Silva, R. McGee, and S. Williams, "Some Characteristics of 9-Year-Old Boys with General Reading Backwardness or Specific Reading Retardation, *Journal of Child Psychology and Psychiatry* 26 (1985): 407-21.

P. L. Donahue, K. E. Voekl, J. R. Campbell, and J. Mazzeo, *The NAEP 1998 Reading Report Card for the Nattion*, NCES, 1999-459 (Washington, D.C.: U.S. Department of Education, Office of Educational Research and Improvement, National Center for Educational Statistics, 1999).

R. E. Kendell, *The Role of Diagnosis in Psychiatry* (Oxford, England: Blackwell Scientific Publications, 1975), p. 65.

S. E. Shaywitz and B. A. Shaywitz, "Unlocking Learning Disabilities: The Neurological Basis," in S. C. Cramer and W. Ellis (eds.), *Learning Disabilities: Lifelong Issues* (Baltimore, Md.: Paul H. Brookes, 1996).

S. E. Shaywitz et al., "Prevalence of Reading Disability in Boys and Girls: Results of the Connecticut Longitudinal Study," *Journal of the American Medical Association* 264 (1990): 998-1002.

S. E. Shaywitz, J. M. Fletcher, and B. A. Shaywitz, "Issues in the Definition and Classification of Attention Deficit Disorder," *Topics in Language Disorders* 14 (1994): 1-25.

S. Shaywitz, "Dyslexia," *Scientific American* 275 (1996): 98-104.

Sally Shaywitz et al., "Evidence that Dyslexia May Represent the Lower Tail of a Normal Distribution of Reading Ability," *New England Journal of Medicine* 326, 145-50.

Takehiko Hirose and Takeshi Hatta, "Reading Disabilities in Modern Japanese Children, " *Journal of Research in Reading* 11 (1988): 152-60.

The *18th Annual Report to Congress on the Implementation of the Individuals with Disabilities Education Act* of the U.S. Department of Education for 1994-95 school year.

The National Assessment Governing Board of the National Assessment of Educational Progress, (*Reading Achievement State by State*, 1999, p. 131).

第 4 章　為什麼有些聰明的人無法閱讀

"Dyslexia," *Scientific American* 275 (1996): 98-104.

D. Shankweiler and S. Crane, "Language Mechanisms and Reading Disorder: A Modular Approach," *Cognition* 24 (1986): 139-68.

J. A. Fodor, *The Modularity of Mind* (Cambridge, Mass.: MIT Press, 1983).

J. Fletcher et al., "Cognitive Profiles of Reading Disability: Comparisons of Discrepancy and Low Achievement Definitions," *Journal of Educational Psychology* 86 (1994): 6-23.

J. Torgesen, R. Wagner, and C. Rashotte in "Longitudinal Studies of Phonological Processing and Reading," *Journal of Educational Psychology* 27 (1994): 276-86.

第5章　每個人都會說話，但不是每個人都會閱讀

A. Liberman, "How Theories in Speech Affect Research in Reading and Writing," in B. Blachman (ed.), *Foundations of Reading Acquisition and Dyslexia: Implictions for Dyslexia* (Mahwah, N.J.: Lawrence Erlbaum Associates, 1997).

I. Liberman et al., "Explicit Syllable and Phoneme Segmentation in the Young Child," *Experimental Care Psychology* 18 (1974): 201-12.

J. M. Fletcher et al., "Cognitive Profiles of Reading Disability: Comparisons of Discrepancy and Low Achievement Definitions," *Journal of Educational Psychology* 86 (1994): 6-23.

J. Rosner, Test of Auditory Analysis Skills (Novato, Calif.: Academic Therapy Publications, 1975).

John DeFrancis, *Visible Speech* (Honolulu: University of Hawaii Press, 1989).

K. E. Stanovich and L. S. Siegel, "Phenotypic Performance Profile of Children with Reading Disabilities: A Regression-Based Test of the Phonological-Core Variable-Difference Model," *Journal of Education Psychology* 86 (1994): 24-53.

L. Bradley and P. Bryant, "Categorizing Sounds and Learning to Read — a Causal Connection," *Nature* 301 (1983): 419-21.

Leonard Bloomfield, *Language* (New York: Holt, Rinehart and Winston, 1933), p. 21.

R. Katz, "Phonological Deficiencies in Children with Reading Disability: Evidence from an Object-Naming Task" (Ph.D. diss., University of Connecticut, 1982).

S. Shaywitz et al., "Persistence of Dyslexia: The Connecticut Longitudinal Study at Adolescence," *Pediatrics* 104 (1999): 1351-59.

Steven Pinker, *The Language Instinct* (New York: William Morrow, 1994).

William Abler, "On the Particulate Principle of Self-Defining Systems," *Journal of Social and Biological Structures* 12 (1989): 1-13.

第6章　解讀大腦

A. B. Wolbarst, *Looking Within* (Berkeley: University of California Press, 1999).

A. Galaburda et al., "Developmental Dyslexia: Four Consecutive Patients with Cortical Anomalies," *Annals of Neurology* 18 (1985): 222-23.

C. G. Gross, "Aristotle on the Brain," *The Neuroscientist* 1 (1995): 245-50. The quote is on page 248.

C. S. Roy and C. S. Sherrington, "On the Regulation of the Blood-Supply of the brain," *Journal of Physiology* 1 (1890): 85.

Louis Sokoloff, "Relationships Among Local Functional Activity, Energy Metabolism, and Blood Flow from the Central Nervous System," *Federation Proceedings* 40 (1981): 2311-16, quote on p. 2315.

N. Geschwind, "Disconnexion Syndromes in Animals and Man," *Brain* 88 (1965): 237-94.

S. Zola-Morgan, "Localization of Brain Function: The Legacy of Franz Joseph Gall (1758-1828)", *Annual Review of Neuroscience* 18 (1995): 359-83.

Stanley Finger, *Origins of Neuroscience* (New York: Oxford University Press, 1994), p. 8.

Stanley Finger, *Origins of Neuroscience* (New York: Oxford University Press, 1994), p. 18.

Stanley Finger, *Origins of Neuroscience* (New York: Oxford University Press, 1994), p. 379.

W. E. Drake, "Clinical and Pathological Findings in a Child with a Developmental Learning Disability," *Journal of Learning Disabilities* 1 (1968): 9-25.

第 7 章　運轉中的大腦會閱讀

A. Seki et al., "A Functional Magnetic Resonance Imaging Study During Sentence Reading in Japanese Dyslexic Children," *Brain & Development* 23 (2001): 312-16.

B. A. Shaywitz et al., "Disruption of Posterior Brain Systems for Reading in Children with Developmental Dyslexia," *Biological Psychiatry* 52 (2002): 101-10.

B. A. Shaywitz et al., "Sex Differences in the Functional Organization of the Brain for Language," *Nature* 373 (1995): 607-09.

B. Shaywitz et al., "Development of Left Occipito-Temporal Systems for Skilled Reading Following a Phonologically-Based Intervention in Children." Abstract. To be presented at the Organization for Human Brain Mapping Annual Meeting, New York, June, 2003.

C. Price, C. Moore, and R. S. J. Frackowiak, "The Effect of Varying Stimulus Rates and Duration of Brain Activity During Reading," *Neuroimage* 3 (1996): 40-52.

Dehaene, S., et al. "Cerebral mechanisms of word masking and unconscious repetition priming," *Nature Neuroscience* 4 (2001): 752-58.

E. Paulesu et al., "Dyslexia: Cultural Diversity and Biological Unity," *Science* 291 (2001): 2165-67.

E. Temple et al., "Disrupted Neural Responses to Phonological and Orthographic Processing in Dyslexic Children: An fMRI Study," *NeuroReport* 12 (2000): 299-307.

E. Temple et al., "Disruption of the neural response to rapid acoustic stimuli in dyslexia: evidence from functional MRI," *Proceedings of the National Academy of Science* 97 (2000): 13907-12.

J. Dejerine, "Contribution àl' étude anatomopathologique et clinique des differentes varieties de cécité verbale," *Memoires de la Société de Biologie* 4 (1892): 61-90.

J. Dejerine, "Sur un cas de cécité verbale avec agraphie, suivi d'autopsie," *C. R. Société du Biologie* 43 (1891): 197-201.

J. Jaeger et al., "Sex Differences in Brain Regions Activated by Grammatical and Reading Tasks," *Neuroreport* 9 (1998): 2803-07.

J. M. Rumsey et al., "Failure to Activate the Left Temporoparietal Cortex in Dyslexia," *Archives of Neurology* 49 (1992): 527-34.

K. J. Friston, "Functional and Effective Connectivity in Neuroimaging: A Synthesis," *Human Brain Mapping* 2 (1994): 56-78.

K. Kansaku et al., "Sex Differences in Lateralization Revealed in the Posterior Language Areas," *Cerebral Cortex* 10 (2000): 866-72.

Laurent Cohen et al. "The Visual Word Form Area: Spatial and Temporal Characterization of an Initial Stage of Reading in Normal Subjects and Posterior Split Brain Patients," *Brain* 123 (2000): 291-307.

N. Brunswick et al., "Explicit and Implicit Processing of Words and Pseudowords by Adult Developmental Dyslexics: A Search for Wernicke's Wortschatz," *Brain* 122 (1999): 1901-17.

P. G. Simos et al., "Cerebral Mechanisms Involved in Word Reading in Dyslexic Children: A Magnetic Source Imaging Approach," *Cerebral Cortex* 10 (2000): 809-16.

P. M. Churchland, *The Engine of Reason, the Seat of the Soul* (Cambridge: MIT Press, 1995), pp. 11-15.

P. Simos et al., "Dyslexia-specific brain activation profile becomes normal following successful remedial training," *Neurology* 58 (2002): 1203-13.

R. Salmelin et al., "Impaired Visual Word Processing in Dyslexia Revealed with Magnetoencephalography," *Annals of Neurology* 40 (1996): 157-62.

S. E. Shaywitz et al. in *Proceedings of the National Academy of Science* 95 (1998): 2636-41.

S. E. Shaywitz et al., "Functional Disruption in the Organization of the Brain for Reading in Dyslexia," *Proceedings of the National Academy of Science* 95 (1998): 2535-41.

S. Shaywitz et al., "Neural Systems for Compensation and Persistence: Young Adult Outcome of Childhood Reading Disability," *Biological Psychiatry* (2003).

T. Richards et al., "Effects of a phonologically driven treatment for dyslexia on lactate levels measured by proton MRI spectroscopic imaging," *American Journal of Neuroradiology* 21 (2000): 916-22.

第 8 章　讀寫障礙的早期徵兆

B. Pennington and J. Gilger, "How Is Dyslexia Transmitted?" in C. H. Chase, G. D. Rosen, and G. Sherman (eds.), *Developmental Dyslexia* (Timonium, Md.: York Press, 1996).

F. R. Vellutino, "Dyslexia," *Scientific American* 256 (1987): 34-41.

H. S. Scarborough, "Early Identification of Children at Risk for Reading Disabilities: Phonological Awareness and Some Other Promising Predictions," in B. K. Shapiro, P. J. Accordo, and A. J. Capute, *Specific Reading Disability* (Timonium, Md.: York Press, 1998).

L. Bradley and P. E. Bryant, "Diffculties in Auditory Organization as a Possible Cause of Reading Backwardness," *Nature* 271 (1978): 746-47.

M. Wolf and P. G. Bowers, "The Double-Deficit Hypothesis for the Developmental Dyslexian," *Journal Educational Psychology* 91 (1999): 415-38.

P. E. Bryant et al., "Nursery Rhymes, Phonological Skills and Reading," *Journal of Child Language* 16 (1989): 407-28.

R. D. Morris et al., "Subtypes of Reading Disability: Variability Around a Phonological Core," *Journal of Educational Psychology* 90 (1998): 347-73.

R. K. Olson, "Genes, Environment and Reading Disabilities," in R. J. Sternberg and L. Spear-Swerling (eds.) *Perspectives on Learning Disabilities* (Boulder, Colo.: Westview Press, 1999).

S. E. Fisher and J. C. DeFries, "Developmental Dyslexia: Genetic Dissection of a Complex Cognitive Trait," *Nature Reviews Neuroscience* 30 (2002): 767-780.

第 9 章　讀寫障礙的後期徵兆

A. E. Cunningham and K. E. Stanovich, "What Reading Does for the Mind," *American Educator* 22 (1998): 8-15.

C. E. Snow, M. S. Burns, and P. Griffin (eds.), *Preventing Reading Difficulties in Young Children* (Washington, D.C.: National Academy Press, 1998), pp. 80-83.

Center for the Future of Teaching and Learning, "Thirth Years of NICHD Research: What We

Now Know About How Children Learn to Read," *Effective School Practices* 15 (Summer 1996): 33.

G. Lukatela and M. T. Turvey, "Visual Lexical Access Is Initially Phonological: Evidence from Phonological Priming by Homophones and Pseudohomophones," *Journal of Experimental Psychology* 123 (1994): 331-53.

J. B. Carroll, P. Davies, and B. Richman, *The American Heritage Word Frequency Book* (Boston: Houghton Mifflin, 1971).

K. Rayner and A. Pollatsek, *The Psychology of Reading* (Englewood Cliffs, N.J.: Prentice-Hall, 1989).

L. C. Ehri and L. S. Wilce, "Movement into Reading: Is the First Stage of Printed Word Learning Visual or Phonetic?" *Reading Research Quarterly* 20 (1985): 163-79.

L. C. Moats, Speech to Print (Baltimore, Md.: Paul H. Brookes, 2000).

M. A. Just and P. A. Carpenter, *The Psychology of Reading and Language Comprehension* (Boston: Allyn and Bacon, 1987).

M. Stuart and M. Coltheart, "Does Reading Develop in a Sequence of Stages?" *Cognition* 30 (1988): 139-81.

M. Stuart, "Factors Influencing Word Recognition in Pre-reading Children," *British Journal of Psychology* 81 (1990): 135-46.

P. Maisonheimer, P. Drum, and L. Ehri, "Does Environmental Print Identification Lead Children into Word Reading?" *Journal of Reading Behavior* 16 (1984): 363-67.

R. O. Anderson, P. T. Wilson, and I. G. Fielding, "Growth in Reading and How Children Spend Their Time Outside of School," *Reading Research Quarterly* 23 (1988): 285-303.

R. P. Fink, "Literacy Development in Successful Men and Women with Dyslexia," *Annals of Dyslexia* 48 (1998): 325.

T. G. Sticht et al., *Auding and Reading: A Developmental Model* (Alexandria Va.: Human Resources Research Organization, 1974).

U. Frith, "Beneath the Surface of Developmental Dyslexia," in K. Patterson, J. Marshall, and M. Coltheart (eds.), *Surface Dyslexia* (Hillsdale, N. J.: Erlbaum, 1985), pp. 301-30.

W. E. Nagy and P. A. Herman, "Breadth and Depth of Vocabulary Knowledge: Implications for Acquisition and Instruction," in M. McKeown and M. Curtis (eds.), *The Nature of Vocabulary Acquisition* (Hillsdale, N.J.: Erlbaum, 1987), pp. 19-35.

第 10 章　我的孩子應該接受讀寫障礙鑑定嗎？

B. A. Shaywitz et al., "A Matthew Effect for IQ but Not for Reading: Results from a Longitudinal Study," Reading *Research Quarterly* 30 (1995): 894-906.

J. K. Torgesen, "Catch Them Before they Fall: Identification and Assessment to Prevent Reading Failure in Young Children," *American Educator* 22 (1998): 32-39, quote on p. 32.

S. E. Shaywitz et al., "Persistence of Dyslexia: The Connecticut Longitudinal Study at Adolescence," *Pediatrics* 104 (1999): 1351-59.

第 11 章　在學齡兒童身上診斷讀寫障礙

B. Shaywitz et al., "Cognitive Profiles of Reading Disability: Interrelationships Between Reading Disability and Attention Deficit/Hyperactivity: Disorder," *Child Neuropsychology* 1 (1995): 170-86.

Diagnostic and Statistical Manual of Mental Disorders, 4th ed. (Washlngton, D. C.: American Psychiatric Association, 1994).

G. Wilkinson, Wide Range Achievement Test-3 (Austin, Tex.: PRO-ED, 1994).

J. K. Torgesen, "Assessment and Instruction for Phonemic Awareness and Work Recognition Skills," in H. W. Catts and A. G. Kamhi (eds.), *Language and Reading Disabilities* (Needham Heights, Mass.: Allyn & Bacon, 1999), pp. 128-53.

J. K. Torgesen, R. K. Wagner, and C. Rashotte, Test of Word Reading Efficiency (Austin, Tex.: PRO-ED, 1999).

J. L. Paradise et al., "Effect of Early or Delayed Insertion of Tympanostomy Tubes for Persistent Otitis Media on Developmental Outcomes at the Age of Two Years," *New England Journal of Medicine* 344 (2001): 1179-87.

J. L. Weiderholt and B. R. Bryant, Gray Oral Reading Tests-4 (Austin, Tex.: PRO-ED, 2001).

J. M. Fletcher et al., "Cognitive Profiles of Reading Disability: Comparisons of Discrepancy and Low Achievement Definitions," *Journal of Educational Psychology* 86 (1994): 6-23.

K. E. Stanovich and L. S. Siegel in "Phenotypic Performance Profile of Children with Reading Disabilities: A Regression-Based Test of the Phonological-Core Variable-Difference Model," *Journal of Educational Psychology* 86 (1994): 24-53.

K. K. Stuebing et al., "Validity of IQ-Discrepancy Classifications of Reading Disabilities: A Meta-Analysis" *American Educational Research Journal* 39 (2002): 469-518.

L. M. Dunn, L. M. Dunn, G. J. Robertson, and J. L. Eisenberg, Peabody Picture Vocabulary Test,

3rd ed. (Circle Pines, Minn: American Guidance Service, 1997).

R. K. Wagner, J. K. Torgesen, and C. A. Rashotte, Comprehensive Test of Phonological Processing (Austin, Tex.: PRO-ED, 1999).

R. W. Woodcock, K. S. McGrew, and N. Mather, Woodcock-Johnson III (Itasca, Ill.: Riverside, 2001).

R. W. Woodcock, Woodcock Reading Mastery Tests, Revised/Normative Update (Circle Pines, Minn.: American Guidance Service, 1987, content; 1998, norms).

S. C. Larsen, E. D. Hammill, and L. C. Moats, Test of Written Spelling-4 (San Antonio, Tex.: Psychological Corporation, 1999).

S. E. Shaywitz, J. M. Fletcher, and B. A. Shaywitz, "Issues in the Definition and Classification of Attention Deficit Disorder," *Topics in Language Disorders* 14 (1994): 1-25.

S. Shaywitz, "Current Concepts: Dyslexia," *New England Joural of Medicine* 338 (1998): 307-12.

S. Shaywitz, "Dyslexia," *The New England Journal of Medicine* 333 (1998): 307-12.

The Boston Naming Test, 3rd ed., is part of the Boston Diagnostic Aphasia Examination by H. Goodglass, E. Kaplan, and B. Barresi (San Antonio, Tex.: Psychological Corporation, 2000).

Wechsler Individual Achievement Test-II (San Antonio, Tex.: Psychological Corporation, 2001).

第 12 章　鑑定有風險的兒童

B. W. Wise, J. Ring, and R. Olson, "Training Phonological Awareness with and Without Explicit Attention to Articulation," *Journal of Experimental Child Psychology* 72 (1999): 271-304.

C. E. Snow, M. S. Burns, and P. Griffin (eds.), *Preventing Reading Difficulties in Young Children* (Washington, D.C.: National Academy Press, 1998).

F. Morrison, E. Griffith, and D. Alberts in "Nature-Nurture in the Classroom: Entrance Age, School Readiness, and Learning in Children," *Developmental Psychology* 33 (1997): 254-62.

F. Morrison, L. Smith, and M. Dow-Ehrenberger, "Education and Cognitive Development: A Natural Experiment," *Developmental Psychology* 31 (1995): 789-99.

H. S. Scarborough, "Early Identification of Children at Risk for Reading Disabilities," in B. K. Shapiro, P. J. Accardo, and A. J. Capute (eds.), *Specific Reading Disability* (Timonium, Md.: York Press, 1998), pp. 75-119.

J. K. Torgesen and P. G. Mathes, *A Basic Guide to Understanding Assessing and Teaching Phonological Awareness* (Austin, Tex.: PRO-ED, 2000).

J. K. Torgesen et al., "Intensive Remedial Instruction for Children with Severe Reading Disabilities: Immediate and Long-term Outcomes from Two Instructional Approaches," *Journal of Learning Disabilities* 34 (2001): 33-58.

J. K. Torgesen et al., "Preventing Reading Failure in Young Children with Phonological Processing Disabilities: Group and Individual Responses to Instruction," *Journal of Educational Psychology* 91 (1999): 579-93.

J. K. Torgesen, "Assessment and Instruction for Phonemic Awareness and Word Recognition Skills," in H. W. Catts and A. G. Kamhi, *Language and Reading Disabilities* (Boston: Allyn & Bacon, 1999), p. 131.

J. K. Torgesen, "Catch Them Before They Fall: Identification and Assessment to Prevent Reading Failure in Young Children," *American Educator* 22 (1998): 32-39.

J. K. Torgesen, "Phonologically-Based Reading Disabilities: Toward a Coherent Theory of One Kind of Learning Disability," in R. Sternberg and L. Spear-Swerling (eds.), *Perspectives on Learning Disabilities* (Boulder, Colo: Westview Press, 1999): pp. 106-35.

J. M. Holahan et al., "Developmental Trends in Teacher Perceptions of Student Cognitive and Behavioral Status as Measured by the Multigrade Inventory for Teachers: Evidence from a Longitudinal Study," in D. M. Molfese and V. J. Molfese (eds.), *Developmental Variations in Learning: Applications to Social, Executive Function, Language, and Reading Skills* (Mahwah, N.J.: Erlbaum, 2002): 23-55.

M. J. Snowling, *Dyslexia* (Oxford, England: Blackwell, 2000).

R. K. Wagner and J. K. Torgesen, "Nature of Phonological Processes and Its Causal Role in the Acquisition of Reading Skills," *Psychological Bulletin* 101 (1987): 192-212.

S. E. Shaywitz and B. A. Shaywitz (eds.), *Attention Deficit Disorder Comes of Age: Toward the Twenty-first Century* (Austin, Tex.: PRO-ED, 1992): 89-116.

V. W. Berninger in *Guides for Intervention: Reading and Writing* (San Antonio, Tex.: Psychological Corporation, 1998), pp. 30-31.

第 13 章　診斷聰明的年輕人

D. Lefly and B. Pennington, "Spelling Errors and Reading Fluency in Compensated Dyslexics," *Annals of Dyslexia* 41 (1991): 143-62.

E. Paulesu et al., "Dyslexia — Cultural Diversity and Biological Unity," *Science* 291 (2001): 2165-67.

Findings of fact, conclusions of law and order of judgment in the case of Guckenberger v. Boston

University, 974 F. Supp. 106 (D. Mass, 1997).

GORT-4 (Gray Oral Reading Tests) (Austin: PRO-ED, 2001).

J. I. Brown, V. V. Fishco, and G. Hanna, Nelson-Denny Reading Test (Chicago: Riverside, 1993).

M. Bruck, "Persistence of Dyslexics' Phonological Awareness Deficits," *Developmental Psychology* 28 (5) (1992): 874-86.

M. Bruck, "Word-Recognition Skills of Adults with Childhood Diagnoses of Dyslexia," *Developmental Psychology* 26 (1990): 439-54.

R. Davidson and J. Strucker, "Patterns of Word Recognition Error Among Adult Basic Education Students," *Scientific Studies of Reading* (2002): 299-316.

R. Felton, C. Naylor, and F. Wood, "Neuropsychological Profile of Adult Dyslexics," *Brain and Language* 39 (1990): 485-97.

S. E. Shaywitz, "Dyslexia," *Scientific American* 275 (1996): 98-104.

S. Shaywitz et al., "Persistence of Dyslexia: The Connecticut Longitudinal Study at Adolescence," *Pediatrics* 104 (1999): 1351-59.

第 14 章　所有孩子都能被教會閱讀

J. K. Torgesen, "The Prevention of Reading Difficulties," *Journal of School Psychology* 40 (2002): 7-26.

National Reading Panel, "Teaching Children to Read: An Evidence-Based Assessment of the Scientific Research Literature and Its Implications for Reading Instruction" (Washington, D. C.: U.S. Department of Health and Human Services, Public Health Service, National Institutes of Health, National Institute of Child Health and Human Development, 2000).

No Child Left Behind Act of 2001, Pub. L. No. 107-110, 115 Stat, 1425 (2002).

第 15 章　幫助你的孩子破解閱讀密碼

H. K. Yopp, "Read-Aloud Books for Developing Phonemic Awareness: An Annotated Bibliography," *The Reading Teacher* 48 (1995): 538-43.

J. K. Uhry and L. C. Ehri, "Ease of Segmenting Two-and Three-Phoneme Words in Kindergarten," *Journal of Educational Psychology* 91 (1999): 594-603.

Kevin Lewis and Daniel Kirk, *Chugga-Chugga Choo-Choo* (New York: Hyperion, 1999).

L. Bemelmans, *Madeline* (New York: Penguin Putnam, 2000).

M. J. Adams et al., *Phonemic Awareness in Young Children: A Classroom Curriculum* (Baltimore, Md.: Paul H. Brookes, 1998).

R. A. Kaminski and R. H. Good III, “Assessing Early Literacy Skills in a Problem-Solving Model: Dynamic Indicators of Basic Early Literacy Skills,” in M. R. Shinn (ed.), *Advanced Applications of Curriculum-Based Measurements* (New York: Guilford, 1998): 113-42.

Seuss, Dr., *One Fish Two Fish Red Fish Blue Fish* (New York: Random House, 2001).

T. Elbert et al. in “Increased Cortical Representation of the Fingers of the Left Hand in String Players,” *Science* 270 (1995): 305-07.

V. W. Beminger, *Guidelines for Intervention* (San Antonio, Tex.: The Psychological Corporation, 1998).

第 16 章　幫助你的孩子成為閱讀者

Committee on the Prevention of Reading Difficuties in Young Children, *Preventing Reading Difficulties in Young Children* (Washington, D. C.: National Academy Press, 1998).

Curriculum Development and Supplemental Materials Commission, *Reading/Language Arts Framework for California Public Schools: Kindergarten Through Grade Twelve* (Sacramento: California Department of Education, 1999).

D. W. Carnine, J. Silbert, and E. J. Kammeenui, Direct Instruction Reading (Upper Saddle River, N. J.: Prentice-Hall, 1997).

J. Chall, *Stages of Reading Development* (New York: McGraw-Hill, 1983).

J. R. Birsh (ed.), *Multisensory Teaching of Basic Language Skills* (Baltlmore, Md.: Paul H. Brookes, 1999).

L. C. Moats, *Speech to Print* (Baltimore, Md.: Brookes, 2000).

L. Wendon, *Letterland* (Enfield, N.H.: Letterland International Ltd., 1992).

M. J. Adams, *Beginning to Read* (Cambridge, Mass.: MIT Press, 1990).

M. K. Henry and N. C. Redding, *Patterns for Success in Reading and Spelling* (Austin, Tex.: PRO-ED, 1996).

Marcia K. Henry, *Words: Integrated Decoding and Spelling Instruction Based on Word Origin and Word Structure* (Austin, Tex.: PRO-ED, 1990).

National Reading Panel: Report of the National Panel, *Teaching Children to Read*, 2000.

S. Lloyd, *The Phonics Handbook: A Handbook for Teaching Reading, Writing and Spelling*, 3rd ed. (Essex, England: Jolly Learning Ltd., 1998).

T. G. White, J. Sowell, and A. Yanagihara, “Teaching Elementary Students to Use Word-Part Clues,” *The Reading Teacher* 42 (1989), pp. 302-308.

The American Heritage Word Frequency Book, J. B. Carroll, P. Davies, and B. Richman (Boston:

Houghton-Mifflin, 1971).

第 17 章　幫助你的孩子成為熟練的閱讀者

A. Benarde, *The Pumpkin Smasher* (New York: Walker and Co., 1972).

Alfred, Lord Tennyson poem "Flower in the Crannied Wall" to define "cranny" appeared in W. E. Nagy, *Teaching Vocabulary to Improve Reading Comprehension* (Newark, Del.: International Reading Association, 1988), p. 37.

Dr. Seuss, *The Cat in the Hat* (New York: Random House, 1976).

E. Raskin, *The Westing Game* (New York: Viking Penguin, 1997).

G. S. Pinnell et al., *Listening to Children Read Aloud* (Washington, D.C.: Office of Educational Research and Improvement, U.S. Department of Education, 1995).

I. L. Beck, M. G. Mckeown, and L. Kucan, *Bringing Words to Life: Robust Vocabulary Instruction* (New York: Guilford, 2002).

I. L. Beck, M. G. McKeown, and R. C. Omanson, "The Effects and Uses of Diverse Vocabulary Instructional Techniques," in M. G. McKeown and M. E. Curtis (eds.), *The Nature of Vocabulary Acquisition* (Hillsdale, N.J.: Erlbaum, 1997), pp. 147-63.

K. Cain, "Story Knowledge and Comprehension Skills, " in K. Comold and J. Oakhill (eds.), Reading Comprehension Difficulties: Processes and Intervention (Mahwah, N. J.: Lawrence Erlbaum Associates, 1997), pp. 167-192.

M. W. Brown, *Goodnight Moon* (New York: Harper Collins, 1991).

Marjorie Flack, *The Story About Ping* (New York: Penguin Putnam, 2000).

National Reading Panel, "Teaching Children to Read: An Evidence-Bases Assessment of the Scientific Research Literature and Its Implications for Reading Instruction" (Washington, D. C.: U.S. Department of Health and Human Services, Public Health Service, National Institutes of Health, National Institute of Child Health and Human Development, 2000).

National Reading Panel: Report of the National Reading Panel, "Teaching Children to Read: An Evidence-Based Assessment of the Scientific Research Literature and Its Implications for Reading Instruction" (Washington, D.C.: U.S. Department of Health and Human Services, Public Health Service, National Institutes of Health, National Institute of Child Health and Human Development, 2000).

No Child Left Behind Act of 2001, Pub. L. No. 107-110, 115 Stat. 1425 (2002).

S. Hoff, *Danny and the Dinosaur* (New York: Harper Collins Children's Books, 1978).

T. G. White, J. Sowell, and A. Yanagihara, "Teaching Elementary Students to Use WordPart

Clues," in *The Reading Teacher* 42 (1989): 302-308.

W. E. Nagy, *Teaching Vocabulary to Improve Reading Comprehension* (Newark, Del.: International Reading Association, 1988).

第 18 章　Sam 的閱讀課程：一個有效的模式

A. E. Cunningham and K. E. Stanovich, "What Reading Does for the Mind," *American Educator* 22 (1998): 8-15.

B. Wise and R. K. Olson, "Computer-Based Phonological Awareness and Reading Instruction," *Annals of Dyslexia* 45 (1995): 99-122.

B. Wise, J. King, and R. Olson, "Individual Differences in Gains from Computer-Assisted Remedial Reading," *Journal of Experimental Child Psychology* 77 (2000): 197-235.

B. Wise, J. King, and R. Olson, "Training Phonological Awareness with and Without Explicit Attention to Articulation," *Journal of Experimental Child Psychology* 72 (1999): 271-304.

J. F. Greene, *Language! A Literacy Intervention Curriculum* (Longmont, Col.: Sopris West, 2002); www.language-usa.net.

J. K. Torgesen et al., "Intensive Remedial Instruction for Children with Severe Reading Disabilities: Immediate and Long-term Outcomes from Two Instructional Approaches," *Journal of Learning Disabilities* 34 (2001): 33-58.

J. K. Torgesen et al., "Preventing Reading Failure in Young Children with Phonological Processing Disabilities," *Journal of Educational Psychology* 91 (1999): 579-93.

J. K. Torgesen et al., "The Effectiveness of Teacher-Supported Computer-Assisted Instruction in Preventing Reading Problems in Young Children: A Comparison of Two Methods," an unpublished, manuscript.

J. K. Torgesen, "The Prevention of Reading Difficulties," *Journal of School Psychology* 40 (2002): 7-26.

J. K. Torgesen, et al., "Intensive Remedial Instruction for Children with Severe Reading Disabilities: Immediate and Long-term Outcomes from Two Instructional Approaches," *Journal of Learning Disabilities* 34 (2001): 33-58.

J. K. Torgesen, R. K. Wagner, and C. Rashotte, Test of Word Reading Efficiency (Austin, Tex.: PRO-ED, 1999).

J. L. Weiderholt and B. R. Bryant, Gray Oral Reading Tests-4 (Austin: PRO-ED, 2001).

J. Torgesen et al., "Intensive Remedial Instruction for Children with Severe Reading Disabilities: Immediate and Long-term Outcomes from Two Instructional Approaches," *Journal of*

Learning Disabilities 34 (2001): 33-58.

L. C. Moats, *Teahing Reading Is Rocket Science* (Washington, D.C.: American Federation of Teachers, 1999).

R. C. Anderson, P. T. Wilson, and I. G. Fielding, "Growth in Reading and How Children Spend Their Time Outside of School," *Reading Research Quarterly* 23 (1988): 285-303.

R. L. Allington, "Content Coverage and Contextual Reading in Reading Groups," *Journal of Reading Behavior* 16 (1984): 85-96.

R. L. Allington, "If They Don't Read Much, How Are They Ever Gonna Get Good?" *Journal of Reading* 21 (1977): 57-61.

R. W. Woodcock, Woodcock Reading Mastery Test, Revised/Normative Update (Circle Pines, Minn.: American Guidance Service, 1987, content; 1998, norms).

W. Nagy and R. C. Anderson, "How Many Words Are There in Printed School English?" *Reading Research Quarterly* 19 (1984): 304-330.

第 19 章　教導讀寫障礙兒童閱讀

A. E. Cunningham and K. E. Stanovich, "What Reading Does for the Mind," *American Educator* 22 (1998): 8-15.

B. Foorman et al., "The Role of Instruction in Learning to Read: Preventing Reading Failure in At-Risk Children," *Journal of Educational Psychology* 90 (1998): 37-55.

B. S. Bloom, "Automaticity," *Educational Leadership* 43 (1986): 70-77.

B. Shaywitz et al., "Matthew Effect for IQ but Not for Reading: Results from a Longitudinal Study of Reading, *Reading Research Quarterly* 30 (1995): 894-906.

B. Wise, J. King and R. Olson, "Individual Differences in Gains from Computer-Assisted Remedial Reading," *Journal of Experimental Child Psychology* 77 (2000): 197-235.

B. Wise, J. King, and R. Olson, "Training Phonological Awareness with and Without Explicit Attention to Articulation," *Journal of Experimental Child Psychology* 72 (1999): 271-304.

C. A. Rashotte, K. MacPhee, and J. K. Torgesen, "The Effectiveness of a Group Reading Instruction Program with Poor Readers in Multiple Grades," *Learning Disability Quarterly* 24 (2001): 1-16.

C. D. Mercer et al., "Effects of Reading Fluency Intervention for Middle Schoolers with Specific Learning Disabilities," *Learning Disabilities Research and Practice* 15 (2000): 179-89.

C. E. Snow, M. S. Burns, and P. Griffin (eds.), *Preventing Reading Difficulties*, 1998.

C. Juel, "Learning to Read and Write: A Longitudinal Study of Fifty-four Children from First

Through Fourth Grades," *Journal of Educational Psychology* 80 (1988): 437-47.

D. L. Share, "Phonological Recoding and Self-Teaching: Sine Qua Non of Reading Acquisition," *Cognition* 55 (1995): 151-218.

D. P. Hayes and J. Grether, "The School Year and Vacations: When Do Students Learn?" *Cornell Journal of Social Relations* 17 (1983): 56-71.

E. A. Hanushuk, J. F. Kain, and S. G. Rivkin, "Does Special Education Raise Academic Achievement for Students with Disabilities?" *National Bureau of Economic Research*, Working Paper No. 6690, Cambridge, Mass. 1998.

G. Reid Lyon, "Overview of Reading and Literacy Initiatives," testimony on April 28, 1998, before the Committee on Labor and Human Resources, Washington, D. C.

J. D. McKinney, "Longitudinal Research on the Behavioral Characteristics of Children with Learning Disabilities," in J. Torgesen (ed.), *Cognitive and Behavioral Characteristics of Children with Learning Disabilities* (Austin, Tex.: PRO-ED, 1990), pp. 115-38.

J. E. Hasbrouck and G. Tindal, "Curriculum-Based Oral Reading Fluency Norms for Stusents in Grades 2 Through 5," *Teaching Exceptional Children* 24 (1992): 41-44.

J. K. Toregesen, "Preventing Reading Failure in Young Children with Phonological Processing Disabilities," *Journal of Educatuinal Psychology* 91 (1999): 579-93.

J. K. Torgesen et al., "Intensive Remedial Instruction for Children with Severe Reading Disabilities," *Journal of Learning Disabilities* 34 (2001): 33-58.

J. K. Torgesen et al., "The Effectiveness of Teacher-Supported Computer-Assisted Instruction in Preventing Reading Problems in Young Children: A Comparison of Two Methods," unpublished manuscript (Florida State University: Tallahassee, Fla., 2000).

J. K. Torgesen in "The Prevention of Reading Difficulties," *Journal of School Psychology* 40 (2002): 7-26.

J. K. Torgesen, C. A. Rashotte, and A. Alexander, "Principles of Fluency Instruction in Reading: Relationships with Established Empirical Outcomes," in M. Wolf (ed.), *Time, Fluency, and Dyslexia* (Parkton, Md.: York Press, 2001).

J. K. Torgesen, R. K. Wagner, and C. Rahotte, Test of Work Reading Efficiency (TOWRE) (Austin, Tex.: PRO-ED, 1999).

J. L. Weiderholt and B. R. Bryant, Gray Oral Reading Tests-4 (Austin, Tex.: PRO-ED, 2001).

J. Torgesen et al., "Intensive Remedial Instruction for Children with Severe Reading Disabilities," *Journal of Learning Disabilities* 34 (2001): 33-58.

K. Alexander and D. Entwisle, "Schools and Children at Risk," in A. Booth and J. Dunn (eds.),

Family-School Links: How Do They Affect Educational Outcomes? (Hillsdale, N.J.: Erlbaum, 1996), pp. 67-88.

L. S. Fuchs and D. Fuchs, "Curriculum-Based and Performance Assessments," in E. S. Shapiro and T. R. Kratochwill (eds.), *Behavioral Assessment in Schools: Theory, Research and Clinical Foundations* (New York: Guilford, 2000).

L. S. Fuchs et al., "Formative Evaluation of Academic Progress: How Much Growth Can We Expect?" *School Psychology Review* 22 (1993): 27-48.

M. E. Curtis and A. M. Longo, *When Adolescents Can't Read: Methods and Materials That Work* (Cambridge, Mass.: Brockline Books, 1999): 29.

M. Martinez, N. Roser, and S. Strecker, "I Never Thought I Could Be a Star" : A Readers' Theatre Ticket to Fluency," *The Reading Teacher* 52 (1999): 326-34.

M. R. Shinn (ed.), *Curriculum-Based Measurement: Assessing Special Children* (New York: Guilford, 1989), pp. 239-40.

N. Zigmond and J. Jenkins, "Special Education in Restructured Schools," *Phi Delta Kappan* 76 (1995): 531-35.

N. Zigmond, "Organization and Management of General Education Classrooms," in D. L. Speece and B. K. Keogh (eds.), *Research on Classroom Ecologies* (Mahwah, N.J.: Erlbaum, 1996), pp. 163-90.

National Reading Panel, "Teaching Children to Read: An Evidence-Based Assessment of the Scientific Research Literature and Its Implications for Reading Instruction" (Washington, D. C.: U.S. Department of Health and Human Services, Public Health Service, National Institutes of Health, National Institute of Child Health and Human Developmemt, 2000).

R. A. Kaminski and R. H. Good III, "Assessing Early Literacy Skills," in M. R. Shinn (ed.), *Advanced Applications of Curriculum-Based Measurements* (New York: Guilford Press, 1998).

R. H. Good, D. C. Simmons, and E. J. Kam'enui, "The Importance and Decision-Making Utility of a Continuum of Fluency-Based Indicators of Foundational Reading Skills for Third-Grade High-Stakes Outcomes," *Scientific Studies of Reading* 5 (2001): 239-56.

R. K. Olson et al., "Computer-Based Remedial Training in Phoneme Awareness and Phonological Decoding: Effects on the Post-Training Development of Word Recognition," *Scientific Studies of Reading* 1 (1997): 235-53.

R. L. Allington and A. McGill-Franzen, "School Response to Reading Failure: Instruction for Chapter 1 and Special Education Students in Grades Two, Four and Eight," *Elementary School Journal* 89 (1989): 529-42.

R. W. Woodcock, Woodcock Reading Mastery Test, Revised (Circle Pines, Minn.: American Guidance Service, 1987).

S. Vaughn, S. W. Moody, and J. S. Schumm, "Broken Promises: Reading Instruction in the Resource Room," *Exceptional Children* 64 (1998): 211-25.

Strategies for reading: *Benchmark School Word Identification/Vocabulary Development Program*, Benchmark School, Media, Pennsylvania. Spelling Through Morphographs, SRA/McGraw-Hill, Columbus, Ohio. REWARDS, Sopris West, Longmont, Colorado.

T. V. Rasinski, "Speed Does Matter in Reading," *The Reading Teacher* 54 (2000).

第 20 章　幫助成人成為更好的閱讀者

A. J. Carnevale and D. M. Desrochers, "Connecting Education Standards and Employment: Course-taking Patterns of Young Workers," American Diploma Project: Workplace Study, ETS. Paper Prepared for the National Alliance of Business, October, 1, 2002.

E, Taub, G. Uswatte, and T. Elbert, "New Treatments in Neurorehabilitation Founded on Basic Research," *Nature Reviews Neuroscience* 3 (2002): 228-36.

F. Tao, B. Gamse, and H. Tarr, *National Evaluation of the Even Start Family Literacy Program: 1994-1997. Final Report* (Arlington, Va.: Fu Associates, Ltd. 1998).

I. S. Kirsch et al., *Adult Literacy in America* (Washingtoon, D.C.: Educational Testing Service, 1993).

J. F. Greene, "Language! Efforts of an Individualized Structured Language Curriculum for Middle and High School Students," *Annals of Dyslexia* 40 (1990): 97-121.

L. Candelli, et al. *What Works Study for Adult ESL Literacy Students: Final Report.* Planning and Evaluation Service, U.S. Department of Education, 2000.

M. B. Young et al., *National Evaluation of Adult Education Programs: Final Report* (Arlington, Va.: Development Associates, 1994).

R. S. Puglsley, *Vital Statistics: Who Is Served by the Adult Education Program?* (Washington, D. C.: U.S. Department of Education, Division of Adult Education and Literacy, 1990).

R. S. Venezky and D. A. Wagner, "Supply and Demand for Adult Literacy Instruction," *Adult Education Quarterly* 46 (1996): 197-208.

S. Shaywitz et al., "Estrogen Alters Brain Activation Patterns in Postmenopausal Women During Working Memory Tasks," *Journal of the American Medical Association* 281 (1999): 1197-1202.

T. G. Sticht et al. *Cast-off Youth: Policy and Training Methods from the Military Experience* (New

York: Praeger, 1987).

第21章　選擇學校

National Reading Panel, "Teaching Children to Read: An Evidence-Based Assessment of the Scientific Research Literature and Its Implications for Reading Instruction" (Washington, D.C.: U.S. Department of Health and Human Services, Public Health Service, National Institutes of Health, National Institute of Child Health and Human Development, 2000.)

第23章　調適：搭起一座通往成功的橋樑

B. Shaywitz et al., "Disruption of Posterior Brain Systems for Reading in Children with Developmental Dyslexia," *Biological Psychiatry* 52 (2002): 101-10.

E. Paulesu, et al., "Dyslexia: Cultural Diversity and Biological Unity," *Science* 291 (2001): 2165-67.

Editorial, "Medical School Admissions Criteria: The Needs of Patients Matter," *Journal of the American Medical Association* 278 (1997): 1196-97.

F. P. Robinson, *Effective Study* (New York: Harper Collins, 1946).

K. Gross-Glenn, "Nonsense Passage Reading as a Diagnostic Aid in the Study of Adult Familial Dyslexia," *Reading and Writing: An Interdisciplinary Journal* 2 (1990): 161-73.

M. Bruck, "Outcomes of Adults with Childhood Histories of Dyslexia," in C. Hulme and R. M. Joshi (eds.), *Reading and Spelling: Development and Disorders* (Mahwah, N.J.: Erlbaum, 1998). pp. 179-200; quote, p. 197.

M. Bruck, "Persistence of Dyslexics' Phonological Awareness Deficits," *Developmental Psychology* 28 (1992): 874-86.

M. Bruck, "Word Recognition Skills of Adults with Childhood Diagnoses of Dyslexia," *Developmental Psychology* 26 (1990): 439-54.

M. K. Runyan, "The Effect of Extra Time on Reading Comprehension Scores for University Students with and Without Learning Disabilities," in S. E. Shaywitz and B. A. Shaywitz (eds.), *Attention Deficit Disorder Comes of Age: Toward the Twenty-first Century* (Austin, Tex.: PRO-ED, 1992): 185-95.

R. C. Davidson and E. Lewis, "Affirmative Action and Other Special Consideration Admissions at the University of California, Davis, School of Medicine," *Journal of the American Medical Association* 278 (1997): 1153-58.

R. Davidson and J. Strucker, "Patterns of Word Recognition Error Among Adult Basic Education

Students," *Scientific Studies of Reading* 6 (2002): 299-316.

R. Felton, C. Naylor and F. Wood, "Neuropsychological Profile of Adult Dyslexics," *Brain and Language* 39 (1990): 485-97.

S. E. Shaywitz et al., "Persistence of Dyslexia: The Connecticut Longitudinal Study at Adolescence," *Pediatrics* 104 (1999): 1351-59.

S. M. Weaver, "The Efficacy of Extended Time on Tests for Postsecondary Students with Learning Disabilities," *Learning Disabilities: A Multidisciplinary Journal* 10 (2000): 47-56.

筆記欄

筆記欄

國家圖書館出版品預行編目（CIP）資料

戰勝讀寫障礙 / Sally Shaywitz 作；呂翠華譯. -- 初版. -- 臺北市：
心理, 2014.03
面；　公分. --（障礙教育系列；63124）
譯自：Overcoming dyslexia: a new and complete science-based program for reading problems at any level
ISBN 978-986-191-581-4（平裝）

1.閱讀障礙　2.特殊教育

529.69　　103002517

障礙教育系列 63124

戰勝讀寫障礙

作　　者：Sally Shaywitz
譯　　者：呂翠華
執行編輯：陳文玲
總 編 輯：林敬堯
發 行 人：洪有義
出 版 者：心理出版社股份有限公司
地　　址：231026 新北市新店區光明街 288 號 7 樓
電　　話：(02) 29150566
傳　　真：(02) 29152928
郵撥帳號：19293172　心理出版社股份有限公司
網　　址：https://www.psy.com.tw
電子信箱：psychoco@ms15.hinet.net
排 版 者：辰皓國際出版製作有限公司
印 刷 者：辰皓國際出版製作有限公司
初版一刷：2014 年 3 月
初版六刷：2021 年 5 月
I S B N：978-986-191-581-4
定　　價：新台幣 450 元